Knaur.

Über die Autorin:
Karin Engel lebt und arbeitet als Journalistin und Autorin an der
Westküste Schleswig-Holsteins, in Dithmarschen. Sie schreibt
seit 15 Jahren für Frauenmagazine über Psychologie und aktu-
elle Themen. Die Liebe hat sie vor zehn Jahren an die Küste geführt, doch ihre Wurzeln liegen in Bremen, denn sie ist eine echte
»Tagenbarin«, wie die gebürtigen Bremer genannt werden, deren
Großeltern und Eltern ebenfalls in der Hansestadt an der Weser
geboren wurden.

Karin Engel

Die Kaffeeprinzessin

Roman

Knaur Taschenbuch Verlag

Dieser Titel erschien im Knaur Taschenbuch Verlag 2006 und 2008 bereits unter den Bandnummern 63181 und 50279.

Besuchen Sie uns im Internet:
www.knaur.de

Vollständige Taschenbuch-Neuausgabe September 2012
Knaur Taschenbuch
© 2006 Knaur Taschenbuch
Ein Unternehmen der Droemerschen Verlagsanstalt
Th. Knaur Nachf. GmbH & Co. KG, München
Alle Rechte vorbehalten. Das Werk darf – auch teilweise –
nur mit Genehmigung des Verlags wiedergegeben werden.
Umschlaggestaltung: ZERO Werbeagentur, München
Umschlagabbildung: © Bonhams, London
(Artist: Margetson, William Henry [1861–1940])
Satz: Adobe InDesign im Verlag
Druck und Bindung: GGP Media GmbH, Pößneck
Printed in Germany
ISBN 978-3-426-51228-9

2   4   5   3   1

1

»Nicht zu stark und viel Milch statt Sahne, richtig?«
Felicitas lächelte. Der Kellner war fast so alt wie das Kaffeehaus, fragte sie immer dasselbe und bekam stets dieselbe Antwort, denn niemals würde sie den Kaffee trinken, wie man es in Bremen gewohnt war. So stark, dass der Löffel drin stecken blieb, wenig Sahne, noch weniger Zucker. Oder, noch schlimmer, pechschwarz und stark gezuckert. Nein, Felicitas mochte ihn leicht und mit so viel Milch, dass die Farbe des Getränks dem ihres Haares glich. Wie ihn die Franzosen tranken.

Wie immer war Andreesens Kaffeehaus gut besucht. Seine Lage am Marktplatz der Hansestadt und direkt gegenüber dem Rathaus nutzten die Senatoren und Kaufmänner gern, um eine Tasse Kaffee und ein Stück Wickelkuchen lang von den Geschäften des Alltags zu pausieren oder um Gästen aus anderen Städten, oft sogar aus Übersee, die norddeutsche Lebensart vorzuführen. Nach dem Kaffee wurde so eine Besprechung meistens im Ratskeller fortgeführt, dem ausgebauten Gewölbe unter dem Amtssitz des Bürgermeisters, der eine ausgezeichnete Küche und vor allem eine exquisite Weinsammlung zu bieten hatte.

Unter all den dunkelgrau und schwarz gekleideten Herren wirkte das junge Mädchen in dem hellblauen Kleid mit der Krinoline wie ein provozierender Farbklecks. Das war Felicitas durchaus bewusst, aber es scherte sie so wenig wie die Tatsache, dass es als unschicklich galt, wenn eine Siebzehnjährige ohne Begleitung ein öffentliches Etablissement besuchte. Von ihren Eltern hatte sie gelernt, nicht alles als gegeben hinzunehmen und sich notfalls über das hinwegzusetzen, was ihr sinnlos erschien. Felicitas war sich allerdings nicht ganz sicher, ob sich das auch auf den Besuch eines Kaffeehauses bezog. Doch ihre Eltern mussten es ja nicht erfahren.

Sie liebte es, an dem kleinen Tisch am Fenster zu sitzen. So konnte sie die flanierenden Spaziergängerinnen beobachten, die eilenden Kaufleute, fliegenden Händler und Marktfrauen, die sich zu Füßen des Rolands zu einem Schwätzchen trafen. Lieber noch betrachtete Felicitas aber die Fremden, die mit ihren Geschäftspartnern bei Andreesens Kaffee und Likör tranken. Einige besaßen milchkaffeehelle Haut und feine, wie gemeißelte Züge, andere hatten kräftige schwarze Locken und trugen gedrehte Bärte, deren Enden geziert nach oben zeigten. Felicitas malte sich aus, woher diese Männer stammten, wie sie wohnten, ob sie mit Baumwolle, Kaffee, Gewürzen oder Tabak handelten und was sie während der Überfahrt von Brasilien, Jamaika oder Indien erlebt haben mochten. In ihrer Fantasie sah sie mächtige Felder, weite Meere und dunkelhäutige Menschen in bunten Kleidern vor sich und eine Sonne, die sich nicht hinter Wolken versteckte, wie es in Bremen so oft der Fall war. Eines Tages werde ich diese Länder bereisen, hatte Felicitas sich wohl schon hundertmal gesagt.

Doch Neugier und Fernweh waren es nicht, weshalb sie so häufig den Weg von der Contrescarpe 6, ihrem Elternhaus, zum Marktplatz fand. Franziska Ferrik war der Grund. Die stets in schwarze Anzüge gekleidete und mit bizarrem Silberschmuck behängte Schauspiellehrerin erteilte Felicitas seit einem Jahr Unterricht in Ballett, Singen, Fechten, Sprecherziehung und Rollenstudium, und nichts wäre Felicitas lieber gewesen, als zu Lisa Bergmann zu wechseln, der freundlichen Korrepetitorin, mit der Felicitas' Mutter ihre Sprech- und Gesangsrollen einstudierte. Doch davon wollte ihr Vater nichts wissen. Franziska Ferrik hatte ihn vor fünfundzwanzig Jahren in die Geheimnisse der Schauspielkunst eingeweiht und ihn zu dem Darsteller geformt, der er heute war. Kein anderer Schauspieler vermochte Faust und Othello und Prosperos mehr Leben, mehr Leidenschaft zu geben als er.

Ihr kleines Haus lag nur wenige Schritte vom Marktplatz entfernt am Anfang der Böttcherstraße, und Felicitas nutzte häufig die Gelegenheit, sich bei Andreesens noch einmal auf den Text, den sie hatte lernen sollen, zu konzentrieren, sich die Pausen, Gestik und Mimik, die sie einstudiert hatte, in Erinnerung zu rufen. Sie wollte keinen Fehler machen, denn Franziska Ferrik arbeitete mit unerbittlicher Strenge, kritisierte oft und lobte selten. Vor allem aber hatte sie bereits nach der zweiten Unterrichtsstunde den Finger in eine Wunde gelegt, von der nur Felicitas wusste, dass es sie gab.

»Du bist talentiert, mein Kind, sehr talentiert, aber dir fehlt das Herz fürs Theater. Du liebst die Rollen nicht, die du spielst, du benutzt sie, um dich selbst darzustellen.«

»Das ist nicht wahr, ich wünsche mir nichts mehr, als Schauspielerin zu sein.«

»Eben. Du willst es sein, du willst es nicht lernen. Es geht nur um dich, nicht wahr? Aber das Theater ist nicht dazu da, persönliche Eitelkeiten zu befriedigen.«

Franziska hatte sich einen Zigarillo angezündet, Felicitas nachdenklich angeschaut und von einem »wahrhaftigen Theater« zu sprechen begonnen, einem Theater, das wie in den Stücken Gerhard Hauptmanns die Wirklichkeit des Lebens abbildete und das zwar brillante Darsteller brauchte, aber solche, die ihre Leistung in den Dienst einer höheren Sache stellten.

»Diese Aufgabe kann nur der Schauspieler meistern, der sich selbst zurücknimmt. Und genau das, meine liebe Felicitas, wirst du niemals können.«

In diesem Augenblick hätte Felicitas am liebsten ihre Textbücher genommen und Türen knallend das Haus verlassen. Aber sie riss sich zusammen. Eine andere Lehrerin kam nicht infrage, also blieb Franziska Ferrik ihre einzige Chance. Das war jedoch kein Grund, sich von ihr ins Bockshorn jagen zu lassen.

»Wie hat es bloß jemals ein Schüler bei Ihnen aushalten können? Wie hat mein Vater es ertragen?«

Franziska hatte schweigend geraucht und sich ans Fenster gestellt. Ihre Stimme wurde eine Nuance weicher. »Dein Vater, mein Kind, ist ein ganz anderes Kaliber. Er war viel jünger als du, als er zu seiner ersten Stunde erschien. Mon dieu, er war aufgeregt und schüchtern, wild entschlossen und naiv. Und natürlich völlig ungeformt. Er übertrieb so sehr, es war schlimmste Charge. Aber ich sah in seinen Augen die Liebe und die Hingabe, die man für diesen Beruf braucht. In deinen Augen sehe ich eine Kälte, die mich erschreckt.«

»Ich glaube, Sie mögen mich einfach nicht«, hatte Felicitas entgegnet. »Sie hassen mich, weil ich jung bin und weil viele Jahre vor mir liegen, in denen ich auf der Bühne stehen und den Applaus hören und fühlen werde. Sie neiden es mir, weil Ihre Zeit vorbei ist.«

Franziska Ferrik hatte gelächelt. »Du weißt, dass ich Recht habe. Und ich weiß, dass du es weißt.«

Seit diesem Gespräch herrschte eine Art Waffenstillstand zwischen ihnen. Felicitas übte runde Vokale und exakte Konsonanten, Lieder und Chansons, Pirouetten und Arasbesquen, das Gretchen, das Käthchen und die Katharina. Franziska korrigierte und ermahnte mit gleichgültiger

Härte, lobte immerhin die Singstimme ihrer Schülerin und ihre angeborene Grazie, die ihr bei den Ballettübungen zugute kam, doch sie versäumte es nicht, Felicitas immer wieder daran zu erinnern, was sie von ihr hielt.

Felicitas tröstete sich damit, dass die Ausbildung schließlich nicht ewig dauern würde und dass sie eigentlich auf dem hohen Ross sitzen könne. Denn was ihre Lehrerin damals nicht ausgesprochen hatte, was aber beiden bewusst war, war die Tatsache, dass Franziska auf das Geld angewiesen war, das sie für Felicitas' Stunden erhielt. Schauspiellehrer, mochten sie noch so gut sein, bekamen ein bescheidenes Salär, und abgesehen davon hielt sich die Anzahl der jungen Bremer, die den Weg zu den Brettern, die die Welt bedeuteten, einschlagen wollten, in engen Grenzen. Die Welt der Hansestädter roch nicht nach Talkum, Theaterschminke und Lampenfieberschweiß, sondern nach Baumwolle, Tabak, Kaffee, Reis, Korn und Schifffahrt.

Außer Felicitas unterrichtete Franziska Ferrik nur fünf andere Schüler, und drei von ihnen würden ihre Ausbildung in absehbarer Zeit beendet haben. Dieses Wissen vermochte jedoch nicht das Unbehagen, das Franziskas Worte in Felicitas ausgelöst hatten, zu vertreiben.

»Findest du, dass ich irgendwie, nun ja, kalt wirke?«, hatte sie ihre Mutter einmal gefragt.

Helen Wessels hatte nicht aufgehört sich das Haar zu bürsten und silberhell gelacht. »Das will ich hoffen, mein Schatz. Eine gewisse Kälte hat noch keiner Frau geschadet. Dies ist eine Welt, die für Männer gemacht ist, und wenn du klug bist, schlägst du sie mit ihren eigenen Waffen.«

»Ich meine es ernst.«

»Schau dich an«, hatte ihre Mutter gesagt. »Schau uns an.«

Prüfend betrachtete Felicitas ihr Gesicht und das ihrer

Mutter im Spiegel der Frisiertoilette. Sie ähnelten einander wie Schwestern, beide aschblond, ovale Gesichtsform, ein kantiges Kinn, eine feine, fast spitze Nase, hohe Wangenknochen und blaue Augen, die so hell schimmerten wie ein geschliffener Aquamarin.

»Es sind die Augen, Felicitas. Die Wessels-Augen. Meine Mutter hatte sie und deine Urgroßmutter auch. Es ist dieses Blau, das andere Menschen irritiert. Aber auch fasziniert. Dein Vater hat sich als Erstes in meine Augen verliebt.« Sie lächelte. »Und denke dran, es ist nur eine Farbe. Kühl zu wirken und kalt zu sein sind zweierlei. Vergiss das niemals.«

Die Worte ihrer Mutter hatten sie ein wenig beruhigt, aber der Zweifel blieb. Vielleicht wäre es vernünftiger gewesen, ihr ihre Probleme mit Franziska Ferrik anzuvertrauen. Doch das hätte bedeutet, die Karten auf den Tisch zu legen, und das wollte Felicitas nicht, denn tief in ihrem Innern wusste sie, dass es in der Tat nicht das leidenschaftliche Gefühl von Berufung war, was sie empfand, wenn sie die Rollen studierte und spielte. Aber gleichwohl spürte sie eine Kraft in sich, eine mächtige Sehnsucht, die sie vorantrieb und nicht aufgeben ließ. Gab es denn wirklich nur eine Quelle, die den wahren Schauspieler speisen konnte? Hatte Franziska Ferrik Recht, und wenn ja, was würde das für Felicitas' Pläne bedeuten?

Missmutig rührte sie ihren Kaffee um. Es wurde Zeit. Sie trank aus, bezahlte und verließ Andreesens Kaffeehaus.

Es nieselte. Felicitas spannte ihren kleinen blauen Schirm auf und machte sich entschlossen auf den Weg. Und wenn schon, soll sie doch denken, was sie will. Das wird mich nicht davon abhalten, meinen Weg zu gehen, dachte Felicitas. Bald werde ich in Berlin sein, und ich schwöre bei Gott, dass ich's schaffen werde.

»Elfriede!«

Helen Wessels' klarer Sopran hallte durch die Flure, und Elfriede rollte mit den Augen.

»Wenn sie noch mehr Gäste eingeladen hat, kündige ich auf der Stelle.«

Arthur lächelte. Niemals würde Elfriede kündigen, genauso wenig wie er. Seit zehn Jahren versorgten sie den Haushalt der Wessels. Elfriede kochte, wusch, bügelte und flickte, er reparierte, schleppte Holz für die Kamine und pflegte den Garten, der Helens ganzer Stolz war. Es war ein Glücksfall, der sie zu dem Ehepaar und ihrer hübschen Tochter geführt hatte. Arthur arbeitete schon eine Weile als Gärtner bei den Wessels, als Helens Garderobiere eines Tages mit einem Matrosen durchbrannte.

Eine Katastrophe, denn das Commedia dell'Arte-Stück *La donna serpente*, das die nächsten zwei Wochen en suite gespielt werden sollte, sah für die Hauptrolle der Schlangenfrau komplizierte Kostümwechsel vor, die Helen nicht allein bewältigen konnte. Der Inspizient rang die Hände, war aber nicht imstande, schnell Ersatz zu finden.

Elfriede, Arthurs Frau, war eingesprungen. Bislang hatte sie sich durch Näharbeiten ein kleines Zubrot verdient, wodurch Arthur und sie etwas besser über die Runden kamen. Dies jedoch war eine Chance, und was für eine! Elfriede Engelke, Garderobiere der berühmten Helen Wessels!

Helen war mehr als skeptisch, doch zwei Tage vor der Premiere blieb ihr kaum eine andere Möglichkeit, als es in Gottes Namen mit der Frau des Gärtners zu versuchen. Elfriede, angespornt von der Vorstellung, ihrem bescheidenen Dasein einen Hauch von weiter Welt zu verleihen, erledigte ihre Aufgaben mit großem Geschick und wirkte durch ihr resolutes Wesen überdies außerordentlich beruhigend auf die sensible, stets sehr angespannte Helen. So kam es, dass Helen auf ihre neue Perle auch dann nicht verzichten wollte, als die fahnenflüchtige Garderobiere zwei Monate später unverheiratet, aber schwanger wieder aufgetaucht war. Kündigen mochte Helen der unglücklichen jungen Frau nicht, sie war schließlich schon gestraft genug. Also engagierte sie Elfriede kurzerhand als Haushälterin für die Contrescarpe 6.

Das war zehn Jahre her, 1892. Helen und Max Wessels lebten damals gerade seit zwei Jahren in Bremen und hatten das Publikum der Hansestadt im Sturm erobert. Sie bildeten ein attraktives, charmantes Paar, das die Bühne mit seinem Spiel zum Leuchten brachte. Elfriede und Arthur platzten fast vor Stolz, bei ihnen angestellt zu sein, und galten seitdem in der Langenstraße als etwas Besonderes, vor allem, weil sie nun im Gegensatz zu vielen anderen Bewohnern der Neustadt nicht mehr gezwungen waren, in der nahe gelegenen Volksküche ein Mittagessen für dreißig Pfennig oder eine Suppe für fünf Pfennig einzunehmen.

»Da bist du ja!« Helen betrat die Küche, die unpraktischerweise im Souterrain des Hauses lag und nur mit immensen Kosten ins Parterre hätte verlegt werden können. Doch so waren die meisten Bremer Häuser nun einmal gebaut, der Himmel mochte wissen, warum. »Elfriede, es tut mir Leid, aber du wirst dich noch auf vier weitere Gäste einstellen müssen.«

Elfriede knetete schweigend, aber viel sagend den Brotteig weiter.

»Ich weiß, ich weiß, du magst Überraschungsgäste nicht. Aber schau, Constanze und Dorothee kommen zur Premiere, und sie können ja schlecht ohne ihre Eltern anreisen, nicht wahr? Und bis übermorgen ist ja noch genug Zeit.«

»Genug Zeit«, brummte Elfriede, klatschte den Teig auf den Küchentisch und bearbeitete ihn, als wollte sie ihn erwürgen. »Weiß die gnädige Frau eigentlich, wie viel Zeit es kostet, Brot zu backen, Wachteln zu marinieren, Betten zu beziehen und Zimmer herzurichten?«

»Ich weiß es«, entgegnete Helen leichthin, »schließlich bin ich nicht als Schauspielerin auf die Welt gekommen. In Sorau habe ich Kühe gemolken und Gerstengrütze zubereitet.«

Mit gerunzelter Stirn betrachtete Elfriede den fertig geformten Laib und schnitt mit geübter Hand einige Kerben in die Oberfläche, öffnete die Luke des Backofens und bugsierte den Teig hinein. In kürzester Zeit würde der verführerische Duft frisch gebackenen Brotes durch die Küche ins Entree ziehen, und Helen freute sich jetzt schon auf ein dickes Stück vom Knust mit Butter und Salz. Dafür ließ sie jedes Menü stehen.

»Aber nicht wieder den Knust naschen, gnädige Frau. Das Brot ist für unsere Gäste gedacht!« Elfriede drohte scherzhaft mit dem Zeigefinger, und Arthur seufzte erleichtert. Er fürchtete stets, dass Elfriedes Starrsinn eines Tages zum Zerwürfnis mit den Wessels führen würde, und womit sollten sie dann ihren Lebensunterhalt verdienen?

Helen ahnte, was in Arthur vorging, und lächelte. »Dann ist ja alles klar, nicht wahr?«

Meine Güte, dachte Helen, als sie die geschwungene Treppe in den ersten Stock hinaufging, über die Jahre ist Elfriede doch ein recht harter Knochen geworden.

Seufzend setzte sie sich auf ihr Bett und nahm das Rollenbuch in die Hand, in dem der Text über und über mit handschriftlichen Anmerkungen versehen war.

Regieanweisungen und persönliche Notizen, auf die kein Schauspieler verzichtete, sie bildeten das Gerüst der Darstellung. Mit jeder Eintragung machte sich Helen die Figur mehr zu Eigen, wie ein Maler, dessen Pinselstriche irgendwann ein fertiges Gemälde zeigten. Doch dieses Mal schien es ihr, als würden sie die Worte gar nicht erreichen. Die Rolle war ihr fremd geblieben. Dabei war die Alkmene nun wirklich kein so schwieriger Part. Kleist hatte auf amüsante und zugleich tieftragische Art eine Frau gezeichnet, die zwischen ihrem geliebten Mann Amphitryon und dem Gott Jupiter, der die Gestalt ihres Mannes angenommen hat, nicht mehr unterscheiden kann. Sie ist überzeugt von ihrer reinen Liebe zu Amphitryon, doch vor die Wahl gestellt, welcher von beiden denn nun ihr Gatte sei, entscheidet Alkmene sich für Jupiter.

Helen legte das Buch zur Seite, stand auf und setzte sich an ihre große, mit vielen Details verzierte Frisierkommode und bürstete sich mit kräftigen Strichen das volle aschblonde Haar, das sie seit Jahren aller Mode zum Trotz schulterlang, glatt und schlicht gescheitelt trug. Sie betrachtete sich im Spiegel und war nicht zufrieden mit dem, was sie sah. Ich bin müde, dachte sie, und man sieht es mir an. Ich habe Angst vor der Premiere. Ich habe weder Lust, diese Alkmene zu spielen, noch die charmante Gastgeberin. Ich möchte mir die Bettdecke über den Kopf ziehen und erst in einer Woche wieder aufstehen.

Vielleicht lagen die Stimmungsschwankungen, die sie in letzter Zeit plagten, wirklich an den Umstellungen ihres Körpers, wie ihr der Hausarzt zögernd erklärt hatte. Vielleicht hatte jedoch Elfriede Recht und Max und sie, Helen, übertrieben es einfach mit ihrer Idee von einem »offenen Haus«, in dem Freunde und Verwandte stets willkommen waren.

Mit dem traditionellen Jour fixe, den die Gattinnen einflussreicher Bremer gewöhnlich einmal im Monat abhielten, hatten Max und Helen zwar nichts im Sinn, doch zu jeder Tages- und Nachtzeit, meist gegen Mitternacht, wenn die Vorstellung beendet war, musste man gewahr sein, dass unangemeldeter Besuch vor der Tür stand. Vor allem Max liebte es, Menschen um sich zu haben, unabhängig davon, ob es sich um hoffnungsvolle Nachwuchsautoren, depressive Philosophen, betrunkene Künstler aus Worpswede oder Schauspielkollegen handelte. Rang und Namen waren Max gleichgültig, »interessant, geistreich, originell« – das waren die Schlüssel, die die Tür zur Contrescarpe 6 öffneten.

Helen indes hätte nichts dagegen gehabt, diesen Kreis um den einen oder anderen Senator oder Geschäftsmann zu ergänzen, aber Max wollte nichts davon wissen.

»Sie sind so sterbenslangweilig. Sie unterhalten sich über das Wetter, die Baumwollbörse und den Bürgerpark. Schon das Wort Gewerkschaften verursacht ihnen Übelkeit, und wenn ich zum Besten geben würde, wie viele Frauen Goethe gehabt hat, würden sie sich an ihrem Kaffee verschlucken. Nein, bitte verschone mich mit diesen Leuten.«

Das war natürlich reichlich übertrieben, doch Helen vermied jede weitere Diskussion, weil sie den wahren Grund für seine Ablehnung ahnte. Trotz aller Erfolge war Max fest davon überzeugt, dass eine feine, aber stählerne Linie ihn und Helen von der Bremer Gesellschaft, den alteingesessenen Unternehmern und deren Familien trennte. Er glaubte, zum Duft erlesener Tradition wollte der Stallgeruch seiner und auch Helens Herkunft nicht passen. Der uneheliche Sohn einer Frau, die zu oft dem Alkohol zusprach, und die Tochter eines verarmten ostpreußischen Gutsbesitzers tranken nicht Likör mit den Andreesens, den Hansens und den van der Laakens.

Es mochte zwar durchaus sein, dass Schauspielern immer

noch ein gewisser Hautgout von fahrenden Komödianten anhaftete, dennoch schien es Helen, als zöge Max allein mit seinem Gefühl der Unterlegenheit diese Linie, die zu überschreiten die feinen Bremer sich angeblich weigerten. In Wahrheit war er es, der es nicht fertig brachte, über seinen Schatten zu springen.

Diese Meinungsverschiedenheit trübte nicht als einzige die Harmonie ihrer Ehe.

Sie mochten selten dieselben Stücke, stritten sich über Inszenierungen und Max' Freunde, die in Helens Augen keine waren. Er liebte es, die Nacht zum Tag zu machen, sie wachte beim ersten Vogelzwitschern froh gelaunt auf. Max wollte mindestens vier Kinder, Helen höchstens eins, und auch das nur als Zugeständnis an ihre Pflicht als Ehefrau. Im Grunde ihres Herzens verspürte sie nicht das Bedürfnis, sich um ein hilfloses Wesen zu kümmern, das für eine ganze Weile völlig von ihr abhängig sein würde. Mitunter schien es ihr, als wären sie und Max wie Sonne und Mond – sie bedingten einander, ohne wirklich je zueinander zu kommen.

Der stete Neuanfang in anderen Städten und an anderen Theatern und die damit verbundene prickelnde, inspirierende Aufregung ließ ihre Differenzen jedoch wie charmante Unterschiede funkeln, die ihre Leidenschaft schürte und ihrer Liebe das gewisse Etwas verlieh.

Einig waren sie sich nur darin, das Leben zu leben, wie es ihnen vom Schicksal, von Gott oder sonst wem zugedacht war. Max und Helen haderten nie mit den Umständen, und zu jammern oder sich gegenseitig Vorwürfe zu machen kam ihnen nicht in den Sinn. Sie packten die Dinge an, und wenn es ihnen misslang, lachten sie darüber. Dieser fröhliche Fatalismus bildete, ohne dass es ihnen bewusst wurde, die Grundlage ihrer Ehe.

Nach vielen Jahren des Umherziehens fand Max es an der Zeit, eine Weile sesshaft zu werden, damit ihre kleine Tochter in einem geordneten Haushalt aufwuchs.

Der Ruf des Bremer Schauspielhauses kam ihnen gerade recht. In der Hansestadt wurde bodenständiges Theater gespielt, doch auch gelegentlichen Experimenten verschloss sich der Intendant nicht. Das Ensemble hatte einen guten Ruf, und eigentlich gab es keinen Grund, das Angebot abzulehnen. Bis auf Max' Befürchtung, die Hansestädter könnten in ihm nicht den Schauspieler sehen, sondern nur den Bastard.

»Das ist fünfunddreißig Jahre her«, erinnerte ihn Helen. »Du glaubst doch nicht im Ernst, dass irgendjemand in der Vorstellung aufsteht, mit dem Finger auf dich zeigt und ruft: ›Das ist kein Schauspieler, sondern der uneheliche Sohn der feschen, leider inzwischen verblichenen Mimi!‹«

Sie unterschrieben den Vertrag und zwei Wochen später reisten Max, Helen und Felicitas nach Bremen.

Vom ersten Augenblick an hatte Helen sich in das Haus in der Contrescarpe verliebt, das ganz im Stil der neureichen Bremer erbaut und dabei doch erschwinglich gewesen war. Das dreistöckige, reich mit Stuck verzierte Gebäude lag nur einen Katzensprung vom Theater, von den Osterdeichwiesen und der Weser entfernt und ganz weit weg vom Buntentor, wo Max aufgewachsen war.

Felicitas bekam das helle, sonnendurchflutete Zimmer mit dem kleinen Balkon. Von dort aus konnte man in den Garten schauen, in dem drei prachtvolle Apfelbäume, ein Mandelbaum und handtellergroße, süß duftende Rosen ab Mai um die Wette blühten. Helen fand das Zimmer viel zu prätentiös für eine Siebenjährige, aber Max redete so lange, bis Helen nachgab.

Max verwöhnte Felicitas grenzenlos. Zwei Tage nach ihrer

Geburt behauptete er, in den weichen, runden Zügen des winzigen Babys die ersten Ansätze für eine spätere Schönheit zu erkennen. Das feine Näschen, das zarte Kinn, die silbrig blonden Löckchen und diese aquamarinblauen Augen – nein, seine Tochter würde bestimmt nicht zu einer Allerweltserscheinung heranreifen. Und später, als Felicitas sieben Jahre alt war, schien sich seine Euphorie zu bewahrheiten.

Leider ließ die kleine Felicitas keinerlei musische oder theatralische Begabung erkennen. Statt lustiger Gutenachtgeschichten las Max dem Kind Goethe und Schiller vor, schaffte eine Blockflöte und ein Klavier an und ließ ein kleines Cello anfertigen. Doch Felicitas zeigte sich gänzlich uninteressiert an klassischen Versen, Instrumenten und Noten. Sie verkleidete sich gern mit den Stoffen, aus denen ihre Mutter Kleider nähen lassen wollte, mit deren Schals und Stolen und spielte Prinzessin oder Scheherazade, aber das taten alle kleinen Mädchen. Auch als Felicitas zum jungen Mädchen heranwuchs, beschränkte sich ihr Interesse an der Kunst darin, die Premieren ihrer Eltern zu besuchen. Umso verwunderter waren Max und Helen, als Felicitas vor einem Jahr mit ihrem Wunsch herausrückte, Schauspielerin werden zu wollen. Max war sofort Feuer und Flamme für ihren Plan und verpflichtete noch am selben Tag Franziska Ferrik.

Helen hielt den überraschenden Sinneswandel ihrer Tochter für die Frucht ihrer, besonders Max' Erziehung und ihrer Art zu leben. Beides hatte ihrer Tochter gar keine andere Wahl gelassen.

Hätte sie Gouvernante werden sollen?, fragte sich Helen und legte die Bürste zur Seite. Oder einfach heiraten und Kinder kriegen? Das wäre wirklich Verschwendung.

Und Begabung ließ sich schließlich entwickeln. Sie, Helen,

war das beste Beispiel dafür. Jeder Intendant hätte damals nicht einen Pfifferling auf ihr Talent gesetzt. Nur Max hatte an sie geglaubt, so verliebt, wie er war, und mit ihr gearbeitet, Stunde um Stunde. Hatte ihr den singenden ostpreußischen Dialekt abgewöhnt und ihr das Gefühl für Nuancen und Pausen vermittelt. Das Ergebnis war handwerklich solide, aber, wie Helen fand, ohne Brillanz. Sie hatte sich nie etwas vorgemacht, und sie wusste, dass sie ihren Erfolg in erster Linie ihrer kühlen Schönheit verdankte. Sie schmückte die Bühne und überspielte auf diese Weise alle darstellerische Schwäche.

Aber diese Alkmene! Diese unsägliche Rolle! Helen wurde das Gefühl nicht los, in zwei Tagen gnadenlos unterzugehen.

Sie hörte das Klappen der Haustür und Max' eilige Schritte, die immer zwei Stufen auf einmal nahmen. Er klopfte an Helens Tür, und ohne ihre Antwort abzuwarten, betrat er das Schlafzimmer, warf seiner Frau einen Kuss zu und ließ sich in einen zierlichen, mit rosa Chintz bezogenen Sessel fallen. Mit einer Hand lockerte er die schwarze Hemdschleife, mit der anderen fasste er sich an den Kopf.

»Die Hauptprobe wird ein einziges Chaos. Nichts ist fertig. Das Bühnenbild ist zu klein geraten, das Publikum hat einen schönen Blick auf die Kulissen und die Seilzüge, mein Kostüm sitzt wie ein Sack, und an Merkurs Helm haben sie die Flügel vergessen, er sieht aus wie ein Nachttopf.« Max lachte, stand auf und nahm sie in den Arm. »Es ist eben wie immer. Und übermorgen feiern wir eine wunderbare Premiere. Wie immer.« Er küsste sie auf die Nase und verzog das Gesicht. »Lass das, Max, jetzt glänzt meine Nase. Du weißt doch, dass ich das nicht mag. Wo ist meine Puderdose?«, äffte er sie liebevoll nach. Helen löste sich von ihm, doch er hielt sie an den Schultern fest und sah ihr prüfend in die Augen. »Was ist los, Helen? Ist Elfriede die Pastete für unsere Gäste missraten?«

»Keine Witze, Max, bitte. Ich fühle mich entsetzlich.«

»Du hast Lampenfieber, meine Liebe.« Er betrachtete angelegentlich Helens Bonbonniere aus Kristallglas, die er ihr zum ersten Hochzeitstag geschenkt hatte, wählte sorgfältig eine von den Pralinen aus und biss genüsslich hinein. »Champagnertrüffel. Ich liebe Champagnertrüffel.«

Sie sieht wirklich etwas angegriffen aus, dachte er nüchtern und überlegte, ob es klug sei, auf ihre Hysterie einzugehen. Denn das war es, was sonst. Darüber nachzudenken lohnte sich nicht, weil sich das in der Regel binnen drei Minuten vor dem Publikum in Luft auflöste. »Du magst die Alkmene nicht, ich weiß.«

Helen zuckte hilflos mit den Schultern. »Das ist es nicht. Ich finde nur einfach keinen Zugang zu ihr, ich begreife sie nicht.«

»Das hast du bis jetzt aber ganz gut überspielt.« Das war nur die halbe Wahrheit, denn tatsächlich hatte ihn der Intendant nach der letzten Probe zur Seite genommen und gefragt, ob Helen etwas fehle. Irgendwie sei sie nicht ganz sie selbst.

Max war zwar nicht entgangen, dass Helens Darstellung etwas farblos wirkte, doch da es nicht das erste Mal war, dass seine Frau erst kurz vor der Premiere in eine Figur glitt wie in ein maßgeschneidertes Kleid, hatte er dem keine Bedeutung beigemessen. Er, Max, erfasste eine Rolle mit präzisem Instinkt, während Helen sie Satz für Satz und mit Intellekt eroberte. Bislang war das nie ein Problem gewesen, es war einfach ihre Art. Außerdem hatte sie mit keinem Wort erwähnt, dass es Schwierigkeiten gebe. Auch das war ihre Art.

Er nahm noch eine Praline und wog kauend ab, wie er Helen über die Klippe helfen könnte.

»Vielleicht solltest du ihr ein wenig mehr Leidenschaft geben. Alkmene liebt Amphitryon über alle Maßen, und die Erkenntnis, dass sie sich getäuscht hat, dass sie ein Ideal liebt, nicht den sterblichen, fehlbaren Menschen, stürzt sie in blanke Hoffnungslosigkeit. Alkmene ist voller Hingabe, in der Liebe wie in der Verzweiflung.« Er hoffte, dass seine Worte beiläufig genug geklungen hatten, wie ein gut gemeinter Rat ohne tiefere Bedeutung. Doch Helen starrte ihn an, und Max wusste, dass er besser den Mund gehalten hätte.

»Du hast es wirklich gut, Feli!« Constanze ließ sich auf Felicitas' breites Bett mit dem blassblauen Seidenüberwurf fallen und seufzte. »Ein eigenes Zimmer! Und so groß!« Stirnrunzelnd betrachtete Felicitas ihre Cousine. Sie hasste dieses »Feli«. Kein Mensch hatte sie je so genannt außer diesem Mädchen aus Sorau, das schon als Kind für Felicitas' Geschmack eine Spur zu laut war in allem, was sie tat. Constanze schien Felicitas' Unmut nicht zu bemerken und plauderte munter weiter. »Wir haben jetzt Trakehner. Drei Stuten und einen Hengst, und ein Fohlen ist unterwegs«, erzählte sie begeistert. »Ich werde es Connie nennen, wie findest du das?«

»Wahnsinnig originell«, sagte Felicitas bissig.

Constanze drehte sich langsam um und blickte Felicitas wütend an. »Seitdem du Schauspielerin werden willst, ist mit dir nichts mehr anzufangen. Du hältst dich wohl für etwas Besseres, was?« Sie schwang sich vom Bett und zupfte mit übertriebener Sorgfalt die Decke zurecht. »Aber das bist du nicht, niemand ist es. Wir sind alle gleich.«

»Wer hat dir denn den Unsinn erzählt?«, fragte Felicitas amüsiert.

»Ein Junge«, antwortete Constanze und errötete.

»Du bist verliebt«, sagte Felicitas aufs Geratewohl, und das Gesicht ihrer Cousine wurde noch eine Spur dunkler. Ausgerechnet Constanze! Felicitas war überrascht, denn ihrer burschikosen, für ihr Gefühl wenig charmanten Verwandten hätte sie eine romantische Schwärmerei gar nicht zugetraut. Andererseits war aus dem Mädchen, das schneller melken und auf Bäume klettern konnte als die Burschen von Sorau, eine junge Frau geworden, die ihren eigenen Liebreiz besaß. Dunkelbraune Locken umspielten ein rundes Gesicht mit hohen, kräftigen Brauen über rehfellfarbenen Augen, einer etwas zu groß geratenen Nase und einem hübsch geschnittenen weichen kleinen Mund. Im Gegensatz zu Felicitas wirkte sie nicht im mindesten gefährlich, sondern fröhlich, gesund und patent. Wahrscheinlich wird sie bald heiraten und jedes Jahr ein Kind bekommen, dachte Felicitas ohne Neid, doch mit Erstaunen, denn plötzlich wurde ihr bewusst, dass sie selbst an die Liebe noch gar keinen Gedanken verschwendet hatte. Sie war viel zu sehr mit sich und ihren ehrgeizigen Plänen beschäftigt.

»Nun sag schon, wer ist er?«, fragte Felicitas aufmunternd. Es klopfte an der Tür, und Constanze rollte mit den Augen. »Das ist Dorothee.«

Felicitas öffnete, und schüchtern betrat Dorothee das Zimmer. »Störe ich euch?«

»Sei nicht albern«, entgegnete Felicitas und nahm sie am Arm. »Natürlich nicht. Constanze wollte mir gerade etwas von diesem jungen Mann erzählen, der ihr den Kopf verdreht hat.« Mit einem Schmerzensschrei sank Constanze aufs Bett, und Dorothee sah Felicitas verschreckt an.

»Constanze? Wieso? Ich meine, ich wusste ja nicht …«

»Und morgen weiß es die ganze Welt«, stöhnte Constanze.

Dorothee sah ihre Schwester verletzt an. »Das ist nicht wahr. Ich habe dich noch nie verraten.« Hilfe suchend wandte sie sich an Felicitas. »Ist Constanze in Schwierigkeiten?«

»Nein!« Constanze kreischte fast, und Dorothee zuckte zusammen.

»Um Himmels willen!« Felicitas blickte ihre Cousinen streng an. Wie konnten zwei Schwestern nur so verschieden sein? »Reißt euch zusammen. Willst du das ganze Haus rebellisch machen, Constanze? Und du, Dorothee, hör auf wie ein weidwundes Tier zu gucken. Passt auf, wir schließen einen Pakt. Constanze, du beichtest jetzt alles, was es zu beichten gibt. Und wir, Dorothee, schwören, es sofort zu vergessen. Einverstanden?«

Dorothee nickte.

»Wenn du nicht den Mund hältst«, giftete Constanze ihre Schwester an, »schneide ich dir das Haar ab.«

Dorothees dunkelbraune Augen füllten sich mit Tränen. Noch nie hatte sie der ungestümen Vehemenz ihrer Schwester etwas entgegenzusetzen vermocht außer stillem Leiden. Sie schluckte und sah Constanze flehend an.

»Also gut.« Constanze faltete die Hände und legte die ausgestreckten Zeigefinger an ihre Nase, als müsste sie sich konzentrieren, um nichts Wichtiges zu vergessen. »Er ist drei Jahre älter als ich und Halbrusse. Seine Mutter ist aus Königsberg, sein Vater aus Moskau. Er ist nie zur Schule gegangen, weil er mal hier und mal dort gelebt hat, aber er ist viel klüger als wir alle.« Ihre Augen leuchteten, und Felicitas verkniff sich eine bissige Bemerkung. »Er hat sich das Lesen selbst beigebracht und arbeitet mit seinen Freunden an der Weltrevolution.«

Das Wort hing im Raum, als würde es sich fragen, wie es dahin gekommen war zu diesen drei hübschen Mädchen in duftigen Kleidern und glänzenden Haaren, doch Felicitas empfand die unfreiwillige Komik nicht. Sie war ehrlich entsetzt.

»Aber Constanze, diese Leute gehören nicht zu uns. Sie sind gegen den Kaiser, gegen das Bürgertum, gegen das Theater, ach, gegen alles.«

»Sie sind dafür, dass es allen Menschen gut geht, nicht nur den Reichen. Sie wollen das Geld und das Land gerecht verteilen, und ich kann nicht einsehen, was daran falsch sein soll.«

»Die Idee ist eine Illusion«, entgegnete Felicitas, »weil eben nicht alle Menschen gleich sind. Was für den einen gut ist, ist für den anderen schlecht. Ich will nicht, dass mir jemand vorschreibt, wie es zu sein hat. Jeder ist für sein Glück selbst verantwortlich, und wenn das Schicksal aus mir keinen Großgrundbesitzer gemacht hat, dann packe ich es an und werde einer. Aber das ist meine Entscheidung.«

»Du weißt ja nicht, was du redest«, sagte Constanze wegwerfend. »Du bist die Prinzessin von der Contrescarpe.«

»Und ihr habt Trakehner«, gab Felicitas zurück.

»Mag sein, aber unsere Nachbarn wissen nicht, woher sie das Geld für die Aussaat nehmen sollen, ihre Kinder gehen in Lumpen, und sie essen jeden Tag Haferbrei.«

»Aber das ist doch nicht dein Problem!«, rief Felicitas. »Hilf ihnen, wenn du glaubst, dass du dich dadurch besser fühlst. Zweig ein paar Kartoffelpflanzen von euren ab, und klau drei Schinken aus der Vorratskammer. Das ist in jedem Fall vernünftiger und praktischer als einem Hirngespinst nachzujagen.«

Constanze hörte Felicitas ruhig zu. Ihre Augen blickten spöttisch, doch Felicitas las in ihnen eine wissende Gelassenheit, die ihre Cousine plötzlich sehr erwachsen erscheinen ließ. Eine unsichtbare Kluft tat sich zwischen ihnen auf, die die goldenen Sommer ihrer Kindheit verschluckte, die Erinnerungen an endlose duftende Levkojenwiesen und weite Tannenwälder, an Spiel und Spaß und verträumte Nachmittage im Rosengarten des Guts. Jeden Juni waren sie und ihre Eltern nach Sorau gereist, um in den Theaterferien ein wenig Landleben zu schnuppern und sich den Ostwind um die Nase wehen zu lassen. Auf diese Weise demonstrierte ihre Mutter ihrem Bruder Carl und ihrer Schwägerin Verena dezent, dass ihr ihr Elternhaus und die wenigen Ländereien, so heruntergekommen alles auch sein mochte, durchaus am Herzen lagen. Nachdem die Familie in Bremen sesshaft geworden war, erschien ihnen die Reise zu anstrengend, und sie zogen es vor, nur jeden zweiten Sommer in Ostpreußen zu verbringen und den anderen an der Nordsee oder in Bremens malerischer Umgebung, in Fischerhude und Worpswede.

Felicitas fühlte sich Sorau und den Menschen dort verbunden, ihre Cousinen waren die Schwestern, die sie nicht gehabt hatte. Ein Band, geknüpft aus geteilten Geheimnissen, gebeichteten Träumen und selbstverständlichem Vertrauen, schien sie bis in alle Zeiten zu verbinden, und selbst die Unterschiede ihrer Persönlichkeit, die Felicitas so gravierend empfand, vermochten es nicht zu durchtrennen. Doch plötzlich gab das Band nach.

Constanze schien es auch gespürt zu haben. Sie nickte bedächtig. »Wir sind erwachsen. Du hast deinen Plan, und ich habe meinen. Wenn er mich fragt, werde ich mit ihm gehen.«

Dorothee war grau im Gesicht wie ein altes Handtuch, das einmal weiß gewesen war, aber Felicitas und Constanze bemerkten es nicht.

Felicitas besaß die bemerkenswerte Gabe, schnell und vollständig zu vergessen, was sie unangenehm oder schmerzhaft berührte. Nie wäre sie deshalb auf den Gedanken verfallen, Constanze von ihrer Idee abzubringen, mochte sie noch so naiv und unbedacht, vielleicht sogar riskant sein. Es ist nicht deine Sache, dachte sie. Kämpf nicht einen Kampf, der nicht der deine ist. Es führt zu nichts. Doch wider Willen musste sie zugeben, dass Constanzes Entschlossenheit ihr imponiert hatte.

Sie öffnete den schweren, blank polierten Eichenholzschrank, der zu Helens Aussteuer gehört hatte und in dem jetzt Felicitas' Kleider auf lackierten Bügeln hingen. Ihre Lieblingsfarben waren ein helles Blau, weil es die Farbe ihrer Augen so eindrucksvoll unterstrich, und ein zartes Rosé, weil es ihren Wangen einen Hauch mehr Farbe verlieh. Gelb und Grün weigerte sie sich stets auch nur in Betracht zu ziehen. Sie fand, sie ähnle darin einem Stück Käse.

Vorsichtig holte sie ein in Seidenpapier gehülltes Kleid aus dem Meer von Baumwolle, entfernte das hauchdünne Papier und hielt sich die Robe vor dem Spiegel an. Gestern hatte Elfriede das Kleid bei der Schneiderin abgeholt, und gestern hatte es Felicitas noch gefallen. Jetzt kam ihr der blaue Organza-Traum mit dem schwingenden Rock und dem kurzen, hochgeschlossenen Seidenjäckchen wie ein Babykleidchen vor. Wütend warf Felicitas es aufs Bett. Der glatte Stoff rutschte an dem Seidenüberwurf ab, und leise knisternd sank das Kleid, das sie zur Premiere hatte tragen wollen, zu Boden.

Es wird Zeit, eine Regel zu brechen, dachte Felicitas.

Auf dem Dachboden fand sie, wonach sie gesucht hatte. Die große Holzkiste enthielt alte Spielsachen, einen zerliebten Teddy und eine rot-gelbe Watschelente, die den

Bindfaden zum Hinterherziehen schon lange verloren hatte, einige Stoffe, mit denen Felicitas Verkleiden gespielt hatte, und die abgelegten Kleider ihrer Mutter, die sie nicht mehr tragen mochte, die aber zum Weggeben zu schade waren.

Und da war es, ganz zuunterst, das dunkelrote mit den winzigen schimmernden Perlen, das Helen vor vielen, vielen Jahren gekauft und in der Kiste vergessen hatte. Das Kleid war weder aus der Mode, noch wies es Flecken auf. Felicitas fragte sich, was in aller Welt ihre Mutter daran auszusetzen hatte, doch sie schüttelte den Gedanken ab, drückte das Kleid an sich und eilte in ihr Zimmer.

Die mit Samt überzogenen Knöpfe im Rücken konnte sie nicht schließen, doch sie sah auch so, dass das Kleid passte – und dass es aus ihr eine andere machte. Der Stoff umschmeichelte ihre Formen, gerade so, dass es nicht anstößig wirkte, aber dennoch nichts verbarg, was ihr, da war Felicitas sicher, viele Blicke einbringen würde. Ihre schmale Taille und der gut geformte Busen kamen vorzüglich zur Geltung, und das Dunkelrot ließ ihre nackten Schultern, Arme und das Dekolleté cremeweiß schimmern.

Zufrieden nickte Felicitas ihrem Spiegelbild zu.

2

Wie wäre es, wenn du das Kontor schließt und das tust, was man diesem herrlichen Frühlingstag schuldig ist?« Bernhard Servatius warf seine Melone in die Luft und fing sie geschickt mit der Spitze des Zeigefingers auf, sodass sein Lieblingshut flink rotierte. Die ungewöhnliche Kopfbedeckung hatte er vor zehn Jahren in London erstanden, nachdem er die Gärten von Cornwall bis Wales besucht hatte, um sich Anregungen für seine Arbeit in Deutschland zu holen.

»Und das wäre, lass mich raten – ein wenig flanieren, eine Tasse Kaffee trinken, hübschen Damen hinterherschauen.«

»Ich sehe, mein Einfluss macht sich endlich bemerkbar. Carpe diem!«

Heinrich Andreesen lachte. Bernhard genoss das Leben, und er, Heinrich, sollte sich davon eine dicke Scheibe abschneiden.

»In Ordnung, ich sage nur Frantz Bescheid, dass wir morgen weitermachen.«

Heinrich verließ sein Büro und ging den schmalen Korridor entlang, bis er zu den Labors gelangte, in denen Elias Frantz und zwei Assistenten von morgens bis abends Proben analysierten, Mischungen zubereiteten und das Ergebnis unter großen Mikroskopen begutachteten. In gewaltigen Kolben brodelte eine braune Flüssigkeit, überall lagen hölzerne Klemmbrettchen mit komplizierten Zahlenkolonnen herum, und in einer Ecke des Raums bollerte ein Ofen, auf dem stets eine Kanne mit frischem Kaffee stand. Elias Frantz war klein und korpulent und sah in seinem weißen Kittel wie eine dicke Schneekugel aus. Der Leiter der Andreesen-Labors hatte nicht bemerkt, dass Heinrich den Raum betreten hatte, blieb über das Mikroskop gebeugt und murmelte halblaut vor sich hin. Unverkennbar Flüche.

»Machen Sie Schluss, Frantz«, sagte Heinrich, und Frantz fuhr herum.

»Es ist wie verhext, Herr Andreesen. Wie verhext.« Er breitete die Arme aus.

Seit dreißig Jahren gehörte der Chemiker zum Haus. Seine Mitarbeiter fürchteten sein überschäumendes Temperament und bewunderten seine Findigkeit. Keine Aufgabe, die der alte Fuchs nicht zu lösen vermochte. Die Familie achtete sein Können und seine unverbrüchliche Loyalität, und Heinrich liebte ihn. Frantz war freundlicher zu dem kleinen Heinrich gewesen als der eigene Vater.

»Wir müssen einen Weg finden, den Kaffee in seine Bestandteile zu zerlegen«, sagte Frantz und zupfte ungeduldig an seinen Augenbrauen.

»Morgen, Frantz, morgen. Gehen Sie nach Hause. Sie alle.« Die beiden Assistenten nickten erfreut und zogen bereits die Kittel aus.

Frantz schüttelte bedächtig den Kopf und murmelte: »Ich will nur noch schnell die Proben aus Brasilien anschauen.«

Heinrich schloss die Tür. Wie so oft würde Frantz erst um sieben oder acht Uhr das Labor verlassen. Daheim wartete niemand auf ihn. Er war mit seiner Arbeit verheiratet.

»Wie hältst du es hier nur aus?«, rief Bernhard, als Heinrich ins Büro zurückkehrte. »Keine Blumen, nur dunkles Holz, dunkle Vorhänge, düstere Gemälde.« Beide schauten auf das Bild von Hans Heinrich Andreesen, Heinrichs Urgroßvater, der vor fast hundertfünfzig Jahren die Dynastie und das Unternehmen begründet hatte und jetzt in Öl, aber sehr präsent, auf die beiden jungen Männer herabzublicken schien.

»Du hast eben kein Gefühl für Tradition«, entgegnete Heinrich und nahm seinen Mantel. »Drei Uhr. Viel zu früh für einen Erben.« Er bemühte sich, den ungezwungenen Ton seines Freundes zu treffen, doch das schlechte Gewissen saß ihm im Nacken.

Bernhard lächelte. »Na komm schon. Ganz Bremen und halb Deutschland trinkt deinen Kaffee. Das reicht für heute, oder?«

Als sie das Firmengebäude am Wall verließen, überfiel der Frühling sie. Gestern noch hatte es genieselt, die Wolken hatten den Himmel düster grau angestrichen. Jetzt übernahm der Lenz die Regie. Sanft schlugen die Wellen der Weser an die Ufer der Osterdeichwiesen, die Flaggen der ersten Ausflugsboote wehten im leichten Wind, am Deich saßen Frauen und Männer im Gras und hielten ihre Gesichter in die Sonne, ein paar Kinder fütterten die Enten am Anleger der Sielwall-Fähre.

Heinrich und Bernhard spazierten über die Wallanlagen, vorbei an der Mühle Richtung Bürgerweide. Das achthundert Morgen große Areal hatte die legendäre Gräfin Emma von Lesum den Bremern 1032 geschenkt, und mehr als achthundert Jahre diente es den Hansestädtern als Weideland für ihr schwarzbuntes Milchvieh, als Gemüseacker und Wiese zur Heugewinnung. Kein Baum, kein Strauch beschattete die zweckmäßige Fläche, und das wäre vermutlich jetzt noch so, wenn nicht der totale Reinfall des Deutschen Bundesschießens ein Umdenken zwingend erforderlich gemacht hätte. 1865 waren sechstausend Schützen und eine Delegation aus New York zum Wettbewerb auf der Bürgerweide angetreten, doch von den erhofften viertausend Zuschauern ließen sich gerade vierhundert blicken. Die Sonne brannte tagelang vom Himmel, und die Bremer lagen lieber am Strand von Weser und Ochtum, als sich gar kochen zu lassen. Die Schützen zeigten sich höchst ungehalten und kühlten ihren Durst mit Gallonen von Wein, was der Treffsicherheit nicht sehr zuträglich gewesen sein soll. Deutschland lachte über das Desaster im Norden, und die Bremer Kaufleute, in heller Aufregung um den respektablen Ruf der Hansestadt, leiteten umgehend Konsequenzen ein.

Gustav Andreesen, Heinrichs Vater, gründete ein Komitee zur »Bewaldung der Bürgerweide«, in dem zwölf der angesehensten, mächtigsten Bremer Kaufleute ihrer Kreativität und vor allem ihren finanziellen Mitteln freien Lauf ließen. Nach vielem Hin und Her wurde der Lübecker Landschaftsgärtner Wilhelm Benque engagiert, der für seine rüden Manieren ebenso berühmt war wie für sein gestalterisches Können. Das Ergebnis waren fünfundsiebzig Hektar prachtvolle Parkanlage mit Platanen und Eichen, Kastanien und Linden, Wasserläufen, Teichen, romantischen Brücken, Marmorpavillons und Springbrunnen, gewundenen Waldpfaden und weiten Lichtungen. Der Bürgerpark wurde schnell zum beliebtesten Ausflugsziel der Bremer. Sie kamen zu Fuß und mit Pferd und Wagen aus Hastedt, der Neustadt, der Vorstadt. Nur die Schwachhausener hatten es bequemer. Die Elektrische brachte sie von der Schwachhauser Chaussee mit neun Stundenkilometern direkt zur Meierei, einem von sechs Eingängen zum Park.

Für Heinrich bedeutete der Weg durch den Bürgerpark eine Art Niemandsland zwischen den Geschäften am Wall und dem Familiensitz, der Villa an der Parkallee, die ein wenig erhöht auf einem kleinen Hügel am Ende des Parks lag, als würde sie über den Park und die ganze Stadt wachen. Heinrich hatte nichts dagegen, das Andreesen-Unternehmen zu führen, aber er genoss die Dreiviertelstunde, in der er weder der Erbe war, der Entscheidungen treffen, noch der Sohn, der sein ganzes Tun rechtfertigen musste.

Aus diesem Grund mied er in der Regel auch einen Besuch im Kaffeehaus am See, denn dort wurde das Niemandsland wieder zu Andreesen-Territorium und er »zum jungen Herrn Andreesen«. Gustav Andreesen hatte sich damals als Leiter des Komitees und dessen großzügigstem Sponsor das Sahnestück des Bürgerparks gesichert und am Ufer des Sees ein zweistöckiges verspieltes Gebäude mit Terrasse errichtet, das Platz für dreihundert kaffeedurstige Gäste bot. Von der Terrasse führte ein schmaler Weg zu einem Bootssteg, an dem zehn rot und grün lackierte Ruderboote zu einer Fahrt durch die verschlungenen Kanäle einluden. Im Sommer brauchte es pures Glück, um ab mittags noch ein Boot zu ergattern, denn viele Liebespaare nutzten die Gunst der mit Schilf bewachsenen Ufer, um sich vor neugierigen Blicken zu schützen.

Vom Kaffeehaus wehten die Klänge eines Klaviers, einer Violine und eines Cellos zu ihnen herüber; das Bremer Kaffeehaus-Orchester machte das Kaffeehaus am See erst zu dem, was es war. Bernhard wippte im Takt und ließ seine Melone kreisen. Die Schönheit des Parks machte ihn nervös, weil sie ihn stets daran erinnerte, noch nichts Vergleichbares geleistet zu haben. Gewiss, mit seinen fünfundzwanzig Jahren hatte er allerhand erreicht. Viele der vermögenden Bremer, die sich Ende des 19. Jahrhunderts nach Schwachhausen und in unmittelbare Nähe des Bürgerparks zurückzogen, vertrauten ihm Bau und Gestaltung ihrer Häuser und Gärten an. Bernhard arbeitete wie besessen, aber der große Wurf, der blieb aus, und er befürchtete ernsthaft, Mittelmaß zu bleiben, was ihm deprimierender erschien als richtig schlecht zu sein.

»Kennst du das Gefühl, dass irgendwie Sand im Getriebe ist?« Bernhard breitete seinen Gehrock aus und setzte sich auf die noch leicht feuchte Wiese weit hinter dem Emmasee. Er kannte Heinrichs Unlust, im Kaffeehaus einzukehren, und respektierte sie. Aus der Innentasche des Gehrocks holte er einen lederbezogenen Flachmann heraus, schraubte ihn auf und goss in den fingerhutgroßen Verschluss, der als Becher diente, Kognak und bot ihn Heinrich an.

»Nein, danke, ich hab nachher noch großen Bahnhof zu Hause. Mutter hat zum Tee geladen.«

»Du kennst also das Gefühl«, sagte Bernhard amüsiert, trank von dem Kognak und blinzelte in die Sonne.

»So habe ich es nicht gemeint. Mutter legt eben viel Wert auf gesellschaftliche Verpflichtungen. Das ist kein Sand im Getriebe, sondern Schmieröl. Alles gleitet geräuschlos und leicht dahin.« Und mit einem Unterton, der keine Diskussion zuließ, fügte er hinzu: »Zerbrich dir nur nicht meinen Kopf.«

Bernhard kaute auf einem Grashalm und dachte über Heinrichs Worte nach. Vermutlich glaubte der Freund wirklich, was er sagte, und vielleicht war er darum sogar zu beneiden. Doch in dem Punkt waren und blieben sie geteilter Meinung. Geschmeidig sprang Bernhard auf und klopfte Heinrich auf die Schulter. Er wollte sich nicht streiten, sondern das Beste aus diesem Tag herausholen.

»Es ist Sonnabend, und ich habe keine Verabredung. Kannst du dir das vorstellen?«

Heinrich lachte. »Haben Mitzi und Lola und Emmi etwa keine Zeit für dich?« Es war nicht zu glauben. Bernhard, so charmant, so elegant, so gewissenlos, saß auf dem Trockenen! »Wenn es weiter nichts ist. Heute Abend ist Premiere im Schauspielhaus, und ich bin sicher, Mutter hat noch eine Karte in Reserve, für alle Fälle.«

»Das klingt verlockend.« Zumindest besser, als den ganzen Abend allein zu verbringen.

»Also abgemacht. Mutter wird sich freuen.«

Bernhard grinste. Elisabeth Andreesen würde den Teufel tun, aber allein deshalb versprach es, ein amüsanter Abend zu werden.

Dreimal hatte Emelie van der Laaken sich umgezogen, schätzte Elisabeth. Ein viertes Mal hätte ihr gut getan, denn das lindgrüne Ensemble aus Chinaseide besaß zweifellos Klasse, biss sich aber mit dem Blau, das den Salon dominierte, und stand der jungen Frau mit den flaumfederweichen fahlblonden Haaren überhaupt nicht. Sie wirkte so dezent wie das Gurkensandwich, das sie vorsichtig zum Mund balancierte, und Elisabeth wusste, dass sich hinter der zurückhaltenden Fassade nichts versteckte, das Anlass zur Besorgnis gegeben hätte. Emelie benahm sich, wie es üblich war, wenn eine junge Frau aus bester Gesellschaft mit der Einladung zum Tee bei den Andreesens einmal mehr die Gelegenheit nutzte, sich als die passende Partie für den Erben der Kaffee-Dynastie zu präsentieren. Was angesichts der Tatsache, dass ihr Vater als Senator und Intimus des Bürgermeisters zu den einflussreichsten Männern Bremens gehörte, eigentlich kaum notwendig war. Elisabeth taxierte die junge Frau, als ob sie eine Zuchtstute vor sich hätte. Ausdruckslose, etwas gelangweilt dreinblickende blaue Augen, gute Figur, nicht zu dünn, nicht zu dick, ideal, um gesunde Erben auf die Welt zu bringen. Freundliches Lächeln, sanfte Stimme, gute Manieren, sicherlich etwas verwöhnt. Aber kein Hinweis auf verborgene Widersprüche oder attraktives Feuer. Heinrich würde bekommen, was er sah.

»Einfach vorzüglich, gnädige Frau«, sagte Emelie gedehnt,

tupfte sich die Lippen mit einer Damastserviette ab und griff nach der Teetasse. »Solche Teezeremonien erlebt man in Bremen ja leider nicht so häufig.«

»Alles zu seiner Zeit, meine Liebe«, entgegnete Elisabeth und schenkte sich aus der silbernen Kanne mit dem chinesischen Tee nach, den sie bekömmlicher fand als den indischen, den sie in einer zweiten zwillingsgleichen Kanne anbot, der Vollständigkeit halber. So war es in Großbritannien schließlich üblich. »Morgens bevorzuge ich Kaffee, nachmittags Tee.«

»Ich mag lieber Kaffee«, zwitscherte Désirée gut gelaunt. Sofort legte Anton seine Hand auf ihre linke. »Aber Liebchen, wir trinken doch auch häufig Tee.«

Er streichelte ihre weiche Haut, doch Elisabeth hatte das Gefühl, er hätte am liebsten tüchtig zugekniffen. Die Ehe ihres zweitgeborenen Sohnes stand nicht zum Besten, das war Elisabeth seit langem klar. Désirée war ebenso niedlich wie dumm. Vor drei Jahren hatte Anton das nicht gestört, weil sie seine Sinne völlig beherrschte. Er war verrückt nach Désirée, und weil sie die Tochter des nicht sehr reichen, aber angesehenen Kaufmanns Busch war, der in Kolonialwaren machte, hatten Elisabeth und Gustav nicht gezögert, ihre Zustimmung zu der Vermählung zu geben. Inzwischen hatte die Leidenschaft aber offensichtlich erheblich nachgelassen, wenn sie Antons ständige Gereiztheit und Désirées aufgesetztes Getue richtig deutete.

»Emelie, wo haben Sie nur dieses entzückende Ensemble machen lassen?«

Ellas tiefe Stimme durchschnitt die angespannte Atmosphäre, und Elisabeth Andreesen lächelte fein. Auf Ella war Verlass. Sobald sie drohende Unstimmigkeiten witterte, versuchte sie die Wogen zu glätten. Elisabeth wusste, dass es Ella nicht darauf ankam, ihren gesellschaftlichen

35

Schliff unter Beweis zu stellen. Ihre Tochter ertrug es einfach nicht, wenn Menschen sich stritten. Als kleines Kind war sie mehrfach weggelaufen und stundenlang im Park gesucht worden, nur weil ihre Eltern eine kleine Meinungsverschiedenheit ausfochten. Ella war sensibler als Heinrich, von Anton ganz zu schweigen, der das Wort sicher nicht einmal buchstabieren konnte. Diese Empfindsamkeit stand in krassem Widerspruch zu ihrer Erscheinung. Ella maß gut einssiebzig und war nicht besonders zierlich geraten, ihre Taille brauchte ein starkes Korsett, um diese Bezeichnung zu verdienen. Elisabeth hoffte für sie, dass ein zukünftiger Ehemann sich von dem robusten Äußeren nicht täuschen ließ.

»Oh, die Seide hat mir Papa aus Paris mitgebracht«, antwortete Emelie freundlich und vergaß, was sie erzählen wollte, als Heinrich den Salon betrat.

»Entschuldige, Mutter, die Proben aus Brasilien …« Er küsste seine Mutter auf die Wange und galant Emelies rechte Hand. »Ella, Désirée, Anton.« Heinrich ließ es bei einem freundlichen Nicken in ihre Richtung bewenden. »Wo ist Vater?«

»Du bist der Einzige, dem seine Abwesenheit auffällt«, sagte Elisabeth und blickte milde, aber tadelnd in die Runde.

»Ich wollte vor den Damen nicht darauf zu sprechen kommen«, beeilte sich Anton zu erklären.

»Falls es etwas Schreckliches ist«, fügte Désirée hinzu.

Gleich würde Anton sie doch noch kneifen, dachte Elisabeth, und ich könnte es ihm nicht verübeln.

»Keine Sorge, meine Lieben.« Elisabeth schenkte Heinrich eine Tasse von dem chinesischen Tee ein. Sie sah auf die Wanduhr aus Ebenholz und erhob sich. »Wenn ihr mir bitte folgen wollt …«

Zwanzig Minuten warteten sie nun schon vor der weißen Villa, dass sich das Geheimnis endlich lüften möge, doch keiner traute sich, Ungeduld zu zeigen, oder war mutig genug, wieder zu seinem inzwischen erkalteten Tee zurückzukehren. Désirée beobachtete mit offenem Mund zwei schnäbelnde Tauben, Emelie trat von einem Bein aufs andere, als ob sie fürchten würde, ohnmächtig zu werden, Anton lehnte an einer der weißen Eingangssäulen, die dem Gebäude einen klassizistischen Charakter gaben, und rauchte gelangweilt. Heinrich und Ella spazierten an der Auffahrt entlang zu dem mächtigen schmiedeeisernen Tor, das nachts stets verschlossen wurde. Der weiße Kies knirschte unter ihren Schritten und verschluckte ihr leises Gespräch. Elisabeth wunderte sich über die Folgsamkeit der jungen Leute und ein wenig auch über die ihre, die sie hier stehen und auf etwas warten ließ, das sie ohnehin für überflüssig hielt. Sie vernahm das Geräusch, lange bevor die anderen aufmerksam wurden. Es klang warm und rund und kraftvoll wie ein zufrieden schnarchender Bär im Winterschlaf und gehörte offensichtlich zu dem weißen Gefährt, das langsam die Auffahrt heraufschnurrte und ohne Rucken vor dem Eingangsportal zum Stehen kam. Fast geräuschlos öffnete sich die Tür auf der Fahrerseite, und Gustav Andreesen stieg schnaufend und mit rotem Kopf aus.

»Kleine Überraschung!«, rief er und breitete triumphierend die Arme aus. »Der erste Mercedes in Bremen!«

»O Schwiegerpapa, das ist ja wunderbar!« Désirée quietschte fast vor Begeisterung und eroberte sofort den Fahrersitz, während Anton anerkennend über den Lack strich und leise durch die Zähne pfiff.

»Tolles Ding, Vater, wirklich. Eine echte Verbesserung zu dem Opel.«

Emelie eilte herbei und drückte Gustav die Hand. »Herzlichen Glückwunsch, Herr Andreesen! Sie wissen natürlich, dass mein Vater Ihnen sehr, sehr böse sein wird, weil Sie ihn wieder einmal ausgestochen haben.«

»Das wird der alte Knabe schon überstehen. Außerdem hat er selbst Schuld. Er ist einfach zu geizig für diese kleinen Eskapaden.«

Gustav strahlte Emelie an, die ihre Verärgerung über seine Worte nur mühsam verbergen konnte, und legte den Arm um seine Frau. »Nun sag doch, ist er nicht schön?«

Elisabeth nickte, doch sie konnte weder den Wirbel, den der Mercedes im Ausland und im Deutschen Reich ausgelöst hatte, noch die Begeisterung ihres Mannes nachvollziehen, denn ihrer Ansicht nach sah dieses angeblich so ungewöhnliche Automobil nicht viel anders aus als die üblichen Fabrikate, die im Grunde herkömmlichen Pferdekutschen glichen, denen nur das Pferd abhanden gekommen zu sein schien.

»Vier Zylinder, 16 PS, Pressstahlrahmen, Bienenwabenkühler«, verkündete Gustav und fügte hinzu: »Damit kann ich Vanderbilts Rekord brechen!« Der amerikanische Multimillionär war vor kurzem mit 122,4 Stundenkilometern durch Frankreich gebraust, was Gustav sehr imponiert hatte.

»Das wollen wir doch nicht hoffen«, sagte Elisabeth leichthin. Niemals würde sie ihren Ehemann im Beisein der Familie kritisieren, aber dass er sein Versprechen gebrochen hatte und statt des Chauffeurs selbst gefahren war, der nun sichtlich verlegen aus dem Fond kletterte und entschuldigend seine Mütze vor Elisabeth zog, würde sie keinesfalls so hinnehmen. Sie hatte den Kauf dieses Automobils nur unter der Voraussetzung gebilligt, dass Gustav es nicht selbst steuern würde, und er hatte Stein und Bein geschworen, es nicht zu tun. Es wurde Zeit, ein ernstes Gespräch mit ihm zu führen, und zwar so bald wie möglich.

Gustavs gesundheitliche Verfassung ließ seit einiger Zeit zu wünschen übrig, vor allem sein angegriffenes Herz bedurfte der Schonung. Keine Aufregung, keinen Kaffee, keine Zigarren und tägliche Spaziergänge hatte Professor Becker verordnet, sonst könne er für nichts garantieren, doch Gustav schlug beständig alle Warnungen in den Wind. »Dann kann ich mich ja gleich in den Sarg legen«, lautete sein Kommentar, wenn Elisabeth ihn ermahnte, an die frische Luft zu gehen oder wenigstens auf seine tägliche Ration von drei dickbauchigen Brazils zu verzichten.

Kindisch fand Elisabeth dieses Benehmen, kindisch und verantwortungslos und auf eine gewisse Weise auch beängstigend. Leichtfertigkeit hatte nie zu Gustavs Charakter gehört. Im Gegenteil, früher hatte sie ihn kaum dazu überreden können, mal alle fünfe gerade sein zu lassen, die Geschäfte seinen Prokuristen zu überlassen und zwei Tage mit ihr und den Kindern in die Sommerfrische nach Norderney zu verreisen.

Doch selbst im Strandkorb und bei dreißig Grad Hitze studierte Gustav lieber Akten, als mit Heinrich, Ella und Anton Sandburgen zu bauen oder mit ihr einen Strandspaziergang zu unternehmen, was Elisabeth für eine unerträgliche Ignoranz hielt, die weder sie noch die Kinder verdient hatten.

Oft hatte Elisabeth sich gefragt, wieso ihr für ein junges Mädchen vom Lande verblüffender Scharfsinn, dem kaum etwas entging, sie genau zu dem Zeitpunkt im Stich gelassen hatte, als die Entscheidung für ihr ganzes weiteres Leben von einer Sekunde auf die andere getroffen werden musste. Eine befriedigende Antwort hatte sie nie gefunden, und der Vorstellung, dass damals, vor siebenunddreißig Jahren, vielleicht ein Zauber in der Luft gelegen hatte, der sie und Gustav unwiderstehlich in seinen Bann zog, mochte sie nicht nachgeben, damit sich der Schmerz über das jähe Ende der mystischen Kraft keinen Platz in ihrem Herzen schaffen konnte. Doch in ihrem tiefsten Innern wusste sie, dass es genauso gewesen war, dass nämlich die betörende Macht der Liebe an jenem Sonntag von ihr Besitz ergriffen hatte, so ungestüm und elementar, wie sie nur diejenigen überfällt, die eigentlich nicht an sie glauben wollen.

Wie die fünfundzwanzigjährige Elisabeth, Tochter der Thormählens aus Syke, die es mit einer Hannoveraner-Zucht zu großem Ansehen und bescheidenem Vermögen gebracht hatte. Das und die unübersehbare Tatsache, dass Elisabeth hübsch und gescheit war, machten sie zu einer begehrten Partie für den Landadel dritter Klasse und nicht ganz so blaublütige Pferdezüchter, doch Elisabeth zeigte keinerlei Neigung, sich verheiraten zu lassen. Keinesfalls wollte sie wie ein dümmliches Wesen an der Seite eines Mannes leben, sondern als eine Frau mit Geist und klarem Verstand ernst genommen werden. Wenn sie schon heiraten und ihr Leben fortan teilen musste, dann wäre es wohl nicht zu viel verlangt, sich mit diesem Menschen wenigstens vernünftig unterhalten zu können.

»Ich warte auf den Richtigen«, pflegte sie zu entgegnen, wenn ihre Mutter so regelmäßig wie eine tibetische Gebetsmühle die Vorzüge des jungen Hartmann oder des älteren, aber reichen Sonderkamp pries.

»Der Richtige, der Richtige«, seufzte Anna Thormählen dann jedes Mal. »Wer soll das bloß sein?«

Die Antwort saß eines Sonntagmorgens in einem grün lackierten Ruderboot auf dem Emmasee und betrachtete das Kaffeehaus, das am nächsten Tag feierlich eingeweiht werden sollte. Es war Ende Mai und schon so heiß, dass selbst Gustav Andreesen, die Korrektheit in Person, die Hemdsärmel aufgekrempelt hatte, was ihm verteufelt gut stand. Elisabeth, die mit ihren Eltern zu einem sterbenslangweiligen Besuch bei Tante und Onkel in Bremen weilte, hatte ihren Willen durchgesetzt und ein Ruderboot gekapert, während ihre Verwandten am Ufer des Sees spazieren gingen, und als sie Gustav erblickte – sehnige Unterarme, schwarze Locken, kräftiges Kinn –, wusste Elisabeth, was sie wollte.

Mit voller Kraft steuerte sie auf sein Boot zu. Der Zusammenstoß war so heftig, dass Elisabeths breitkrempiger Sommerhut ihr ins Gesicht rutschte, was sehr komisch aussah, und an beiden Booten ein wenig grüner und roter Lack abplatzte. Sie lachten, sahen sich eine Sekunde zu lang in die Augen, und der Mai entfaltete seinen Zauber.

Ein Schwanenpaar zog anmutig seine Kreise auf dem See, in dem sich hunderte von Federwölkchen spiegelten, die dem Blau des Himmels seine Vorherrschaft streitig machen wollten. Am Ufer dösten einige Enten, die ganz unbeeindruckt von den Kapriolen der Erpel blieben, die das Gefieder spreizten, mit den Flügeln schlugen, rasant aufstiegen und sich gegenseitig im Wasser jagten. Schmatzend klatschten kleine, aufmüpfige Wellen gegen die Planken des Bootstegs, an dem ihrer beider Ruderboote nebeneinander vertäut lagen und sanft vor sich hin schaukelten. Die Luft war lau und schien sich wie ein schützender Schleier über die Landschaft und die zwei Menschen zu legen, deren Wege sich soeben gekreuzt hatten. Die Welt schien auf diesen Flecken Erde zusammengeschrumpft und alles schien am richtigen, vom Schicksal vorgesehenen Platz angekommen zu sein. Gustav ließ sich hineinziehen in die Unendlichkeit mattgrüner Augen, in die Süße eines strahlenden Lächelns und die Wärme glänzender schwarzer Locken. Elisabeth ergab sich endgültig.

Drei Monate nach dem Zusammenstoß der Ruderboote sagten Gustav und Elisabeth im Bremer Dom und vor dreihundert Gästen Ja zueinander, und bis heute hielt Gustav für einen glücklichen Zufall, was in Wirklichkeit ein geglücktes weibliches Manöver gewesen war.

Doch nur wenige Wochen nach der glanzvollen Hochzeit verwandelte sich der schmucke Pirat in ein schnödes Arbeitstier, das seine Tage von frühmorgens bis weit in den Abend im Kontor verbrachte und sich wie eh und je in den Bann von Bilanzen, technischen Neuerungen und wirtschaftspolitischem Kalkül ziehen ließ.

Nach einigen tränenreichen Szenen, die Elisabeth Gustavs Liebe nicht zurückbrachten, meldete sich jedoch ihr Scharfsinn wieder zur Stelle. Sie erkannte, dass die Zeiten keinen Piraten mit wildem Herzen brauchten, sondern einen Strategen mit klarem Kopf. Bismarck wurde Reichskanzler, und seine Politik brachte dem Bürgertum den ersehnten wirtschaftlichen Aufschwung, was durch den Deutsch-Französischen Krieg zwar kurzfristig, aber nicht nachhaltig gebremst wurde. Durch den Verlust von Elsass und Lothringen lag die französische Wirtschaft in Agonie, was Gustav ausnutzte, um Kaffeeröstereien in Nancy, Paris und Marseille aufzukaufen und damit fast den gesamten französischen Markt zu kontrollieren. Zur gleichen Zeit explodierte die industrielle Revolution im Norden des Reiches statt wie befürchtet in Österreich. Gustav ließ einen Stab von Technikern die Gasröstanlagen für die industrielle Nutzung weiterentwickeln und errichtete eine zweite, weit größere Rösterei vor den Toren Bremens. 1880 war Gustav der reichste Mann Norddeutschlands und das Andreesen-Unternehmen eine Größe, mit der man in Hamburg, Leipzig und Berlin zu rechnen hatte.

Wie die meisten Ehen kam die von Elisabeth und Gustav

einem Zweckbündnis gleich. Sie hatten sich arrangiert, gingen respektvoll miteinander um und führten jeder ein Leben, in dem der andere keinen Platz hatte und auch nicht beanspruchte. Gustav war seiner Frau dankbar, dass sie ihn in Ruhe arbeiten ließ, und Elisabeth gefiel es, sich unabhängig zu fühlen. Sie verbannte ihre betrogenen Hoffnungen so tief in ihrem Herzen, dass sie sie fast völlig vergaß. Sie ritt wie der Teufel, organisierte das erste Bremer Trabrennen für Damen, kümmerte sich um den Ausbau der Andreesen-Villa und ihre betagten Schwiegereltern, zog drei Kinder groß und hütete ein Geheimnis, das unter keinen Umständen je gelüftet werden durfte.

Laut hupend steuerte Anton den Mercedes um das Rondell, das den Mittelpunkt der Auffahrt bildete, und Elisabeth fuhr zusammen. Musste der Junge denn immer gleich übertreiben? Sie liebte ihren zweitgeborenen Sohn mehr als Heinrich und Ella, hatte sich aber nicht vor der Erkenntnis verschlossen, dass er keinen guten Kern besaß. Anton war das Kind, das ein junges Kätzchen brutal am Schwanz ziehen konnte, ohne eine Spur von Reue oder Scham zu zeigen. Er war der Jugendliche, der sich tagelang in seinem Zimmer verschloss, seine Eltern anlog und nachts heimlich das Haus verließ, um sich am Hafen herumzutreiben. Und er war zu einem Erwachsenen gereift, der sein Leben nicht in den Griff bekam. Es ist meine Schuld, dachte Elisabeth wie so oft, doch es gibt keinen Weg, diese Schuld zu begleichen. Sie fröstelte und beschloss, dieser übermütigen Automobil-Schau den Rücken zu kehren, als Gustav galant ihre Hand nahm.

»Bitte sehr, gnädige Frau, darf ich Sie zu einer Probefahrt überreden?«

Wider Willen raffte Elisabeth ihre Röcke und bestieg das

Gefährt, zu dem sie ebenso wenig Vertrauen fassen würde wie zu seinen Vorgängern. Pferd und Wagen, darauf konnte man sich verlassen, nicht auf diesen asthmatisch röchelnden Haufen Blech.

Gustav strahlte und tätschelte ihre Hand. »Keine Sorge, ich werde dich unbeschadet wieder nach Hause bringen. Und morgen, denke ich, sollten wir einen kleinen Ausflug unternehmen. Wir könnten nach Worpswede brausen und uns einige Werke von Mackensen ansehen. Was meinst du?«

»Schöne Idee«, sagte Elisabeth in einem Ton, der unmissverständlich zum Ausdruck brachte, dass sie nirgendwohin fahren, geschweige denn brausen würde. Gustav schwieg gekränkt, und Elisabeth beschloss, das Gespräch, das sie ohnehin mit ihm führen musste, jetzt gleich zu beginnen.

»Würdest du bitte anhalten?«

»Sicher.« Überrascht trat Gustav auf die Bremse.

»Gustav, seitdem Heinrich die Führung des Unternehmens übernommen hat, hast du dich sehr verändert«, fing Elisabeth an.

»Nun ja, ich verfüge endlich über etwas mehr Zeit.«

»Das meine ich nicht. Du missachtest die Ratschläge deines Arztes, du trinkst, isst und rauchst zu viel, hast nur noch diese Automobile und anderen Schnickschnack im Kopf und benimmst dich einfach nicht, wie ein Mann es mit fünfundsiebzig Jahren tun sollte.«

»Wie sollte sich ein Mann in diesem Alter denn benehmen? Im Garten sitzen und warten, bis der Tod ihn endlich von dieser unerträglichen Langeweile und der Sinnlosigkeit seines Daseins erlöst?« Gustav sprach leise, aber mit einer Schärfe, die Elisabeth irritierte. Sein schütteres graues Haar war zerzaust, ein paar Strähnen fielen ihm ins Gesicht, und seine dröhnende Fröhlichkeit war schlagartig einer Mattigkeit gewichen, die ihr Mitgefühl weckte.

»Natürlich nicht«, sagte sie deshalb sanfter, als sie es eigentlich für richtig hielt, um ihn wieder auf einen vernünftigen Kurs zu bringen, »ich habe nur den Eindruck, du willst mit Macht deine Jugend zurückholen, und das wirkt, entschuldige, wenn ich das so direkt sage, ein wenig lächerlich.«

»Ja, das mag schon sein«, entgegnete Gustav und blickte starr geradeaus. »Und wenn schon? Ich werde noch einige Pläne in die Tat umsetzen, die euch alle überraschen werden. Ich werde eine Ballonfahrt unternehmen, mit der Transsibirischen Eisenbahn fahren und in Rom auf der Spanischen Treppe sitzen.«

»Das kann doch nicht dein Ernst sein. Gustav, du bist ein schwerkranker Mann!«

»Aber ich bin noch nicht unter der Erde!«

Wütend und außer sich schlug er auf das Lenkrad ein, als wäre es schuld an seiner Verfassung, und Elisabeth zuckte zusammen. Einen solchen Ausbruch hatte sich Gustav zeit ihres gemeinsamen Lebens nie erlaubt, und sie erkannte, dass ihr Mann von einer Verzweiflung ergriffen war, gegen die ihre Vernunft nicht ankam. Sie schwieg und dachte darüber nach, ob es ratsam sei, seine Hand zu nehmen, oder ob durch diese liebevolle Geste alle Dämme brechen und er sich ganz seinem Selbstmitleid hingeben würde. Gustav nahm ihr die Entscheidung ab, indem er seine Hand auf ihre legte.

»Entschuldige bitte. Du kannst ja nichts dafür. Ich bin alt und habe Angst zu sterben, bevor ich zu leben begonnen habe. Kannst du dir vorstellen, dass ich mir manchmal gewünscht habe, aus meiner Haut zu können und der zu sein, der ich einmal für eine kurze Zeit war?«

So hatte er noch nie zu ihr gesprochen, und ohne dass Elisabeth es verhindern konnte, stiegen Bilder dieses einen vollkommenen Sommers in ihr auf, die sie längst verschüttet geglaubt hatte. Nie wäre sie auf den Gedanken verfallen, dass er unter seiner Unfähigkeit, das Leben an sich und mit ihr und den Kindern zu genießen, litt, und wohl wissend, dass ihre Worte ihm keinen Trost spenden würden, sagte sie leise: »Wir haben doch das Leben gelebt, wie du es wolltest …«

»Und wie du es wolltest«, entgegnete Gustav. »Aber das ist müßig, und wir sollten nicht damit anfangen, einander die Schuld für ein Versäumnis zu geben, von dem wir beide erst jetzt erkennen, dass es eines ist. Weißt du, meine Jahre sind so verlaufen wie die Parkallee – schnurgerade. Ich will wissen, ob es nicht noch einige interessante Kurven gibt.« Er blickte Elisabeth offen und hoffnungsvoll an und drückte ihre Hand, dass es fast schmerzte. »Wir könnten das gemeinsam tun.«

Eigentlich sollte ich mich freuen, dachte Elisabeth. Wie viele lang gehegte Wünsche hatte jedoch auch dieser an Kraft verloren, und seine unerwartete Erfüllung vermochte daran nichts zu ändern. Vor siebenunddreißig Jahren, ja, noch vor zwanzig Jahren hätte sie seine Worte empfangen, in sich genährt und als tief empfundene Lebensfreude wieder in die Welt gebracht. Jetzt war sie außerstande, etwas anderes zu fühlen als Verwunderung und Ungeduld über das Ansinnen ihres Mannes. Zudem schuf sich eine vage Ahnung in ihr Raum, dass das gewohnte Gefüge, das der ganzen Familie stets sicheren Schutz geschenkt hatte, im Begriff war, seine Stabilität zu verlieren und sie allein es sein würde, die es in Zukunft stützte. Energisch schüttelte Elisabeth den Kopf.

»Tut mir Leid, Gustav. Ich werde nicht damit anfangen, irgendwelchen Verrücktheiten hinterherzujagen, um mir vorzugaukeln, ich sei noch jung genug dafür. Und du solltest das auch nicht tun. Es wäre gescheiter und gesünder, wenn du dir eingestehen könntest, dass es dafür zu spät ist. Es gibt Wichtigeres, um das du dich kümmern musst. Anton zum Beispiel.«

»Natürlich. Wie konnte ich bloß Anton vergessen, wenn es ausnahmsweise mal um mich geht?«, sagte Gustav bissig.

Elisabeth gefror zu Eis. »Wir sollten diese Unterhaltung beenden.«

»Wie du meinst …« Gustav startete den Motor und lenkte den Mercedes vorsichtig auf die Parkallee.

Schweigend fuhren sie zurück.

Heinrich erwartete seine Eltern, öffnete die Beifahrertür und reichte Elisabeth die Hand. »Mutter, Bernhard Servatius würde uns heute Abend gern begleiten. Hättest du etwas dagegen?«

»Ja, in der Tat. Es sollte ein Familienabend sein.« Elisabeth griff nach der Stola, die auf dem Rücksitz lag, und wandte sich zum Gehen. Alles, was sie jetzt brauchte, waren ein Bad, ein heißer Tee und genug Muße, um den unerfreulichen Ausklang des Nachmittags zu verdrängen.

»Aber Emelie ist doch auch dabei«, entgegnete Heinrich verblüfft.

»Das kann man wohl kaum miteinander vergleichen, nicht wahr?«

»Ach nun komm schon, Mutter. Sei nicht so hartherzig.«

»Servatius? Das ist eine wunderbare Idee!« Gustavs Miene heiterte sich auf. Theaterbesuche waren ihm ein Gräuel, aber mit Servatius versprach es doch noch ein vergnüglicher Abend zu werden. »Ich wollte sowieso mit ihm sprechen. Was hast du eigentlich gegen ihn, Elisabeth? Du weißt doch, dass sein Vater und ich gute Freunde waren, bevor er …«

»Selbstmord verübte. Sprich es nur aus, Gustav.«

Gustav starrte Elisabeth an, als würde er sie gleich umbringen, doch er erhob nicht einmal die Stimme, sondern sagte nur leise und schneidend: »Dann sollte man sich gerade um seinen Sohn kümmern. Servatius begleitet uns, und damit ist das Thema für mich erledigt.« Ohne ein weiteres Wort ging er ins Haus.

Elisabeth blickte ihm nach.

Heinrich sah betreten zu Boden, und Elisabeth ergriff seine Hand.

»Weißt du, Heinrich, ich habe nichts gegen Bernhard Servatius. Ich fürchte nur, dass Ella sich in diesen charmanten Tunichtgut verliebt. Er wird ihr das Herz brechen.« Das war nur die halbe Wahrheit, aber es klang glaubhaft. »Ich habe Angst um sie. Sie ist nicht so stark, wie sie aussieht.«

»Und Bernhard ist nicht so schlecht, wie du denkst.«

Elisabeth seufzte. »Also schön, sag ihm, er soll um halb acht hier sein.«

»Ich an deiner Stelle würde heute Abend das Blaue tragen. Es steht dir wirklich gut.« Elisabeth blickte Ella aufmunternd an, und Marie, die junge Zofe, die Elisabeth vor kurzem eingestellt hatte, beeilte sich, ihr beizupflichten.

»Ihre Frau Mutter hat Recht, Fräulein Ella. Und dann werde ich Ihnen eine schöne Frisur machen, sie haben so wundervolles Haar …«

Ella nickte unglücklich. »Das ist auch das Einzige, womit ich glänzen kann.«

Elisabeth bedeutete Marie, sich zurückzuziehen, und sobald das Mädchen die Tür hinter sich geschlossen hatte, sagte sie leise, aber energisch: »Nicht vor den Dienstboten, Ella. Wenn du in Selbstmitleid baden möchtest, bitte sehr. Doch mach das mit dir ab. Dein Wunsch nach Harmonie in allen Ehren, aber für die Dienstboten sind wir ohne Fehl und Tadel. Hast du mich verstanden? Ich schicke dir Marie, wenn ich fertig angekleidet bin.« Mit diesen Worten drehte Elisabeth sich um und verließ das Zimmer.

Ich habe es verdient, dachte Ella. Ich bin nicht die Tochter, die sie sich wünscht, und ich werde es niemals sein. Ich bin nicht besonders hübsch, besitze keine Contenance und kleide mich lieber selbst an. Lustlos begann sie an den Knöpfen ihres karierten Nachmittagskleides herumzunesteln. Am liebsten hätte sie Kopfschmerzen vorgeschützt, um zu Hause bleiben zu können. Sie würde den Pferden ein paar Äpfel bringen, ein wenig mit dem Stallburschen plaudern und durch den Garten schlendern. Aber daran war nicht zu denken. Elisabeth würde ihr die Hölle heiß machen.

Ella hatte nichts gegen das Theater, im Gegenteil, sie liebte diese Spannung, wenn der rote Samtvorhang in der Oper oder im Schauspielhaus sich leise rauschend öffnete und Blicke in fremde Welten und mächtige Gefühle preisgab. Doch sie hasste die Pausen, in denen sie umhergehen und belanglose, heitere Gespräche führen musste. Sie konnte sich noch so bemühen, ihre Gedanken blieben immer ganz woanders, und sie wusste, dass sie deshalb ungeschickt und steif wirkte.

Aber brauchte diese Welt wirklich noch mehr Menschen, denen es genügte, sich im schönen Schein von Lüstern, knisternder Seide und kostbarem Schmuck zu spiegeln? In Bremen hatte sich in den letzten Jahren eine große Kluft zwischen den wenigen ganz Reichen, einigen gut situierten Familien und den vielen Armen aufgetan, die mit einem Tageslohn von drei Mark für Männer und zwei Mark für Frauen ihre Familien durchbringen mussten. Selbst ihr Bruder Heinrich, der doch ein gutes Herz hatte, zahlte den Kaffeeschleppern nur fünfzehn Mark in der Woche. Mehr

Lohn wäre zwar sicherlich gerecht, hatte er zugegeben, als Ella ihn danach gefragt hatte, doch wirtschaftlich völlig unrentabel.

Gleichzeitig waren die Mieten unverschämt hoch. Selbst in heruntergekommenen Vierteln wie dem Schnoor und in Woltmershausen kostete ein Haus, das nicht größer als eine Hutschachtel war, hundertfünfzig Mark im Monat, sodass die Vermieter gezwungen waren, so viel Menschen wie möglich dort unterzubringen, die das Geld gemeinsam aufbrachten. In der Violenstraße wohnten in dreiundfünfzig Häusern zweihundert Familien mit eintausendeinhundertacht Personen, im Schnoor teilten sich zehn Menschen drei Zimmer.

Diese Zahlen hatte der *Bremer Kurier* vor einiger Zeit veröffentlicht, und als Ella den Bericht gelesen hatte, fühlte sie sich aufgefordert, etwas zu unternehmen. Am nächsten Tag war sie mit einem Korb voll Obst in den Schnoor marschiert und zurückgeprallt vor dem Elend und dem bitteren Spott, der ihr entgegenschlug. »Dieses mildtätige Getue können Sie sich sparen«, hatte eine junge Frau gekeift. »Was soll ich mit 'nem Appel, wenn mein Baby mir krepiert?«

Einige Male wiederholte Ella ihren Besuch im Schnoor, verteilte heimlich gekaufte Decken, Medikamente, Seife und Lebensmittel, doch sie erkannte, dass all dies nur ein Tropfen auf den heißen Stein war. Vor allem für die verhärmten Mütter und deren Kinder musste endlich etwas getan werden, für die Säuglinge mit den spitzen Gesichtchen, stumpfen Augen und Ärmchen dünn wie ein Besenstiel, für die Größeren, die sich um ihre Geschwister kümmern mussten, weder lesen noch schreiben lernten und deshalb nie aus diesem Kreislauf der Armut ausbrechen würden. Wenn sie ihnen doch nur helfen könnte!

Dabei hatte sie nicht einmal genug Mumm, Elisabeth von ihren barmherzigen Streifzügen zu erzählen und ihr zu erklären, warum diese Arbeit für sie so wichtig war. Sie wagte es nicht, weil sie trotz ihrer zweiundzwanzig Jahre im Herzen immer noch das gehorsame kleine Mädchen war, das sich den Konventionen und den Regeln der Familie beugte. Ungeduldig zerrte sie sich das Kleid vom Leib. Allein dieses Zimmer, das nur ihr gehörte und die Größe eines Tanzsaales besaß, würde bestimmt vier Müttern und ihren Kindern ein Heim bieten, das tausendmal schöner und geräumiger wäre als die Bruchbuden, in denen ein widriges Schicksal sie hausen ließ.

Ella hielt den Atem an. Ein Heim für Frauen und Kinder – das wäre doch die Lösung. Die Frauen würden eine Schulbildung erhalten, und die Kleinen würden in der Zwischenzeit essen und spielen. Alles, was man dafür brauchte, wären ein großes Haus, entsprechendes Personal und jemanden, der reich genug war, für den Unterhalt aufzukommen. Zum Beispiel die Andreesens! Ihre eigene Familie lebte doch in unbeschreiblichem Luxus und konnte sich ein wohltätiges Steckenpferd leisten, ohne Mangel zu leiden.

»Warum bin ich bloß nicht eher darauf gekommen?«, sagte Ella laut und zwinkerte ihrem Spiegelbild vergnügt zu. »Das ist gut, Ella Andreesen, das ist richtig gut!« So bald wie möglich würde sie Heinrich und ihren Vater von ihrer Idee überzeugen. Sie kicherte. Selbst ihre Mutter musste diese Idee gutheißen.

Es klopfte. »Darf ich Ihnen helfen, Fräulein Ella?« Schüchtern stand Marie in der Tür.

»Gerne«, antwortete Ella. Schon lange war sie nicht mehr so glücklich gewesen.

3

*L*angsam, als dürfte sie ihren ersten Auftritt in einer neuen, noch ungewohnten Rolle nicht verpatzen, schritt Felicitas die große Freitreppe zur Diele hinunter, wo die Familie bereits ungeduldig auf ihr Erscheinen wartete. Der rote Samt schien auf ihrer Haut zu brennen, und Felicitas genoss dieses Gefühl aus Aufregung und Erwartung.

Helen wurde leichenblass. Max hüstelte nervös und flüchtete mit der Bemerkung, sie müssten sich beeilen und er wolle schon einmal nach dem Wagen sehen, was so unnötig wie sinnlos war. Schließlich gingen sie den kurzen Weg zum Goetheplatz stets zu Fuß.

»Ich habe etwas vergessen«, sagte Helen leichthin zu Constanze, Dorothee und deren Eltern. »Wir kommen gleich nach.« Constanze zögerte, als ob sie spüren würde, dass etwas in der Luft lag, das interessant zu sein versprach, doch Verena und Carl zogen sie energisch zur Tür.

»Mutter?« Felicitas war am Treppenabsatz stehen geblieben und beobachtete ihre Mutter, die sich hastig ihren Pelzumhang zuknöpfte. »Es ist Ende Mai. Meinst du nicht, dass es zu warm für den Nerz ist?«

»Ach ja, sicher.« Helen legte den schwarzen Nerz geistesabwesend wieder ab und nahm die leichte Wollstola in die Hand.

»Mutter, ich dachte, ich bin zu alt für blaue Rüschen, und deshalb ...« Felicitas' Stimme erstarb, denn ihre Mutter schaute sie an, als ob die Hölle sich aufgetan hätte. Schmerz und Verlust spiegelten sich in ihren Augen. »Was hast du, ist dir nicht gut?« Felicitas ging einen Schritt auf sie zu, doch Helen wandte sich ab.

»Ist schon gut. Mir liegt nur dieses unsägliche Stück auf der Seele, und diese vielen Menschen im Haus machen mich ganz verrückt.«

»Das allein ist es doch nicht. Vor einer Stunde warst du aufgeregt wie immer vor einer Premiere. Aber nun …« Felicitas suchte nach Worten, die die unsichtbare Mauer, die sich so plötzlich zwischen ihnen aufgebaut hatte, einreißen würden. »Du wirkst wie versteinert, und ich werde das Gefühl nicht los, dass es mit diesem Kleid zusammenhängt. Es lag in der Kiste auf dem Dachboden, und da dachte ich …«

»Du siehst hübsch aus, Felicitas. Es steht dir gut«, entgegnete Helen. »Du bist offensichtlich erwachsen, was deinem Vater und mir wohl entgangen ist. Deshalb sind wir beide etwas aus der Fassung. Und dann diese Premiere. Ich wünschte, sie wäre schon vorbei. Sollen die Kritiker mich doch in Stücke reißen. Ich will es um Himmels willen nur hinter mich bringen.« Helen bemühte sich, ihr Lachen silberhell klingen zu lassen, und ging auf die Haustür zu. »Kommst du?«

Felicitas glaubte ihrer Mutter kein Wort, erkannte jedoch, dass es sinnlos wäre, auf einer ehrlichen Antwort zu beharren, und folgte ihr. Welches Geheimnis dieses Kleid auch immer umgeben mochte, es war ihr nicht zu entlocken. Und jetzt war es sowieso zu spät, um sich umzukleiden.

»Vergiss die Stola nicht, Felicitas. Nachher wirst du frieren.«

Felicitas winkte ab und sagte kühl: »Macht nichts. Das Blau passt wirklich nicht zu diesem Rot.« Sie schaute ihrer Mutter in die Augen, und diese erwiderte den Blick. Da war nicht mehr Schmerz und Verlust, Felicitas nahm nur die gewohnte Kälte ihrer blauen Augen wahr und einen Hauch von Resignation.

»Hab es nur nicht so eilig, erwachsen zu werden, mein Kind. Das Leben ist wie eine immerwährende Premiere. Du kannst keinen Fehler rückgängig machen.«

Aber kein Fehler soll mich je so verletzen, dass ein dummes, altes Abendkleid die Wunden wieder aufreißen kann, dachte Felicitas, behielt es jedoch für sich. Sie straffte die Schultern und marschierte schweigend neben Helen her, die so schnell ausschritt, als würde sie vor ihrer eigenen Tochter fliehen.

Vor dem Bühneneingang blieb Helen stehen, und mechanisch spuckte Felicitas ihrer Mutter dreimal über die linke Schulter und wünschte »toi, toi, toi«, wie sie es als kleines Kind gelernt hatte. Helen streichelte ihrer Tochter versöhnlich über die Wange und verschwand hinter der mächtigen Eisentür.

Felicitas verspürte keine Lust, nach ihren Verwandten zu suchen, und schlenderte ziellos durch das Foyer, das mit seinen goldenen Lüstern, großen Spiegeln, roten Läufern und wertvollen Gemälden einem Märchenschloss glich. Als Mädchen hatte sie sich hier immer wie eine Prinzessin gefühlt, und so war es heute noch.

Obwohl es erst eine Stunde vor Beginn der Premiere war, hatten sich schon zahlreiche Besucher eingefunden, um sich bei einem Glas Sekt auf das bevorstehende glanzvolle Ereignis einzustimmen. Die Herren waren natürlich in Schwarz gekleidet, die Damen in gedecktem Blau, Lindgrün und blassem Rosa. Nur Felicitas trug Rot, und die Wirkung verblüffte sie selbst am meisten. Als hätte sie mit dem roten Kleid eine neue Felicitas übergestreift, ein verborgenes Ich sichtbar gemacht, das so hell leuchtete, dass niemand es übersehen konnte, schaute jede Frau kurz zu ihr und dann geflissentlich an ihr vorbei und sah jeder Mann, ob alt oder jung, sie bewundernd an.

Sie besaß zu wenig Erfahrung, um in den Blicken auch Gier, zweideutige Versprechungen und Provokation zu lesen, doch das herausfordernde Lächeln, mit dem dieser Unbekannte, der lässig an einer Säule lehnte, sie bedachte, war nicht misszuverstehen. Fehlt nur noch, dass er meine Zähne begutachten will, um zu sehen, ob ich eine gute Zuchtstute bin, dachte sie wütend, drehte sich um und schlug dabei einem groß gewachsenen Mann das Glas Sekt aus der Hand.

»Verzeihen Sie«, rief sie halb erschrocken, halb ärgerlich und tauchte in ein Paar dunkelblaue Augen voller Wärme.

»Ist doch nichts passiert«, sagte der Mann freundlich. »Und Ihr schönes Kleid haben Sie zum Glück auch verschont.«

Er lächelte charmant und winkte einer Serviererin, die mit Lappen, Schaufel und Besen herbeieilte, um die Scherben aufzufegen und die Sektlache aufzuwischen. Die fahle Blonde an seiner Seite zog ein Gesicht, als hätte Felicitas sie tief beleidigt, und tupfte sich mit einem lindgrünen Spitzentaschentuch, das perfekt zu ihrem Ensemble passte, ein paar nicht vorhandene Tropfen vom Ausschnitt.

»Wie kann man nur so ungeschickt sein«, murmelte sie leise, aber laut genug, damit ihr Begleiter, Felicitas und einige umstehende Besucher es hören konnten.

»Aber Emelie …«, hob der Mann mit den warmen blauen Augen an, doch sie unterbrach ihn mit einem gekünstelten Seufzer.

»Es ist von Lanvin, Liebling. Wenn der Sekt Flecken hinterlässt, wäre das wirklich katastrophal, aber so etwas versteht ihr Männer ja nicht.«

»Ich komme selbstverständlich für den Schaden auf«, sagte Felicitas kühl, die das Getue der Blonden unerträglich, aber typisch für die so genannte feine Gesellschaft fand. Ihr Vater hatte schon Recht mit seiner konsequent ablehnenden Haltung.

»Machen Sie sich keine Sorgen. Ich bin überzeugt, dass die Sache schon vergessen ist, nicht wahr, Emelie?« Er sah Felicitas mit einer Offenheit an, die ihr Herz traf, kleine Wirbel oberhalb des Magens drehte und zwei Handbreit tiefer beträchtliche Turbulenzen verursachte. Verwirrt schob Felicitas eine Haarsträhne zurecht, die sich gar nicht gelöst hatte.

»Das kommt dabei heraus, wenn man vor mir zu fliehen versucht«, mischte sich der Mann, der das Theater mit einer Viehauktion verwechselt hatte, ein.

»Gestatten, Bernhard Servatius.« Sein Lächeln erschien Felicitas noch frecher als vorhin, doch statt aufzubrausen, entschied sie sich, ihn zu ignorieren. Intuitiv erfasste Felicitas, dass die feinste ihrer Waffen diesen Mann empfindlicher treffen würde als grobe Kaliber.

Erleichtert, einen Vorwand gefunden zu haben, dieser Situation und vor allem diesem ungewohnten Gefühl zu entkommen, das von ihr Besitz ergriffen hatte, nickte sie Heinrich Andreesen höflich zu und ging hocherhobenen Hauptes davon.

Bis auf dieses Malheur hatte Felicitas einen glanzvollen Auftritt inszeniert, und als ihr das bewusst wurde, fielen ihr die Worte von Franziska Ferrik wieder ein, die sie so gern vergessen hätte. Felicitas schob den Gedanken beiseite und machte sich auf den Weg in ihre Loge.

Behutsam, als würde er ein Gemälde von Tizian berühren, strich Thomas über die Leinwand, seine Finger liebkosten die Marmorsäulen, fuhren über die Saiten der Leier und folgten der Neigung der Palmblätter, die sich sacht im Wind zu wiegen schienen. Lindström hatte seine ganze Kunst in dieses Bühnenbild gelegt, das wie alle seine Werke Kraft und Lebendigkeit verströmte. Diese Kulissen waren den Schweiß wirklich wert, den es ihn und seine Kollegen gekostet hatte, sie vom Himmel des Schauspielhauses vorsichtig zwanzig Meter tief auf die Bühne hinabzulassen. Die Seile, obwohl gefettet, hatten rote Striemen in seine Handflächen gebrannt, aber Thomas spürte den Schmerz kaum. Er war viel zu glücklich, hier sein zu dürfen, in einer Welt, die so anders war als die, die er gewohnt war, doch die eines fernen Tages, dessen war er sich sicher, die seine sein würde. Irgendwann würde seine Kunst die Menschen begeistern, sein Name auf einem Theaterplakat stehen. Bühnenbild: Thomas Engelke – so sah er es in seinen Träumen geschrieben, solange er denken konnte.

Im Moment musste er sich jedoch damit zufrieden geben, ein kleines Rädchen im Getriebe des Bremer Schauspielhauses zu sein. Dass er überhaupt die Chance bekommen hatte, diese Arbeit zu tun, grenzte ohnehin nahezu an ein Wunder. Für einen Zwanzigjährigen, der nur eine dürftige Schulausbildung genossen hatte und sein Brot seit fünf Jahren auf der größten Bremer Werft verdiente, hatten die Kulturbonzen in der Regel keine Verwendung. Und für einen Kulissenschieber war er eigentlich nicht kräftig genug. Zum Glück arbeiteten seine Eltern für Helen und Max Wessels, und wenn sie auch nicht ganz einverstanden mit den Ambitionen ihres Sohnes waren, hatten sie dennoch alles darangesetzt, dass die beiden Schauspieler einen Blick auf seine Zeichnungen und Entwürfe warfen. Helen Wessels zeigte sich wie immer kühl und skeptisch, doch Max Wessels war ganz begeistert von Thomas' Arbeiten gewesen und hatte den Inspizienten überredet, es mit dem jungen Engelke zu versuchen.

Arthurs einzige Bedingung war, dass Thomas seine Anstellung auf der Werft so lange behielt, bis sich abzeichnete, dass eine Theaterlaufbahn ihm Lohn und Brot sichern würde, und so schweißte Thomas von sieben Uhr früh bis abends um sechs bei der AG Weser an der Stephanikirchenweide Rümpfe und Deckenverstrebungen zusammen, die das Skelett der mächtigen Dampfer bildeten, und schleppte abends im Schauspielhaus Kulissen. Ein Pensum, das er nur bewältigen konnte, weil er tief im Innern überzeugt war, seinem Stern folgen zu müssen, wie mühsam der Weg auch sein mochte.

Mehr als zwei Jahre schob er nun schon die Kulissen hin und her, ohne dass er seinem Ziel auch nur eine Handbreit näher gekommen wäre. Gewiss, er hatte Lindström über die Schulter blicken und dem großen schwedischen Bühnenbildner einige seiner Entwürfe zeigen dürfen, aber das war auch alles. Dennoch war sein Glaube, zum Künstler berufen zu sein, nicht zu erschüttern. Um sich Tusche, Papier und Bleistifte leisten zu können, wohnte er im billigsten aller Bremer Viertel, im Schnoor – bei seinen Eltern zu wohnen verbot ihm sein Stolz –, und verzichtete auf manche Mahlzeit. Er ging selten aus, denn die dröhnenden Gelage seiner Kollegen mit Unmengen an Alkohol gaben ihm nichts. Er zeichnete vor dem Frühstück und nach der Vorstellung oft bis tief in die Nacht. Sein Kopf war voller Bilder. Bühnenbilder natürlich, er wollte Szenarien für *Faust* schaffen, für *Macbeth* und für die Stücke von Hauptmann, deren Naturalismus er mit wilder, verstörender Fantasie bildnerisch zu konterkarieren beabsichtigte. Seine Bühnenbilder sollten nicht nur Bühnenbilder sein, sondern eigenständige Werke, die auch noch Bestand hatten und

Bewunderer fanden, wenn der Vorhang längst gefallen war.

Doch da gab es noch etwas anderes in ihm, etwas Wildes, fast Beängstigendes. Anfangs hatten ihn die unerhörten, frechen, beißenden Motive, die aus ihm herausströmten, erschreckt, doch inzwischen wehrte er sich nicht mehr dagegen. Er hatte sich daran gewöhnt, die Menschen so lange wie durch ein Vergrößerungsglas zu betrachten, bis sich ihm ihre Schwächen und Abgründe offenbarten, und die hielt er mit dem Bleistift fest. Das Ergebnis war oft erschütternd, immer erbarmungslos wahr und nur selten mit einem versöhnlichen Unterton vermischt. Thomas zeichnete aufgeputzte Theatergäste, spröde Kaufleute und soignierte Politiker, und wohl niemand der Porträtierten wäre glücklich über sein Abbild gewesen. Er hielt aber auch Szenen aus dem Schnoor fest, den Dreck, den Unrat, weinende Kinder, betrunkene Männer, keifende Frauen und diese reiche junge Frau, die mildtätig Wolldecken und Lebensmittel verteilte. Seltsamerweise hatte sein Bleistift sich geweigert, ihre Züge zu karikieren, sondern sie gezeichnet, wie sie waren – rund, sanft und mit einem Hauch der Verzweiflung, als würde sie sich fragen, ob es richtig sei, was sie tat. Die Zeichnung besaß etwas Anrührendes, fast Kitschiges, und dennoch brachte Thomas es nicht über sich, sie zu zerreißen.

Ob er einmal von diesen Arbeiten würde leben können, bezweifelte er; keine Zeitung im ganzen Land hatte je etwas Ähnliches veröffentlicht. Doch im Augenblick hatte er ganz andere Sorgen. Die Werft würde bald von der Stephaniekirchenweide nach Gröpelingen an einen neuen, viel größeren Hafen verlegt, was für ihn mehr als die doppelte Fahrtzeit mit der Elektrischen und einen strammen Fußmarsch von zwanzig Minuten bedeutete, und wie er das mit der Arbeit im Theater vereinbaren sollte, war ihm schleierhaft. Er würde sich zwischen seinen beiden Leben entscheiden müssen, und zwar bald.

»Noch drei Minuten!« Balthasar Meier, der Inspizient, flüsterte und bedeutete Thomas, ihm an den Vorhang und das Guckloch zu folgen, durch das man die Theaterbesucher in aller Ruhe betrachten konnte und selbst ungesehen blieb.

Der stämmige Inspizient wurde von allen Mitarbeitern des Schauspielhauses gefürchtet, weil er ein strenges Regiment führte, doch Thomas mochte ihn, weil er so anders war als seine rabiaten Kollegen, die die Bühnenbilder lieblos durch die Gegend schoben und derbe Witze rissen. Thomas erkannte unter der harten Schale seine große Liebe zur Kunst, weshalb er Balthasar Meier immer wieder einen Blick in seinen gehüteten Skizzenblock gewährt hatte, ohne zu ahnen, dass das Konsequenzen haben würde, die seinen Weg in ganz andere Bahnen lenken würden.

»Heute ist alles da, was Rang und Namen hat. Ein gefundenes Fressen für dich, mein Junge. Dein Zeichenblock wird Gift spritzen. Sieh mal, der Bürgermeister und seine Gattin da vorne rechts.« Er wies auf einen spitznasigen Mann mit grauweißem Vollbart in einem markanten, mageren Gesicht und eine dickliche Frau, die in Rüschen und Goldschmuck ertrank. »Sehen sie nicht aus wie Meister Meckmeckmeck und Witwe Bolte?«

Thomas lachte leise und zückte Block und Bleistift.

»Sogar der Abgeordnete gibt uns die Ehre, sieh einer an! Zweite Reihe, Mitte rechts. Er wird immer blasser. Färbt wohl ab, wenn man nichts zu sagen hat.«

In der Tat vermochte der unscheinbare Herr im schwarzen Gehrock im Reichstag nichts auszurichten, was man ihm allerdings nur schwer anlasten konnte. Der Einfluss der

Hansestädte auf die Reichspolitik war sehr schwach, da die großen Flächenstaaten mit ihren starken Agrarinteressen das Übergewicht besaßen. Die drei Hansestädte Bremen, Hamburg und Lübeck hatten eben nur drei von einundsechzig Stimmen, und der einzige Reichstagsabgeordnete konnte nur über die Partei, dessen Fraktion er angehörte, auf die Politik einwirken. Dabei standen oftmals Parteiinteressen über Landesinteressen, weshalb für die Städte selten ein Krümel vom Tisch des Herrn Reichskanzlers fiel.

»Hast du das gesehen?« Der Inspizient feixte. »Wenn ich mich nicht täusche, hat der Herr Abgeordnete soeben das Fräulein Lola gegrüßt, mit einem ganz zarten Kopfnicken. Das gibt's ja nicht!«

Thomas starrte Fräulein Lola an, die die Augen sittsam niedergeschlagen hatte, doch deren gelbblondes Haar und knallrotes Rouge auch den Naivsten sofort überzeugte, »so eine« vor sich zu haben. Ihr rundes, fein geschnittenes Gesicht strafte ihre Aufmachung allerdings Lügen, und Thomas fragte sich, welches Schicksal dieses Mädchen in die Helenenstraße und in die Arme der Männer, die für Liebe bezahlten, getrieben haben mochte. Blitzschnell fuhr der Bleistift übers Papier. Doch ehe er eine Antwort gefunden hatte, stieß Balthasar Meier ihn an.

»Ganz großer Bahnhof, Thomas. Meine Güte, da kommen die Kaffeesäcke, die Andreesens. Die musst du zeichnen! Siehst du die Geldstücke in ihren Augen funkeln, siehst du, wie schwarzer Kaffee durch ihre Adern fließt und dass ihre Herzen verschrumpelten Kaffeebohnen ähneln?«

»Was ist los, Balthasar?« Thomas war erstaunt über den harten Ton und die Heftigkeit. »Haben sie dir was getan?«

Balthasar lächelte. Wenn er es darauf angelegt hätte, wäre

vielleicht doch ein ganz passabler Schauspieler aus ihm geworden. »Nein, nein, keine Sorge, ich wollte dich nur ein wenig anstacheln. Weißt du …« Er legte eine Kunstpause ein. »Ich habe gehört, dass es in Berlin ein paar interessante Menschen gibt, die etwas völlig Neues auf die Beine stellen wollen.«

»Du machst es aber spannend.«

»Es handelt sich dabei um ein Magazin, eine Satire-Zeitschrift, die Politik und Gesellschaft aufs Korn nehmen will – mit Polemiken und Zeichnungen. So ähnlich wie der *Simplicissimus*, aber noch bissiger. Soweit ich weiß, suchen sie noch Mitstreiter. Unentdeckte Talente.«

Thomas schluckte, seine Kehle war plötzlich staubtrocken. War das der Moment, auf den er so lange gewartet hatte? Der sein Leben aus den Angeln heben und für immer verändern würde?

»Ich habe dir eine Adresse aufgeschrieben. Einen Versuch ist es wert. Und jetzt sollten wir machen, dass wir von der Bühne runterkommen.«

»Warte! Lass mich noch einen Blick auf die Andreesens werfen. Vielleicht wäre es nicht schlecht, noch ein paar Bonzen im Bild festzuhalten. Für Berlin.«

Durch das Guckloch spähte Thomas in den bereits halb abgedunkelten Zuschauerraum. Die Andreesens hatten doch gewiss die besten Plätze, und suchend sprang sein Blick von Loge zu Loge. Bis er sie sah und die Andreesens vergaß.

Eigenartig. Manchmal war er ihr auf den Fluren des Theaters begegnet, aber entweder hatte er sie nie wirklich wahrgenommen, oder sie hatte sich über Nacht verändert.

Sie erschien ihm ganz anders, anders als alle Mädchen, die er kannte. Sie strahlte eine Kraft aus, die ihm bekannt vorkam, weil sie ihn an seine eigene erinnerte, doch ihre war gepaart mit einer Kälte, die ihre Schönheit schimmern ließ wie einen Mondstein. Er musste sie zeichnen, nicht für Berlin, sondern ganz allein für sich – Felicitas.

Dorothee öffnete ihre kleine perlenbestickte Abendtasche und holte eine Schachtel Konfekt heraus. »Von Mama. Magst du eins, Felicitas?«

»Danke schön, gern.« Felicitas mochte keine Pralinen, aber sie wollte ihre Cousine nicht kränken. Dorothee würde es glücklich machen, wenn sie das blöde Konfekt aß, also sei's drum. Sie hatte schon genug unter ihrer resoluten Schwester zu leiden.

»Du siehst wunderschön aus, Felicitas. Und so erwachsen. Ich komme mir wie ein kleines Mädchen neben dir vor. Dieses Rüschen-Monstrum hat Mama mir genäht, und ich traute mich nicht, ihr zu sagen, dass ich's scheußlich finde.« Dorothee lächelte verlegen und zupfte an dem blassrosa Stoff herum, der an dem bescheidenen Ausschnitt zu gewaltigen Rosetten gerafft war, um zu verbergen, dass sich dahinter schwelgende Weiblichkeit anschickte zu knospen. Felicitas drückte ihren Arm. »Du bist doch erst fünfzehn, Dorothee. Aber falls es dich tröstet, das Kleid, das ich heute Abend hätte tragen sollen, sah nicht viel anders aus. Jetzt liegt es zerknüllt neben meinem Bett.« Sie kicherte. »Ich hab mir eine von Mutters abgelegten Roben stibitzt. Besonders erfreut schien sie darüber zwar nicht zu sein, aber das Ergebnis zählt, nicht wahr?«

»Du hast Nerven«, sagte Dorothee und blickte Felicitas bewundernd an. »Ich bin so stolz, dass du meine Cousine bist.«

»›Du siehst wunderschön aus‹«, äffte Constanze ihre Schwester nach. »O Gott, Dorothee, was bist du doch für ein Kind. Felicitas ist nicht schön, sie bedient nur den allgemeinen Geschmack, und der wird von Männern diktiert. Wespentaille, blondes Haar, beeindruckendes Dekolleté. Mehr brauchen sie nicht, um eine Frau gefällig zu finden. Ihre Persönlichkeit interessiert sie nicht im Geringsten.«

»Was deine anbelangt, hätten sie wohl auch nicht viel Freude«, gab Felicitas kühl zurück. »Du meinst, wenn eine Frau sich unvorteilhaft kleidet und frisiert, sehen die Männer sie mit anderen Augen. Das mag sein, doch auf mitleidige Blicke kann ich gut verzichten.«

»Die Gleichung lautet: Wenn dir nur genügend Männer zu Füßen liegen, erhöht sich dein Marktwert. Aber glaubst du wirklich, ein Senator oder einer dieser reichen Bonzen würde die Tochter von Schauspielern heiraten?« Constanze lachte verächtlich und machte eine wegwerfende Handbewegung.

»Jetzt hör endlich auf mit deinen dummen Sticheleien«, zischte Felicitas, weil die letzten Kerzen gelöscht wurden und der Vorhang sich leise rauschend öffnete. »Nur weil du dich in einen russischen Bauern verliebt hast und Revolution spielen willst, soll das plötzlich das einzig Wahre für den Rest der Menschheit sein.«

Constanze blickte Felicitas nachdenklich an. »Ich denke nur, dass du gerade im Begriff bist, einen falschen Weg einzuschlagen. Es ist verführerisch, wenn man so aussieht wie du, aber er bleibt falsch. Für dieses Kleid hat eine Näherin ein halbes Jahr gearbeitet und, wenn es hochkommt, dreißig Mark dafür erhalten. Jede Perle ist mit einer Träne angeheftet. Findest du das richtig?«

»Behalt deine Weisheiten für dich. In zehn Jahren werden wir ja sehen, welcher Weg der bessere war. Und jetzt halt den Mund.«

Felicitas hatte die Streitereien mit ihrer Cousine gründlich satt. Sie musste ihr allerdings zugute halten, dass sie offensichtlich mit der gleichen Leidenschaft für ihre Überzeugung eintrat wie sie selbst für die ihre. Beide wollten sie Spuren in diesem Leben hinterlassen, nur ihre Ziele konnten unterschiedlicher nicht sein. Constanze meinte ihre Bestimmung in der Hingabe an einen schlichten Mann und eine vage politische Idee gefunden zu haben. Sie, Felicitas, strebte nach schauspielerischem Ruhm und theatralischer Ehre – und, wenn sie ehrlich mit sich war, nach Bewunderung. Beider Ambitionen vertrugen sich nicht miteinander, doch die Quelle, aus der sie gespeist wurden, war dieselbe.

Vielleicht ist es das, was sie so an mir hasst, dachte Felicitas. Wir sind zwei Seiten einer Medaille, und wenn das Schicksal die Karten anders gemischt hätte, wäre sie auf meiner Seite gelandet, die ohne Zweifel wesentlich attraktiver ist.

Jupiter und Merkur waren in den Theaterhimmel entschwebt, Amphitryon und Alkmene allein zurückgeblieben, allein mit dem Scherbenhaufen, in den Jupiter ihre Liebe verwandelt hatte. Amphitryon hatte das Ausmaß der Tragödie noch gar nicht recht begriffen, aber in Alkmenes berühmtem »Ach!«, mit dem das Kleist'sche Stück endet, musste ihre ganze Bitterkeit, ihr Kummer, den Gott mit dem Gatten verwechselt zu haben, und die Erschütterung darüber, einen Halbgott, Herkules, zur Welt zu bringen, mitklingen. Helens »Ach!« gelang, wie ein schwarzer Trauerschleier lag es über dem ergriffen lauschenden Publikum. Langsam schloss sich der Vorhang, eine Sekunde vollkommener Stille einte Zuschauer und Schauspieler, dann brandete der Applaus auf.

Donnernd, nicht enden wollend. Immer und immer wieder wurde das Ensemble auf die Bühne zurückgeklatscht,

Max und Helen mit Pfiffen der Begeisterung und ungezählten »Bravos!« überschüttet.

Felicitas war so erleichtert, als hätte sie ihre eigene Premiere überstanden, und drängte sich an Constanze und Dorothee vorbei, um so schnell wie möglich in die Garderobe zu gelangen. Die Irritation, die sie zu Beginn der Aufführung empfunden hatte, war also bloß Einbildung gewesen, wahrscheinlich hatte ihr schlechtes Gewissen ihren Blick getrübt. Dennoch fand sie, dass ihre Mutter etwas blass neben ihrem Vater geblieben war, der den Jupiter so betörend verführerisch verkörperte und ihm zugleich eine Souveränität verlieh, die nur ein Gott ausstrahlen konnte. Er lebt in der Rolle, dachte sie, und Mutter spielt. Aber sie spielt perfekt.

»Mutter, du warst wunderbar!« Felicitas strahlte ihre Mutter an, die gelöst zurücklächelte.

»Es hätte schlimmer kommen können, in der Tat.« Helen begann die vielen Nadeln, die ihre kunstvolle griechische Frisur zusammenhielten, herauszuziehen.

»Zwanzig Vorhänge! Mein Gott, Helen! Das ist sensationell! Wir haben uns selbst übertroffen.« Max, schon im schwarzen Frack, doch noch ganz Jupiter, griff sich ein Glas Champagner und stürzte es fast in einem Zug hinunter. »Du siehst, alles ist im Lot. Wie immer.«

»Nichts ist im Lot, und du weißt es, mein göttlicher Geliebter«, entgegnete Helen zynisch.

»Ach, nun komm schon. Ich weiß zwar nicht, was ich verbrochen habe«, witzelte er in übertrieben zerknirschtem Ton, »mache es aber wieder gut. Zieh dich um und lass dich überraschen.«

Vergnügt wie ein Lausbub und laut pfeifend verließ Max die Garderobe.

Helen runzelte die Stirn und sah ihm nach. »Ich hoffe nur,

dass er seine Originalität etwas bremsen kann. Ein fünf-
zigster Geburtstag ist für eine Schauspielerin nicht unbedingt ein Grund zum Jubeln. Hat er dir verraten, um was
es geht?«

»Mit keiner Silbe«, log Felicitas und hoffte inständig, dass
das bevorstehende Ereignis die Gereiztheit, die ihre Mutter in letzter Zeit immer häufiger an den Tag legte, nicht
noch schürte. Doch sie wusste, dass genau dies der Fall
sein würde.

»Tu mir einen Gefallen, Felicitas, und schau dich oben
um«, sagte Helen und zog eine Grimasse. »Wenn ich diesem Budenzauber schon nicht entgehen kann, soll wenigstens mein Kleid dazu passen.«

Felicitas lachte befreit auf.

Sie folgte ihrem Vater ins Foyer und blieb staunend stehen. Die Pförtner hatten den Zuschauern die Einladung
des Intendanten, doch freundlichst an der Premierenfeier
teilnehmen zu wollen, übermittelt, und die meisten waren
der ungewöhnlichen Aufforderung neugierig gefolgt. Mit
Efeu, Lorbeer, goldgefärbten Schaffellen, Palmwedeln und
Lyren aus Pappe hatten die Garderobieren dem Renais-
sance-Raum einen Hauch von griechischer Antike verpasst. Das Ballhaus-Orchester intonierte mit Schwung den
Frühlingswalzer und begleitete die letzten Handgriffe der
Platzanweiserinnen, Kulissenschieber und Statisten, die
das vorbereitete Büfett in Windeseile aufgebaut hatten.
Champagner perlte funkelnd in dreihundert Kristallglä-
sern, Unmengen an Lachs, Forelle, geräuchertem Aal waren zu üppigen Türmen arrangiert, Rollbraten, Kasseler
und Roastbeef appetitlich aufgeschnitten, und alles war
mit kandierten roten Rosenblättern dekoriert.

»Elegant und trotzdem schlicht, nicht wahr?«, fragte Max
augenzwinkernd und legte seinen Arm um Felicitas.

»Schließlich soll es eine Feier für alle sein und nicht nur diejenigen, die eine Wachtel zu sezieren wissen.«

Felicitas lachte. »Deshalb wirst du trotzdem heute Abend mit Kaffeesäcken, Tabakfritzen und Senatoren plaudern müssen, denn bis jetzt macht keiner Anstalten, nach Hause zu gehen. Selbst der Bürgermeister streicht schon ums Büfett herum.«

»Tja, ich fürchte auch, dass ich mich heute ausnahmsweise einmal wirklich gut benehmen muss.« Max grinste. »Aber für deine Mutter würde ich eben fast alles tun.«

»Nur fast alles?« Felicitas tat so, als wäre sie entrüstet. »Mein zukünftiger Gatte wird für mich alle Sterne vom Himmel holen, nicht nur die, die ihm gerade gefallen.«

»Wünsch dir das nicht, mein Kind«, entgegnete Max immer noch in scherzhaftem Ton, doch Felicitas entging die Spur Besorgnis nicht, die in seinen Worten mitklang.

»Warum nicht?«

»Weil …«, begann Max, löste den Blick von Felicitas und fixierte einen Punkt in der Ferne, als würden ihm von dort die richtigen Worte souffliert. »Weil du dann irgendwann erst den Respekt verlierst und schließlich die Liebe.«

So jung Felicitas war, wusste sie doch, dass niemand so etwas sagen konnte, wenn er nicht auch die entsprechende Erfahrung gemacht hatte, und sie schwankte zwischen der Neugier einer Siebzehnjährigen, die ein wenig mehr über die Alchemie der Liebe wissen möchte, und der Tochter, die lieber nicht zu viel über die Geheimnisse ihrer Eltern erfahren will. Als ob Max ihre Verwirrung ahnen würde, verließ er das gefährliche Terrain so schnell, wie er es betreten hatte. »Nun sag schon, gefällt es dir?«

»Es ist wundervoll«, antwortete Felicitas und verstaute ihre unausgesprochenen Fragen erleichtert in eine Ecke ihres Herzens, in der sich im Laufe der Zeit noch viel verstecken würde, was darauf wartete, hervorgeholt, betrachtet und beantwortet zu werden.

»Siehst du, ich wusste doch, dass deine Zweifel ganz unbegründet waren.«

»Das glaube ich nicht. Ich finde es wundervoll, aber ob es Mutter gefallen wird, weiß ich nicht. Ich fürchte, es könnte ihr ein wenig zu viel sein. Sie ist in letzter Zeit so nervös und ungeduldig.«

»Das gibt sich wieder, mein Kind, verzeih, meine junge Dame. Du siehst entzückend aus in Mutters Kleid.«

Überrascht sah Felicitas ihren Vater an. »Vorhin hatte ich nicht den Eindruck, dass ihr sehr erfreut …«

»Wir waren lampenfiebrig, deine Mutter und ich«, unterbrach Max sie und winkte dem Intendanten Robert Lichtenstein von weitem zu, der jovial lächelnd durch das Foyer segelte. »Er tut doch tatsächlich so, als wäre es seine Idee. Dabei hat es mich wirklich einige Nerven gekostet, ihn davon zu überzeugen. Aber seinem besten Pferd im Stall mochte er wohl keinen Wunsch abschlagen, zumal, wenn dieser dazu beitragen wird, den außergewöhnlichen Ruf seines Hauses zu festigen.«

Felicitas küsste ihren Vater auf die Wange. »Ich sehe mal nach Mutter.«

»Ja, und sorge dafür, dass sie rechtzeitig nach oben kommt. In einer Viertelstunde wird der Blumenwalzer gespielt, du weißt schon, ihr Lieblingslied von Tschaikowsky. Und dann werde ich eine flammende Rede halten. Bin schon ganz aufgeregt.«

Felicitas spuckte ihm dreimal über die Schulter. »Du schaffst das schon, o Jupiter!«

»Nein, Gustav, so einen Zirkus werde ich gewiss nicht mitmachen.«

Max drehte sich um und suchte die Frau zu der Stimme, deren dunkles Timbre er interessant gefunden hätte, wenn in ihm nicht ein Unterton von Oberklasse mitschwingen würde. Perlenkette, beige Seide, dezenter teurer Goldschmuck. Natürlich, eine dieser Gattinnen, er hatte es ja geahnt. Bleib doch, wo der Pfeffer wächst, dachte Max grimmig und sagte laut und galant: »Aber gnädige Frau, eine großartige Schauspielerin, meine Frau, wird in einer Stunde ihren fünfzigsten Geburtstag begehen, und ich möchte Sie herzlichst bitten …«

»Wunderbare Idee, Herr Wessels!«, rief Gustav Andreesen begeistert und schlug Max jovial auf die Schulter. »Wir haben die grandiose Aufführung genossen, und wir nehmen Ihre Einladung mit größtem Vergnügen an. Kommt ja nicht alle Tage vor, dass wir Kaffeesäcke mit Künstlern feiern dürfen.«

Max lachte. »Mit Verlaub, aber umgekehrt ist das auch nicht häufiger der Fall.«

»Sehen Sie«, sagte Gustav und zuckte bedauernd mit den Schultern, »meine Generation hat das Leben mit Arbeit verwechselt. Aber die Jugend hier«, er wies auf Heinrich, Bernhard, Emelie, Ella, Anton und Désirée, »sollte den Fehler nicht wiederholen.«

Max hatte nicht den Eindruck, dass diese jungen Leute große Lust verspürten, einen Ausflug aus ihrem goldenen Käfig zu unternehmen. Bis auf einen, dem die Unternehmungslust ins Gesicht geschrieben stand, schauten sie unschlüssig bis blasiert aus der Wäsche und bestätigten Max' Vorurteile, die Gustav mit seiner polternden, sympathischen Art um ein Haar ins Wanken gebracht hätte.

Als würde Gustav Max' Unbehagen spüren, beugte er sich vertraulich zu ihm. »Wäre es möglich, vor dem großen Ereignis noch einen Blick hinter die Kulissen zu werfen? Es interessiert mich brennend, und jetzt wäre die Gelegenheit doch günstig …«

»Verzeihen Sie bitte.« Felicitas raunte ihrem Vater zu, so schnell wie möglich zu Helen zu gehen, um sie zu beruhigen. »Sie tobt und ist im Begriff, das Theater zu verlassen.«

Max verstand. »Herr Andreesen, ich bin leider unabkömmlich, aber meine Tochter Felicitas wird Ihnen gern das Haus zeigen. Sie ist als Kind in alle Verstecke geklettert und kennt es bestimmt noch besser als ich. Felicitas, wenn du so freundlich wärst …«

»Natürlich, Vater.« Sie lächelte Gustav höflich an, der sie fürsorglich am Arm fasste.

»Es ist mir eine Ehre, gnädiges Fräulein. Darf ich Ihnen meine Familie vorstellen?«

Sieben Augenpaare richteten sich auf Felicitas.

Als sie Bernhard und Heinrich wiedererkannte, hätte sie am liebsten auf dem Absatz kehrtgemacht, doch mit einer für ihre Jugend erstaunlichen Disziplin fasste sie sich so schnell, dass nur ein sehr aufmerksamer Beobachter ihr leises Zögern bemerkt hätte. Distanziert, aber freundlich begrüßte sie die Familie, sah geflissentlich über Bernhard hinweg, gab jedoch mit einem kurzen Nicken in Heinrichs Richtung zu erkennen, dass sie sich sehr wohl an ihre Begegnung erinnerte. Ihre Blicke trafen sich, und eine Sekunde der Stille hing in der Luft, die eine zweite und dritte gebraucht hätte, damit ihre Botschaft verstanden worden wäre, doch eine schneidende Stimme ließ ihr diese Zeit nicht.

»Eine Führung durch die Katakomben eines Theaters ist gewiss nicht ohne Reiz, aber wir werden uns in Anbetracht der fortgeschrittenen Stunde zurückziehen.«

Elisabeth lächelte höflich, doch in ihren Augen lag unverhohlene Geringschätzung und eine Härte, die Felicitas gleichzeitig unerklärlich und so vertraut schien, als würde sie in einen Spiegel schauen. Was du kannst, kann ich auch, dachte sie und quittierte Elisabeth Andreesens Blick mit aquamarinblauer Kälte.

»Wie bedauerlich, gnädige Frau. Falls Sie die Führung an einem anderen Tag nachholen möchten, wenden Sie sich doch bitte vertrauensvoll an unseren Pförtner. Guten Abend.« Mit einer geschmeidigen Bewegung wandte sich Felicitas ab, doch Gustav hielt sie zurück. »Nicht so schnell, junge Dame. Elisabeth, ich denke, Anton, Désirée und Ella begleiten dich nach Hause. Heinrich, Emelie, Bernhard, ihr kommt mit mir. Also, Fräulein Wessels, wo beginnen wir?« Ohne sich weiter um seine Frau zu kümmern, hielt Gustav Felicitas seinen Arm hin, die eine Sekunde zögerte. Ganz offensichtlich hatte der alte Herr die Situation genutzt, um seinen Platz als Patriarch zu demonstrieren und seine Frau in die Schranken zu weisen, und es behagte Felicitas keineswegs, wie eine Schachfigur behandelt zu werden. Doch mit feinem Instinkt spürte sie, dass Gustav Andreesen nicht nur deswegen für sie Partei ergriffen hatte. Sie lächelte ihn an und ergriff den dargebotenen Arm. »Unter dem Dach. Ich hoffe, ein paar Treppenstufen machen Ihnen nichts aus.«

»Ist eine Kindheit am Theater nicht herrlich aufregend?«, fragte Gustav, nachdem er mühsam wieder zu Atem gekommen war. Fasziniert betrachtete er die Seilwinden und Flaschenzüge, mit denen die mächtigen Kulissen von oben nach unten auf die Bühne rangiert wurden, und betastete vorsichtig das Bühnenbild, das den schattigen Palmenhain für Amphitryon und Alkmene darstellte.

»O ja, sehr sogar«, entgegnete Felicitas und breitete die

Arme aus, als wollte sie den Raum umarmen. Sie liebte diesen Teil des Theaters besonders, weil die breite Galerie und der tiefe Ausblick auf die Bühne ihr schon als kleines Mädchen ein Gefühl von Erhabenheit und Ruhe geschenkt hatten, das sie auch heute noch überkam, sobald sie die letzte Stufe der schmalen Treppe erreicht hatte. Als würden die alten Mauern und der abblätternde Putz eine geheime Energie verströmen, die ihr Kraft gab, flüchtete Felicitas, wann immer sie Kummer hatte oder eine Weile mit sich allein sein wollte, auf die Galerie. »Ja«, sagte sie noch einmal.

Sie spürte Heinrichs Blick und erwiderte ihn. Diese samtigen blauen Augen waren ihr vorhin schon aufgefallen, und sie fragte sich, ob dieser Mann hielt, was sie versprachen. Die fahle Blondine, die an seinem Arm hing wie festgeschweißt, ließ allerdings das Gegenteil vermuten. Wie sie hier umherstolzierte, als würden überall ansteckende Krankheiten lauern, stieß Felicitas übel auf. Und dieser Bernhard Servatius hatte ihr auch gerade noch gefehlt. Mit frechen Blicken und schlüpfrigen Kommentaren hielt er sich zwar zurück, doch er strahlte eine fast animalische Vitalität aus, die Felicitas vulgär, aber zu ihrer Beschämung auch anziehend fand. Verstohlen betrachtete sie den hoch gewachsenen Mann, der lässig an einem Pfeiler lehnte, als ginge ihn das alles nichts an.

Attraktiv war er, ohne Zweifel, doch seine Züge offenbarten eine unterschwellige Aggressivität, die weder von einer sanften Augenfarbe noch von einem freundlichen Gesichtsausdruck gemildert wurde. Ein eleganter Freibeuter, verantwortungslos und gefährlich, hungrig darauf lauernd, das nächste Schiff zu kapern, dachte Felicitas und wandte ihren Blick zu Heinrich, der ihr wie der perfekte Gegensatz erschien. Ein souveräner Kronprinz, der es sich leisten kann, freundlich in die Welt zu schauen, weil er es nicht nötig hat zu kämpfen. Ihm gehört sowieso schon alles, eine Firma, eine standesgemäße zukünftige Frau, ein vorgezeichnetes Leben in Reichtum und mit allen erdenklichen Privilegien.

Wer den einen hat, sehnt sich nach dem anderen, schoss es Felicitas durch den Kopf. Hier ein Pirat, dort ein Prinz. Der eine für wilde Abenteuer und brennende Luft, der andere für tiefe Gefühle und eine große Familie. Sie erschrak über ihre kühnen Gedanken und rief sich zur Ordnung. Was um Himmels willen war auch nur in sie gefahren, wildfremden Menschen den Ort zu zeigen, der ihr so viel bedeutete! Ungeduldig wandte sie sich zur Treppe, um diese Führung hinter sich zu bringen.

»Was für ein wunderbares Versteck«, sagte Heinrich lächelnd, doch mit leiser Wehmut in der Stimme, und Felicitas fuhr herum. »Als ich ein kleiner Junge war, habe ich mich immer auf den obersten der Kaffeespeicher geschlichen und mir eingebildet, die Packer würden mich inmitten der Kaffeesäcke nicht finden. Freundlicherweise haben sie so getan, als würden sie mich tatsächlich nicht sehen, und so hatte ich Zeit, mir Geschichten auszudenken. Von Indien und Afrika ...« Er blickte Felicitas in die Augen. »Es gibt sogar heute noch Momente, da sehne ich mich nach diesem Platz.«

»Ich glaube, es ist wichtig, solch einen Ort zu haben, und gäbe es ihn nur in der Fantasie«, erwiderte Felicitas. Ihr Unmut war vollständig verflogen, und zu ihrer Überraschung verspürte sie plötzlich den Wunsch, Heinrich einen tieferen Blick in ihre Welt zu gewähren. Sie lachte leise und öffnete mit Schwung eine mächtige Schiebetür, die sich am Ende der Galerie befand. »Hier können Sie sich drei Wochen verstecken, ohne sich zu Tode zu langweilen. Das ist die Schatztruhe des Theaters. Hier werden die empfindlichen Stücke aus der Requisite verwahrt, solange sie nicht benutzt werden. Kommen Sie.« Heinrich und Gustav folgten ihr und blieben wie verzaubert stehen. Schatullen und Porzellanvasen, silberne Bilderrahmen und Steingutgeschirr, Gläser, Körbe, Schaukelpferde und Puppenhäuschen warteten, sorgfältig etikettiert, auf ihren nächsten Einsatz im Rampenlicht.

»Darf ich?« Behutsam nahm Heinrich eine zierliche chinesische Vase in die Hand und hielt sie ins Licht.

»Ein Original«, sagte Felicitas und fuhr mit dem Zeigefinger eine hauchdünne Linie entlang. »Sehen Sie diese Sprünge? Nun ja, kurz vor der Premiere von *Turandot* habe ich sie mir für mein Kasperletheater ausgeliehen, was natürlich streng verboten war, und natürlich hat sie der dumme Kasper fallen lassen.« Sie lachte leise. »Der Inspizient hat sie mit Melasse geklebt, doch während der Aufführung brach sie entzwei und zerschnitt meiner Mutter die Hand. Zur Strafe musste ich zwei Wochen daheim bleiben. Ein Porzellandoktor hat sie später repariert.«

»Wie aufregend«, murmelte Emelie und unterdrückte geziert ein Gähnen. »Heinrich, bitte lass uns gehen, es ist entsetzlich stickig hier.«

»Sei nicht so zimperlich, Emelie, wir haben doch noch längst nicht alles gesehen«, sagte Gustav und tätschelte begeistert einen ziegengroßen Elefanten aus Ebenholz. »*Entführung aus dem Serail?*«

Felicitas schüttelte lachend den Kopf. »Der wäre wohl etwas zu klein geraten, um Eindruck zu schinden. Nein, nein, der Elefant gehört zur Ausstattung des *Nussknacker* von Tschaikowsky. Er ist eins von den vielen Geschenken, die das Mädchen zu Weihnachten bekommt.«

»Verzeihen Sie meine Unwissenheit«, brummte Gustav und zog eine Grimasse.

»Ich kenne mich eben nur mit Kaffee aus.«

»Wir kennen uns alle nur mit dem aus, was uns vertraut ist. Wenn wir unbekannten Seiten mehr Raum in uns geben würden, würden wir uns verändern, und das macht Angst. Also bleiben wir bei unseren Leisten.« Bernhard sagte es wie für sich selbst und betastete dabei vorsichtig die Bronzebüste einer Balletttänzerin. »Deshalb wollen Sie gewiss auch Schauspielerin werden, nicht wahr?« Er blitzte Felicitas belustigt an. »Die Bühne ist Ihr Revier. Daheim sitzen und auf den Gatten warten und nebenbei stricken und sticken und Tee trinken mit Senatoren, das entspricht sicher nicht Ihrem Temperament.«

»Was meinem Wesen entspricht und was nicht, Herr Servatius, geht Sie, mit Verlaub, nichts an«, erwiderte Felicitas so kühl wie möglich, um ihren Ärger, aber auch ihre Verblüffung darüber zu verbergen, dass ein völlig Fremder nach fünf Minuten in ihr zu lesen vermochte wie in einem offenen Buch.

»Ich weiß nicht, was an der Aufgabe, Ehefrau und Mutter zu sein, schlecht sein soll«, mischte sich Emelie ein und blickte Zustimmung heischend zu Heinrich auf. »Allerdings bedarf es in unseren Kreisen dazu natürlich einer gewissen Bildung und Ausbildung. Ich meine, Schauspielerin kann doch wohl jede werden.«

»Nein, gewiss nicht«, entgegnete Heinrich und legte seine Hand fest auf Emelies, als wollte er sie zum Schweigen bringen. »Große Schauspielerei bedarf einer großen Begabung, eines Talents, das sich gar nicht unterdrücken lässt, egal, wie sehr wir dagegen ankämpfen.«

»Kunst hat immer etwas mit Berufung zu tun, in der Tat«, ergänzte Bernhard. »Wo sie fehlt, bleibt nur Mittelmaß.«

»Meine Jungs werden ein wenig philosophisch, guck an«, sagte Gustav und lächelte breit. »Ist das die moderne Art von heute, junge Damen zu beeindrucken?« Ohne auf eine Antwort zu warten, beugte er sich verschwörerisch zu Felicitas. »Aber neugierig bin ich auch: Werden Sie in die Fußstapfen Ihrer begnadeten Eltern treten?«

Felicitas lachte auf. Dieser alte Herr hatte ihr Herz im Handstreich erobert. In seinen Knopfaugen funkelte der pure Schalk, der sein rotbackiges Gesicht in tausend freundliche Falten legte. Von dem strengen Patriarchen, der seine Frau öffentlich in die Schranken wies, war nichts mehr zu spüren.

Felicitas beschloss, auf seinen Ton einzugehen und auf diplomatische Weise nichts zu sagen, was ihre Pläne allzu offensichtlich machte, Sympathie hin oder her. »Glauben Sie, dass jemand aus einem solchen Stall Gouvernante werden möchte?«

»Nein, aber es könnte doch sein, dass das Leben einen anderen Weg für Sie vorgesehen hat«, kam Heinrich seinem Vater zuvor, der sich anschickte, etwas zu sagen, aber nach einem Blick auf seinen Sohn und Felicitas den Mund zumachte und unmerklich mit dem Kopf nickte.

Felicitas zögerte, gefangen von Heinrichs Blick, der es ihr schwer machte zu erwidern: Nein, sicher nicht. Es wird für mich niemals ein anderes Leben geben als das Theater. Es schien ihr, als würde sie mit diesem Satz eine Tür zuwerfen, die sich gerade einen Spaltbreit geöffnet hatte. Aber andererseits, was war das denn für ein Wille, für eine innere Berufung, wenn der erstbeste Mann mit einem Augenaufschlag alles ins Wanken bringen konnte, woran sie geglaubt hatte. Franziska Ferrik hatte schon ganz Recht mit ihrem Urteil. Felicitas holte tief Luft.

»Nein, sicher nicht«, sagte sie mit fester Stimme. »Es wird für mich niemals ein anderes …«

»Heinrich …« Gustav griff nach Halt suchend in die Luft

77

und sackte mit einem gurgelnden Geräusch, das nach Tod klang, zusammen. Emelie schlug die Hand vor den Mund und unterdrückte einen spitzen Schrei. Heinrich kniete sich hin, öffnete Weste und Hemd seines Vaters und bettete seinen Kopf so gut es ging auf seinen zusammengerollten Gehrock. Gustav hatte die Augen geschlossen und atmete schnell und schwer.

»Er braucht Luft«, rief Felicitas und riss die großen Fenster auf, sodass ein heftiger Windstoß durch den Requisitenraum fegte.

»Sind Sie verrückt?«, schrie Emelie und begann ihre bloßen Schultern mit gekreuzten Händen zu reiben. »Sollen wir uns alle den Tod holen?«

»Dein Taktgefühl ist bemerkenswert«, sagte Bernhard bissig.

»Dürfen mir in einer solchen Situation die Nerven nicht durchgehen, nein?«, entgegnete Emelie beleidigt und rieb hektisch, fast hysterisch auf ihrer Haut herum.

»Hört auf zu streiten. Ein Arzt muss her, schnell«, sagte Heinrich gepresst und tätschelte die Wangen seines Vaters im instinktiven Bemühen, ihn bei Bewusstsein und damit am Leben zu halten.

Felicitas raffte den Saum ihres roten Kleides und wandte sich zur Treppe.

»Ich komme mit. Vielleicht haben wir Glück, und Professor Becker ist unter den Gästen«, sagte Bernhard, nickte dem Freund zu und erstarrte.

Felicitas hielt in ihrer Bewegung inne und begriff. Es war zu spät.

4

*D*as Kranzler war perfekt. Zufrieden mit ihrer Wahl, lehnte Felicitas sich zurück und blinzelte in die Juli-Sonne. Constanze hätte gewiss voller Ehrfurcht in dem langweiligen Café Stehely gesessen, nur weil Karl Marx dort vor fünfzig Jahren sein Kommunistisches Manifest ausgebrütet hat, dachte sie und schüttelte amüsiert den Kopf.

Nein, das Kranzler passte besser zu Felicitas. Es war keins der Häuser, in denen statt Kaffee getrunken sozialkritische Ideen ausgebrütet wurden, kein Ort der Irritation noch der antibürgerlichen Gesinnung, die ihr von Herzen zuwider war, weil sie jeder Fröhlichkeit und aller Leichtigkeit entbehrte, die eine junge, selbstsüchtige Frau für sich reklamierte. Der emanzipatorische Geist, der die Arbeiterviertel von Bremen bis Berlin längst erobert hatte, hatte die Schwelle des Kranzlers noch nicht einmal berührt, im Gegenteil. Die Zeit schien an den dunkelroten Plüschstores zu kleben wie alter Sirup, in der Luft lagen das ungestüme Lachen und stiefelknallende Salutieren der k.u.k. Gardeleutnants, die ihrem Landsmann, dem Georg »Schorschi« Kranzler, in Preußen nur allzu gern einen Besuch abstatteten. Sie brachten einen Hauch der eigenartigen Wiener Melange aus Melancholie und lebenslustigem Fatalismus mit, die dem intellektuellen, blasierten, gierigen Berlin zeigte, was es an Lauschigkeit alles verpasste.

Das einzig Revolutionäre waren die kleinen runden Tische, die nach Pariser Vorbild zur Sommerzeit vor dem Kranzler auf dem Trottoir standen. Selbst Damen ohne Begleitung nahmen hier für eine Verschnaufpause Platz, tranken Kaffee, aßen Windbeutel, plauschten mit dem Oberkellner oder genossen still für sich das Schauspiel auf dem Kurfürstendamm.

So viele Automobile tuckerten den von mächtigen Kastanien gesäumten Prachtboulevard entlang, dass es einem schwindlig werden konnte. Dazwischen behaupteten Pferdegespanne und Radfahrer ihren Weg, ein Süßigkeitenverkäufer bot rot gestreifte Zuckerstangen und kandierte Nüsse an, zwei Musikanten mit Leierkasten und Cimbeln jagten ihrem Kompagnon, einem quirligen Äffchen mit rotem Jäckchen, hinterher, elegante Herren in schwarzem Gehrock und Zylinder eilten hier und dort grüßend vorbei, auffällig farbenfroh gekleidete Frauen führten penibel getrimmte Hündchen mit lachsfarbenen Schleifen im Fell spazieren, Kindermädchen mit weißen Häubchen bugsierten kleine Jungen in Matrosenanzügen und Mädchen mit blonden Zöpfen, karierten Kleidchen und Strohhütchen mit übermütig flatternden rosa Bändern durch die flanierende Menge. Trotz der drückenden Juli-Hitze verströmte die Stadt pulsierendes, wildes, nervöses Leben.

Wie gut, dass sie ihr braves blaues Kleid mit der Krinoline gegen ein sündhaft teures zweiteiliges Ensemble aus rauchblauer Wildseide getauscht hatte, kaum dass sie Berliner Boden betreten hatte, dachte Felicitas. Der Rock saß zwar so verwegen auf Figur, dass ihre Mutter nach Luft geschnappt hätte, doch die Farbe vertiefte das Funkeln ihrer aquamarinblauen Augen, und der Schnitt gab Felicitas' Erscheinung den letzten Schliff. Und außerdem befand sie sich weit entfernt von der mütterlichen Fürsorge.

Und weit weg von Bremen und ihren Erinnerungen.

»Kaffeekönig stirbt in Theaterkulisse« hatte der *Bremer Kurier* reißerisch getitelt, damit jedoch durchaus der hysterischen Atmosphäre entsprochen, die seit Gustav Andreesens Tod im Schauspielhaus herrschte, geschürt von einem untröstlichen Intendanten, der die Zukunft in düsteren Farben ausmalte, weil die einflussreiche Witwe gewiss einen Bannfluch über das Theater aussprechen würde. Um kein Öl ins Feuer zu gießen, hatte Helen vorgeschlagen, der Beerdigung fernzubleiben, aber Max hatte darauf bestanden, um einerseits dem Toten, dem er spontane Sympathie entgegengebracht habe, die letzte Ehre zu erweisen, aber auch, um, wie er es nannte, »Zeuge einer pompösen bürgerlichen Inszenierung zu werden«.

Elisabeth Andreesen tat ihm den Gefallen jedoch nicht, seine Vorurteile und die manch anderer Bremer zu bestätigen. Der Tote, der die Geschicke seiner Stadt so nachhaltig geprägt hatte, ruhte in einem schlichten Eichensarg, die Trauerfloristik war ebenso dezent gewählt wie die Orgelstücke, die Witwe hatte die Zahl der Trauerredner auf die ganz Unvermeidlichen beschränkt und dem Pastor eingeschärft, die Darstellung des göttlichen Willens in Grenzen zu halten.

Die erste Reihe links war für den Bürgermeister und die Senatoren reserviert, die rechte Seite für die Familie. Die Kirchendiener hatten alle Hände voll zu tun, den Ansturm der Trauergäste einigermaßen würdevoll zu bewältigen, und Max, Helen und Felicitas konnten sich gerade noch in eine der hinteren Bänke quetschen. Punkt elf Uhr läuteten die Domglocken, und die Andreesens begannen den endlosen Gang zum Sarg.

Als Felicitas Heinrich wiedersah, krampfte sich ihr Magen schmerzhaft zusammen, und sie nahm weder Elisabeth Andreesen wahr, die marmorweiß geradeaus blickte, noch irgendjemanden sonst. Nicht Anton, der der schluchzenden Désirée mit unwilligem Gesichtsausdruck etwas ins Ohr flüsterte, nicht Emelie, die sich ein paar Tränen mit einem schwarzen Spitzentüchlein abtupfte, selbst Bernhard Servatius nicht, der die versteinert wirkende Ella behutsam untergefasst hatte und damit vielen Anwesenden das Rätsel aufgab, wieso dieser Gartengestalter plötzlich zur Familie zählte.

Heinrich schritt an ihr vorbei, blicklos, wie an den vielen anderen Menschen auch, doch die Nähe, die Felicitas ihm gegenüber so unvermittelt empfunden hatte, wurde mit jedem Atemzug intensiver. Gleichzeitig fürchtete sie, dass das Geschehene eine erneute Begegnung unter anderen, angenehmeren Vorzeichen unmöglich machen könnte. Als ob die Tatsache, dass sie ihn beim intimsten aller Gefühle, der Trauer, hatte erleben dürfen, ein ehernes Band flocht, das sie sowohl aneinander knüpfte als auch auf Distanz hielt.

Das war vier Wochen her. Der Glanz der unerhörten Gefühle war verblasst, und das war auch gut so. Heinrich würde in absehbarer Zeit diese dumme Emelie heiraten, und sie, Felicitas, war auf dem besten Weg, ihr Leben in Bewegung zu bringen und Tatsachen zu schaffen. Berlin! Hier brannte die Luft, hier schlug der Puls des Theaters. Berlin, das hieß Max Reinhardt, der in nur einem Jahr die Ära des Naturalismus beendet und das Regietheater etabliert hatte, in dem die Schauspieler die Achse bildeten, um die sich alles drehte. Wie immer dieses Abenteuer, in das sie sich gleich stürzen würde, auch ausgehen mochte, es markierte ihren Absprung in das Leben, wie sie es sich vorstellte.

Ihre Eltern hatten ihr zwar dringend geraten, ihr Glück zunächst an kleineren Bühnen als ausgerechnet am Deutschen Theater zu versuchen, doch Felicitas hatte nichts davon wissen wollen, sodass ihr Vater schließlich seinen guten Namen spielen ließ und für Felicitas einen Vorsprechtermin arrangierte. Auch ihre Mutter hatte eingesehen, dass es unmöglich war, sie von ihrem Vorhaben abzubringen, ihre Rolle der Alkmene ihrer zweiten Besetzung überlassen und Felicitas begleitet, um die Gelegenheit zu nutzen, weiterzureisen und drei Wochen in Sorau zu verbringen. Die Theaterferien würden schließlich bald beginnen, sie wollte ausspannen und sich Gedanken um ihre künstlerische Zukunft machen, was Felicitas allerdings für einen Vorwand hielt. Die verkorkste Geburtstagsfeier war nun wirklich nicht die Schuld ihres Vaters, und dennoch herrschte seitdem zwischen ihren Eltern eine leise Spannung, die sich von den gewohnten Neckereien und kleinen Meinungsverschiedenheiten unheilvoll unterschied. So sehr Felicitas sich auch bemühte, den Gedanken abzuschütteln, wusste sie doch, dass das Zerwürfnis ihrer Eltern mit dem roten Samtkleid zusammenhing. Kurz nach Gustav Andreesens Tod, nachdem sie ins Foyer geeilt war, um ihren Vater zu suchen, hatte sie ihn mit Franziska Ferrik hinter einer der griechisch anmutenden Säulen stehen sehen und gerade noch die Bemerkung ihrer Schauspiellehrerin gehört, dass er, Max, das Kleid wohl besser vernichtet hätte. Als sie ihren Vater später darauf ansprach, gab er vor, sich nicht daran erinnern zu können. Seitdem wurde sie das Gefühl nicht los, dass sich ein Unwetter über ihrer Familie zusammenbraute und alle Beteiligten nur dastanden und die Wolkenwand anstarrten, statt Regenschirme zu besorgen. Diese Tatenlosigkeit machte Felicitas mehr Angst, als es die Wahrheit wohl vermocht hätte, zumindest war sie davon fest überzeugt.

Felicitas holte ihr Portemonnaie aus ihrer Tasche, um den Milchkaffee zu bezahlen, der ihr selbst hier, in der weltoffenen Hauptstadt des Reiches, nur nach einigen Erklärungen serviert worden war, und das Reclamheftchen, in dem sie Penthesileas Monologe mit rotem Buntstift markiert hatte. Penthesilea – die Leidenschaft und Stärke der unglücklich liebenden Amazonenkönigin passten zu ihr, fand sie, und außerdem pflegte Max Reinhardt eine Vorliebe für Kleist und hatte das *Käthchen von Heilbronn* gerade neulich so fulminant inszeniert, dass es die Kritiker von den Stühlen gerissen hatte. Franziska Ferrik sah sie mit der Rolle zwar wie stets völlig überfordert, hatte ihr aber immerhin viel Glück gewünscht.

Felicitas schlug das Büchlein auf, um sich Penthesileas Begegnung mit Achill noch einmal durchzulesen, obwohl sie seit Wochen gelernt hatte und jedes Semikolon kannte, als der Wind einen losen Zettel erfasste und mit sich fortgetragen hätte, wenn nicht der Kellner geistesgegenwärtig zugegriffen hätte.

»Danke schön«, sagte Felicitas und nickte dem blonden jungen Mann freundlich zu, der heftig errötete und beinahe vergessen hätte, abzukassieren.

Mühsam entzifferte sie die Buchstaben auf dem Zettel. Ach ja, Thomas Engelke. Den hatte sie völlig vergessen. Elfriede hatte ihr die Adresse ihres Sohnes aufgenötigt, der für eine Weile in Berlin wohnte, um seine Zeichnungen an eine Zeitung zu verkaufen, die es noch gar nicht gab und die einen so unaussprechlichen Namen hatte, dass kein Mensch sie je kaufen würde. Felicitas stopfte den Zettel achtlos in ihr Handtäschchen.

Max Reinhardt wartete. Sie wunderte sich bloß, dass dies keinerlei Gefühle in ihr hervorrief.

»Irgendeine Nachricht für mich?«, fragte Felicitas mechanisch, weil man das in einem Hotel so machte.

Der Empfangschef vom Dorian, dem nicht allzu teuren Haus Unter den Linden, das aber einen höchst respektablen Ruf besaß, nickte freundlich. »Zwei, wenn ich nicht irre, Fräulein Wessels.« Er griff in das Fach von Zimmer 421 und überreichte Felicitas zu ihrer Überraschung zwei Kuverts, ein beiges, unverkennbar das Briefpapier ihres Vaters, und ein schlicht weißes mit Relief-Monogramm auf der Rückseite. Felicitas nahm sie an sich und wandte sich zum Fahrstuhl.

Das Einzige, was sie nach diesem Nachmittag im Theater noch wollte, war ihre Ruhe. Sie musste nachdenken, einen klaren Kopf bekommen, um ihre Illusionen und die Wirklichkeit auseinander zu dividieren. Ihre Erwartungen hatten sich nicht erfüllt, doch sie war weit davon entfernt, hysterisch zu werden, und ihre Wut über ihre Naivität hatte sie auf dem Weg vom Theater durch den Tiergarten bereits abgearbeitet.

Mit einem erleichterten Seufzer schloss sie die Tür hinter sich und trat ans Fenster. Ihr Zimmer lag im vierten Stock und bot einen atemberaubenden Blick über die Stadt, den sie mehr genoss als mittendrin zu sein im Trubel der vielen Menschen, die von der Friedrichstraße bis zur Leipziger Zerstreuung und Ablenkung suchten.

Max' und Helens große Sorge, ihre schöne Tochter würde sich kopfüber ins wilde Leben der unzähligen Tanzbars und Animierlokale stürzen, um sich vom provinziellen Bremen zu häuten, war völlig unbegründet. Selbst die neueste Attraktion der Metropole, das Kaufhaus Wertheim, ein gewaltiger Tempel für Waren aller Art, konnte Felicitas nicht locken. Sie verspürte nicht die geringste Lust, das großzügig bemessene Taschengeld, das ihr Vater ihr zugesteckt hatte, für hübsche Unsinnigkeiten zu verwenden.

Nicht einmal den Kaiser würde ich bemerken, dachte sie ironisch, dabei soll er doch angeblich ständig in seiner elfenbeinfarbenen Limousine vom Schloss zum Brandenburger Tor fahren und mit seiner Zweiklanghupe die jubelnden Untertanen grüßen.

Nein, die schillernde Metropole ließ sie kalt. Sie würde Berlin zwar bezwingen, wenn sie denn die Chance dazu erhielte, was nach diesem Nachmittag unwahrscheinlich schien, aber niemals lieben. Die Frage, warum sie dann eigentlich hier leben und arbeiten wollte, begann sich gerade zu formen, doch Felicitas verbot sich energisch jeden Gedanken, der eine Änderung ihrer Pläne auch nur ansatzweise streifte.

Sie zog die Handschuhe aus, knöpfte die Kostümjacke auf, schlüpfte aus den Schuhen und knautschte das mächtige Kopfkissen zu einer Kugel zusammen, sodass sie halb lag, halb saß, und öffnete den Brief ihres Vaters.

»Mein liebes kleines Mädchen«, schrieb er mit kühn geschwungenen Buchstaben. »Denke immer daran: Auch Max Reinhardt geht auf die Toilette. Er ist gewiss einer der ganz Großen, aber du solltest dich nicht allzu sehr fürchten. Spiel! Zeig, was du kannst! Funkel mit den Augen! Und bedenke auch dies: Was immer geschieht, ist ein Teil deines Weges, auch wenn der Sinn dir zunächst verborgen bleibt.

Dein Pa

PS: Deine Mutter hat sich entschlossen, noch eine Woche in Sorau zu verbringen, und möchte, dass du auch kommst. Wie wäre es? Constanze wird grün vor Neid, wenn sie hört, dass du vorgesprochen hast.«

Das glaube ich nicht, dachte Felicitas und lachte laut auf. Was ist schon ein Berliner Intendant gegen einen Revolutionär, der noch nicht trocken hinter den Ohren ist? Aber die Idee, einige Tage im sommerschönen Sorau zu verbringen, gefiel ihr, selbst wenn sie dann Constanzes Sticheleien und Prahlereien in Kauf nehmen müsste.

Ihr Blick fiel auf das weiße Kuvert. Die Schrift kannte sie nicht, doch als sie das Monogramm entzifferte, schlug ihr Herz zwei Takte schneller. H.A. Hastig riss sie den Brief auf. Das Schriftbild war harmonisch, fast weiblich weich.

Heinrich schrieb, dass er sie gern heute um neunzehn Uhr zum Abendessen ins Kaisereck, ein Restaurant am Gendarmen-Markt, »oder welches Haus Sie wünschen« einladen wolle. Es sei ihm bewusst, dass dieses Ansinnen ein wenig kurzfristig komme, doch er habe ihren Vater besucht, um sich persönlich für die Anteilnahme und das Trauergesteck zu bedanken, und erfahren, dass sie ganz allein in Berlin weile.

»Der Zufall wollte es, dass ich zur selben Zeit einige Geschäfte hier zu tätigen habe, und Ihr Vater erlaubte mir, Ihnen meine Gesellschaft …«

Felicitas las nicht weiter und ließ das Blatt sinken. Warum hatte ihr Vater nichts davon erwähnt? Und überhaupt – war er von Sinnen? Wie peinlich, Heinrich nahe zu legen, sich um sie zu kümmern. Ihr Stolz verbat ihr, diese Einladung anzunehmen, doch ihre Neugier und die Erinnerung an den Ausdruck seiner warmen blauen Augen machten es ihr schwer, abzulehnen.

Felicitas sprang auf und strich ihren Rock und die hochgeschlossene weiße Bluse glatt. Zu brav. Für den Abend hatte sie aber nichts Passendes mitgenommen, schließlich hatte sie nicht erwartet, ausgeführt zu werden. Sie betrachtete stirnrunzelnd die Kostümjacke. Wenn sie die Bluse ausziehen und nur das Jäckchen tragen würde? Etwas gewagt, fand sie, als sie in den Spiegel sah, aber gut improvisiert.

Nein, sie würde nicht kneifen, denn dann würde sie nie erfahren, ob Heinrich aus reiner Höflichkeit und ihrem Vater zuliebe gehandelt oder einen willkommenen Vorwand gefunden hatte, sie wiederzusehen.

Heinrich erwartete Felicitas in der Hotelhalle und ging ihr strahlend entgegen.

»Ich hatte eigentlich befürchtet, dass Sie mir meine nicht sehr formvollendete Einladung ... nun ja ... um die Ohren hauen«, sagte er und lächelte so unwiderstehlich freundlich, dass Felicitas fast der Atem wegblieb, doch mit einer Nonchalance, die sie herausforderte.

»Das kann ja noch kommen«, gab sie süffisant zurück, und beide mussten lachen.

»Wollen wir?« Heinrich bot ihr seinen Arm und führte sie zu einem schneeweißen Mercedes, dessen Türen von einem Chauffeur diensteifrig aufgehalten wurden.

»Guten Abend, gnädiges Fräulein«, grüßte er und tippte an seine dunkelblaue Schirmmütze, die doch wahrhaftig mit dem Wappen der Kaffeefirma bestickt war.

»Wollen wir eine kleine Rundfahrt vor dem Essen unternehmen? Oder haben Sie Berlin schon von oben bis unten durchkämmt?«, fragte Heinrich augenzwinkernd.

Felicitas schüttelte den Kopf. »Ehrlich gesagt habe ich außer dem Bahnhof, dem Ku'damm und dem Hotel noch nicht viel gesehen.«

»Nicht zu vergessen das Deutsche Theater.«

»Ja, natürlich«, erwiderte sie leichthin, als ginge sie jeden Tag dort ein und aus, und blickte aus dem Fenster, um weitere Fragen zu vermeiden.

Heinrich sah sie kurz an und tippte dem Chauffeur auf die Schulter. »Ich denke, wir lassen den Gendarmen-Markt Gendarmen-Markt sein. Am Wannsee gibt es ein nettes kleines Restaurant mit wunderschönem Ausblick, und ein Abstecher ins Grüne würde mir auch gut tun. Es war ein anstrengender Tag.«

Felicitas blickte ihn fragend an.

»Verhandlungen«, sagte er abwehrend. »Elektrische Pumpen, die das Kaffeerösten beschleunigen könnten. Nichts, womit wir uns den Abend verderben sollten.«

Sie fuhren über den Ku'damm Richtung Grunewald. Die Dämmerung webte sanftes Grau ins fahle Sonnenlicht und legte sich samtig auf Felicitas' Gemüt. Sie wechselten während der Fahrt kein Wort miteinander, doch das Schweigen wirkte nicht beklemmend. Felicitas fühlte sich bei diesem Mann, der doch eigentlich ein Fremder war, auf eine selbstverständliche Art beschützt und geborgen, die sie sich nicht erklären konnte. Viel zu schnell erreichten sie das Wiesenthal.

Zwischen all der abenteuerlich zusammengewürfelten Architektur, hier ein Stück Versailles, dort Reminiszenzen aus Italien, Babylon und Ägypten, mit denen die neureichen Bauherren die Ufer des Wannsees quälten, machte sich das streng klassizistische weiße Gebäude des Restaurants wohltuend schlicht aus.

»Gefällt es Ihnen?«, fragte Heinrich, und Felicitas nickte. Offensichtlich hatte er für Pomp und Prunk der Metropole genauso wenig übrig wie sie.

»Es würde gut nach Bremen passen.«

Das Wiesenthal war gut besucht, die Dezenz und unaufdringliche Behaglichkeit des Interieurs zog Menschen an, die das Leise schätzten und das Laute mieden. Teppiche in satten Farben und so zarten Mustern, als hätten Feenhände die Fäden verwebt, verschluckten jedes Geräusch und schienen sogar die Gespräche an den mit weißem Damast bedeckten Tischen zu dämpfen. Kerzen statt der üblichen wuchtigen Kronleuchter spendeten ein gnädiges Licht, das jede Frau zur Schönheit erblühen ließ. Dennoch erregte Felicitas' Erscheinung Aufmerksamkeit, die sie umso mehr genoss, da sie das Interesse nicht sich allein zuschrieb, sondern ihnen beiden – als würde die gemeinsame Attraktivität ihr Vergnügen an der eigenen potenzieren.

Während sie die Speisekarten studierten, betrachtete Felicitas Heinrich verstohlen und fand, dass er noch besser aussah, als sie in Erinnerung hatte. Nur zwei feine Falten, die sich von den Nasenflügeln bis zu den Mundwinkeln eingegraben hatten, verrieten seinen Kummer über den Tod seines Vaters und die Anstrengung, die es ihn kostete, die Firma ohne Gustavs Hilfe auf Kurs zu halten, eine Aufgabe, die gewiss schwierig war, vor allem, wenn einem eine Mutter, die wohl kaum daran dachte, die Zügel ganz aus der Hand zu legen, im Nacken saß.

»Ich kann Ihnen den Lachs empfehlen«, sagte Heinrich.

Felicitas verzog das Gesicht. »Ich verrate Ihnen ein Geheimnis. Ich hasse Fisch. Als Bremerin darf man das ja nicht laut sagen, aber Sie können mich damit jagen. Allerhöchstens Hummer findet Gnade vor meinen hungrigen Augen. Am liebsten esse ich Fleisch.« Sie zuckte mit den Schultern. »Ich gestehe, ich bin ein Raubtier. Und noch eins beichte ich, und dann sollten wir zu einer normalen Unterhaltung übergehen. Ich trinke Milchkaffee.«

Heinrich ließ die Speisekarte sinken und lachte schallend. »Und ich bevorzuge Tee.«

Das Eis, das sich normalerweise krustig und kühl zwischen zwei Menschen legt, die sich zum ersten Mal allein begegnen, damit der kalte Kokon den Schmerz möglicher Missverständnisse und Abweisungen lindert, hatte keine Chance. Sie lächelten sich verschwörerisch zu.

»Da ich jetzt zwei Ihrer Geheimnisse kenne«, sagte Heinrich und behielt den heiteren Ton bei, »und Sie wenigstens eins der meinen, darf ich doch so kühn sein und fragen, wie es Ihnen auf der großen Bühne ergangen ist.«

»Wunderbar, ganz wunderbar«, antwortete Felicitas leichthin, jedoch mit einer Spur Sarkasmus, die ihm nicht entging.

»So schlimm?«

»Schlimmer.« Sie hatte sich eingebildet, Max Reinhardt vorsprechen zu dürfen, und nicht einen Gedanken daran verschwendet, dass außer ihm vermutlich noch ein Regieassistent, eine Souffleuse, tausend Beleuchter und weiß der Himmel wie viele Menschen Zeugen ihrer Bemühungen werden könnten, mit wenigen Sätzen einen Saal von der Größe halb Bremens mit ihrer Stimme und Präsenz zu dominieren. Eine Viertelstunde hatte sie mit Penthesilea gekämpft und ein nachdenkliches »Sie sind noch sehr jung« aus der Tiefe des Raums kassiert. Dann war doch noch das Wunder geschehen, und der Mann, dessen Charisma so legendär wie seine Erscheinung unscheinbar war, hatte ein paar freundliche Worte mit ihr gewechselt und ihr Grüße an die Eltern mit auf den Weg gegeben. Das war's. So siegessicher, wie sie ins Deutsche Theater marschiert war, so desillusioniert und wütend über sich selbst war sie wieder gegangen. Aber das behielt sie lieber für sich. »Na ja«, sagte sie und gab sich Mühe, einen abgeklärten Gesichtsausdruck hinzukriegen, »es war eben Theater. Man weiß nie, ob man gut oder schlecht ist und muss die Nerven bewahren, bis die Kritiken da sind. Ich hoffe nur, dass sie gut ausfallen.«

»Das heißt, Sie wissen noch nicht, ob Sie engagiert sind?«

»So schnell geht das nicht. Was glauben Sie, wie viele Schauspielerinnen täglich in Berlin vorstellig werden, um Lucie Höflich zu beerben?«

»Und Sie? Wollen Sie das auch?« Heinrichs Interesse war zu intensiv, um nur höflich zu sein. Er beugte sich sogar ein wenig nach vorn, als wollte er ihrer Antwort entgegenkommen. Felicitas wich nicht zurück.

»Nein, ich habe nicht vor, irgendjemandem seinen Platz streitig zu machen. Aber ja, ich wollte schon immer auf der Bühne stehen, solange ich denken kann. Für mich kommt nichts anderes infrage.« Sie sprach aus, was sie damals in den Kulissen nicht mehr hatte sagen können, doch die Worte klangen seltsam hohl in ihr wider, eine Aneinanderreihung von Silben, die harmonisch tönten und durchaus ihrem Wesen und Wollen entsprachen, aber dennoch eine andere, feinere Melodie unterdrückten. Sie blickte Heinrich offen an, plötzlich sicher, dass er sie verstehen würde. »Manchmal frage ich mich allerdings, was mich antreibt, und ich finde keine Antwort. Meine Schauspiellehrerin hält mich für unbegabt, und meinen Eltern ist es egal, ob ich in Berlin Theater spiele, in Bremen oder gar nicht. Sie möchten nur, dass ich meinen Weg finde.«

»Das spricht für Ihre Eltern, nicht gegen sie. Sehen Sie, ich habe meinen Weg geerbt, ich musste ihn einschlagen, ohne dass ich eine besondere Fähigkeit oder Neigung zum Kaffeerösten verspürt hätte. Nun ja«, sagte Heinrich und lächelte schief, »ich denke, mit einer Leidenschaft zum Kaffeerösten wird kein Mensch geboren.« Er sah Felicitas mit einer Mischung aus Wehmut und Selbstironie an. »Noch ein Geheimnis, nicht wahr? Behalten Sie es bloß für sich.«

»Da ich jetzt immerhin zwei Ihrer Geheimnisse kenne und Sie inzwischen drei der meinen«, sagte Felicitas im gleichen Ton, zögerte aber und fuhr dann ernster fort, »möchte ich gern wissen, wie es Ihnen geht.«

Ihre Direktheit schien Heinrich nicht im Geringsten zu stören.

»Ich wusste, dass mein Vater sehr krank war, obwohl er versucht hat seinen Zustand vor der Familie zu verbergen. Er schmiedete verrückte Pläne, kaufte Autos und gab niemals zu, dass ihm irgendetwas zu viel wurde. Trotzdem habe ich versucht, mich auf seinen Tod einzustellen, mir den Verlust klar zu machen. Aber das nützte mir gar nichts.«

»Das ist nicht Ihr Fehler«, sagte Felicitas behutsam. Am liebsten hätte sie tröstend seine Hand genommen. »Kein Mensch kann sich so auf den Tod vorbereiten. Wenn wir das könnten, würden wir jede Begegnung mit dem geliebten Menschen betrachten, als wäre es die letzte, jeden Kuss, jedes Wort. Das Leben wäre wie der Tod selbst.«

»Sie sind eine kluge Frau, Felicitas«, entgegnete Heinrich. »Vielleicht können wir einen plötzlichen Schmerz, der uns fast ohnmächtig macht, tatsächlich besser verkraften als eine ständige Dosis. Ich weiß es nicht.«

»Sie vermissen ihn sehr, nicht wahr?«

»Ja, und ich wünschte, er hätte noch irgendetwas zu mir gesagt, etwas, das ich im Herzen tragen kann, eine Formel, die seine Erfahrungen und sein Leben in einem Satz bündelt. Ich fürchte mich davor, die Erinnerungen an ihn nicht festhalten zu können, ja, ich habe Angst, ihn zu vergessen.«

»Sie werden ihn nicht vergessen, das passt gar nicht zu Ihnen«, erwiderte Felicitas mit Nachdruck. »Sie sind so wahrhaftig … Allein die Art, wie Sie geradeheraus reden. Sie taktieren nicht, schlagen keine rhetorischen Haken, sondern sagen, was Sie fühlen, ohne zu kalkulieren, was ich davon halten könnte.« Das ist revolutionär, dachte Felicitas grimmig, nicht die Liebe zu einem Revolutionär. Ihr Herz raste.

»Sie irren sich. Ich versuche, nie etwas dem Zufall zu überlassen und mich nach Möglichkeit nicht überraschen zu lassen«, gab er zurück.

»Bestimmt nicht. Ihrem Freund Servatius sähe das ähnlich, Ihnen nicht.«

»Wie können Sie sich da so sicher sein?«

»Ich weiß es eben«, beharrte sie leise und ein wenig störrisch. Hätte sie bloß den Mund gehalten. Was sollte das werden? Von Shakespeare bis Schiller gab es eine Fülle hinreißender, charmanter oder tragischer Beispiele, wie man sich in einer solchen Situation am besten verhielt, doch jenseits der Bühne und der Dichtkunst musste man leider ohne Regieanweisungen auskommen, und ihr Talent zur Dramaturgie war offensichtlich begrenzt. Weil du nicht weißt, was du willst, flüsterte eine Stimme in ihr, und innerlich seufzend gab Felicitas ihr Recht. Offenbar schaffte es Heinrich im Handumdrehen mit freundlichen Worten und einem exquisiten Abendessen aus ihr einen schwärmenden Backfisch zu machen. Aber wenn er das vermochte, wie wichtig waren ihr dann um Himmels willen ihre hochtrabenden Pläne? Etwa gar nicht? Reiner Romanstoff, der das Vakuum zwischen dem träumenden Mädchen und der liebenden Frau füllte? Nein, das konnte nicht sein. Auf den Gedanken, dass sich vielleicht beides, die Liebe und das Theater, miteinander verbinden ließ, kam Felicitas nicht. Sie schwieg und sah Heinrich herausfordernd an.

»Sie haben Recht«, sagte er nachdenklich, ohne auf ihre Gereiztheit zu reagieren. »Manche Dinge weiß man einfach, auch wenn man keine Ahnung hat, auf was sich dieses Wissen stützt. Es ist instinktiv, und selbst wenn eigentlich alle äußeren Umstände dagegen sprechen, weiß man, dass man ihm trauen kann.«

»Das nützt einem aber nur, wenn man sich traut, ihm zu trauen«, ergänzte Felicitas übermütig, weil sie der Versuchung einer kleinen Wortspielerei nicht widerstehen konnte. Erst viel später wurde ihr bewusst, dass in diesem Augenblick die Weichen für ihr ganzes weiteres Leben gestellt wurden.

Irgendetwas fehlte. Irritiert sah Elisabeth auf.

Wie jeden Nachmittag seit Gustavs Tod verbrachte sie einige Stunden in der Bibliothek und sichtete die Unterlagen und Berge an Korrespondenz, die er in seinem englischen Schreibtisch verwahrte, dessen Schubladen er stets penibel verschlossen hatte. Den Schlüssel hatte Elisabeth nicht lange suchen müssen, sie wusste, dass Gustav ihn unter der Holzfigur eines afrikanischen Götzen aufbewahrte, die Emelies Vater ihm von einer seiner Reisen in die Kolonien des Reiches mitgebracht hatte. Die Figur war primitiv gearbeitet, fand Elisabeth, und mit dem aufgerissenen Mund auch ein wenig obszön, aber Gustav hatte sie gemocht, weil sie aus Togo stammte, dem einzigen der so genannten Schutzgebiete, das mehr einbrachte, als es kostete, und in das Gustav auf Anraten seines Freundes mehr als hunderttausend Reichsmark investiert hatte.

Blatt für Blatt, Brief für Brief, jede Rechnung, jede Notiz, jede Aufzeichnung hatte sie geprüft. Sie wollte nichts übersehen, nichts verpassen, fand das meiste, bis auf die Mitteilung, der Wert der Togo-Papiere habe sich inzwischen verdoppelt, jedoch nur mäßig interessant.

Elisabeth überlegte. Alles schien wie immer und war es eben doch nicht. Das sanfte Ticken der Standuhr, an die nur Gustav hatte Hand anlegen dürfen, war schon vor drei Wochen verstummt, sein goldener Drehbleistift lag nicht mit dem Griff nach rechts in der Messingschale, sondern nach links, die Lampe stand nicht mehr im korrekten Winkel zur ledernen Schreibunterlage. Banalitäten, die aber die endgültige Abwesenheit eines Menschen schonungsloser dokumentierten, als es das Bild eines Sarges vermocht hatte.

Elisabeth klappte die Mappe zu und lehnte sich zurück, die Augen geschlossen. Den wilden Schmerz der ersten Trauer hatte sie mit eiserner Disziplin niedergestreckt, jetzt bohrte er sich mit feinen Nadelspitzen zurück in ihr Herz. Sie stand auf und schenkte sich aus der silbernen Kanne Assam-Tee nach. Es wurde Zeit, an die Zukunft zu denken statt die Vergangenheit zu verwahren und zu verwalten. Das Leben musste in dieses Haus zurückkehren, und wie konnte man es besser willkommen heißen als mit einer Hochzeit? Das Trauerjahr war zwar noch lange nicht vorbei, dennoch konnte es angesichts der zu erwartenden Gästezahl nicht schaden, wenigstens die Eckpfeiler der Feier schon einmal festzulegen. Im Dom würde die Trauung stattfinden, darüber herrschte gewiss auch bei den van der Laakens kein Zweifel, ein Empfang im Schütting für die Honoratioren der Stadt wäre unerlässlich, die abendliche Feier im Deutschen Haus angebracht. Dezent, aber stilvoll würde so eine neue Ära im Hause Andreesen eingeläutet. Heinrich liebte Emelie nicht, aber das würde schon noch kommen. Und falls nicht, wäre gegen eine Zweckehe wohl kaum etwas einzuwenden. Emelie musste natürlich noch eine Menge lernen, war aber von ihrer Erziehung und ihrem Stand her bestens geeignet, eines Tages ihre Position einzunehmen, wenn sie, Elisabeth, endgültig zu alt dafür sein würde. Leider interessierte sich ihre Schwiegertochter in spe überhaupt nicht fürs Trabrennen, aber Elisabeth würde ihr schon beibringen, wenigstens die geneigte Schirmherrin zu spielen.

Mit den Plänen war ihre alte Tatkraft zurückgekehrt, und Elisabeth beschloss, sich Indonise satteln zu lassen. Wie lange war sie nicht mehr geritten!

Anton unterbrach ihre Gedanken.

»Ich muss mit dir sprechen, Mutter.« Er lehnte lässig in der Tür.

Elisabeth runzelte die Stirn. »Muss das jetzt sein? Ich bin auf dem Weg in den Stall.«

»Es dauert nicht lange. Ich möchte dich bitten, mir mein Erbe auszuzahlen.«

»Bitte?« Elisabeths Augen verengten sich.

»Nun, es ist wenig genug, und es gehört mir. Ich …«

»Braucht Désirée etwa neues Geschmeide, um bei Laune zu bleiben? Oder drücken dich mal wieder einige Spielschulden?«, fragte Elisabeth kühl. Sie hasste sich, weil sie ihren Sohn so behandelte, und sie hasste Anton, weil er sie zwang, ihn so zu behandeln. Elisabeth war nur froh, dass Gustav in weiser Voraussicht Anton den geringstmöglichen finanziellen Spielraum für seine Eskapaden hinterlassen hatte. Nie würde sie vergessen, wie der Notar bei der Testamentseröffnung eine Liste mit Antons Schuldscheinen vorgelesen hatte. Allerdings hatte auch Bernhard Servatius Geld geerbt, und zwar eine beträchtliche Summe. Mit Schrecken hatte Elisabeth den Passus im Testament gehört und sich gefragt, welches Wissen Gustav mit ins Grab genommen hatte.

»Ich möchte in die Politik gehen«, sagte Anton langsam und so würdevoll, wie er konnte.

»Dann geh«, beschied Elisabeth ihm und widmete sich erneut den Papieren. Ihr war die Lust aufs Reiten vergangen. Wütend stürmte Anton durch die Halle davon.

Eine Wagentür klappte. »Mutter?« Heinrichs Stimme klang fröhlicher, als es in einem Trauerhaus angemessen war, und intuitiv erfasste Elisabeth, dass ihre Pläne bereits Makulatur waren. Inständig hoffte sie, dass ihre Ahnung unbegründet war, doch als sie Heinrich sah, zuckte sie unmerklich zusammen. Sie kannte diesen Gesichtsausdruck, diese Aura der Unverletzlichkeit. Es war zwar lange her, doch sie hatte es nicht vergessen.

»Du hast gute Nachrichten, deiner Miene nach zu urteilen? Das Geschäft ist unter Dach und Fach?«, fragte sie dennoch.

»So gut wie«, antwortete Heinrich, ging um den Schreibtisch herum und nahm seine Mutter in den Arm. »Wir haben zwar einen Konkurrenten, natürlich aus Hamburg, aber ich bin sicher, dass die Berliner uns den Zuschlag geben.«

»Wunderbar, mein Junge. Vater wäre stolz auf dich. Möchtest du eine Tasse Tee?«

»Nein, vielen Dank. Mutter, es ist zwar nicht der richtige Augenblick, aber ich würde gern eine Flasche Champagner öffnen. Ich … ich werde heiraten.«

Elisabeth blieb stumm, hob nur ein wenig die Brauen. Sie würde jetzt gewiss keine Maskerade veranstalten und hilflose Dummheiten äußern, um das Unvermeidliche hinauszuzögern. Er wollte also heiraten, aber seine Frau sollte nicht Emelie heißen. Die Frage war allerdings, ob sein Entschluss so unerschütterlich war, wie es den Anschein hatte, und vor allem, welche Frau es geschafft hatte, seine Leidenschaft zu entfachen.

»Wer ist es?«, fragte sie deshalb geradeheraus, was Heinrich kurz aus der Fassung brachte. Sie lächelte flüchtig. »Ich bin deine Mutter, und es ist mir nicht verborgen geblieben, dass die Verbindung mit Emelie nicht gerade eine Liebesheirat wäre.«

»Du kennst sie«, sagte er, ohne auf ihre Bemerkung einzugehen. »Felicitas Wessels.«

Vorsichtig setzte Elisabeth die Teetasse ab und öffnete die große Verandatür, die auf die Terrasse und von dort in den Garten führte. Die Eichen, die sie eigenhändig vor dreißig Jahren gepflanzt hatte, obwohl Gustav dagegen gewesen war, beschatteten den kleinen Pavillon, dessen Bau sie ebenfalls durchgesetzt hatte. Die englischen Kletterrosen, die sich anmutig an die Säulen des Wintergartens schmiegten, dufteten süß. Alles hier trug ihren Stempel, und sie würde dafür sorgen, dass es so blieb. Keine Komödiantin mit dem Herzen einer Piratin und den Augen einer Schneekönigin würde ihren Fuß in ihr Refugium setzen. Die Frage war nur, wie sie Heinrich die Unmöglichkeit seines Vorhabens klar machen sollte. Wie hätte irgendwer Gustav seinerzeit davon abbringen können, als er ihrem, Elisabeths, Zauber erlegen war? Nur die Zeit, gab sie sich selbst die Antwort. Die Zeit war ihre Verbündete. Sie drehte sich um.

»Heinrich, ich will dir keinen Vortrag darüber halten, dass du im Begriff bist, eine Dummheit zu begehen und eine viel versprechende Ehe aufs Spiel zu setzen für das Risiko, die Tochter von, sagen wir, nicht sehr standesgemäßen Leuten zu heiraten. Darüber bist du dir sicher im Klaren.«

»Mutter, Felicitas hat eine Saite in mir angeschlagen, von der ich gar nicht wusste, dass es sie gibt.«

Elisabeth starrte ihn an. Dieselben Worte, mit denen Gustav einst versucht hatte ihr zu erklären, warum er sie und keine andere wollte. Trügerische Worte, die so schnell ihren Klang verloren hatten. Heinrich war seinem Vater offenbar ähnlicher, als es ihr bislang bewusst gewesen war, und wenn seine Leidenschaft so kurzlebig sein sollte wie Gustavs, war sie, Elisabeth, auf dem richtigen Weg. Liebevoll sah sie ihn an und drückte seine Hand.

»Ich möchte dich nur bitten, mit der Hochzeit zu warten, bis wir das Patent für den magenschonenden Kaffee schwarz auf weiß besitzen.«

»Aber Mutter, das kann noch zwei Jahre dauern. Du weißt doch, dass wir erst am Anfang stehen und mit welchen Schwierigkeiten wir zu kämpfen haben. Die Gerbsäure lässt sich nicht isolieren. Nun gewiss, Frantz testet gerade ein neues Verfahren, es sieht viel versprechend aus, aber …«

»Bitte verschone mich mit den chemischen Einzelheiten«,

entgegnete Elisabeth lächelnd. »Siehst du, ich hätte auch toben können oder dir die Sache einfach verbieten, weil ich befürchte, dass du uns lächerlich machst. Aber ich bitte dich nur um diesen einen Gefallen. Ich finde, das ist nicht zu viel verlangt.«

»Aber es ergibt keinen Sinn. Das Patent macht doch keinen Unterschied.«

»Aber ja, weil es dir Zeit gibt, herauszufinden, ob dieses Mädchen wirklich die ist, für die du sie hältst. Ob sie den Charakter hat, eine Andreesen zu sein, und ob ihre Liebe stark genug ist, auf dich zu warten.« Sicher nicht, fügte Elisabeth in Gedanken hinzu. Sie würde zur Bühne gehen, ihre Erziehung und ihr Aussehen ließen ihr gar keine andere Wahl, und wenn sie erst einmal in Applaus gebadet hatte, würde ihr die Welt der Andreesens trocken und langweilig erscheinen.

Prüfend sah Heinrich seine Mutter an. »Du schätzt sie falsch ein, Mutter, du glaubst, sie wäre auf eine gute Partie aus, aber ich kann dir versichern, dass das nicht der Fall ist. Im Gegenteil, ich werde Mühe haben, sie davon zu überzeugen, lieber meine Frau als eine gefeierte Schauspielerin zu werden. Und du schätzt auch mich falsch ein.«

»Du bist so sehr der Sohn deines Vaters ...«, begann Elisabeth und zögerte. Vielleicht wäre es angebracht und fair, ihm die Geschichte ihrer Ehe zu erzählen, aber es ging hier schließlich nicht darum, Gefühle offen zu legen, sondern darum, die Geschicke des Hauses zu sichern. »Ihm ging das Unternehmen über alles, und deshalb bin ich überzeugt, dass du in seinem Sinne handeln wirst.« Wie gut, dass sie nicht ans Fegefeuer glaubte. Weniger robuste Menschen würden wohl angesichts dieser dreisten Verdrehung der Tatsachen heute noch drei Vaterunser beten.

»Schon gut, Mutter. Du brauchst Vater nicht zu bemühen,

und es liegt mir fern, mich mit dir zu streiten. Du bekommst das Patent und ich Felicitas.«

»Sobald wir das Patent besitzen.«

»Sobald wir das Patent besitzen.« Er wandte sich zur Tür, nahm seinen Koffer und verschwand ohne ein weiteres Wort.

Er ist beleidigt, dachte Elisabeth amüsiert. Ein großes Kind wie alle Männer, das heulte, weil es den bunten Kreisel haben wollte statt des grünen. Doch es war ihr gleichgültig. Sie würde alles daransetzen, die Familie und das Unternehmen zusammenzuhalten, und eine Frau wie Felicitas, wild und unstet, eine Schauspielerin!, hatte hier nichts zu suchen. Tief in ihrem Innern erschrak sie über ihre eigene Härte, die von Einsamkeit und bitteren Erfahrungen geschmiedet worden war. Doch was sie am meisten fürchtete, ohne diesen Gedanken jedoch zuzulassen, war die bange Frage, ob Felicitas Heinrich das Gleiche antun würde wie sie einst Gustav.

»Bleibst du nicht zum Essen?«, fragte Ella überrascht, als sie sah, dass Heinrich mit der Aktenmappe in der Hand zur Haustür ging. Sie hatte sich so darauf gefreut, ihren Bruder wiederzusehen, denn drei Tage nur mit Mutter, Anton und Désirée zu speisen war anstrengend. Désirée gab mit ihrer zirpenden Stimme stets nur den neuesten Klatsch zum Besten oder käute bei unbefriedigender Nachrichtenlage aus der Gesellschaft den alten wieder. Anton schob das Essen hin und her und trank eindeutig zu viel Wein, und ihre Mutter bemühte sich um die Art der perlenden Konversation, die sie besser mit Emelie teilen konnte als mit Ella. Das gepflegte Gerede war Ella zuwider, und sie musste sich sehr zusammenreißen, um nicht in unhöfliches Schweigen zu versinken. Als ihr Vater noch lebte, war das gemeinsame Essen fröhlicher und rustikaler verlaufen. Heinrich war zwar auch noch nie eine Stimmungskanone gewesen und in den Wochen nach dem Tod ihres Vaters oft in sich gekehrt, aber seine freundliche, anteilnehmende Art tröstete Ella und machte das Leben im Hause Andreesen erträglich. »Du bist doch gerade erst nach Hause gekommen!«, fügte sie hinzu und ging ihm entgegen. Er breitete die Arme aus, und sie flog hinein, als wäre sie noch das kleine Mädchen, das vom großen Bruder beschützt werden wollte. Und so war es eigentlich auch tatsächlich, denn Ella brannte darauf, Heinrich von ihrem Geheimnis zu berichten und von ihm zu hören, dass bestimmt alles gut werden würde.

»Hübsch siehst du aus«, sagte er und umschloss ihr Kinn mit seiner Hand, wie Vater es gern getan hatte. Ella schluckte, und Heinrich zog sie an sich. »Ich weiß, ich weiß, wir vermissen ihn beide.«

Eine Weile standen sie so beisammen, bis Heinrich sich sanft von ihr löste und die Aktentasche wieder in die Hand nahm. »Ich muss noch einmal im Büro nach dem Rechten sehen. Drei Tage sind ziemlich lang, wenn man eine Firma leitet.«

»Aber es ist schon so spät«, sagte Ella. »Meinst du nicht, dass deine Akten bis morgen Zeit haben? Und die Mäuse freuen sich auch, wenn sie noch etwas länger auf dem Tisch tanzen können.«

Heinrich zögerte. Er hatte immer gespürt, wenn seine kleine Schwester etwas auf dem Herzen hatte, und dies war offensichtlich jetzt der Fall. Ihre Augen glänzten, und ihre Wangen waren gerötet, als bekäme sie Fieber. Aber ausnahmsweise gewann sein Egoismus die Oberhand, und ein nie gekanntes Misstrauen, seine Mutter würde die Dinge anders darstellen, als sie waren, ließ es ihm ratsam erscheinen, seine Schwester selbst einzuweihen.

»Ella, es gibt da etwas, was du wissen solltest …«, begann er und schilderte in einem Tempo, das ihm selbst viel zu hastig erschien, was geschehen war und noch geschehen musste, um kein Traum zu bleiben. »Und deshalb werde ich ab sofort jeden Tag und jeden Abend im Büro und im Labor verbringen, bis das Patent uns gehört«, schloss er und sah seine Schwester so triumphierend an, dass sie unwillkürlich lachen musste.

»Das nenne ich Courage, lieber Bruder. Du weißt aber doch, dass Mutter nichts auf dieses blöde Papier gibt, nicht wahr? Sie glaubt, dass du wieder zur Besinnung kommst, wenn nur genug Zeit ins Land gegangen ist.«

»Mag sein«, entgegnete er, erstaunt über Ellas Scharfsinn. »Aber ich habe ihr mein Wort gegeben, also werde ich alles tun, um es zu halten.«

»Du bist zu gut für diese Welt«, seufzte Ella. »Ich hoffe, Felicitas weiß, was für einen wunderbaren Ehemann sie bekommt.«

»Noch nicht«, sagte er, winkte ihr zu und verließ das Haus.

Ach herrje, das konnte ja heiter werden. Mutter schmiedete Pläne, wie sie die Heirat verhindern konnte, Felicitas wusste noch gar nichts von ihrem Glück, und Emelie wähnte sich immer noch in der Rolle der zukünftigen Frau Heinrich Andreesen.

Und ich?, dachte Ella und grinste verstohlen. Ich bin im Begriff, die brave Tochter hinter mir zu lassen.

Unschlüssig sah sie auf die Uhr. Um sich für das Abendessen umzukleiden, war es noch zu früh, und um noch einmal in den Schnoor zu gehen, eindeutig zu spät. Außerdem hatte sie bereits am Vormittag ihre Familien besucht, die sich an den festen Rhythmus, den Ella einigermaßen gefahrlos beibehalten konnte, gewöhnt hatten. Mittwoch-

und freitagvormittags brachte sie den Frauen, die krank oder ohne Arbeit waren, Lesen, Schreiben und Rechnen bei, und montagabends, wenn ihre Mutter Bridge spielte, unterrichtete sie diejenigen, die nach der schweren Arbeit auf den Werften und in den Nähstuben noch einigermaßen aufnahmefähig waren. Ihrer Mutter hatte sie das Märchen aufgetischt, ihre Leidenschaft für lange Spaziergänge entdeckt zu haben, um etwas für ihre Figur zu tun, doch es war natürlich nur eine Frage der Zeit, bis diese erfuhr, was ihre Tochter tatsächlich unternahm. Aber sie fürchtete den Zorn nicht mehr, im Gegenteil, manchmal hoffte sie sogar, für ihre Ambitionen einstehen zu müssen, denn Ellas Engagement hatte sich seit dem Tod ihres Vaters von einem gelegentlichen wohltätigen Zeitvertreib zu einer Aufgabe entwickelt, die sie nicht mehr missen mochte, auch wenn ihre Bemühungen nur langsam und ganz wenige Früchte zeigten.

Ihr neues Selbstbewusstsein verdankte sie vor allem der Gewissheit, dass es jemanden gab, der ihre soziale Einstellung teilte und ohne Rücksicht auf eigene Belange dort zur Stelle war, wo der Schuh am meisten drückte.

Peter Gerhard war buchstäblich vor Ella auf die Knie gefallen, um die Äpfel und Birnen aufzusammeln, die aus ihrem Korb gekullert waren, weil ein frecher kleiner Streuner die Kurve zwischen dem Korb und der Hövergasse falsch eingeschätzt hatte. »Nett gemeint«, hatte der Mann freundlich und ohne Sarkasmus bemerkt und auf das Obst gedeutet, »aber die Menschen hier brauchen etwas anderes.« Höflich hatte er seine Schiebermütze gelüpft und war schon fast hinter der nächsten Ecke verschwunden, als Ella ihm kurz entschlossen »Und was?« hinterhergerufen hatte. Aus dieser Frage hatten sich intensive Gespräche, immer häufigere Begegnungen und eine tiefe Vertrautheit entwickelt. Peter Gerhards ganze Leidenschaft gehörte der Idee, eines Tages Automobile zu bauen, die die Welt noch nicht gesehen hatte und die ihm nicht nur Ruhm und Reichtum bringen sollten, sondern vielen Menschen hinlänglich Lohn und Brot. Als dritter Konstrukteur der Lloyd-Werke hatte er zwar bereits einen beachtlichen Aufstieg hingelegt, doch seine Herkunft nicht vergessen. Um seinen Beitrag für eine gerechtere Welt zu leisten, wie er es nannte, organisierte Peter politische Veranstaltungen, in denen es um Bürgerrechte und eine soziale Neuordnung der wilhelminischen Gesellschaft ging. Ellas Idee, ein Heim für verwaiste Schnoorkinder zu gründen, begeisterte ihn, und er ermutigte sie, ihren Plan voranzutreiben.

Peter mochte ein Stück kleiner als sie sein und zur Korpulenz neigen, doch sein Enthusiasmus und die visionäre Kraft, mit der er seine Ziele verfolgte, machten ihn attraktiver als alle Männer, die Ella kannte, ausgenommen ihren Bruder Heinrich und vielleicht noch Bernhard Servatius.

Oft hatte Ella darüber nachgedacht, ob sie Peter vielleicht liebte, war aber zu keinem Ergebnis gekommen. Er stärkte ihr den Rücken und kritisierte nicht an ihr herum. Selbst wenn man das nicht Liebe nennen konnte, war es doch genau das, wonach sie sich sehnte. Bald würde sie mit Heinrich sprechen müssen, ganz gleich, wie beschäftigt er war.

»Langeweile, mein Kind?« Elisabeth bedachte die träumende Ella mit einem Blick, in dem ihre ganze Entrüstung über die nachlässige Erscheinung ihrer Tochter lag.

»Nein«, gab Ella patzig zurück und fügte scheinheilig hinzu: »Ich dachte nur gerade darüber nach, wie Emelie es wohl auffassen wird.«

»Gute Nachrichten verbreiten sich offensichtlich schnell«, entgegnete Elisabeth kühl und ging langsam die Treppe

hinauf. »Vergiss nicht, dich umzukleiden. Dieses Kattun-
kleid ist eine einzige Katastrophe.«

Ella sah ihr nach und schüttelte den Kopf. Die Laune ihrer
Mutter war nicht auszuhalten. Ganz offensichtlich würde
heute Abend jeder, der ihr in die Quere kam, zum Sünden-
bock für Heinrichs unerwartete Eröffnung degradiert. Es
würde die Lage also nicht wesentlich verschlechtern, wenn
sie sich ebenfalls kräftig danebenbenahm. Kurz entschlossen marschierte Ella in die Küche, um Marie zu sagen, dass
sie ein Gedeck weniger auflegen solle, und verließ die Villa
durch den Hintereingang.

Die Juli-Wärme umfing sie weich, und Ella atmete tief
durch. Sie wusste nicht, wohin sie gehen sollte, doch eine
eigenartige Leichtigkeit trug sie und lenkte ihre Schritte in
den Bürgerpark und von dort direkt zu den Wallanlagen.

Als sie Heinrichs Büro betrat, sprang Bernhard Servatius
galant auf und deutete eine komische kleine Verbeugung
an. »Ella, mit Ihrer Anwesenheit ist das Festkomitee zur
Feier des Sieges der Liebe über die Vernunft vollzählig.«

Ella wurde rot und gab ihm die Hand. »Wieso klingen solche Witze bei Ihnen bloß immer gleich so …«

»Schlüpfrig?«, ergänzte Bernhard grinsend und ließ sich in
den Sessel zurückplumpsen. »Der Schein trügt. Denken
Sie sich nichts dabei. Mein Herz ist rein. Also, Heinrich,
wann beichtest du es Emelie?«

Heinrich schüttelte den Kopf, als verstünde er sich selbst
nicht mehr. »Ich habe es ihr schon gesagt, bevor ich zu
Mutter gefahren bin.«

»Das nenne ich schnell entschlossen«, entgegnete Bernhard und lachte. Ella sah ihn missbilligend an. »Und wie
hat sie reagiert?«

»Contenance bewahrt«, sagte Heinrich knapp und strich
einen nicht vorhandenen Krümel vom Schreibtisch. »Wir

haben nie über eine Heirat gesprochen, aber seit unserer Kindheit war sie für beide Familien beschlossene Sache, und weder Emelie noch ich sind je auf den Gedanken verfallen, unsere Verbindung in Zweifel zu ziehen. Dass ich die Dinge von heute auf morgen auf den Kopf stelle, hat sie glaube ich mehr verwundert als getroffen. Vielleicht wünsche ich mir das aber auch nur, um mein Verhalten zu rechtfertigen. Ich weiß es nicht.« Er zuckte mit den Schultern.

»Du bist derlei Eskapaden nicht gewöhnt«, sagte Bernhard mit einer Spur Nachsicht in der Stimme. »Aber es gibt keinen Grund, sich zu geißeln. Du hast dich verliebt, und du hast dich entschieden, das ist alles. Welchen Preis du dafür zahlen musst, wirst du allerdings erst später sehen.«

»Was für ein Preis soll das denn sein, wenn man jemanden liebt?«, fragte Ella stirnrunzelnd.

»Der Zyniker in ihm ist fest davon überzeugt, dass alles eine böse, dunkle Kehrseite hat, die man in Kauf nehmen muss, wenn man die glänzende Seite haben will«, antwortete Heinrich. »Ich halte das jedoch für ausgemachten Unsinn, der ihm lediglich den Vorwand liefern soll, sich nicht festlegen zu müssen.«

»Gut pariert, altes Haus«, gab Bernhard augenzwinkernd zurück. »Aber bevor wir weiter mein Innenleben analysieren, würde ich gern erfahren, was Fräulein Felicitas hat, was Emelie dir nicht geben kann. Ich meine, nicht, dass es nicht offensichtlich wäre, schön, wie sie ist …«

»Sie ist die einzige Frau für mich, und nichts wird sich je daran ändern. Mehr gibt es dazu nicht zu sagen«, entgegnete Heinrich ruhig und öffnete eine von mehreren Mappen, die sich auf seinem Schreibtisch stapelten. »Und nun, meine Lieben, seid mir nicht böse, aber gefeiert wird später. Das Patent ruft!«

Bernhard und Ella verließen das Kontor. Rosenrot hatte

sich die Sonne verabschiedet, die Temperatur war ein wenig abgekühlt, und die Nacht lag bereits in der Luft, frisch und ein wenig süß.

»Der Duft der Weserwiesen«, sagte Ella sehnsüchtig. Plötzlich verspürte sie das unbändige Verlangen, diesen Tag der großen Überraschung nicht an sich heruntergleiten zu lassen wie ihr Kleid, wenn sie ins Bett ging, sondern etwas zu tun, was dem Anlass gerecht wurde – schwimmen gehen, sich im Gras des Osterdeichs trocknen lassen, danach in den Ratskeller gehen, laut singen, sich von fremden Männern Komplimente anhören, sich betrinken. Sie lächelte. Nichts davon würde sie tun, sie hatte es ja nicht einmal fertig gebracht, Heinrich von Peter zu erzählen. Nun gut, Bernhards Anwesenheit und sein florettscharfer Zynismus hatten ihr die Zunge auch nicht gerade gelockert, aber dennoch …

»Wenn Sie eine rothaarige Tänzerin von zweifelhaftem Ruf wären, würde ich Sie fragen, ob wir jetzt nicht tüchtig einen heben und finstere Geheimnisse austauschen sollten«, sagte Bernhard nonchalant, der ihren Gesichtsausdruck offensichtlich gut zu deuten wusste. »Aber da Sie die Schwester meines besten Freundes sind, bleibt mir nur, Sie nach Hause zu bringen.«

»Danke schön«, sagte Ella steif, weil es ihr peinlich war, dass er sie bei so unerhörten Gedanken ertappt hatte, aber auch, weil sie seine scheinbare Ehrenhaftigkeit für schlichtes Desinteresse hielt. Vermutlich würde er, nachdem er sie in der Villa abgeliefert hatte wie ein Paket, genau das tun – eine rothaarige Tänzerin treffen. Rasch schob sie den Gedanken beiseite.

Die Lupinen wuchsen in Sorau höher als irgendwo sonst. Sanft wiegte der Wind die kerzengeraden, fetten Dolden hin und her, eine blühende Grenze zwischen dem Gut und den goldenen Mais- und Weizenfeldern, die sich bis zum Horizont erstreckten. Noch vor zwei Jahren hatten Felicitas, Constanze und Dorothee hier verbotenerweise Verstecken gespielt und manche Ähre geknickt, was angesichts der Fülle der Ernte nicht ins Gewicht gefallen war, doch jetzt war keiner von ihnen nach kindischen Spielereien zumute. Felicitas gab sich alle Mühe, die Tage unbeschwert zu genießen, doch während sie ausritt, spazieren ging oder beim gemeinsamen Essen redete und lachte, wiederholte, drehte und wendete sie in Gedanken die Begegnung mit Heinrich wieder und wieder, bis sie selbst das Gefühl hatte, aus zwei Personen zu bestehen, und ihre Mutter besorgt fragte, ob sie krank sei, so geistesabwesend, wie sie sich gebärde. Ihr Nein klang lahm, doch ihre Mutter ließ es dabei bewenden. Vermutlich glaubte sie, dass ihrer Tochter das Erlebnis im Theater im Magen lag, und Felicitas verspürte kein Verlangen, diesen Irrtum aufzuklären.

Immerhin blieb Felicitas von Constanzes Sticheleien und Dorothees Weinerlichkeit verschont. Die Schwestern gingen freundlich, fast liebevoll miteinander um, und was Felicitas anfangs wie eine wundersame Begleiterscheinung des Erwachsenwerdens vorkam, mutete immer merkwürdiger an. Nachts bei Kerzenlicht ließ Dorothee die Nähte von Constanzes Kleidern aus, sie nahm ihrer Schwester schwere Arbeiten wie das Stallausmisten ab und ritt die Pferde, was sonst Constanzes ganze Leidenschaft war. Bis Sergej kam, dachte Felicitas eines Morgens so bissig wie hellsichtig. Sie beeilte sich, aus dem Bett zu kommen, frühstückte und machte sich auf die Suche nach ihren Cousinen. Vor dem Stall traf sie Constanze, die mit verbissener Miene Dorothee beobachtete, wie sie Apollon, den betagten Apfelschimmel, vor die Kutsche spannte.

Dorothee winkte Felicitas zu. »Ich muss nach Königsberg fahren!«, rief sie. »Hast du Lust, mitzukommen?«

Felicitas schüttelte den Kopf und verschränkte die Arme vor der Brust, als hätte sie zwei ungehorsame Schülerinnen vor sich.

»Lange könnt ihr das nicht durchhalten«, sagte sie nüchtern mit einem Blick auf Constanzes Bauch, der sich verräterisch unter dem karierten Sommerkleid wölbte. »Im Moment denken alle, du stehst bloß gut im Futter, aber bald wird auch der letzte Dorfdepp kapieren, was mit dir los ist.«

Erschrocken ließ Dorothee die Trense fallen und sah zu Constanze hinüber, die die Fäuste ballte und Felicitas wütend anfunkelte. »Mag sein, aber bis dahin ist Sergej aus Russland zurück, und wir werden heiraten«, erwiderte sie gewohnt kämpferisch, doch mit einem verzweifelten Unterton, als hielte sie ihre Lage in Wirklichkeit für aussichtslos.

Sie weiß nicht, was sie redet, dachte Felicitas. Wie hatte ihre Cousine bloß dermaßen den Kopf verlieren können – für einen Mann, der doch sicher nicht die Klassenfeindin heiraten würde. Das Gut mochte nicht das größte in Sorau und Umgebung sein, und wie Felicitas zufällig mit angehört hatte, plagten Verena und Carl zudem finanzielle Sorgen, was zu einem handfesten Streit mit ihrer Mutter geführt hatte, gleichwohl blieben die Ländereien und die Trakehnerzucht Sinnbilder für den Kapitalismus, den Sergej und angeblich auch Constanze verachteten. Was für eine verfahrene Situation! Und so unnötig. Felicitas hatte Mühe, ein wenig Mitleid mit ihrer Cousine aufzubringen.

»Meinst du nicht, dass deine Eltern es vielleicht vorher erfahren sollten?«

»Wozu sollte das gut sein?«, fragte Constanze schulterzuckend.

Felicitas zuckte ebenfalls mit den Schultern. Sie wusste es auch nicht, aber ihr angeborener Sinn fürs Praktische sagte ihr, dass nichts zu tun die Sache auch nicht besser machte. Doch Constanze wollte nichts davon wissen, und so verbrachten sie den Rest der Woche in einvernehmlichem Schweigen über das Wesentliche.

Felicitas war froh, als sie ihren Koffer packen konnte. Nicht nur, weil sie Constanzes kindisches, bockiges Verhalten nicht mehr zu ertragen vermochte, sondern auch, um sich selbst wieder in den Griff zu bekommen. Nur noch einmal, nur noch während dieser Zugfahrt wollte sie ihren Tagträumereien von Heinrich gestatten, ihr ganzes Denken zu beherrschen. Ab Bremen-Hauptbahnhof sollte sofort Schluss sein mit diesem Unsinn. Schließlich hatte sie andere Pläne und nun auch noch erlebt, wohin es führt, wenn eine Frau den Kopf verliert. Doch als Felicitas ihr Mädchenzimmer betrat, fühlte sie sich fremd, wie rausgewachsen, und nur die Tatsache, dass Elfriede geschäftig das Bett bezog und dabei über die Neuigkeiten in der Nachbarschaft plauderte, gab Felicitas die Gewissheit, dass es bloß eine Frage der Zeit sein würde, bis sie wieder in den gewohnten Rhythmus ihrer Pläne finden würde, finden müsste.

»Du hast mir noch immer nichts von Thomas erzählt, junges Fräulein«, klagte Elfriede und stemmte die Arme in die Hüften.

»Tut mir Leid«, entgegnete Felicitas leichthin. Sie hatte weiß Gott andere Sorgen. »Ich hatte keine Gelegenheit, mich mit ihm in Verbindung zu setzen.«

»Jaja, der Egoismus ist in dieser Familie recht ausgeprägt«, gab Elfriede zurück. »Dabei hätte es sich gelohnt, einen Blick über deinen Tellerrand zu werfen.«

»Wie meinst du das?«, fragte Felicitas und begann lustlos Kleider und Wäsche aus ihrem Koffer zu nehmen.

»In seinem letzten Brief hat Thomas uns mitgeteilt, dass er nun ganz nach Berlin umziehen wolle. Seiner neuen Stellung wegen muss er sozusagen an der Quelle sitzen«, erzählte Elfriede sibyllinisch, aber mit unverhohlenem Stolz. »Stell dir vor, er darf sich jetzt politischer Karikaturist nennen. Ist das nicht wunderbar?« Sie strahlte über das ganze glänzende Gesicht.

Felicitas brachte es fertig, eine bissige Bemerkung hinunterzuschlucken und stattdessen erfreut zu nicken. Schließlich war es nicht nötig, Elfriedes Illusionen zu zerstören, auch wenn die eigenen einen herben Dämpfer erfahren hatten. Allerdings, das musste sie zugeben, verspürte sie auch ein wenig Neid. Neid, dass jemand seine Pläne ohne viel Federlesens in die Tat umzusetzen wusste. Oft hatte sie Thomas im Theater gesehen, wie er die Kulissen und Requisiten schleppte, und nie hatte sie einen Gedanken daran verschwendet, dass der schlichte Arbeiter, als den sie ihn sah, insgeheim von einer künstlerischen Passion ergriffen war, die so stark sein musste, dass sie auch andere überzeugte. Mehr denn je zweifelte Felicitas an ihrem Können und letztlich auch an ihrem Wollen, denn sie war fest davon überzeugt, dass man alles schafft, wenn man es nur wirklich und leidenschaftlich will. Und auch ihre Eltern mussten dieser Meinung sein, denn wie sonst war es zu erklären, dass weder ihr Vater noch ihre Mutter das Thema Max Reinhardt anschnitt?

»Hörst du schwer?« Elfriede tippte ihr auf die Schulter. »Hallo? Jemand zu Hause? Ich sagte, auf dem Tisch in der Diele liegt ein Brief für dich. Vielleicht bringt dich der auf fröhlichere Gedanken.«

Felicitas fuhr herum. Heinrich!

Die Zeilen waren mit Tinte geschrieben und sehr sparsam.

»… und so freuen wir uns bei einer Zusage Ihrerseits, Sie

am 1. August in unserem Hause begrüßen zu dürfen. gez.
M. Reinhardt«

Sie hatte ihren Vater nicht kommen hören und zuckte zusammen, als er ihr seine Hand auf die Schulter legte und ihr mit der anderen in die Wange kniff. »Das Schreiben liegt schon seit zwei Wochen hier. Ich hab's mir aber verkniffen, es unter Wasserdampf zu öffnen und heimlich zu lesen«, sagte er schmunzelnd. »Doch ich könnte schwören, dass es gute Nachrichten enthält.« Rasch warf er einen Blick auf die Zeilen und nickte. Felicitas wusste nicht, was sie sagen sollte. Sie empfand nur eine vage Beklemmung, die ihrem Vater nicht entging. »Ich freue mich für dich – wenn es das ist, was du wirklich willst«, bemerkte er diplomatisch. Felicitas nickte, und Max fuhr fort: »Berlin ist natürlich nicht Bremen, nicht so beschaulich. Du wirst dich neu orientieren müssen. Ich denke, es ist am besten, wenn wir so bald wie möglich reisen und eine Pension für dich suchen, wo du dich ein bisschen zu Hause fühlen kannst. Vielleicht wäre es nett, wenn du in Thomas' Nähe Quartier beziehst. Wenigstens ein halbwegs vertrautes Gesicht.« Er lächelte sie aufmunternd an. »Aber weißt du, ich mache mir überhaupt keine Sorgen. Das Theater wird dir in kürzester Zeit neue Freunde zuspielen. Schneller, als du atmen kannst, wirst du so beschäftigt sein, dass du sogar vergisst, deinen lieben alten Eltern begeisterte Briefe zu schicken.« Als Felicitas immer noch nicht reagierte, hob Max die Brauen und wurde ernst. »Du warst felsenfest davon überzeugt, versagt zu haben, nicht wahr? Und jetzt will es nicht in deinen kleinen Dickschädel rein, dass du dich getäuscht hast. Aber, Mädchen, du bist engagiert!«

Endlich lächelte Felicitas ein wenig, ihm zu Gefallen. »Es ist ein Anfang«, stellte sie nüchtern fest und faltete den

Brief so sorgfältig wieder zusammen, als könnte sie damit den Inhalt ungelesen machen.

»Und was für einer!«, rief Max. »Freust du dich denn gar nicht?«

»Doch, sehr. Es ist nur so, wie du sagst. Ich kann's noch nicht fassen.« Felicitas war bewusst, dass sie log, doch sie hoffte, dass ihre Worte wahr werden würden. Gewiss brauchte sie nur eine kleine Weile, um die Überraschung zu verdauen.

»Dann ist es ja gut«, erwiderte Max und küsste sie auf die Wange. »Bevor wir nach Berlin fahren, müssen wir allerdings noch ein kleines Problem aus der Welt schaffen, und das so elegant wie möglich.« Fragend sah Felicitas ihn an. Max fuhr sich verlegen durchs Haar. »Nun, in deiner Abwesenheit trudelte nicht nur dieser Brief ein, sondern auch ein Schreiben aus dem Hause Andreesen, in dem Heinrich Andreesen mich um ein Gespräch bat.«

»Und?«, fragte Felicitas tonlos.

»Ein freundlicher Mann, das muss ich schon sagen. Schlägt wohl mehr nach seinem Vater als nach der arroganten Mutter.«

»Vater, bitte!«

»Tststs, eine Kunstpause wird ja wohl erlaubt sein, oder? Also wir verplauderten eine nette Viertelstunde über dies und das, bis er schließlich mit dem Grund seines Besuchs herausrückte. Er bat mich um die Erlaubnis, um dich zu werben. Rosenbuketts, kleine Briefchen, Einladungen zum Tee und zum Trabrennen …«

»Was hast du geantwortet?«, unterbrach Felicitas ihn schroff. Ihre aquamarinblauen Augen schimmerten dunkel, und Max begriff.

»Felicitas, er will dich heiraten. Das ist wohl eine Frage, die nur du beantworten kannst.«

5

*D*u faltest die Hände, führst sie in einem Bogen nach vorn und stößt dich gleichzeitig ab. So!« Ihr Vater glitt elegant ins Wasser und schwamm mit kraftvollen Zügen, getragen von den sanften Wellen der Weser, die in der klaren Sommersonne glitzerten, als hätte der Himmel eine Hand voll kleiner Diamanten verloren. In der Mitte des Flusses drehte er sich um, lachte und winkte. »Komm schon!«

Felicitas saß im Sand und fror. Sie hatte keine Angst, zögerte aber, auf das zu vertrauen, was ihr Vater ihr beizubringen versuchte, weil das Schwimmen seiner Meinung nach gesund, in bestimmten Situationen lebensrettend und deshalb eine Fertigkeit war, die jeder beherrschen sollte. Sie misstraute dem fremden Element. Wer sagte denn, dass es sie ebenso tragen würde wie ihren Vater? Vielleicht mochte es kleine blonde Mädchen nicht und verwandelte sie, kaum dass ihr Fuß das sichere Ufer verlassen hatte, in einsame Meerjungfrauen, die ein Leben lang auf Erlösung durch irgendeinen Prinzen warteten, der ihnen seine Liebe bewies? Mama und Elfriede konnten schließlich auch nicht schwimmen, und gewiss hatten sie ihre Gründe dafür. Ihr Vater winkte, fröhlich und aufmunternd. Er wusste nichts von den geheimen Fantasien seiner Tochter, und Felicitas hatte nicht vor, sie mit ihm zu teilen.

Das war zehn Jahre her.

Felicitas war ziellos umhergestreift, das Orakel von Delphi herbeisehnend, und schließlich an dem kleinen Strand gegenüber der Sielwall-Fähre gelandet, wo sie sich wie früher in den warmen Sand setzte. Zwei kleine Jungen in völlig versandeten Matrosenanzügen bauten schiefe Burgen aus Sand, ein Mädchen trug einen Schwimmring aus Kork, mit dem es sich mühsam über Wasser hielt. Ein Schlepper tutete ohrenbetäubend, teilte das Wasser und trug Wellen ans Ufer, die das Kind ängstigten. Es paddelte zurück, warf seinen Schwimmring fort und lief weinend zu einer alten Frau, die es besorgt in die Arme nahm und tröstend wiegte. Die Jungen lachten.

Nein, geweint hatte sie damals nicht, nur trotzig im Wasser gestanden, bis ihre Beine taub und ihre Finger blau angelaufen waren. Ihr Vater hatte nicht die Geduld verloren. Er war zurückgeschwommen, hatte ihr über das Haar gestrichen und sich neben sie gestellt. »Du kannst nicht untergehen, ich bin schließlich bei dir.« Doch Felicitas war sich nicht sicher, ob ihr Vater gegen ein mächtiges Element anzukommen imstande war, und rührte sich nicht vom Fleck. Als die Sonne langsam an Kraft verlor, fasste sie einen für eine Siebenjährige bemerkenswert fatalistischen wie mutigen Entschluss. Wenn der Himmel es wollte, dass sie eine Meerjungfrau wurde, sollte es wohl so sein. Und falls nicht, nun, umso besser, dann konnte sie endlich schwimmen. Mit klopfendem Herzen tat sie den ersten Schwimmzug ihres Lebens.

Von dem Moment an hatte es kein Halten mehr gegeben, sie entwickelte sich zu einer Wasserratte, wie ihr Vater sie nannte. Springen, tauchen, stundenlang. »Komm raus, dir wachsen noch Schwimmhäute«, pflegte ihre Mutter zu rufen, die es gar nicht fassen konnte, wie überaus geschickt ihre Tochter sich im Wasser anstellte.

Wenn es doch immer so einfach wäre, dachte Felicitas, stand auf und klopfte sich den Sand vom Kleid. Einfach losschwimmen und schauen, was der Himmel mit dir vorhat.

Schnaufend legte die Sielwall-Fähre an und klappte ihr Achterdeck mit Getöse auf den Strand. Der Kapitän zündete sich gemächlich eine Pfeife an, während ein Schaffner den Passagieren, die aufs Deck strömten, Fahrscheine verkaufte. Fragend sah er zu Felicitas hinüber, die erst lächelnd den Kopf schüttelte, um es sich in letzter Sekunde doch anders zu überlegen. Der Weg zurück erschien ihr jetzt recht weit und angesichts der Hitze zu mühsam.

Die Fähre tuckerte zufrieden über die Weser, und Felicitas genoss den leichten Fahrtwind, der ihr Haar wie ein Segel hob und sich unter die Ärmel ihrer weißen Bluse schmuggelte, um sie aufzubauschen, als gehörten sie in Wirklichkeit zu einem Piraten.

Ich liebe es, dachte Felicitas plötzlich. Ich liebe das alles hier.

Gewiss fehlte es Bremen an romantischer Staffage, die einer Hafenstadt entsprochen hätte – bunte Wimpel, leuchtende Segel, braun gebrannte Seeleute –, aber das Meer war nun einmal weit weg, und die norddeutsche Nüchternheit erlaubte es nicht, so zu tun, als läge es um die Ecke. Andere mochten das vielleicht langweilig finden, aber mit jedem Meter, den die Fähre zurücklegte, wurde Felicitas klarer, dass sie diese unaufgeregte Atmosphäre, diese beruhigende Überschaubarkeit liebte, auch wenn das glitzernde Berlin und seine unendlichen Möglichkeiten ihr eine andere Welt eröffnen würden. Ich will schwimmen, aber nicht nass werden, dachte sie selbstironisch. Ich muss mich für eins entscheiden, doch kann nicht von dem anderen lassen. Wie denn auch, wenn zwei Wege in die Zukunft führten, die verlockend und viel versprechend schienen und jeweils mit einem großen Fragezeichen versehen waren, das keine Instanz in ihr in ein Ausrufungszeichen verwandeln konnte. Ihre Eltern hatten ihr beigebracht, an sich selbst und in schwierigen Fällen an eine göttliche Kraft zu glauben, die ihr damals beim Schwimmenlernen genau das Richtige eingeflüstert hatte, jetzt jedoch beharrlich schwieg.

Nicht einmal auf die Liebe war Verlass. Hatten nicht Hundertschaften von Dichtern ihre stürmische Kraft beschworen, die über alle Wenn und Aber hinwegfegte? Bei Felicitas' unbedingtem Willen, die richtige Entscheidung zu treffen, schien sie zu kapitulieren.

Ja, sie war in Heinrich verliebt, eigentlich vom ersten Moment an. Aber wie sollte sie sich für ihn entscheiden, wenn sie nichts von ihm wusste? Wenn sie Max Reinhardts Angebot annahm, wusste sie wenigstens, was sie erwartete, schließlich hatte sie dieses Leben, auch seine Widrigkeiten, von klein auf mit jeder Pore aufgesogen. Die Rolle einer Ehefrau, noch dazu des Erben einer der ersten Familien Bremens, sagte ihr nichts, auch wenn der Lauf der Dinge für junge Mädchen im Allgemeinen direkt auf eine Heirat zusteuerte.

Die Fähre machte am Sielwall fest, und Felicitas marschierte von Bord. Kurz entschlossen lenkte sie ihre Schritte zum Wall.

»Eine Dame möchte Sie sprechen, Herr Andreesen«, sagte ein junger Mann mit flaumweichem Bartansatz laut in die Muschel eines schwarz glänzenden Telefons und bedeutete Felicitas, Platz zu nehmen in einem der zierlichen Gobelinsessel, die links und rechts neben einem marmorumrandeten Kamin standen. Sie blieb stehen und betrachtete das goldgerahmte Gemälde darüber, das einen streng dreinblickenden Herrn zeigte, dessen gütige Augen seine Attitüde Lügen strafte.

»Mein Urgroßvater«, hörte sie Heinrich sagen und wirbelte herum.

Sie sahen sich an, und aquamarinblauer Zweifel wurde von samtblauer Sanftheit umfangen, sodass kein gesprochenes Wort mehr nötig gewesen wäre zu erklären, was die Seele längst wusste. Doch natürlich legte die gesellschaftliche Konvention ein Veto ein und erinnerte Heinrich geschickt an das, was sich gehörte. »Bitte«, sagte er etwas steif und fügte in einem weicheren Ton hinzu, nachdem er die Tür geschlossen hatte: »Sie überraschen mich immer wieder, Felicitas.«

»Sie mich auch«, entgegnete sie, und ein Anflug von Röte schoss ihm ins Gesicht.

»Darf ich Ihnen einen Kaffee anbieten? Unsere Hausmischung schmeckt schwarz oder mit Zucker ganz passabel, aber ich kann Ihnen auch einen Franziskaner, einen Kaffee verkehrt oder eine Kaisermelange servieren lassen. In Wien schwärmen alle davon – ein Mokka mit geschlagenem Eigelb und Honig und Zucker versprudelt.«

»Du liebe Zeit«, platzte Felicitas heraus, und Heinrich lachte.

»Also einen Kaffee verkehrt, viel Milch, wenig Kaffee, und den bitte schön mild.«

»Perfekt«, entgegnete Felicitas und knetete die Spitzenverzierungen ihrer Ärmelaufschläge. Auf ihrer Nase sammelten sich ein paar feine Schweißperlen, die sie unauffällig zu trocknen versuchte, als Heinrich zur Tür ging und den jungen Mann bat, ihnen das Gewünschte zu besorgen. Nach einem kleinen Wortwechsel kam Heinrich zurück.

»Meine Sekretärin pflegt derzeit ihre kranke Mutter, und da ihr Sohn Michael sowieso in die Fußstapfen seines verstorbenen Vaters treten soll, der lange Jahre unsere Korrespondenz erledigte, lasse ich ihn bei dieser Gelegenheit schon einmal Kontorluft schnuppern. Und dazu gehört natürlich auch das Wissen ums korrekte Kaffeekochen und Mischen. Das war dem jungen Mann aber offensichtlich ganz neu. Wenn uns der Kaffee nicht schmeckt, klauen wir im Labor eine ordentliche Tasse. Wir dürfen uns nur nicht erwischen lassen. Der gute Frantz ist da sehr eigen.« Felicitas kicherte, beeilte sich aber, etwas Kluges zu erwidern.

»Ehrlich gesagt dachte ich immer, Kaffee sei Kaffee.« Um Himmels willen, was redete sie für einen ausgemachten Blödsinn! Aber Heinrich schien das nicht so zu sehen, im Gegenteil. Er strahlte sie an und wies auf zwei Sessel, die mit glänzendem braunem Leder bezogen waren. Überhaupt wirkte sein Büro mit den schweren Eichenmöbeln so dunkel wie eine Bärenhöhle, und Felicitas wusste nicht, ob sie sich wohl fühlen oder lieber das Weite suchen sollte.

»O nein, es gibt unendlich viele Sorten in vielen Ländern. Wir unterscheiden grundsätzlich zwischen den Sorten Arabica und Robusta. Arabica wächst im Hochland und bringt das Aroma, Robusta gedeiht in der Ebene und bringt Koffein und Bitterstoffe. Die Java-Bohne ist zum Beispiel süßlich, die brasilianische hat kaum Säure, ist weich, aber auch ein bisschen langweilig. Die Grundlage unseres Kaffees kaufen wir deshalb in Brasilien, die anderen Sorten liefern den typischen Geschmack.«

»In Brasilien versuchen doch zurzeit ganz viele Menschen aus Europa ihr Glück zu machen, nicht wahr?« Das war immerhin eine einigermaßen geistreiche Bemerkung, dachte Felicitas. Die hatte sie zwar auch nur irgendwann einmal in Andreesens Kaffeehaus aufgeschnappt, aber der Zweck heiligte die Mittel.

»Ja, das stimmt«, erwiderte Heinrich überrascht. »Nach dem Sturz des Kaiserreichs bauten plötzlich alle wie verrückt Kaffee an, und abertausende Einwanderer strömten nach Brasilien. Die Folge war eine fatale Überproduktion.

Damit die Preise stabil blieben, hat die Regierung ganze Ernten vom Markt zurückgehalten oder vernichtet.«

»Handeln Sie denn trotzdem noch mit Brasilien?«

»Ja, denn die Plantagen, die uns mit Kaffeebohnen beliefern, tun dies schon seit vielen, vielen Jahren. Mein Urgroßvater hat die Beziehungen geknüpft, und ich konnte mich nicht entschließen, die Verträge zu kündigen. Ich glaube fest daran, dass sich das Chaos irgendwann legen wird, auch wenn unser Prokurist das Gegenteil behauptet. Wir werden sehen …«

Es klopfte, und der junge Mann trat ein, vorsichtig ein Tablett mit zwei Tassen balancierend, die er auf das Rauchtischchen aus Messing zwischen Felicitas und Heinrich stellte.

»Ich hoffe, er schmeckt Ihnen«, brachte Michael verlegen heraus und ging rückwärts zur Tür, einen Diener vor Felicitas andeutend.

»Danke schön«, erwiderte sie freundlich, nahm die weiße Porzellantasse in die Hand und pustete hinein. Michael schloss die Tür, und Felicitas pustete weiter, weil ihr partout nichts einfiel, was sie hätte sagen können, außer dass diesem Kaffee eine gehörige Portion Milch fehlte.

»Verzeihen Sie mir, wenn ich nur über Kaffee spreche, aber er ist gewissermaßen mein Leben. Er bestimmt sogar, in welche Sommerfrische unsere Familie fährt. Leipzig, Amsterdam, Rom, Wien, überallhin, wo es Kaffeemischungen zu entdecken gibt. In Wien habe ich achtzehn verschiedene Variationen gezählt, mit Schlagsahne und Brandy, Vanilleeis und Marillenlikör. Sehr interessant.« Er nahm einen Schluck und zog die Augenbrauen hoch. »Gar nicht schlecht für den Anfang, nicht wahr?«

Felicitas nickte. »Wenn es so viele Möglichkeiten gibt, Kaffee zu servieren, warum bieten Sie sie nicht an?«

»Eine Frage der Tradition. Ich konnte meinen Vater nie davon überzeugen, etwas anderes als Bremer Kaffee auf die Karte zu setzen. Und vielleicht hatte er mit seiner Skepsis sogar Recht. Die Bremer sind ein bisschen zu nüchtern für solche Spielereien.«

»Probieren Sie es doch mal aus«, schlug Felicitas vor, »für drei Tage oder eine Woche. Sie könnten ja ein kleines Kaffeefest veranstalten, mit Salonmusik aus den verschiedenen Ländern und Rezitationen zum Thema Kaffee. Oder noch besser: mit einem Gedicht-Wettbewerb. Wer das schönste Kaffeegedicht schreibt, bekommt eine Woche lang jeden Tag eine Gratis-Melange.«

Heinrich lachte und sah sie bewundernd an. »Und als Trostpreis gibt es löslichen Kaffee. Den hat ein Japaner gerade erfunden. Gefriergetrocknete Krümel, heißes Wasser drauf, fertig. Schmeckt scheußlich, ist aber praktisch, wenn man es eilig hat.«

Seine Augen folgten ihren, die eine Fotografie in einem groben Ebenholzrahmen betrachteten. Sie zeigte Gustav Andreesen auf einer Plantage, zwei kräftige dunkelhäutige Arbeiterinnen neben ihm, am Boden Kaffeekirschen, nichts als Kaffeekirschen, die offensichtlich in der Sonne trockneten.

»Ein einziges Mal hat Vater es sich erlaubt, nach Brasilien zu reisen. Er mochte dieses Gefühl, im Ursprungsland des Kaffees vom Pflücken und Waschen der Bohnen bis zum Trocknen alles zu kontrollieren. Von dieser Reise hat er bunte Ponchos mitgebracht und farbige Armbänder für Ella und Bilderrahmen wie diesen. Als ich ein ganz kleiner Junge war, musste mir Papa noch mal und noch mal die Geschichten von der Entdeckung des Kaffees erzählen.«

»Und die wären?«, fragte Felicitas und entspannte sich. Sie hatte sich entschlossen, die Bärenhöhle gemütlich zu finden, jetzt, da das Gespräch anmutig plätscherte, statt gefährlich zu versiegen und Raum für Unausgesprochenes zu öffnen.

»Wollen Sie das wirklich hören?«, fragte Heinrich zweifelnd, und Felicitas nickte. »Nun, in der Legende, die ein Mönch aus Syrien 1671 aufzeichnete, spielen Ziegen die Hauptrolle. Zwei Hirten aus Kaffa im Lande Abessinien beklagten sich bei den Mönchen eines nahe gelegenen Klosters, dass ihre Tiere bis nachts keine Ruhe finden würden und überhaupt keine Müdigkeit zeigten. Die Mönche versprachen, den Hirten zu helfen, und untersuchten die Stelle, wo die Tiere grasten. Dort fanden sie eine dunkelgrüne Pflanze, die grüne, gelbe und rote kirschenartige Früchte trug, von denen die Tiere geknabbert hatten. Die Mönche bereiteten sich daraus einen Aufguss, und ohne das geringste Bedürfnis nach Schlaf konnten sie nun nachts wachen, beten oder angeregte Unterhaltungen führen. Die zweite Sage mochte ich allerdings noch lieber. Sie handelt von einem jungen Derwisch namens Omar. Verleumdet und unschuldig verurteilt, wurde er mit seinen Gefährten in eine abgelegene Steinwüste verbannt. Halb verhungert und am Ende seiner Kräfte probierte er von den Früchten eines ihm unbekannten Strauchs. Wie durch ein Wunder genesen, kehrte er in die Stadt zurück und brachte Kunde von der magischen Frucht. Alle wollten nun davon kosten, und Omar wurde mit Ehren überhäuft, und der Kalif schenkte ihm einen Palast.« Heinrich breitete verlegen die Arme aus. »Habe ich Sie sehr gelangweilt?«

»O nein, überhaupt nicht«, erwiderte Felicitas. Tatsächlich war sie hingerissen von seiner weichen Stimme, die sie einhüllte, fasziniert von seiner Freundlichkeit, die ihr wie schon zuvor in Berlin das Gefühl gab, beschützt und geborgen zu sein.

»Und wie war es wirklich?«, fragte sie nach einer kleinen Weile.

»Sehr viel weniger märchenhaft. Die Kaffeepflanze wurde von Franzosen oder Portugiesen geraubt und von Ostafrika in die ganze Welt gebracht.«

Heinrich sah sie intensiv an, und Felicitas fürchtete, er könnte ihr Herz pochen hören, das gegen ihre Rippen hämmerte, als wollte es hinaus, um zu hüpfen, zu springen und zu singen.

»Darf ich Ihnen den Betrieb zeigen?«, fragte Heinrich, stand auf, knöpfte seinen Gehrock zu und reichte Felicitas die Hand, als würde es ohnehin keiner Antwort bedürfen. Eigentlich nicht, dachte sie, eigentlich will ich hier sitzen und dich anschauen. Aber sie nahm seine Hand und erhob sich.

Sie verließen das Büro, gingen einen schmalen, braun getäfelten Flur entlang und betraten durch eine Eisentür eine Halle, deren Größe hinter der Fassade des Kontorhauses niemand vermutet hätte und in der unglaublich viele Geräte aus blankem Metall von ebenso vielen Arbeitern bedient oder kontrolliert wurden. Felicitas kam sich vor wie in einer Zauberwerkstatt. Überall zischte, prasselte, knallte, strömte es. Und es roch verführerisch nach frisch gebrannten Kaffeebohnen.

»Kaffee ist eine Wissenschaft geworden«, rief Heinrich ihr zu. »Das hier sind Trommelröster, die die Bohnen bei zweihundertdreißig bis zweihundertsiebzig Grad etwa fünfzehn Minuten rösten. Einige Minuten weniger, und die Röstung wird heller, der Säureanteil bleibt hoch, der Geschmack leicht. Soll der Kaffee intensiver schmecken, wird er länger geröstet.«

»Und das hier?«, fragte Felicitas und wandte sich ihm zu, um den Lärm zu übertönen. Dabei kam sie ihm so nah, dass sie sein leichtes Eau de Toilette und einen Hauch seines Körperduftes einatmen konnte.

»Die neue Heißluftröstung«, antwortete er und erwiderte ihre Bewegung, indem er sich zu ihr neigte, was verwirrende und ganz und gar köstliche Empfindungen in ihr auslöste. »Die Bohnen werden in einem Heißluftstrom bei zweihundert bis zweihundertachtzig Grad durch die Luft gewirbelt und frei schwebend geröstet, das ist schonender. Allerdings muss besonders exakt gearbeitet werden. Eine einzige verbrannte Bohne macht die ganze Röstung kaputt, was uns zu Anfang einige Male passiert und natürlich sehr ärgerlich ist. Danach werden die Bohnen abgekühlt, und nach zwölf Stunden serviere ich Ihnen röstfrischen Kaffee.«

Elias Frantz wehte an ihnen vorbei, die Stirn gerunzelt, das Klemmbrett im Takt seiner Schritte energisch schwenkend. Heinrich winkte ihm zu, und der Laborleiter verlangsamte sein Tempo sichtlich widerstrebend.

»Felicitas, das ist Elias Frantz, das Herz des Unternehmens. Ohne ihn würde alles zusammenbrechen.«

»Nicht ganz, aber fast«, gab Frantz zurück, erinnerte sich aber rechtzeitig an seine Manieren und reichte Felicitas seine große, erstaunlich weiche Hand. »Willkommen, gnädiges Fräulein. Sie sind – das darf ich doch sagen, Heinrich, nicht wahr? – die erste junge Dame, die unsere heiligen Hallen betreten hat.«

Sie lächelte ihn an. »Wirklich? Nun, dann muss ich dieses Ereignis ja noch ein wenig auskosten.«

Mit einem freundlichen Nicken wollte Frantz sich verabschieden, doch Heinrichs besorgter Gesichtsausdruck ließ ihn in der Bewegung innehalten. »Ich weiß, dass ich hier wie ein Derwisch durchs Kontor rase«, gab er seufzend zu, »aber die Sache mit dem Japaner liegt mir im Magen.

Wenn diese Erfindung gemacht ist, liegt die nächste in der Luft, und ich würde mir ein Ohr abbeißen, wenn es sich dabei um unsere Sache handeln würde«, fügte Frantz mit einem Blick auf Felicitas hinzu.

»Sie können ruhig offen sprechen«, beruhigte Heinrich ihn. »Fräulein Wessels wird unsere Geheimnisse gewiss nicht auf die Bühnen dieser Welt tragen. Sehen Sie, Felicitas, wir arbeiten seit einiger Zeit daran, eine Kaffeesorte zu züchten, die den Magen nicht angreift und deshalb für empfindliche Menschen, Kranke und Ältere verträglicher ist als der herkömmliche Kaffee. Und das ist sehr viel schwieriger, als wir dachten.«

Frantz nickte grimmig. »Doch wenn wir wissen, wie es geht, werden wir die größte Kaffeefirma Europas. Denn die Erfindung lassen wir uns patentieren, sodass jeder, der magenschonenden Kaffee herstellen will, von uns die Lizenz erwerben muss. Wir werden sozusagen Kaffee zu Gold spinnen.«

»Das wäre wirklich eine fantastische Erfindung«, sagte Felicitas begeistert. »Mein Vater verträgt auch keinen deutschen Kaffee und lässt sich immer Kaffee aus Italien schicken. Der schmeckt zwar genauso stark, verursacht aber bei ihm keinerlei Magendrücken, obwohl er mitunter fünf Tassen und manchmal sogar mehr davon trinkt.«

Frantz sah sie an, als hätte sie etwas furchtbar Dummes gesagt, da zerschnitt eine dunkel tönende Glocke das kurze Schweigen zwischen ihnen. Der Lärm der Röstmaschinen verebbte glucksend und klackernd, und die Rufe der Arbeiter, die sich gegenseitig auf Plattdeutsch »Foffftein!« oder »Feieramd!« wünschten, indem sie typisch bremisch die letzte Silbe verschluckten, wurden leiser. Frantz verabschiedete sich zerstreut.

Der warme Duft von Kaffee hing in der Luft, ein letzter

Sonnenstrahl kitzelte den Holzfußboden, ein kurzes Lachen wehte zu ihnen hinein.

»Ich weiß, dass dies für Sie eine unmögliche Situation ist, Felicitas, eigentlich gehören viele Aufwartungen und Rosen und ein Ring zum Üblichen, aber ...« begann Heinrich leise, doch Felicitas unterbrach ihn.

»Warum wollen Sie mich heiraten, Heinrich? Sie kennen mich doch gar nicht.«

»Das muss ich auch nicht. Alles, was ich brauche, ist die Gewissheit, mein Leben mit Ihnen verbringen zu wollen. Ich möchte keinen Tag mehr ohne Sie sein, ohne Ihr Lächeln, ohne einen Blick in diese Augen ...«

»Wie können Sie sich so sicher sein?«, fragte sie ungläubig und suchte in seinen Augen die Antwort.

»Es ist einfach so«, sagte er schlicht und nahm behutsam ihre Hand. »Denken Sie darüber nach. Bitte.«

Felicitas nickte. Schweigend brachte Heinrich sie zum Ausgang und bat seinen Fahrer, der bereits mit laufendem Motor wartete, Felicitas nach Hause zu fahren. Sie nahm in dem weißen Mercedes Platz und beobachtete, wie Heinrichs Gestalt allmählich im Dunkelgrau der Dämmerung mit dem Kontorhaus eins wurde.

Als sie in die Contrescarpe zurückkehrte, waren ihre Eltern bereits im Theater. Nur das Geräusch von klapperndem Geschirr drang aus der Küche in den Flur. Felicitas verspürte weder Hunger noch die Neigung, mit Elfriede zu plaudern, und schlich auf Zehenspitzen die Treppe hinauf. Die Gedanken kreisten wie ein Karussell, und schließlich nahm sie den *Kleinen Hey* zur Hand, in der Hoffnung, die monotonen Stimmübungen würden die immer gleichen Fragen übertönen. »Barbara saß nah am Abhang ...«, begann sie und lauschte, ob ihre Stimme die hellen Vokale lautrein hervortreten ließ. »Sprach gar sangbar, zaghaft langsam. Mannhaft kam alsdann am Waldrand Abraham a Sancta Clara.« Die Konzentration auf die korrekte Artikulation lenkte sie tatsächlich ab, sodass sie eifrig fortfuhr und sich keine Pause gestattete. Sie arbeitete sich gewissenhaft durch die Vokale, wiederholte besonders schwierige Passagen und nahm sich dann die Konsonanten vor.

»Plump bricht der bepackte Bauer
Die Laubpracht falbprangend beim Birnbaum;
Prompt bläut der erprobte Pächter
Den Dieb im baumbuschigen Parke,
Mit Bambus beim Pumpbrunn.«

»Mit Bambus beim Pumpbrunn! Lass die Luft beim P etwas schneller durch die Lippen flitzen, und es ist perfekt.«

»Mama!«, rief Felicitas überrascht. »Ist die Vorstellung schon vorbei?«

»Gott sei es gepfiffen und getrommelt, ja«, entgegnete Helen und setzte sich zu ihrer Tochter aufs Bett. »Zum letzten Mal Alkmene! Ich bin heilfroh, wirklich, diese Rolle lag mir so quer wie keine andere jemals zuvor.«

Das Gesicht ihrer Mutter glänzte wie ein polierter Apfel, nur an der Nasenwurzel klebte noch ein Hauch zimtfarbener Theaterschminke. Sie roch nach Kampfer und Pfefferminz und etwas Schweiß, ein Duft, der untrennbar mit Felicitas' Kindheit verbunden war. Nach jeder Vorstellung war sie noch einmal zu Felicitas gekommen und hatte ihr kleines Mädchen in den Armen gewiegt, um es zu trösten, dass nicht sie, ihre Mutter, sondern Elfriede es ins Bett gebracht hatte. Die Erinnerung an die zärtliche Geborgenheit dieser Minuten trieb Felicitas die Tränen in die Augen.

»Na, na«, sagte Helen leise und hob Felicitas' Kinn an. »So schlimm?«

Felicitas nickte, kämpfte die Tränen aber zurück. »Ich bin

so entsetzlich hin und her gerissen.« Sie verstummte. Ihre Gefühle mitzuteilen, einen Menschen in ihr Innerstes schauen zu lassen, und sei es auch die eigene Mutter, war ihr peinlich. Helen, die die Verschlossenheit ihrer Tochter verstand, weil sie der eigenen entsprach, nahm ihre Hand und wärmte sie. Die Haustür klappte geräuschvoll ins Schloss, und bald darauf schmeichelten sich die ersten Takte von Mozarts Jupiter-Sinfonie in ihr Schweigen.

Helen lächelte nachsichtig, eine Spur Resignation in den blauen Augen, die in dem sparsamen Licht der Petroleumlampe auf Felicitas' Nachttisch unwirklich hell, fast wie Mondsteine schimmerten. »Er hat den Amphitryon wirklich gern gespielt. Und so ergreifend.«

Wann hast du begriffen, dass du Papa liebst?, dachte Felicitas, sprach es aber nicht aus, wissend, dass sie damit eine unsichtbare Grenze überschreiten und nicht mehr als eine ausweichende Antwort erhalten würde.

»Felicitas, ich verstehe dich so gut. Es ist nicht einfach, einen Traum zu opfern«, sagte Helen plötzlich sanft, »aber wenn du ihn liebst, heirate ihn. Liebe ist ein Geschenk, das einem nicht oft zuteil wird. Und, Liebes, so wichtig im Weltengefüge ist die Bühne nicht. Im Gegenteil, der Applaus und der Ruhm wärmen dich nicht, wenn du frierst.« Eindringlich blickte sie Felicitas in die Augen. »Manchmal muss man etwas aufgeben, um etwas anderes zu gewinnen, verstehst du? Und die Rolle der Kaffeekönigin von Bremen will schließlich auch ausgefüllt sein.« Sie lächelte wieder ihr perfektes Helen-Wessels-Lächeln und stand auf. »Falsche Entscheidungen gibt es im Übrigen nicht, mein Kind. Das Leben will gelebt sein, so oder so.«

Die nächsten drei Tage verbrachte Felicitas damit, Elfriede beim Großreinemachen zur Hand zu gehen. Sie probierte den brandneuen Staubsauger aus, den ersten seiner Art, den ihr Vater sofort angeschafft hatte, um Elfriede die Arbeit zu erleichtern, die ihr immer schwerer fiel, was sie natürlich vehement abstritt. Max war klug genug, die Anschaffung als reinen Spieltrieb seinerseits zu tarnen, doch Elfriede traute dem lärmenden Ding nicht und hatte es nur einmal angefasst. »Das ist das Ende der französischen Salonkomödien mit staubwedelnden Straußenfedern als Requisit«, hatte Helen feinsinnig angemerkt, und Max hatte laut gelacht.

Am vierten Tag traf ein Paket ein. Darin waren eine venezianische Maske und ein Brief.

»Wenn ich spielen könnte, würde ich mit Ihnen ein Leben auf der Bühne teilen. Da ich nur die Rolle des Heinrich Andreesen beherrsche, bin ich darauf angewiesen, dass Sie mein Leben in Bremen teilen. Es ist ungerecht, dessen bin ich mir bewusst. Aber die Liebe ist nur einem Gesetz verpflichtet – sie ist einfach da und vertraut darauf, dass die Menschen ihr vertrauen. Glauben Sie an uns, Felicitas.«

Sie las die Worte, und ein seltsames, beruhigendes Gefühl der Unausweichlichkeit nahm von ihr Besitz. Alles schien seine Richtigkeit zu haben. Vielleicht hatte ihre Mutter Recht – das Leben wollte gelebt werden, so oder so. Und wer weiß, vielleicht war es möglich, nach der Hochzeit in Bremen Theater zu spielen. Heinrich hätte gewiss nichts dagegen.

Ellas Laune hätte schlechter nicht sein können. Der Termin bei der Schneiderin, den ihre Mutter für sie angesetzt hatte, hatte ihr wieder einmal vor Augen geführt, dass sie diesem Leben aus Rüschen und Seide endlich den Rücken kehren musste, wenn sie nicht in Melancholie versinken wollte. Andererseits hatte sie das Gefühl, auf ihre Mutter Rücksicht nehmen zu müssen. Ella konnte die Härte, mit der diese Heinrich begegnete, zwar weder verstehen noch gutheißen, doch in dieser einen Woche, die seit Heinrichs überraschendem Geständnis vergangen war, hatte sie etwas von ihrer stählernen Spannkraft eingebüßt. Sie war eine alte Frau und vielleicht doch nicht so belastbar, wie sie alle Welt glauben machen wollte.

Das Mädchen knickste und nahm Ella den Mantel ab.

»Ist meine Mutter im Salon?«

»Ja, gnädiges Fräulein. Sie trinkt Tee mit Fräulein van der Laaken. Ich lege gleich noch ein Gedeck auf.« Marie beeilte sich, in die Küche zu kommen, und Ella zögerte. Was hatte das zu bedeuten? Leckten sich die beiden gegenseitig ihre Wunden?

Die Tür zum Salon war geschlossen und aus massivem Mahagoni, sodass nicht ein Laut in die Diele dringen konnte. Das hatten sie als Kinder bereits erfahren müssen, als sie ihre Ohren so fest wie vergeblich an das Holz gepresst hatten, um etwas von den Geheimnissen ihrer Eltern zu erhaschen. Bis Anton entdeckt hatte, dass der Kaminabzug die Stimmen zwar leise, aber verständlich nach oben ins Schlafzimmer ihrer Eltern trug. Dort hatten besonders vor Weihnachten Heinrich, Anton und Ella dann gekauert, eingehüllt in ihre weißen Nachthemden, und gelauscht. Als die Unterhaltungen gereizter wurden und immer öfter in Streit oder, fast schlimmer, in Schweigen endeten, hörten sie damit auf.

Daran erinnerte sich Ella und eilte die Treppe hinauf. Sie schalt sich töricht, kindisch und intrigant, doch sie hockte sich wie damals vor den Kamin, den Kopf dicht an den zum Verfeuern geschichteten Scheiten.

Emelies maliziöse Stimme perlte den Abzug hinauf: »Ich weiß dieses Angebot wirklich zu schätzen, Frau Andreesen, aber was, um ehrlich zu sein, nützt mir Ihre Unterstützung, wenn ich Heinrichs nicht habe? Nein, ich denke, dieses Kapitel ist für mich abgeschlossen, so schmerzlich diese Erfahrung auch für mich ist.« Teetassen klirrten dezent, und Servietten raschelten. »Noch ein Ingwerplätzchen, meine Liebe?«, fragte ihre Mutter leichthin und ohne sich ihre Verärgerung im mindesten anmerken zu lassen, die sie, da hätte Ella die Pferde drauf verwettet, ganz gewiss empfand. »Ich muss leider gehen«, erwiderte Emelie, und Ella hatte genug gehört. Ingwerplätzchen und Intrigen. Nicht zu fassen, wozu ihre Mutter imstande war, für die sie eben noch Mitgefühl empfunden hatte. Sie sprang auf, stellte sich an den Treppenabsatz und wartete, bis sich die Tür hinter Emelie schloss.

Langsam stieg sie die Treppe hinab. Mit jeder Stufe wurde sie zorniger, ihr rundes Gesicht lief rot an, und Schweißperlen krochen aus ihrem Haaransatz.

»Wie kannst du nur!«, rief sie ihrer Mutter aufgebracht zu, die auf dem Weg in die Küche war. »Was ist bloß los mit dir? Wie kannst du hinter Heinrichs Rücken mit Emelie um eine Heirat feilschen, die dein Sohn überhaupt nicht will! Hast du denn kein bisschen Wärme in deinem Herzen, Mama?«

Elisabeth betrachtete ihre Tochter kühl und erwiderte gefährlich leise: »Mäßige dich, Ella. Du hast gelauscht, aber nichts begriffen. Wärme und Herz!« Sie lachte ironisch und setzte ihren Weg fort. »Es geht um das Unternehmen, mein Kind!«

»Aber dem geht es doch blendend!«, rief Ella und schüttelte den Kopf. »Genau wie den van der Laakens und der ganzen reichen Bremer Mischpoke, die Stuck an den Wänden und Gold in der Kloschüssel hat, sich aber nicht das Geringste aus den Problemen anderer Menschen macht. Weißt du, was es bedeutet, Hunger zu leiden, sich keinen

Arzt leisten zu können, in Häusern schlafen zu müssen, durch die der Wind pfeift?«

»Nein, das weiß ich nicht, und auch dir sind dank deiner Herkunft solche Erfahrungen erspart geblieben«, sagte Elisabeth schneidend, aber mit einem Hauch Müdigkeit in der Stimme, was Ella trotz ihrer Wut durchaus nicht entging. Elisabeth drehte sich um, kehrte in den Salon zurück, schenkte sich noch eine Tasse Tee ein und wartete, bis Ella ihr gefolgt war. »Ich werde diese Diskussion nicht mit dir führen, Ella. Es ist mir einfach zu dumm, dir zu erläutern, dass unsere Aufgabe nicht die ist, die barmherzigen Samariter zu spielen. Das überlasse ich anderen«, sagte sie ironisch. »Wir müssen das Erbe der Andreesens sichern, und das geht nur, wenn wir uns nicht von anderen Firmen die Butter vom Brot nehmen lassen. Der Kuchen reicht nämlich langfristig nicht für alle. Vor zwei Jahren gab es in Bremen zweiundvierzig Kaffeegroßhändler, elf Versandgeschäfte und vierzehn Röstereien. Heute haben wir vierzig Großhändler, fünfzehn Versandgeschäfte und fünfzehn Röstereien. Das ist nicht gut für uns, wir müssen aufpassen.«

Ella schwieg, weniger aus Einsicht als vielmehr aus Resignation. Ihre Mutter lebte in einer anderen Welt, und eine Debatte über die gesellschaftlichen Notwendigkeiten schien sinnlos und vor allem dazu angetan, die Distanz zwischen ihnen zu vergrößern statt Verständnis füreinander zu wecken. Dennoch wollte sie nicht einfach klein beigeben.

»Aber wenn sich die, die das Geld haben, nicht kümmern, wird sich das eines Tages bitter rächen«, sagte sie leise. »Die Menschen werden aufstehen und sich nehmen, was ihnen zusteht. In Russland haben sie es doch schon getan.«

»Und was hatten sie davon?«, fragte Elisabeth sarkastisch.

»Der Aufstand ist sang- und klanglos wieder zu Ende gegangen, und nichts hat sich verändert. Dein Idealismus geht mir auf die Nerven, Ella. Du gefällst dir als Jeanne d'Arc, während sich eine wirtschaftliche Krise abzeichnet, die auch uns brotlos machen kann, wenn wir nicht geschickt taktieren. Nach der Marokko-Krise dachten alle, jetzt sei die Kuh vom Eis, und haben wie blind investiert, die Schuldenberge wachsen und der Dollar zittert. Nichts ist mehr sicher.«

»Du hast Angst!«, rief Ella erstaunt, doch ihre Mutter machte eine abfällige Handbewegung.

»Unsinn. Ich bin alt und verfüge über genug eigenes Vermögen, das nicht an die Firma gebunden ist, sodass ich im Notfall mich und die Meinen satt durch jede Krise bringe. Was soll mir schon geschehen? Aber die Firma! Wir müssen uns Verbindungen schaffen, die das Unternehmen indirekt stabilisieren, und Emelie und ihr Vater wären der Garant dafür gewesen. Doch so, wie die Dinge stehen, bleibt uns nur, endlich den magenschonenden Kaffee zu erfinden – und wie soll Heinrich sich darauf konzentrieren, wenn er eine hübsche Kokotte im Sinn hat, die sich langweilt und alle naselang zur Räson gebracht werden muss?«

»Aber so ist es doch nicht …«, wandte Ella ein.

Elisabeth sprach weiter, als wäre ihre Tochter gar nicht anwesend. »Überall grassiert dieses Fieber. Töchter machen, was sie wollen, Söhne missachten, was ihre Väter geschaffen haben, und stürzen sich in zweifelhafte Vergnügungen, als wäre es egal, was morgen kommt.«

»Das trifft ja wohl eher auf Anton zu als auf Heinrich!«, rief Ella, zutiefst gekränkt darüber, wie ihre Mutter über sie und Heinrich urteilte. »Hast du vergessen, dass Heinrich Felicitas liebt, von ganzem Herzen liebt?«

»Liebe …«, sagte Elisabeth verächtlich und klingelte nach dem Mädchen, damit der Tee abgeräumt wurde.

»Ja, Liebe!« Unbemerkt hatte Heinrich den Salon betreten und schmetterte das Wort in den Raum wie ein Marktschreier auf dem Domshof. »Liebe verleiht Flügel, und offensichtlich auch denen, die nur indirekt daran beteiligt sind, zwei sich liebende Menschen zusammenzuführen.«

»Du sprichst in Rätseln, Heinrich«, sagte Elisabeth, und mit drei Schritten war Heinrich bei ihr und küsste sie auf die Wange.

»Wir haben den Ansatz zur Lösung. Und ausgerechnet Felicitas hat Frantz auf die richtige Fährte gebracht.«

»Erzähl!« Ella war Feuer und Flamme.

»Nun, sie hat Frantz erzählt, dass ihr Vater von italienischem Kaffee keine Magenschmerzen bekommt, von deutschem aber schon. Das hat Frantz nachdenklich gemacht, denn wirklich, für einen bestimmten Kaffee werden die Bohnen bei wesentlich höheren Temperaturen gebrannt. Außerdem wird das Kaffeemehl durchs Wasser gepresst statt in einem Schwall gebrüht.«

»Und?«, fragte Elisabeth kühl.

Heinrich setzte sich und nahm ein Ingwerplätzchen. »Das Problem waren immer die Säuren, Essigsäure, Zitronensäure, Apfelsäure und Buttersäure. Wir wussten nicht, wie wir eine Pflanze züchten sollten, deren Kaffeekirschen keine Säuren beinhalten. Dabei brauchen wir gar keine Neuzüchtung.« Er machte eine Pause und blickte seine Mutter und Ella begeistert an. »Die Lösung ist Wasserdampf. Einfach Wasserdampf und hoher Druck, dem die Bohnen ausgesetzt werden. Dadurch lösen sich weniger Gerb- und Bitterstoffe – und der Kaffee hat weniger Säuren.« Heinrich biss in das Plätzchen und ignorierte das angespannte Gesicht seiner Mutter. »Frantz variiert derzeit

135

den Druck, aber in absehbarer Zeit werden wir es geschafft haben.«

»Gratuliere!«, rief Ella und klatschte in die Hände. »Du hast es geschafft!«

Heinrich sah seine Mutter an. »Du weißt, was das bedeutet, Mutter?«

»Ja«, sagte Elisabeth schlicht.

Ella grinste. Ihre Mutter hatte ihr Wort gegeben und würde es halten müssen, auch wenn sie vermutlich inständig hoffte, dass sich die Erde auftun und Felicitas Wessels verschlingen möge.

6

Als Felicitas die Menschenmenge sah, die den Dom-
platz einnahm, wurde ihr bewusst, wen sie heiratete. Ein
Auftritt wie im Theater, dachte sie und spürte, wie ihre
Hände feucht wurden. Heinrich sah sie besorgt an. Auch
er schien überrascht, wie viele Bremer sich dieses Ereignis
nicht entgehen lassen wollten. Aber es war ein schöner
Samstag, dieser 13. April 1907, erstes Blau schmückte den
Himmel, die Verlockung des Frühlings lag in der Luft,
viele Menschen flanierten durch die Stadt und nahmen die
Gelegenheit wahr, etwas zu sehen, was dem Tag noch mehr
Glanz verlieh. Vier weiße Pferde, eine weiße, mit Rosen
geschmückte Kutsche, davor die Mercedes und Opel, eine
Parade von Geld, Macht und Ansehen mit Felicitas als
Prinzessin, die mit dem Jawort die Welt der Unwägbar-
keit, in der Tristesse und Arbeitslosigkeit stets auf der
Lauer lagen, verließ und eine neue betrat, die Sicherheit,
Sorglosigkeit und Glück versprach. Als Felicitas aus der
Kutsche stieg und Heinrichs Hand ergriff, ging ein Seufzen durch die Menge.
Das Brautkleid ein Meer von Spitze, im griechischen Stil,
schlicht, aber raffiniert im Schnitt. Puffärmel und Schlei-
fen-Schnickschnack passten nicht zu Felicitas, hatte die
Kostümbildnerin des Schauspielhauses entschieden, die es
sich nicht hatte nehmen lassen, das Kleid zu entwerfen
und zu nähen, was zu einem ersten, sehr unerfreulichen
Disput zwischen Felicitas und ihrer künftigen Schwiegermutter geführt hatte, die diese Aufgabe lieber der Haus-
schneiderin überlassen hätte. Felicitas hatte sich jedoch

durchgesetzt, indem sie die Termine, die Elisabeth bereits arrangiert hatte, schlichtweg ignorierte.

Felicitas blieb einen Moment stehen und ließ Ella und Désirée, die in apricotfarbene Seide gehüllten Brautjungfern, die Schleppe richten, die sich wie ein silberweißer Wasserfall über die schmutzig grauen Domstufen ergoss. Eigentlich hätten Constanze und Dorothee als Cousinen der Braut diesen Part übernehmen sollen, doch die Sorauer waren mit der fadenscheinigen Entschuldigung, die Hilfsarbeiter im Frühjahr mit der Aussaat nicht allein lassen zu können, ferngeblieben. Helen hatte sich maßlos aufgeregt und postwendend eine wütende Antwort nach Sorau geschickt, doch Felicitas wusste es besser, woher der Wind wehte. Ein uneheliches Kind – damit konnte man sich wohl kaum bei der Bremer Verwandtschaft, zumal der angeheirateten, blicken lassen. Ein seltsames Band der Solidarität zu ihrer ungeliebten Cousine hielt sie allerdings davon ab, irgendjemandem, nicht einmal ihrem Vater, den wahren Sachverhalt anzuvertrauen.

»Felicitas?« Heinrich unterbrach ihre Gedanken und sah sie liebevoll und stolz an. »Bist du bereit?«

»Ja.« Die weißen Lilien in ihrem Arm nickten im Takt ihrer Schritte.

Auf dem langen Weg zum Altar nahm Felicitas ein Meer gut angezogener Männer und elegant herausgeputzter Damen wahr. Westen, Schnüre, Knöpfe, Korsagen hielten die Körper zusammen wie die nach strenger Geometrie zur Schau gezeigte Haltung, die den Geist so in Anspruch zu nehmen schien, dass er sich dem Leben nicht widmen konnte und sich verschloss vor dem, was im Land ganz allmählich, aber kraftvoll Gestalt gewann.

Felicitas erkannte Dr. Alfred Dominicus Pauli und Dr. Victor Wilhelm Marcus, Bürgermeister seit 1899, zwei Wirtschaftspolitiker, fleißig, honorig, aufgeschlossen für Kunst und Literatur und ausgestattet mit zwei großen spitzen Nasen, wobei die von Dr. Pauli spitzer aussah, besonders von der Seite. Wenn Pauli sich den Vollbart wie Marcus zum Spitzbart mit Schnauzer gestutzt hätte, wären sie als Zwillinge durchgegangen.

Die meisten der anderen Gesichter, die sie, die Braut, erwartungsvoll, neugierig oder auch verhalten musterten, waren ihr unbekannt, doch Felicitas wusste, dass nur die Bürgerschaftsmitglieder geladen waren, die die erste und zweite Klasse des Acht-Klassen-Wahlrechts bildeten: Akademiker und Kaufleute, die vierundfünfzig Sitze inne und damit die entscheidende Mehrheit hatten. Die Sozialdemokraten, die die dritte, und die übrigen Bürger, die die vierte bis achte Klasse bildeten, überwiegend linksliberal waren und erstaunlicherweise nicht müde wurden zu versuchen, dieses ungerechte System auszuhebeln und ein Wahlrecht zu verankern, das dem Bild der Gesellschaft entsprach, natürlich nicht.

Zweihundert Gäste waren geladen, wovon mehr als zwei Drittel auf Elisabeths und Heinrichs Konto gingen. Felicitas hatte lediglich auf ihrer Familie einschließlich Elfriede und Arthur sowie dem Intendanten des Schauspielhauses und einigen Schauspielern bestanden, die sie von klein auf kannte und mochte.

Die letzten Takte von Beethovens »Ode an die Freude« verklangen, und der Dompastor Oscar Mauritz empfing Felicitas und Heinrich mit ausgebreiteten Armen und strahlendem Lächeln am Altar. Nach einigen Diskussionen hatte er sich bereit erklärt, beider Wunsch nachzukommen und die Zeremonie von allem liturgischen Bombast fern zu halten und stattdessen das Hohelied der Liebe aus dem ersten Brief an die Korinther in den Mittelpunkt seiner Predigt zu stellen.

»Die Liebe ist langmütig«, begann er mit tiefer Stimme, als Heinrich und Felicitas auf den mit rotem Samt ausgepolsterten unbequemen Stühlen Platz genommen hatten, und fixierte das Brautpaar, als wollte er ihnen die Worte gleichsam einbrennen, »die Liebe ist gütig. / Sie ereifert sich nicht, / sie prahlt nicht, / sie bläht sich nicht auf. / Sie handelt nicht ungehörig, / sucht nicht ihren Vorteil, / läßt sich nicht zum Zorn reizen, / trägt das Böse nicht nach. / Sie freut sich nicht über das Unrecht, / sondern freut sich an der Wahrheit. / Sie erträgt alles, / glaubt alles, / hofft alles, / hält allem stand. / Die Liebe hört niemals auf.«

Hoffentlich, dachte Felicitas und bekam den Rest der Predigt kaum mit, so angespannt wartete sie auf die entscheidende Frage, die Heinrich und sie für immer verbinden sollte und die sie, als der Pastor sie endlich stellte, mit einem warmen, tönenden »Ja« beantwortete. Die Sinfonie aus Räuspern, Hüsteln und scharrenden Füßen wurde vom fröhlichen Glockengeläut abgelöst. Es war getan, es war endgültig.

Der Schnelldampfer Kaiser Wilhelm der Große, in Bremen beim Norddeutschen Lloyd gebaut, galt als das modernste der Passagierschiffe, die Amerika ansteuerten. Das illustre Publikum vertrieb sich die Zeit zwischen den Mahlzeiten mit gepflegten Gesprächen, Spaziergängen vom Bug bis achtern und wieder retour, gelegentlichen Tennismatches, Schachpartien, Bridgerunden und Golfunterricht auf einem mit einem gewaltigen Netz abgeschirmten Abschlagareal. Der Pro, so der lässige Titel des Trainers, hatte Felicitas beigebracht, wie der Schwung korrekt ausgeführt wurde, was ihr außerordentlich gut gelang, im Gegensatz zu Heinrich, der den Ball wieder und wieder verfehlte und sich schließlich der Verlockung des Liegestuhls ergab.

Nach dem Abendessen drehten sie meist eine Anstandsrunde an Deck, plauderten hier eine Weile, schauten dort den Schachspielern zu und betrachteten, wie die Sonne im Meer versank, bevor sie die Kabine aufsuchten, um das zu tun, wonach es sie seit der ersten gemeinsamen Nacht trieb und was ein stärkeres Band zwischen ihnen flocht, als Felicitas sich je hätte vorstellen können. Ihre Mutter hatte von Pflichten gesprochen, von einem möglicherweise nicht immer angenehmen körperlichen Vorgang, der halt zur Ehe gehöre, doch mit keinem Wort erwähnt, welch sanfte Süßigkeit, als würde man in Schokolade baden, sich darin entfalten konnte. Warum sie ihr diesen Teil verschwiegen hatte, blieb Felicitas ein Rätsel, und plausible Erklärungen wie die, dass ihre Eltern andere, weniger schöne Erfahrungen gemacht hatten, waren ihr peinlich, sodass sie solche Gedanken nicht weiter verfolgte. Wozu auch? Sobald Heinrich und sie ihre Suite betraten, fielen sie in einen endlosen Kuss, der sie berauschte und das Interieur aus Louis-quinze-Möbeln, Messinglampen, Perserteppichen, honiggelbseidenem Sofa und mit einer honiggelbseidenen Tagesdecke bezogenem Bett zu einem goldenen Meer werden ließ, in dem sie versanken, um nach einer Weile verschwitzt und atemlos wieder aufzutauchen.

Am vierzehnten Tag der Reise nahm die Küste Südamerikas erste Umrisse an. Die Koffer wurden gepackt und die Ruhe an Bord, die die Tage in gleichförmiger Glückseligkeit hatte ineinander fließen lassen, wich einer aufgeregten Erwartung.

Obwohl das Schiff in aller Herrgottsfrühe den Hafen von Santos erreichte, schien halb Rio de Janeiro auf den Beinen zu sein, um den deutschen Stolz der Ozeane zu bestaunen und die Gäste aus Übersee willkommen zu heißen. Am Kai spielten fünf Musiker in gestreiften Ponchos eine

141

Musik, die Felicitas noch nie vernommen hatte und die ihr verboten, wild und sinnlich erschien. Dunkelhäutige Frauen in bunten Kleidern klatschten dazu, lachten und wiegten sich in den Hüften. Männer in khakifarbenen Shorts und nacktem bronzefarbenem Oberkörper schleppten Jutesäcke auf ihren Schultern und ließen sie schwungvoll auf Maultierrücken gleiten, soignierte Herren mit dicken Bäuchen in weißen Uniformen und Tropenhelmen standen hoch erhobenen Hauptes neben rot und grün lackierten Zweispännern oder, seltener, schwarzen Automobilen ohne Verdeck, in denen feine Damen, vermutlich ihre Ehefrauen, gehüllt in weiße und beige Seide, warteten und sich mit zierlichen Schirmen gegen die brasilianische Sonne schützten.

»Da ist Paolo!«, rief Heinrich und winkte einem etwa vierzigjährigen schwarzhaarigen Mann neben einem der wenigen Automobile zu, der, als er Heinrich erkannte, vor Begeisterung seine grüne Mütze vom Kopf riss und wie eine Flagge schwenkte. »Paolo ist Fahrer, Vorarbeiter und guter Geist von Don Alfredos Plantage. Er wird uns ins Hotel bringen. Komm!« Er küsste sie und lotste sie dann zur Gangway, auf der die weiblichen Passagiere Mühe hatten, ihre langen Röcke zu raffen, Sonnenschirme und Täschchen festzuhalten und gleichzeitig nicht aus der Balance zu kommen. Eine Dame verlor ihren mit weißem Organza bezogenen und mit Volants verzierten Stockschirm, der unter ihren spitzen Schreien im Wasser landete und wie ein Klecks Schlagsahne auf schwarzem Kaffee schaukelte. Felicitas kicherte, klappte ihren Schirm sicherheitshalber zu und passte ihren Schritt dem Rhythmus der hoch und runter schwankenden Metallstufen an.

Paolo stürzte auf sie zu, ergriff ihre Hand und küsste sie länger, als ein Bremer es je gewagt hätte.

»Sie sind wunderschön, gnädige Frau!«, rief er aus und sah Heinrich mit glühenden schwarzen Augen an. »Ich wusste es. Ich wusste, wenn der Sohn von Gustav Andreesen heiratet, wird er heiraten eine Fee, doch er hat genommen eine Prinzessin, schönste Prinzessin.« Er strahlte und wies auf die geöffnete Wagentür. »Wir fahren schnell, sehr heiß heute.«

Tatsächlich lag die Temperatur bei fünfundzwanzig Grad, was ungewöhnlich hoch war für den brasilianischen Herbst, der dann begann, wenn Deutschland sich gerade an den Frühsommer gewöhnte. Während Paolo ihr Gepäck verstaute und mit Lederriemen festzurrte, zog Felicitas die Schleife unterm Kinn auf und setzte ihren Hut ab, mit dem sie sich ein wenig Luft zufächelte. Die Hitze hatte ihre Wangen gerötet und einen leichten Schweißfilm auf die Schläfen getrieben, an dem ein paar ihrer blonden Haare festklebten und sich ganz unverschämt sinnlich kringelten. Die Sonne schenkte ihren kühlen aquamarinblauen Augen einen goldenen Schimmer, der den Eindruck von Kälte vertrieb. Das Klima stand ihr gut.

Hupend und gestikulierend manövrierte Paolo den Opel durch die lärmende Menschenmenge. Sie verließen den Hafen und bogen nach links auf eine von meterhohen Palmen gesäumte Küstenstraße ein. Nach rechts fiel ein breiter Sandstrand ab, an den sich feine Schaumkronen schmiegten, die an Steinen und Muscheln leckten, bis das Meer sie wieder hinauszog, links wechselten sich freie Flächen und schmucklose Gebäude ab, die der Straße ein trostloses Flair gaben und nichts von der emsig-lebensfrohen Stimmung am Hafen spiegelten. Die Seiten passten nicht zusammen, und Felicitas fragte sich, wer für diesen Pfusch die Verantwortung trug.

Paolo, der ihre gerunzelte Stirn richtig deutete, wies mit

wegwerfender Handbewegung nach links. »Der Kaiser ist fort, seit fünfzehn Jahren. Seitdem sie drehen Däumchen und wissen nicht, was sie sollen anfangen mit neuer Hauptstadt. Vor fünf Jahren hat Bürgermeister geniale Idee«, fuhr Paolo fort und schnitt einen Mercedes, dessen Fahrer wütend gestikulierte. »Halt Klappe, du! Nicht Sie, Señora! Also … Bürgermeister hat geniale Idee und machen platt alte Kolonialhäuser und schlagen Schneisen für neue Häuser. Alles soll aussehen wie in Paris«, schloss Paolo und hieb auf das Lenkrad ein, als hätte es Schuld an der brachialen Umgestaltung der Stadt.

»So kurz hat noch niemand die Geschichte Rios zusammengefasst«, sagte Heinrich grinsend, und Felicitas lachte.

»Sehen Sie«, rief Paolo wenig später und zeigte auf das Fundament eines Neubaus, »dort entsteht Theatro Municipal, eine perfekte Nachbildung des Pariser Opernhauses.«

»Ist doch seltsam«, meinte Felicitas, doch Heinrich unterbrach sie.

»Besser gut geklaut als schlecht ausgedacht. Außerdem wirkt die Stadt sauberer und überschaubarer.«

Felicitas knuffte ihn liebevoll in die Seite. »Höre ich da gerade einen stockkonservativen Bremer heraus? Diese Seite kenne ich ja noch gar nicht an dir. Bislang«, fügte sie hinzu und senkte die Stimme, »habe ich dich für feuriger gehalten.«

Heinrich griff ihren neckenden Ton auf. »Mag sein, aber jetzt sind wir schon ein paar Wochen miteinander verheiratet, und es wird Zeit, dass du mein wahres Gesicht siehst.«

Felicitas blickte ihn an, und ihr schoss der Gedanke durch den Kopf, wie wenig sie einander kannten und sich dennoch nicht fremd waren. Sie begann einen Satz, und Heinrich vollendete ihn. Heinrich hatte eine Idee, und sie sprach sie aus. Eine Kongruenz, die in der ersten Zeit der Liebe das Herz wärmt, weil sie das Gefühl vermittelt, sich dem richtigen Menschen hinzugeben, mit der Zeit jedoch in immer gleiche Bahnen lenkt, die sich zu Parallelen entwickeln, welche sich nicht mehr berühren. Felicitas schloss ihre Hand um die seine. Ihnen würde das nicht geschehen, und falls doch, würde sie die Parallelen schon wieder zu einem Kreis zurechtbiegen.

Paolo brachte den Wagen zum Stehen. »Wir sind da«, sagte er, stieg aus und öffnete die Türen.

»Das ist ein Traum«, entfuhr es Felicitas beim Anblick des weißen Grandhotels, das stolz und trutzig über die Bucht blickte und mit seinen geschwungenen Balkonen und verspielten Ständerwerken eine elegante Reminiszenz an vergangene Zeiten darstellte. Eine ausladende Marmortreppe führte in die Halle, die mit Mahagonimöbeln und mannshohen Alabasterfiguren bestückt war, die allesamt schwarze Menschen in dienender Haltung zeigten. Der Portier empfing sie mit majestätischer Miene und erlesenem Portugiesisch, bevor er in ein etwas weniger erhabenes Englisch wechselte, Heinrich antwortete mit Oxford-Akzent und steinerner Miene.

»Der mag uns nicht«, stellte Felicitas fest, als sie und ein Page mit dem Paternoster in die zweite Etage fuhren.

»Der mag niemanden, der schon von weitem nach Kolonialherr aussieht, unabhängig davon, ob er einer ist«, entgegnete Heinrich gleichmütig.

»Bist du einer?«, fragte Felicitas und hob die Brauen.

»Wie man's nimmt«, antwortete er lakonisch. »Für die Brasilianer reicht es, dass wir aus einem europäischen Land kommen und mit Kaffee handeln. In der Tat besitzen wir einige Ländereien in Übersee, aber nicht hier, sondern in Togo. Doch im Vergleich zu anderen Kaufleuten wie zum Beispiel den van der Laakens sind wir koloniale Waisenkinder. Also, nein, wenn du mich fragst, ich bin kein Kolonialherr. Frag aber die Brasilianer, und sie behaupten das Gegenteil.«

Im zweiten Stock stiegen sie aus. Der Page schloss die Tür zu ihrer Suite auf und machte sich in der Hoffnung auf Trinkgeld noch ein wenig im Vorflur zu schaffen, bis Heinrich ihm einige Münzen in die Hand drückte.

»Bist du müde?«, fragte Heinrich, und Felicitas schüttelte den Kopf.

»Ich bin viel zu aufgeregt, um zu ruhen. Wir sind schließlich in Rio de Janeiro, nicht in Fischerhude.«

Sie ließen die Koffer Koffer sein und gingen Hand in Hand die breiten, geschwungenen und mit rotem Sisalteppich ausgelegten Stufen hinunter in die Halle, die vom Schein eines mächtigen Kronleuchters erhellt wurde, obwohl es erst kurz vor Mittag war. Paolo hatte den Wagen unter einer Kokospalme geparkt und döste auf dem Fahrersitz. Sehr erfreut über Heinrichs und Felicitas' spontanen Plan schien er zwar nicht zu sein, fand seine gute Laune aber recht bald wieder, als er hörte, dass er sie nur ins Zentrum bringen, dort absetzen und auf ihre Rückkehr warten sollte.

Sie bummelten durch den Botanischen Garten mit seinen Orchideen und Palmen, besuchten die Barockkirche Igreja de Nossa Senhora da Glória do Outeiro und das neue Museu Nacional de Belas Artes, das mit vierzehntausend Werken die größte Sammlung brasilianischer Malerei des 19. Jahrhunderts beherbergte.

»Sieh dir diese Farben an«, sagte Felicitas und blieb fasziniert vor einem Gemälde von Fran Fontanelli stehen. »Wie schade, dass man solche Werke nicht bei uns sehen kann.«

»Mein Geschmack ist es nicht gerade«, meinte Heinrich. »Ich bin eher die Worpsweder gewöhnt.«

»Diese hier«, entgegnete Felicitas nachdenklich, »besitzen so viel Kraft. Sie zeigen diese mitreißende Lebensfreude. Aber auch unendlich viel Leid. Vielleicht sollte man diese Werke in der ganzen Welt sehen, nicht nur in Brasilien. Wenn man ein anderes Volk verstehen will, sollte man seine Kunst betrachten.«

»Das verhindert auch keinen Krieg«, gab Heinrich nüchtern zurück. Felicitas sah ihn mit gerunzelter Stirn an, verzichtete aber auf eine hitzige Erwiderung, um ihnen die Stimmung nicht zu verderben.

Nach zwei Stunden verließen sie das Museum, um sich mit der Drahtseilbahn auf den dreihundertneunzig Meter hohen Zuckerhut fahren zu lassen – eine ruckelnde, laute und ziemlich beängstigende Tour, die ihnen jedoch einen atemberaubenden Ausblick über die Bucht von Rio und seine goldgelbe Copacabana schenkte.

Felicitas fühlte sich frei und unerhört kosmopolitisch und war Heinrich unendlich dankbar für diese Reise, die ihn, wie sie vermutete, einige Diskussionen mit Elisabeth gekostet hatte. Was ist die Bühne in Berlin gegen diese Weltbühne?, dachte sie und fühlte das Glück, diese Entscheidung und keine andere getroffen zu haben, wie einen vom Zwerchfell zum Bauch auf und nieder hüpfenden Ball.

Am nächsten Morgen setzten sie ihre Reise fort.

São Paulo, von Jesuiten 1554 gegründet, von wo sie ihren Missionsauftrag im Sinne des heiligen Paulus versehen wollten, wirkte mit seinen unregelmäßig angelegten Straßen und engen Gassen viel romantischer als Rio. Der Stadtkern mit der Kathedrale schmiegte sich zwischen die Bäche Anhangabaú und Tamanduateí, die in den Rio Tietê mündeten, und schien viel zu klein für die vielen Menschen, von denen die wenigsten brasilianisch aussahen, sondern von europäischer und sogar asiatischer Herkunft zu sein schienen.

»Landsleute!«, rief Paolo und zeigte auf eine Gruppe junger Männer. »Aber hier auch viele Deutsche und Japaner. Wollen alle Kaffeeplantagen gründen.« Paolo blickte finster und hupte die Männer zur Seite.

»Es gibt seit einiger Zeit ein Gesetz, demzufolge jeder das Recht hat, Land zu kaufen, sofern er das Geld dazu hat«, erklärte Heinrich. »Dadurch sind die Besitzverhältnisse geklärt. In der Monarchie wurde das Land verschenkt und galt als eine Gnade, die gewährt, aber eben auch genommen werden konnte. Das bringt natürlich viele auf die Idee, hier ihr Glück machen zu können. Die Einwanderungsquote ist gewaltig gestiegen.«

»Und alle wollen in Kaffee machen«, brummte Paolo dazwischen.

»Die Männer sahen aber nicht gerade nach Plantagenbesitzern aus«, fand Felicitas und schaute Heinrich an. »Nicht wahr?«

»Wohl kaum«, gab er ihr Recht. »Sie arbeiten entweder gar nicht oder versuchen das für den Kauf notwendige Geld auf den Plantagen zu verdienen, was in der Regel Jahre dauert.«

Nachdenklich betrachtete Felicitas die Männer, die dem Automobil unwillig Platz machten. »Dann ist es hier auch nicht viel anders als in Europa. Wer das Geld hat, hat das Sagen.«

»So ist es wohl«, entgegnete Heinrich.

Schweigend fuhren sie weiter, bis sie am Rande der Stadt das kleine Hotel erreichten, in dem sie eine weitere Nacht verbringen wollten. Felicitas war müde von der beschwerlichen Fahrt über die schmalen, holprigen Straßen und hungrig.

»Ich habe so einen Appetit auf Schwarzbrot«, sagte sie zu Heinrich, als sie das Zimmer betraten, das stickig und heiß war. Weil das Hotel nur über einen Pagen verfügte, der trotz lautstarker Rufe des Portiers verschwunden blieb, schleppte Paolo die Koffer schnaufend in den ersten Stock.

»O nein, nix Schwarzbrot«, rief er. »Heute Sie meine Gäste. Ich zeigen Ihnen, wie richtig gute brasilianische Küche schmecken. Wir gehen zu Mamalita. Kein weiter Weg, nur um die Ecke, drei Stufen in Keller. Magnifico!« Er verdrehte die Augen vor Wonne, und Felicitas und Heinrich sahen sich schmunzelnd an.

»Also gut«, sagte Heinrich. »Wir ruhen uns eine Stunde aus und dann darfst du uns zu Mamalita führen.«

»Muito bem!« Paolo nickte erfreut und zog die Tür hinter sich zu.

Sie schliefen nicht, sondern erforschten ihre Körper. Trotz eingehender nächtlicher Expeditionen entdeckten sie immer wieder Stellen, die sie noch nicht liebkost hatten, und folgten ihrem Instinkt, der ihnen ganz unerhörte Wege zur Lust zeigte, die, davon war Felicitas überzeugt, ihnen beiden gewiss einen Platz im ewigen Fegefeuer sicherten, wenn sie denn daran glaubte. Was zum Glück nicht der Fall war.

Erfrischt vom Rausch der Sinne und einem anschließenden Bad, gingen sie gemächlich in die kleine Hotelhalle, wo einige ziemlich britisch aussehende Damen mit blasser Haut und erdbeerblondem Haar entkräftet in den Sesseln saßen und sich Luft zufächelten.

»It's not amusing«, murmelte die älteste von ihnen und nickte Felicitas und Heinrich matt zu.

»Nice to meet you«, antwortete Heinrich höflich und blieb stehen. Er stellte sich und Felicitas vor, erfuhr, dass die Ladys Schwestern aus London waren und hier auf den Ehemann der einen warteten, der sich vor fünf Tagen in Richtung einer Kaffeeplantage aufgemacht hatte, um gewisse Verhandlungen zu führen, bis jetzt aber nicht wieder aufgetaucht war. Was die Damen besorgte, zumal für morgen die Rückreise nach Rio geplant war. »If you need any help, please let me know«, schloss Heinrich das kurze Gespräch und verabschiedete sich. »Ihr Mann soll sich auf der Plantage befinden, die wir morgen besuchen. Ich bin gespannt, ob wir Mr. Hammond treffen«, sagte er und fügte ernst hinzu: »Und vor allem, was ein Engländer dort zu suchen hat.«

Paolo erwartete sie vor dem Hotel. Er trug ein frisches weißes Hemd, einen breitkrempigen schwarzen Hut und hatte sich eine bunt gestreifte Bauchbinde umgelegt. Sie folgten der Straße, an der das Hotel lag, und bogen nach etwa zweihundert Metern nach rechts in eine schmale Gasse, die noch schmaler wirkte, weil üppig blühende Bougainvilleen einen rotviolett schimmernden, betörend duftenden Bogen von einer Seite der Gasse zur anderen schlugen.

»Aquí. Hier ist es«, sagte Paolo gedämpft, als wollte er den Zauber dieser Gasse nicht stören, in der außer ihnen kein Mensch unterwegs war. Sie gingen die Stufen hinunter, öffneten eine Holztür und noch eine weitere und fanden sich in einem Gewölbe wieder. Große derbe Holztische bildeten lange Reihen, an denen Männer und Frauen saßen und aßen und sich gedämpft unterhielten. Eine Gitarre schluchzte eine Melodie, die süß und traurig zugleich klang.

Eine indianisch aussehende Frau mit hohen Wangenknochen und schwarzen zu einem Zopf geflochtenen Haaren so dick wie ein Tau stellte sich ihnen in den Weg, und

Paolo sprach in schnellem Tempo und auf Portugiesisch auf sie ein. Sie nickte zögernd, betrachtete Felicitas und Heinrich abschätzend, und ohne die Spur eines Lächelns wies sie auf einen freien Tisch am Ende des Gewölbes, der von den anderen Gästen etwas entfernt war, sodass Felicitas sich fragte, ob sie hier überhaupt willkommen waren. Unfreundlich fragte die Frau Paolo etwas und ging wortlos davon, nachdem dieser geantwortet hatte.

Er wischte sich den Schweiß von der Stirn und sagte lächelnd: »Wir essen, wo alle wichtigen Geschmackskitzel Brasiliens drin sind. Palmöl, Kokosmilch und Gewürze, roter Pfeffer, Ingwer, Koriander, Muskat. Wir essen Churrasco, das ist Fleisch von Holzkohle. Aber erst eine Überraschung.«

»Ist das Mamalita?«, fragte Felicitas und beobachtete, wie die Frau von Tisch zu Tisch ging, hier lachte, dort eindringlich redete.

»Sim«, sagte Paolo wortkarg und zündete sich einen Zigarillo an. Er rauchte schweigend, und Felicitas wurde das Gefühl nicht los, dass Paolo seinen Entschluss, sie hierher einzuladen, inzwischen nicht mehr für eine so gute Idee hielt.

»Sie wirkt etwas, nun, etwas verbissen«, begann sie, wurde aber von Mamalita unterbrochen, die drei Teller, Besteck, Wein und Gläser auf einem Tablett balancierte und geräuschvoll abstellte.

»Fejioada«, verkündete sie würdevoll und beobachtete, wie Felicitas und Heinrich auf den Anblick dieses buntgewürfelten Essens reagierten.

Heinrich lächelte höflich. »Gracias.«

Felicitas spießte eins der kleinen Würstchen, dünn wie ein Zeigefinger, auf die Gabel und biss hinein. Eine Feuersbrunst entfaltete sich, schlug Gaumen und Zunge in Brand und trieb ihr die Tränen in die Augen. »Donnerwetter«, entfuhr es ihr. Sie griff nach dem Weinglas und stürzte den Inhalt hinunter, setzte es ab und sah Mamalita mit funkelnden Augen an. Dann lachte sie laut und eine Spur zu wild, sodass Heinrich fragend seine Augenbrauen hob, als hätte seine Frau den Verstand verloren. Mamalita grinste schließlich, fiel in Felicitas' Gelächter ein, schwenkte die Arme und schrie etwas, woraufhin alle Gäste anfingen zu lachen.

Als sie sich umdrehte und lachend zurück zur Küche ging, fragte Felicitas: »Was hat sie gesagt?«

Paolo errötete. »Ich habe es nicht verstanden.«

»Du lügst«, sagte Heinrich scharf und starrte angewidert auf das Essen.

»Desculpe! Verzeihen Sie«, gab Paolo seufzend zu. »Sie haben gesagt, wenn blonde Frau nicht blond wäre, könnte sie eine von uns sein. Gute Frau.« Er nahm den Löffel und begann das Essen in sich hineinzustopfen. »Probieren«, forderte er Heinrich und Felicitas auf. »Schwarze Bohnen, gekocht mit Lorbeerblättern, Knoblauch, Zwiebeln und viel Fleisch. Schweinsohren, Rindfleisch, Schweinsrüssel, Wurst und Speck, gedünstete Kohlblätter, Maniak-Mehl, Orangenscheiben und Reis. Und viel Malageta-Pfeffer!«

Felicitas kostete und war entzückt. So scharf die Würstchen waren, so aromatisch war dieser Eintopf. Schmatzend gestand Paolo, dass Sklaven dieses Gericht aus Not erfunden hatten. »Sie sammelten, was die Herrschaften wegwarfen, und rührten es zusammen.«

Heinrich schwieg und kaute mit langen Zähnen. Felicitas spürte, dass seine Verstimmung nicht am Essen lag, sondern an Mamalitas provozierender Bemerkung, doch offensichtlich hatte er sich entschieden, jedwede Diskussion darüber hinunterzuschlucken, um den Abend in diesem merkwürdigen Lokal nicht unnötig in die Länge zu ziehen. Felicitas beobachtete verstohlen die Menschen und fühlte sich ihnen auf eine seltsame Art verbunden, weil sie in ihrer halb resignierten, halb rebellischen Haltung an die Gemälde von Fran Fontanelli erinnerten.

»Paolo«, sagte sie sanft und fragend.

»Hm?«

»Paolo, kann es ein, dass du uns heute Abend die andere Seite Brasiliens vorführen willst?«

Paolo errötete. »Ich verstehen nix.«

»Doch, doch, du weißt, was ich meine«, erwiderte sie und nahm sich von dem ofenwarmen Maisbrot.

»Wir wollen zahlen«, unterbrach Heinrich und zückte seine Geldbörse.

»Sie meine Gäste«, sagte Paolo, doch Heinrich zählte drei Geldscheine ab und legte sie auf den Tisch.

»Danke, Paolo, aber danke nein. Ich kann mich des Eindrucks nicht erwehren, dass wir heute Abend Zielscheibe für internen Hohn und Spott geworden sind. Gute Nacht, wir finden schon hinaus.« Damit stand er auf, legte Felicitas ihren Schal um und wartete ungeduldig, bis sie sich erhob.

»Es tut mir Leid«, sagte Felicitas zu Paolo und ignorierte Heinrichs Arm. Sie nickte Mamalita zu und verließ drei Meter vor Heinrich das Lokal. Beinahe hätte sie ihm die Schwungtür an den Kopf geknallt, so wütend war sie. Wie konnte er sich anmaßen, über sie zu verfügen! Und wie konnte er nur so engstirnig sein!

Im Hotel warf sie den Schal von sich, riss sich die Schuhe von den Füßen und pfefferte sie gegen die Badezimmertür, sodass einer der zierlichen Absätze brach und eine hässliche Schramme im elfenbeinweißen Schleiflack hinterließ. Heinrich hing seinen Gehrock sorgfältig über den stummen Diener und nestelte seine Fliege auf.

»Ich lasse mich nicht zum Hanswurst machen«, sagte er beiläufig. »Und auch wenn es dir nicht gefällt, Felicitas, wirst du lernen müssen, dass du zu einer bestimmten Klasse gehörst, die von sehr vielen Menschen gehasst wird. Dagegen hilft es nicht, sich mit solchen Menschen gemein zu machen, dagegen hilft nur Contenance. Haltung. Und Entschiedenheit.« Die Fliege hatte sich verknotet und er trat an den Spiegel, um das seidene Knäuel unter seinem Adamsapfel zu lösen. Felicitas saß auf dem Bett und beobachtete ihn dabei. Ihre Blicke trafen sich, hielten sich aber nicht fest.

In den frühen Morgenstunden wachte Felicitas auf, die Arme um Heinrich geschlungen, was verriet, dass ihre Körper eine Versöhnung herbeigeführt hatten, die der Verstand vor dem Schlaf nicht hatte formulieren können. Felicitas seufzte und atmete Heinrichs Nachtduft ein, den sie so sehr liebte. Sie entschied, die Sache nicht noch einmal anzusprechen, denn weder würde sie Heinrichs Meinung teilen noch er die ihre. Er fühlte sich durch Mamalitas Verhalten in den Grundfesten seines Lebens verhöhnt, während sie den Vorfall wie einen naturalistischen Einakter betrachtete. Sie billigte zwar weder seine Worte noch die Art, wie er sie behandelt hatte, aber wer wusste, ob sie seine Loyalität nicht ebenso harsch einklagen würde, wenn sie sich einmal der Lächerlichkeit preisgegeben sähe.

Sie küsste ihn auf die Nasenspitze. Er blinzelte sie verschlafen an und zog sie näher zu sich heran.

»Wieder gut?«, murmelte er.

Sie nickte. »Alles wieder gut.«

Nach einem kargen Frühstück mit süßen Hörnchen und rabenschwarzem Kaffee setzten sie die Fahrt fort. Paolo hatte sie freundlich, aber mit einem ängstlichen Unterton begrüßt und schwieg seitdem. Behutsam lenkte er das große Automobil vorbei an Siedlungen mit deutschen und Schweizer Namen. Friedburg, Helvetia, Kirchdorf, von Auswanderern gegründet, lagen in der Hochebene São Paulos, achthundert Meter über dem Meeresspiegel, wo fruchtbare Böden und ausreichende Niederschläge die Kaffeebohnen am besten gedeihen ließen.

»Es sind nur zehn Kilometer bis zur Plantage hinter Campanira, aber die Strecke hat es in sich. Nur Serpentinen, Sand und Geröll.« Heinrich sah Felicitas besorgt an, doch sie nickte.

Das Land hatte sie gefangen genommen. Was die Natur sonst auf einzelne Länder verteilt hatte, schien hier in voller Schönheit konzentriert. Satter Regenwald wurde abgelöst von Tijuca-Wäldern mit gigantischen Jacaranda-Bäumen, Seen, Höhlen, Wasserfällen. Papageienschwärme stoben auf, als sie ein Flussbett überquerten, und Ringstörche zogen majestätisch vorbei, auf die Alligatoren hinunterschauend, die ihre Leibspeise davonfliegen sahen.

Hinter einer Haarnadelkurve musste Paolo bremsen. Hunderte von schwer beladenen Maultieren trotteten in der sengenden Sonne die Straße hinunter, angetrieben von dünnen braunhäutigen Männern in zerschlissenen Hemden, Shorts und löchrigen Sombreros. Sie schlugen mit Peitschen auf die Tiere ein, schrien unverständliche Worte und spien roten Saft aus. Das Automobil und seine Insassen interessierten sie nicht. Gleichmütig zogen sie vorüber, warfen nur gelegentlich einen finsteren Blick ins Wageninnere.

»Sie sind auf dem Weg nach Santos«, erklärte Paolo. »Maulesel ist einziges Transportmittel, das sie haben. Leider sehr schwere Reise für Mensch und Tier. In Regenzeit bildet sich Treibsand, in dem sie umkommen, andere werden bei Überfällen getötet. Alles wegen Kaffee, so ist das. Wir können nur warten.«

Mit wachsender Beklemmung sah Felicitas den Elendstreck vorbeiziehen. Eins der Maultiere brach zusammen. Eine Lawine von Kaffeekirschen ergoss sich aus den Säcken und rollte die Straße hinunter.

»Um Himmels willen!«, rief Felicitas und sprang aus dem Wagen, bevor Heinrich sie daran hindern konnte. Paolo folgte ihr.

»Sieht nicht gut aus, Säcke sehr schwer, dreihundert Pfund. Rückgrat kaputt«, sagte er tonlos und starrte geradeaus. Das Tier schrie.

»Gibt es denn niemanden, der ihm den Gnadenschuss geben kann?«, rief Felicitas und sah sich wild um.

»Womit, Señora? Alles Sklaven. Sklaven haben keine Pistolen.«

Felicitas war entsetzt und kniete neben dem Tier nieder, das verzweifelt schrie und schwer atmete. Die gelbunterlaufenen braunen Augen blickten ins Leere. Einer der Männer versetzte dem Tier im Vorbeigehen einen Tritt und grinste hämisch, bevor er aufreizend langsam weiterging, Kaffeekirschen vor sich herkickend.

Felicitas weinte. Heinrich nahm sie in den Arm und zog sie hoch.

»Du kannst nichts für das Tier tun«, sagte er mitfühlend. »Wir haben keine Waffen bei uns. Vielleicht war es naiv von mir, aber ich hätte nicht gedacht, dass wir sie in diesem Land brauchen.« Er reichte ihr ein Taschentuch, und Felicitas wischte sich über die Augen. Die Schreie des Maultiers erstarben.

»Ich dachte, die Sklaverei sei längst abgeschafft worden«, sagte Felicitas tonlos, als das letzte Maultier sie passiert hatte und sie ihren Weg fortsetzten.

»Das war nicht sehr praktikabel«, erwiderte Heinrich und faltete sein Taschentuch zusammen. »Einwanderer kamen in Scharen, als die Sklaverei offiziell für beendet erklärt worden war, und nahmen gewissermaßen ihren Platz ein.«

»Ja, aber sie konnten die Sklaven nicht ersetzen«, fügte Paolo mit beißender Ironie hinzu, »denn sie weigerten sich zu arbeiten, wollten Zehnstundentag und Schulen für die Kinder. Ha! Sie glaubten, einfach zahlen Schulden ab und danach frei.« Er lachte grimmig. »Mich nicht wundern, dass Kaffeebarone zur Sklaverei zurückkehrten.«

»Und du, Paolo?«, fragte Felicitas. »Was bist du?«

Er sah in den Rückspiegel und traf Felicitas' Blick. »Ich haben irgendwie durchgehalten«, sagte er betont munter, »viel gearbeitet und legen viel zur Seite, damit eines Tages ich eigenes Land kaufen kann. Dann ich werde holen meine Familie aus Portugal.«

»Wann wird das sein, Paolo?«

Die Frage verklang, und Felicitas schloss die Augen. Sie fühlte sich müde und staubig und im Innersten wund. Die Schreie des Maultiers hallten in ihr wider, als wären sie die wahre Melodie dieses Landes, das vorgab, im Samba-Rhythmus zu leben, und sie spürte, wie sich ein Knoten der Wut und Verzweiflung über die Grausamkeit der herrschenden Klasse in ihrer Brust bildete. Sie sah Heinrich von der Seite an und fragte sich, wen sie eigentlich wirklich geheiratet hatte. Sein Mitgefühl schien einzig und allein auf sie, seine Frau, begrenzt, das Maultier, Paolo und das Elend der Männer waren ihm offenbar völlig gleichgültig, und das machte ihr Angst.

Mit der letzten Serpentine erreichten sie eine Anhöhe. Vor ihnen erstreckte sich ein schnurgerader Weg, links und rechts davon kilometerweit purpurrote Erde, kein Baum, kein Strauch.

»Terra Roxa«, sagte Paolo. »Kein Schatten, nur Kaffee …«

Heinrich fiel ihm ins Wort. »Tatsächlich wuchs hier früher ein undurchdringlicher Regenwald, der zwar schön grün, aber zu nichts nutz war. Jetzt wachsen hier vier Millionen Kaffeesträucher. Ich weiß, dass es dir nicht gefällt, Felicitas, aber für mich ist dies ein wunderbarer Anblick.«

Unzählige schwarze Leiber glänzten in der glühenden Sonne. Bunte Tücher umhüllten ihre Gestalten, Männer wie Frauen trugen auf dem Rücken große Weidenkörbe, in die sie die gepflückten Kaffeekirschen gekonnt in hohem Bogen warfen.

»Wenn man ein paar Bäume hätte stehen lassen, müssten diese Leute nicht verbrennen«, sagte Felicitas bissig und sah Heinrich provozierend an, obwohl es ihr ins Herz schnitt, ihn so zu behandeln.

»Schattenkaffee ist teurer«, gab er freundlich zurück. »Je mehr Bäume, desto geringer die Ernte, desto weniger Einnahmen. Eine simple Gleichung, die viele Arbeitsplätze – auch in Bremen – bedeutet.«

Felicitas sagte kein Wort, doch das brauchte sie auch nicht. Weder Paolo noch Heinrich konnte ihren Gesichtsausdruck missdeuten. Was sie hier sah, gefiel ihr nicht, gefiel ihr ganz und gar nicht, doch sie rief sich zur Ordnung. Sie hatte kein Recht, in dieses Land zu kommen und alles zu bekritteln. Vielleicht war sie auch nur überreizt von der anstrengenden Reise, von der Hitze und den fremden Eindrücken.

Vor einer weißen Fazenda ließ Paolo den Wagen ausrollen. Eine breite Holzveranda führte um das Haus herum, vier Schaukelstühle aus Mahagoni wiegten sich sacht im Wind. Eine weiße Holztreppe führte zum Haupteingang, der weit offen stand. Ein im Türrahmen befestigtes Moskitonetz bauschte sich anmutig vor und zurück. Gerade als Felicitas fragen wollte, ob sie nicht erwartet würden, stürmte ein livrierter Diener die Treppe hinunter, dessen Uniform falsch zugeknöpft war, sodass die goldenen Haken und Bänder völlig schief auf seiner Brust baumelten. Der Mann deutete eine Verbeugung an, warf Felicitas und Heinrich einen ängstlichen Blick zu, ergriff wortlos drei der vier Koffer und schleppte sie zur Tür. Um ein Haar wäre er mit einem außergewöhnlich distinguierten Herrn zusammengestoßen, der im gleichen Moment die Tür von innen öffnete und Felicitas und Heinrich zulächelte.

»Herzlich willkommen«, sagte er gelassen und mit weichem Akzent. »Ich freue mich, dass Sie die Fahrt offensichtlich gut überstanden haben.« Federnd nahm er zwei Stufen auf einmal und klopfte Heinrich leicht auf die Schulter, was dieser mit der gleichen Geste beantwortete. »Entschuldigen Sie, gnädige Frau, aber ohne den abraço darf niemand ein brasilianisches Haus betreten. Gestatten, man nennt mich Don Alfredo.« Er küsste Felicitas formvollendet und mit katzenhafter Eleganz die Hand. »Eine alte Sitte, um sich gegenseitig nach Waffen abzutasten.« Unvermittelt begann er zu lachen, umarmte Heinrich und hielt ihn an den Schultern fest, um ihm aufmerksam ins Gesicht zu schauen. »Ich sehe Gustavos Augen. Gut.« Er nickte Heinrich zu. »Betrachten Sie meine Fazenda als die Ihre. Um sieben Uhr wird das Abendessen serviert. Ich freue mich auf interessante Neuigkeiten aus der Alten Welt. Muito bem, não?«

Beim Abendessen, das aus Roastbeef, gebratenen Kartoffeln, Plumpudding und Obst bestand und von leisem Klavierspiel begleitet wurde, lernten sie Don Alfredos Ehefrau kennen, Doña Isabella, eine schwarzhaarige verblühte Schönheit, die elegant und sicher Konversation betrieb, sowie den Engländer, der in São Paulo bereits vermisst wurde.

»Sie wird sich wieder beruhigen«, sagte er abwinkend, als Heinrich ihm von den Sorgen seiner Frau berichtete. »Das Leben ist zu kurz, um sich über verpasste Schiffe aufzuregen. Ich habe mich entschlossen, noch zwei Tage länger hier zu bleiben und mich zwei Tage weniger mit Audreys Nörgelei zu belasten.« Er lachte scheppernd.

Don Alfredo lächelte maliziös. »Lassen Sie uns den Kaffee auf der Veranda nehmen«, schlug er vor, und Felicitas war diesem merkwürdigen Mann, den sie überhaupt nicht einzuschätzen wusste, dankbar für die Unterbrechung. Sie folgte Heinrich, doch Doña Isabella legte ihr die Hand auf den Arm.

»Darf ich Ihnen meinen Salon zeigen?« Felicitas stutzte und begriff. Die Herren wollten offenbar unter sich sein. So unterschiedlich die Sitten der Länder sein mochten, darin waren sich anscheinend alle Männer einig.

In Isabellas kleinem gemütlichem Salon, der ganz in cremigem Orange gehalten war, setzten sich die beiden Frauen an ein zierliches Tischchen. Eine sehr junge Dienerin brachte ihnen süßen, sehr aromatischen Zitronenlikör, der mit Rum gemischt wurde und ganz und gar köstlich die Kehle hinunterlief.

»Gut gegen die Auswirkungen zu fetten Essens«, sagte Doña Isabella höflich und nahm rasch noch einen Schluck. Sie betrachtete Felicitas wohlwollend und ein wenig amüsiert. »Es gefällt Ihnen nicht bei uns, habe ich Recht?«

Felicitas wusste nicht, ob sie die Wahrheit sagen oder sich in Höflichkeiten ergehen sollte. »Das Land ist wunderschön«, begann sie, »die Musik, die Farben. Dieses Haus.«

»Aber …?«, ermunterte Doña Isabella sie mit hochgezogenen Brauen.

»Aber viele Menschen leben in Elend, sind unfrei. Kinder arbeiten auf den Feldern, fast jede Frau ist hochschwanger, und trotzdem arbeitet sie in der sengenden Sonne«, sagte Felicitas leise, als könnte der Ton ihre harten Worte weicher machen, die sie vielleicht die Gastfreundschaft dieser Frau kosten würden.

Doch Doña Isabella lachte sanft. »Mein liebes Kind, ich darf Sie doch so nennen, nicht wahr? Das Leben ist ungerecht. Hier wie überall. Auch in Deutschland fristen viele Menschen ihr Dasein mit dem Allernötigsten, ohne Aussicht auf Verbesserung. Hier wie dort gibt es Arme und Reiche. Als Alfredo, damals noch Alfred, aus Deutschland auswanderte, war er arm wie eine Kirchenmaus. Der Kaffee hat ihn reich gemacht, aber er hat hart dafür gearbeitet.« Nach einer kleinen Pause fragte sie: »Haben Sie sich in Bremen einmal umgesehen, wo die Menschen leben, die Ihren Kaffee rösten?« Felicitas schüttelte beschämt den Kopf. »Aber einen Unterschied gibt es.« Doña Isabella stand auf und öffnete die Fenster des Salons. »Hier verstehen sie zu singen. Das ist das Geschenk Gottes an diese Menschen, denen Er das Schicksal der Armut auferlegt hat. Sie singen. Hören Sie!«

Felicitas lauschte dem melancholisch-schönen, aber nicht traurigen Gesang, der ins Zimmer wehte. Doña Isabella sang leise mit und blickte ins Dunkel, das von einigen Feuern vor den Hütten der Sklaven ein wenig erhellt wurde.

»Sie sind auf ihre Art glücklich. Ich habe lange darüber nachgedacht und bin zu dem Schluss gekommen, dass sie vielleicht froh sind, nicht für sich sorgen zu müssen, einfach nur arbeiten zu müssen, auch wenn die Arbeit mühsam ist. Arbeiten ohne nachzudenken, wie man eine Fazenda führt, wie man Verhandlungen führt und die Zukunft plant. Einfach nur leben.«

»Entschuldigen Sie, Doña Isabella, aber ich finde es schrecklich, dass Menschen in Ketten liegen, um eine Pflanze abzuernten, die ihnen gestohlen wurde«, sagte Felicitas höflich, aber entschlossen, sich nicht von sanften Worten einlullen zu lassen. Es musste einen anderen Weg geben, eine Kaffeeplantage zu führen, und sie nahm sich fest vor, mit Heinrich darüber zu reden. Es konnte nicht sein, dass sein Reichtum auf dem Rücken anderer erwirtschaftet wurde. Bei allem Eifer fühlte sie sich aber plötzlich auch belastet von Problemen, die nicht die ihren waren, und sie fragte sich, inwiefern sie eigentlich gezwungen war, sich damit zu befassen. Hatte sie nicht so schon Schwierigkeiten vor sich, mit denen ihr neues Leben als Frau Andreesen gewiss nicht sparen würde? Andererseits ging ihr Doña Isabellas Hinweis auf die Armut in Bremen nicht aus dem Kopf. Konnte sie davor wirklich die Augen verschließen – wenn es denn tatsächlich so war?

Doña Isabella setzte sich und schenkte Likör nach. »Eines Tages werden Sie anders darüber denken, Felicitas. Denken Sie an meine Worte, wenn Sie einmal so alt sind wie ich. Und nun lassen Sie mich wissen, wie Sie Heinrich kennen gelernt haben.«

Die nächsten Tage verstrichen in anmutiger Gleichförmigkeit. Nach dem Frühstück ritten Heinrich, der Engländer und Don Alfredo stundenlang über die Felder und kamen erst am frühen Nachmittag zurück zur Fazenda, um Felicitas und Doña Isabella auf der Veranda bei eisgekühlter Limonade und Zitronengebäck von ihren Erlebnissen zu berichten. Don Alfredo wurde nicht müde zu betonen, wie stolz Gustavo gewiss auf seinen schneidigen Sohn gewesen war. Gustav Andreesens Tod bewegte ihn sehr, denn nach seinen Worten hatten die beiden Männer, obwohl sie sich nur einmal begegnet waren, eine innige Freundschaft füreinander empfunden.

Das Abendessen nahmen sie stets im Haus ein, um zum Kaffee auf die Veranda und in den Salon zu wechseln. Gelegentlich unterbrachen Felicitas und Heinrich die behütende Monotonie und unternahmen einen kurzen Ausflug mit dem Auto zum Fuß der nahe gelegenen Berge, wo sie ein wenig spazieren gingen. In diesen seltenen Momenten fühlte Felicitas sich ihrem Mann wieder nah, während das Band, das sie zusammenhielt, in der übrigen Zeit, die Heinrich nicht mit ihr verbrachte, etwas dünner zu werden schien. Selbst die körperliche Anziehungskraft hatte an Zauber verloren; meist schlief Felicitas bereits, wenn Heinrich sich müde vom vielen Reden, Trinken und Lachen ins Zimmer schlich.

Am zehnten Tag – Mr. Hammond war inzwischen abgereist –, die Männer waren in der Dämmerung aufgebrochen, beschloss Felicitas, allein einen Ausritt zu wagen. Sie suchte Paolo, der sich in der ganzen Zeit nicht hatte blicken lassen, fand ihn bei den Hütten und bat ihn, ihr ein besonders lammfrommes Tier auszusuchen, weil ihr Reitstil gelinde gesagt nicht sehr entwickelt sei.

»Dann Sie reiten mit mir«, sagte Paolo energisch, brüllte zwei Männer an, die sofort Richtung Stall verschwanden und nach wenigen Minuten mit zwei gesattelten Pferden zurückkamen. Ein großes schwarzes Tier und eine braunstruppige freundliche kleine Stute, auf die Felicitas unter dem Gekicher der Männer zusteuerte.

In leichtem Trab ritten sie los und ließen die Fazenda schnell hinter sich. Felicitas gab das Tempo und die Richtung vor, und Paolo folgte ihr bis zum Rand des Dschungels, den sie nach einer Stunde erreichten und der sich smaragdgrün vor ihnen ausbreitete. Trommeln schlugen einen langsamen, hypnotisierenden Rhythmus. Die Stute scheute und weigerte sich, weiterzugehen.

Felicitas starrte ins Grüne und versuchte einen Weg zu erkennen. Plötzlich stand eine Frau in zwanzig Metern Entfernung vor ihnen.

»Hallo«, sagte Felicitas und winkte. Die Frau bewegte sich nicht. Ihr schwarzes Haar stand vom Kopf ab wie ein geplatztes Rosshaarkissen, und ein blutroter Stoff umhüllte ihre hoch gewachsene Gestalt. Sie trug weder Schuhe noch Schmuck und sah Felicitas mit unbewegter Miene an.

»Sie da nicht hingehören. Wir umkehren«, sagte Paolo beschwörend und blickte sich um, als wären alle Geister Brasiliens hinter ihnen her. Felicitas erkannte, dass er sich Vorwürfe machte, eigenmächtig gehandelt zu haben, was schreckliche Bestrafungen von Don Alfredo nach sich ziehen würde. Er tat ihr Leid, doch sie gab nicht nach.

»Wir bleiben, Paolo«, sagte sie und stieg umständlich vom Pferd. »Und du übersetzt.«

»Sie nicht gehen«, flehte Paolo, doch Felicitas marschierte los, und Paolo folgte ihr schließlich leise fluchend.

Die Frau sagte kein Wort, betrachtete Felicitas aus unergründlichen Onyx-Augen und deutete auf Felicitas' Augen, deren Farbe sie offensichtlich begeisterte. Dann machte sie ihr ein Zeichen, ihr in den Dschungel zu folgen, was sie nach kurzem Zögern tat. Sie mochten etwa zehn Minuten auf einem schmalen Pfad unterwegs gewesen sein, als sich das Grün plötzlich zu einer ovalen Lichtung öffnete, in deren Mitte eine große Hütte aus Palmwedeln und notdürftigen Bretterwänden stand. Unerschrocken trat Felicitas ein. An den Wänden hingen kopfüber allerlei Kräuter, die einen aromatischen, schweren Duft verströmten, der mit nichts, was Felicitas je gerochen hatte, zu vergleichen war. Eine aus Palmholz geschnitzte Maske mit Furcht erregenden, nackten Augenhöhlen schien jeden Besucher abschrecken zu wollen, und Felicitas fuhr zurück. »No«, sagte die Frau mit tiefer Stimme, hielt Felicitas am Arm fest und zeigte auf ein junges Mädchen, das leise weinend auf einer Strohmatte lag. Um sie herum dampfte es aus vier Gefäßen, die auf ofenähnlichen, aber viel kleineren Gebilden standen, in denen Feuerchen brannten und knackten. Die Frau kniete nieder und murmelte einige unverständliche Worte. Dann griff sie zu einer Art Handfeger, der statt Borsten orangefarbene Federn besaß, die die Frau nacheinander in die Gefäße tunkte, um die ölige Flüssigkeit über dem Mädchen abzuschütteln. Der Duft und ein monotoner Singsang, mit dem sie ihre Tätigkeit begleitete, wirkte narkotisierend. Das Mädchen hörte auf zu weinen und schlief ein.

»Was fehlt ihr?«, fragte Felicitas und sah Paolo an, der ihre Worte widerwillig übersetzte. Die Frau stieß einen kehligen Laut aus und redete auf Felicitas ein. »Was hat sie gesagt?« Paolo wand sich wie ein Aal. »Äh … nun … Mädchen hat sich wehgetan«, antwortete er lahm, doch Felicitas durchschaute, dass er sie anlog.

»Wenn du mir nicht sofort sagst, was die Frau erzählt hat, werde ich es Don Alfredo wissen lassen, wie aufsässig sein Vorarbeiter sich benimmt«, drohte sie ihm und schämte sich sogleich für ihre Worte. Sie war nicht besser als die brasilianischen Kaffeebarone. Doch die Drohung wirkte.

»Mädchen ausgepeitscht«, übersetzte Paolo.

»Sie kann aber doch nicht älter als zehn Jahre sein!«, rief Felicitas entsetzt. Das musste ein Irrtum sein, vielleicht hatte Paolo die Frau falsch verstanden.

»Heißen Florinda«, fuhr Paolo mit unbewegtem Gesicht fort. »Der Don und der Engländer sie mit der Chicote geschlagen, das ist fünfschwänzige Peitsche mit Metallspitzen.«

»Warum?«

»Sie ist mit dem Engländer zusammengeprallt, und als er sie festhalten wollte, hat sie ihm in die Hand gebissen …«
Die Frau sprach weiter, und Paolo übersetzte.
»Sie Glück gehabt, andere vergewaltigt, gebären Kind auf dem Feld und pflücken weiter.«
Felicitas rang nach Atem, Übelkeit stieg in ihr hoch, die sie mühsam niederkämpfte.
»Sie ist Heilerin, machen Mädchen gesund, schon viele Mädchen gesund gemacht.«
»Frag sie, ob sie meine Hilfe braucht.«
Nach einer Weile, in der nur das Knacken des Feuers zu hören war, durchfuhr die Frau ein Schütteln, ein leises Kauderwelsch quoll aus ihrem verzerrten Mund, und sie rang die Hände zum Himmel. »Preto Velho«, stöhnte sie laut, »Preto Velho, Preto Velho!«
»Wovon redet sie?«
»Sie spricht mit Preto Velho, das ist Geist der alten afrikanischen Sklaven, Söhne und Töchter jetzt hier, müssen leiden«, flüsterte Paolo beeindruckt. »Sie nicht verrückt im Kopf. Mamalita machen das auch und sprechen mit Geist und sagen Zukunft.« Seine Angst vor der Frau schien plötzlich von ihm abzufallen, und er straffte die Schultern.
Die Frau kam wieder zu sich, stand auf und holte mit bloßen Fingern etwas aus einem der kleinen Öfen heraus, wischte es ab und drückte es Felicitas in die Hand – eine Figur aus schwarzem Holz. Seltsamerweise fühlte sie sich glatt und kalt an, nicht als ob sie eben noch in den Flammen gelegen hätte. Die eine Seite zeigte ein lächelndes Gesicht, die andere ein verwundetes. »Fran«, sagte die Frau, wedelte mit den Händen und verließ ohne ein weiteres Wort die Hütte. Als Felicitas an die Tür trat und ihr nachschauen wollte, hatte der Dschungel sie bereits verschluckt.

»Jetzt wir gehen«, stieß Paolo erleichtert aus.

»Was hat sie gesagt?«

Paolo seufzte. »Nix wichtig. Nur, dass Sie eines Tages wissen, was können tun.«

»Und?«, beharrte Felicitas.

»Wenn Zeit der Tränen vorüber ist«, sagte Paolo, und Felicitas fühlte, wie sie trotz der feuchten Hitze zu frieren begann.

Sie fanden die Pferde friedlich grasend, wo sie sie verlassen hatten, und ritten zurück zur Fazenda, wo Heinrich sie bereits besorgt erwartete. Aus einem Grund, den sie sich nicht erklären konnte, verschwieg Felicitas ihr Erlebnis im Dschungel und gab vor, rasch baden zu wollen, um sich für die bevorstehende Fiesta, die ihnen zu Ehren heute Abend gefeiert werden sollte, umzukleiden. Als sie allein im Bad war, nahm sie die Figur in beide Hände, betastete und betrachtete sie und fand, dass sie so etwas Schönes und zugleich Trauriges noch nie gesehen hatte. Die schmerzliche Vollkommenheit erinnerte sie an die Werke Fran Fontanellis. Stammte die Schnitzerei womöglich von ihm? Warum sonst hätte die Frau den Vornamen des Künstlers nennen sollen?

Felicitas wickelte die Figur in ein Seidentuch und verstaute sie sorgfältig zwischen ihrer Wäsche, zusammen mit ihrem Entsetzen, den drängenden Fragen und dem Wunsch, die Frau, das Mädchen und den Schmerz über die eigene Ahnungslosigkeit zu vergessen.

7

*B*remerhaven empfing sie mit Nieselregen aus bleigrauem Himmel.

»Ó Pátria amada / Idolatrada / Salve! Salve!«, sang Felicitas die ersten Takte der brasilianischen Nationalhymne und übersetzte sie so laut und unüberhörbar glücklich, dass einige umstehende Passagiere sie belustigt ansahen. »O geliebte Heimat, Hochverehrte, sei gegrüßt!«

»Ist schon was dran, nicht wahr?«, rief ein älterer Herr ihr zu. »In Bremen ist allerbest, da kann die Sonne noch so schön scheinen in Brasilien.«

Felicitas nickte, und Heinrich lüpfte höflich seinen Hut. Der Herr zwirbelte vergnügt lachend an seinem mächtigen Schnurrbart herum und schwenkte seinen Zylinder, was ihm einen kleinen Knuff seiner matronenhaften, schmallippigen Gattin einbrachte.

»Mäßige dich, Friedrich, du bist ja ganz aus dem Häuschen!«

»Ach Erna, altes Mädchen, nun guck doch nicht so bedröppelt aus der Wäsche. Die Heimat hat uns wieder! Was freu ich mich auf eine Portion Knipp. Und Butterkuchen! Und Speckaal!«

Felicitas konnte sich das Lachen nicht verkneifen und kuschelte sich in ihr pelzbesetztes Wollcape, das sie wohlweislich mitgenommen hatte. Heinrich zog sie an sich und gab ihr einen Kuss auf die Stirn. Die zweiwöchige Rückreise hatte die Erlebnisse in Brasilien mit jedem Wellenschlag in milde Ferne gerückt, die das Schöne schimmern und das Fremde, Trennende verblassen ließ. Einmal hatte sie begonnen, behutsam von ihrem Erlebnis im Dschungel zu berichten, doch Heinrich hatte ihr das Wort abgeschnitten. »Du kannst dir doch nicht im Ernst von einer Verrückten einen solchen Unsinn weismachen lassen! Wirklich nicht, Felicitas. Im Übrigen lege ich für Don Alfredo meine Hände ins Feuer.«

Felicitas beließ es dabei. Sie begriff, dass ihr Mann den brasilianischen Patriarchen unter allen Umständen mögen wollte, weil er glaubte, dies seinem Vater schuldig zu sein. Sie berührte das Thema nie wieder. Stattdessen lobte sie die brasilianische Gastfreundschaft und die Liebenswürdigkeit, mit der Doña Isabella ihrer, Felicitas', norddeutscher Reserviertheit begegnet sei. Zusammen riefen sie sich den Zauber des Landes in Erinnerung, gaben Anekdoten beim Dinner zum Besten und lachten über die Geschichten, die andere Passagiere erzählten, bis alles Erwähnenswerte erschöpft und das Unaussprechliche restlos unter die Teppiche gekehrt worden war. Am dritten Tag konzentrierten sich Felicitas und Heinrich wieder auf die Annehmlichkeiten der Passage, das Golfspiel und frühes, lustvolles Zubettgehen.

Ihre Ankunft in Bremerhaven verlief norddeutsch unspektakulär. Kein charmantes südliches Durcheinander, dafür preußische Aufgeräumtheit. Keine Kapelle begleitete den Auszug der Passagiere und ihrer gigantischen Mengen Gepäck, keine Kinder schwenkten Fähnchen, und die Automobile warteten in Reih und Glied darauf, ihre reichen Besitzer wieder nach Hause zu fahren, nach Bremen, Hamburg, Hannover, Kiel und Frankfurt.

Alfons grüßte zackig, als er Felicitas und Heinrich gewahr wurde, und riss die Wagentür auf. Er war vor allen anderen am Kai gewesen und hatte sich einen günstigen Platz sichern können, sodass sie ohne Verzögerung nach Bremen aufbrechen konnten. Trotz des Nieselregens, der das Kopfsteinpflaster in Rutschbahnen verwandelte, erreichten sie die Parkallee zwei Stunden nach ihrer Abfahrt in der kleinen Schwesterstadt. Die weiße Villa wirkte verschlossen, kein Licht brannte trotz der Dunkelheit, die der Nieselregen mit sich brachte. Alfons hielt den Wagen so nah wie möglich am Eingang und eilte mit einem Schirm zu Felicitas. Heinrich soll offenbar selbst sehen, wie er trockenen Fußes ins Haus kommt, dachte Felicitas amüsiert und wartete auf ihren Mann.

»Er ist halt nicht mehr der Jüngste«, flüsterte Heinrich ihr zu und öffnete die schwere Tür. Stille schlug ihnen entgegen, die Felicitas wie eine Ohrfeige empfand und die Heinrich mit bemühter Heiterkeit zu überspielen suchte.

»Na, so was, haben wir uns im Datum geirrt?« Er klingelte, und Marie eilte ihnen entgegen, einen spitzen Schrei unterdrückend.

»Junger Herr, o mein Gott, was machen Sie denn hier?«

»Oh«, entgegnete Heinrich leichthin, »nun, ich denke, wir wohnen hier.«

»O Gott, ja, selbstverständlich, aber die gnädige Frau hat nichts erwähnt, und wir haben kein Gebäck im Haus, und die gnädige Frau ist ausgegangen, und Herr Anton und Frau Désirée sind verreist ... und Fräulein Ella, ach, ich weiß nicht ...« Ihre Worte erstarben. Sie war den Tränen nahe und knickste verlegen.

»Guten Tag, Marie«, sagte Felicitas ruhig und reichte ihr die Hand. Elisabeth Andreesen hätte den Zeitpunkt für einen Affront nicht günstiger wählen können, doch Felicitas dachte nicht daran, sich dem Mädchen gegenüber eine Blöße zu geben, die es dann beim ganzen Personal weitertratschen konnte. »Ich freue mich, dich endlich kennen zu lernen.« Sie hielt Marie ihren Hut und das Cape hin, die hastig zugriff, um diesem peinlichen Moment zu entgehen.

»Die Sachen müssen rasch getrocknet werden«, meinte Marie und verschwand erleichtert.

»Danke, mein Liebling«, sagte Heinrich und nahm Felicitas in die Arme. »Verzeih, dass meine Familie dich nicht begrüßt. Es wird sicher etwas Wichtiges dazwischengekommen sein. Darf ich dir unser kleines Reich zeigen?«

Felicitas behielt ihre Ansicht über Elisabeths Motive für sich und ließ sich in den ersten Stock der Villa führen. Den rechten Flügel bewohnten Anton und Désirée und, in einem separaten Raum, Ella, den linken sollten Heinrich und Felicitas beziehen. Elisabeth thronte in der Mitte. Wie eine Spinne im Netz, dachte Felicitas, schob den Gedanken aber beiseite. Um Heinrichs willen würde sie sich bemühen, mit ihrer Schwiegermutter und dem Rest der Familie auszukommen.

Ella, so viel war sicher, sollte dabei das geringste Problem darstellen, mehr noch, sie würde im Laufe der Zeit gewiss zu einer guten Freundin werden, schließlich hatte sie schon auf der Hochzeitsfeier im Kaffeehaus am See mit ihrer liebenswürdigen Art gezeigt, dass sie aus anderem Holz geschnitzt war als ihre Mutter, die sich den ganzen Abend nur mit ihresgleichen unterhalten und Felicitas' Familie und Freunde so gut wie ignoriert hatte. Genützt hatte es ihr nichts, denn die Schauspieler mit ihrem unbedingten Willen zur Heiterkeit hatten nach dem offiziellen Teil mit vielen öden Ansprachen schließlich die Regie übernommen und das steife Fest in ein fröhliches Ereignis verwandelt. Als ihr Vater und Bernhard sich sogar anschickten, ein freches Couplet anzustimmen, verabschiedete sich Elisabeth Andreesen schockiert, aber weitestgehend unbemerkt. Ella, die sich gerade auf der Toilette die Nase puderte und ihr Haar sorgenvoll betrachtete, verpasste den Abgang ihrer Mutter und verwandelte sich, nachdem sie es gemerkt hatte, in die wahre Ella, die tanzte, lachte und vor Übermut glühte.

»Und hier, dachte ich«, sagte Heinrich und öffnete eine weitere Tür, »kannst du ein Zimmer ganz für dich einrichten. Was hältst du davon?«

Felicitas war entzückt. Der Raum war mit Abstand der schönste in diesem Flügel. Gewiss waren alle großzügig und hell, doch dieser besaß durch zwei kleine Erker einen besonderen Charme. Zwei Kisten mit ihrer Kleidung und ihren persönlichen Dingen waren während ihrer Abwesenheit geliefert worden und machten sich recht klein in der Weite aus.

»Ich glaube, die nächste Zeit werde ich damit verbringen, Möbel und Stoffe auszusuchen«, sagte sie lächelnd und öffnete eine der Kisten, aus denen ihre Kattunkleider quollen. »Oje, da werde ich wohl etwas bügeln müssen.«

»Nein, mein Liebling«, entgegnete Heinrich. »Du willst doch das Personal nicht vor den Kopf stoßen, oder? Komm, lass uns weitergehen. Das Beste kommt noch.« Das Schlafzimmer war mit dicken Teppichen und einem zierlichen Himmelbett ausgestattet, bei dem Felicitas sich insgeheim fragte, ob es ihrer erotischen Ausdauer würde standhalten können. »Was hältst du davon, wenn ich Marie bitte, uns ein kleines Abendbrot zu richten? Wir könnten den Kamin anfeuern, uns in dicke Pelzdecken wickeln und unsere Hochzeitsreise fortsetzen. Wie klingt das?«

»Perfekt«, flüsterte Felicitas und dankte Elisabeth im Stillen für diesen freien Abend.

Das Bett knarrte, als Heinrich sich so leise wie möglich erhob.

»Schlaf weiter, Felicitas«, raunte er ihr zu. »Ich trinke rasch eine Tasse Kaffee mit Mama und fahre dann ins Büro.«

Eine Viertelstunde später hörte sie, wie die Schlafzimmertür leise geschlossen wurde. Felicitas räkelte sich faul in den weichen Kissen, die viel, viel weicher waren als daheim. Daheim, durchfuhr es sie, und sie setzte sich auf. Daheim war jetzt dies hier. Dieses Zimmer, dieser Flügel und diese Villa, wo niemand sie willkommen geheißen hatte. Sie sprang aus dem Bett und öffnete die schweren Brokatvorhänge. Licht flutete ins Zimmer, und Felicitas blinzelte. Der Regen hatte aufgehört und einer strahlenden Sonne Platz gemacht, die zu einem Erkundungsspaziergang einlud. Sie öffnete die Balkontüren und trat hinaus, die Grenzen des parkähnlichen Grundstücks suchend, die nicht auszumachen waren. Dichter Rasen ergoss sich wie eine Welle von der Terrasse bis zum Beginn des Waldes, üppige Rosen fassten ihn rosarot und weiß ein. Rechter Hand lagen die Stallgebäude, die durch hoch gewachsene Linden, dicken Buchsbaum und Hainbuche vom übrigen Garten optisch getrennt wurden und nur von oben zu sehen waren. Einige Pferde wieherten. Felicitas atmete tief durch. Sie würde es lieben lernen, da konnte Elisabeth Andreesen machen, was sie wollte.

Sie entschied sich für ein praktisches, luftiges Baumwollkleid und schloss gerade die letzten Knöpfe auf der Brust, als es klopfte und Marie vorsichtig die Tür öffnete. Entgeistert blieb sie im Türrahmen stehen.

»Sie sind schon angekleidet, gnädige Frau?«

»Aber sicher, Marie«, entgegnete Felicitas leichthin. Natürlich hatte sie es vergessen, dass man sich in der Villa Andreesen bei jeder Handbewegung von dienstbaren Geistern helfen ließ, aber in diesem Augenblick beschloss Felicitas, dass sie nicht die Einzige sein würde, die sich an neue Regeln würde gewöhnen müssen.

»Wir werden es in Zukunft so halten: Wenn ich dich brauche, lasse ich dich rufen. Ganz einfach, nicht wahr?«

Marie nickte zögernd. »Darf ich Ihnen denn wenigstens helfen, Ihre Koffer und Kisten auszupacken?« Sie wirkte ein wenig beleidigt, doch Felicitas schüttelte den Kopf. Wenn sie jetzt nachgab, würde sie bald von vorne bis hinten bedient werden, und das widersprach ihrer Erziehung und ihrer Selbstständigkeit.

»Nein danke, Marie, aber vielleicht könntest du dafür sorgen, dass der Kamin gereinigt wird.« Marie schluckte, knickste und verließ sichtlich gekränkt das Schlafzimmer. Felicitas kämmte ihr Haar, das durch die satte südliche Sonne leuchtete, kniff sich in die Wangen und lächelte sich zu. Auf in den Kampf. Mal sehen, wie gemütlich das erste Frühstück mit ihrer Schwiegermutter sein würde. Sie ging hinunter in die Halle und öffnete eine Tür nach der anderen, bis ein Diener aus dem Nichts auftauchte.

»Gestatten Sie, gnädige Frau, das Speisezimmer befindet sich neben dem Wintergarten. Wenn Sie mir folgen wollen.«

»Danke schön …?«

»Ludwig, gnädige Frau. Ich bin der Hausdiener«, sagte er und schritt voran durch die Halle, die links von der Treppe in einem Rundbogen mit einer großen Schiebetür mündete, die Ludwig geräuschlos aufzog und sich verbeugte.

»Danke schön«, wiederholte Felicitas und trat ein. Eine riesige Palme versperrte die Sicht auf den Esstisch, doch eine kühle Stimme wies Felicitas den Weg.

»Wie freundlich von dir, dass du zu vorgerückter Stunde doch noch zu frühstücken geruhst.« Elisabeth Andreesen faltete die Zeitung zusammen und blickte erst hoch, als Felicitas näher gekommen und unsicher stehen geblieben war. »Nun setz dich schon. Der Kaffee dürfte noch heiß sein.« Sie klingelte, und Marie erschien. Nachdem sie Felicitas wortlos eine Tasse Kaffee eingeschenkt hatte, knickste sie und wartete. »Es ist gut, Marie«, sagte Elisabeth, und das Mädchen verließ das Speisezimmer, in dem man mühelos eine Gesellschaft von fünfzig Menschen und mehr hätte bewirten können, mit einem scheuen Blick auf Felicitas.

Felicitas nahm schweigend ein paar Schlucke des leidlich heißen, starken Kaffees, während Elisabeth sie ebenfalls schweigend beobachtete.

»Ich mache kein Hehl daraus, dass mir die Wahl meines Sohnes nicht gefällt. Umso mehr, als du an deinem ersten Tag in unserem Hause nichts Besseres zu tun hast, als das Mädchen zutiefst zu kränken. Es ist Maries Pflicht, uns beim Ankleiden und den Dingen des Alltags zur Seite zu stehen, und indem du diese Hilfe ausschlägst, stellst du ihren Lebenssinn infrage. Für die Reinigung der Kamine ist der Stallbursche zuständig, der sich abgesehen von seinen Arbeiten bei den Pferden um derlei Dinge kümmert. Ich gehe davon aus, dass du dein Verhalten in Zukunft deinem neuen Stand entsprechend korrigierst.« Elisabeth seufzte und faltete ihre Serviette zusammen. »Im Übrigen erwartet dich eine Zeit des Lernens. Du wirst dich mit dem Haus und seinen Gepflogenheiten vertraut machen müssen. In Maßen natürlich nur, da ich nicht vorhabe, die Führung des Anwesens aus der Hand zu geben. Heinrich und ich sind uns in diesem Punkt einig. Hier hast du eine Liste mit den Aufgaben, die dich im Laufe des Jahres erwarten. Wenn du sie studiert hast, wirst du gewiss viele Fragen haben, die ich dir natürlich beantworten werde.« Elisabeth erhob sich, legte ein Bündel Büttenpapier auf den Tisch und verließ das Speisezimmer. Im Gehen drehte sie sich noch einmal zu Felicitas um. »Wir essen Punkt neunzehn Uhr. Guten Tag, Felicitas.«

Blöde Kuh, sagte Felicitas halblaut, nachdem die Tür geräuschlos zugeglitten war, und schnappte sich ein frisches Brötchen, das sie dick mit Butter beschmierte und mit duftendem Lachsschinken belegte. Den Appetit würde sie sich nicht verderben und sich auch nicht den Schneid abkaufen lassen. Kauend warf sie einen Blick auf die mit dunkelblauer Tinte beschriebenen Blätter.

»Schirmherrin beim Trabrennen, darauf vorbereiten
Freimarktseinladung für ausgesuchte Kaufleute
Eiswette und Schaffermahlzeit (dabei bleiben Frauen unsichtbar, aber sie feiern natürlich auch – daheim und unter sich)
Einladungen an befreundete Familien und Senatoren:
van der Laakens
Gerbers
Jacobi
Müllerschöns
Nowaks
Martins
Pfeiffers
Püschels
Eschenbachs …«

Die Liste nahm kein Ende, und seufzend legte Felicitas sie zur Seite. Sie würde nicht drum herumkommen, sie gewissenhaft zu studieren, und vermutlich auch nicht, sie Punkt für Punkt zu befolgen. Aufgaben dieser Art hatte sie sozusagen mitgeheiratet, das war ihr durchaus bewusst gewesen, nicht aber, dass es tatsächlich so viele sein würden.

Sie beendete ihr Frühstück und wanderte ziellos durch das leere Haus.

Der Tag lag in deprimierender Länge vor ihr.

Das Patent für den magenschonenden Kaffee und die Entwicklung einer neuen Produktionslinie nahmen Heinrich voll in Anspruch. Oft kehrte er erst spät am Abend nach Hause zurück, erschöpft und einsilbig. Andere Kaffeeröster bezichtigten ihn des Plagiats und drohten mit Klagen. Felicitas tat, was sie konnte, um ihn zu unterstützen, und das bedeutete vor allem, ihn nicht mit ihren Problemen zu behelligen.

Erst zaghaft, dann mit wachsender Hingabe und gutem, aber ungewöhnlichem Geschmack suchte sie Möbel, Stoffe und Gemälde für ihren Flügel aus, eine Aufgabe, die ihr Spaß machte und sie durchaus herausforderte, weil sie sich das Ziel gesetzt hatte, jeden Raum in einem anderen Stil einzurichten. Den Salon stattete sie mit Alabastersäulen, Gobelins, rotem Marmor und weißen Kerzen aus, dem Schlafzimmer verpasste sie mit roten Brokatkissen, Perserteppichen und Pfauenfedern ein orientalisches Flair, und ihr Zimmer, und auf diesen Einfall war sie besonders stolz, verwandelte sie in eine Mischung aus Theaterkulisse, Garderobe und Werkstatt. Dem Intendanten des Schauspielhauses hatte sie, wenn auch nur leihweise, den Ebenholzelefanten aus der Requisite abgeluchst, der jetzt imposant neben dem Kamin stand und die vielen, vielen Bücher, die sich auf Tischen und auf dem Boden stapelten, bewachte.

Die Wände hatte Felicitas dunkelrot streichen lassen, bis auf eine, die für eine zarte Trompe-l'œil-Malerei vorgesehen war. Heinrich fand das Ambiente etwas gewöhnungsbedürftig, freute sich aber an Felicitas' Begeisterung.

Wenn sie nicht über Stoffen und Skizzen für die Malerei brütete, besuchte sie ihre Eltern, ließ sich von Elfriede den neuesten Klatsch aus der Nachbarschaft erzählen und mit frisch gebackenem Brot verwöhnen.

Felicitas füllte ihre Zeit, fühlte sich aber zunehmend unbefriedigt. Als der letzte Vorhang drapiert war, war die Aufgabe erledigt. Was blieb, war ein enervierend monotoner Tagesablauf. Kuscheln mit Heinrich, Frühstück um halb acht mit Elisabeth, Ella, Anton und Désirée, das wie das Mittagessen um halb eins und das Abendessen um sieben in gezwungener Atmosphäre verlief, dazwischen Spaziergänge und die unvermeidlichen Termine mit Elisabeth, die dazu dienten, Felicitas beizubringen, wann sie wen zu welchem Anlass und warum einzuladen hatte.

Elisabeths Ton blieb stets der gleiche, ihre Haltung reserviert.

»Du wirst dich daran gewöhnen«, hatte Ella eines Morgens zu ihr gesagt. »Wir haben uns alle daran gewöhnt. Ich meine, Heinrich, Vater und ich. Anton hatte seltsamerweise weniger unter Mutter zu leiden.« Sie machte eine Pause. »Weißt du, es gab eine Zeit, da war unsere Mutter fröhlich und freundlich, aber wie ein Ballon, aus dem langsam die Luft entweicht, hat sie ihre gute Laune verloren, immer ein bisschen mehr. Es begann etwa ein Jahr vor Antons Geburt. Niemand hat bis heute eine Erklärung dafür, was mit ihr geschehen ist, und du wirst sie auch nicht finden. Du verschwendest nur deine Kraft, wenn du versuchen solltest Mutters Anerkennung zu erlangen.«

Felicitas hatte lange über Ellas Worte nachgedacht. Es fiel ihr schwer, hinzunehmen, dass ein Mensch sie in Bausch und Bogen ablehnte, doch genau das musste sie tun, um sich auf das Wesentliche konzentrieren zu können – das Glück mit Heinrich zu leben und zu gestalten.

Als Erstes traf sie deshalb die Entscheidung, morgens mit Heinrich allein und in ihrem Schlafzimmer zu frühstücken, was ihm trotz gewisser Vorbehalte wegen seiner Mutter ausnehmend gut gefiel. Felicitas ließ das Tablett von Marie vor die Tür stellen und servierte Brötchen, Honig und Kaffee dann im Nachthemd und mit leidenschaftlichen Küssen als Dessert. Wenn sie den Tag schon so gut wie ohne ihn verbringen musste, sollte wenigstens der Morgen, abgesehen von den köstlichen Nächten, ihnen gehören.

Wie zu erwarten gewesen war, kritisierte Elisabeth ihren Entschluss vehement, doch Felicitas beschied ihr freundlich, aber bestimmt: »Er ist mein Ehemann, ich finde die Gemeinsamkeit wichtig. Und ich werde sie pflegen, bevor sie uns abhanden kommt.«

Sie blickte Elisabeth dabei in die Augen und bemerkte überrascht, dass sich in ihnen zum ersten Mal ein Funke Respekt spiegelte.

»Iss ihn ja mit Genuss, nicht schlingen, du!« Ella stemmte die Arme in ihre runden Hüften und pustete sich eine widerspenstige Haarsträhne aus der geröteten Stirn. Sie hatte eigenhändig Butterkuchen gebacken in dieser primitiven Küche, in der es nicht mal einen Ausguss gab, aber immerhin einen wenn auch ziemlich ramponierten hustenden Ofen. Beim Feuermachen hatte sie allerdings lachend kapituliert und gemeint, dies sei Aufgabe des Herrn im Haus.

Peter lachte sie verliebt an. Was für eine wunderbare Frau. Am liebsten hätte er sie in die Arme genommen und alle ihre Bedenken hinweggeküsst und das getan, was ihm schon lange die einsamen Nächte wenn auch nur in der Fantasie versüßte. Doch er wusste, dass er Ella nicht drängen durfte. Allerdings entwickelte sich ihr Zusammensein zu einem skurrilen Arrangement. Ella besaß einen Schlüssel zu seiner Wohnung in der Braunschweigerstraße am Peterswerder und ging dort nach Belieben und Gelegenheit ein und aus. Das heißt, sie schlich sich hinein, das Gesicht

sorgsam hinter einem Schleier versteckt, damit kein Nach-
bar sie erkennen konnte. Hätte man sie als eine Andreesen
identifiziert, hätte sich, fürchtete sie, die Nachricht binnen
Stunden in Bremen herumgesprochen. Der Skandal wäre
perfekt.

Doch trotz der Gefahr des Erkanntwerdens dachte Ella
nicht daran, auf das Zusammensein mit Peter zu verzichten,
denn hier, in diesen winzigen billig möblierten Räumen, fiel
das Korsett ihrer Herkunft von ihr ab. War Peter unterwegs,
nutzte sie die Zeit, um politische Bücher zu lesen und sich
das Wissen anzueignen, das sie brauchte, um die vage Vorstellung von einem Heim für Frauen und Kinder zu einem
konkreten Plan reifen zu lassen. Doch je mehr sie las, umso
deutlicher stand ihr vor Augen, was alles getan werden
müsste, um dem Elend und sozialer Ungerechtigkeit etwas
entgegenzusetzen, eine Erkenntnis, die ihr nach und nach
den Glauben zerstörte, irgendetwas ausrichten zu können.
Das Gespräch mit Heinrich verschob sie ein ums andere
Mal und redete sich ein, die passende Gelegenheit habe sich
einfach noch nicht ergeben, doch in ihrem Innern wusste
sie, dass sie keine Kraft aus ihrer schönen Idee schöpfen
konnte. Nur Peter gab ihr den Halt, den sie brauchte. War
er daheim wie heute, debattierten sie miteinander, berat-
schlagten, welche Familie mehr Unterstützung benötigte,
lasen oder schwiegen wie ein altvertrautes Ehepaar.

Peter biss in ein Stück Butterkuchen und stöhnte lustvoll.
»Köstlich!« Er leckte sich die Finger ab, von denen satt-
gelb die geschmolzene Butter troff. »Wo hast du das nur
gelernt? In der Freischule oder in der entgeltlichen Volksschule?«, fragte er augenzwinkernd, wohl wissend, dass
die Unterteilung des Schulsystems für Arme und Reiche
nach Ellas Ansicht eine der Keimzellen für soziale Ungerechtigkeit bildete.

Ella errötete. »Wir waren in der entgeltlichen Volksschule …«

»Da habe ich mir ja eine schöne Revoluzzerin angelacht!« Er gluckste und brach dann in Gelächter aus, in das Ella schließlich einfiel. Sie liebte seinen Humor und seine Lebensfreude. Er war keiner von den verbissenen Linken, die Ella Angst machten, sondern ein Menschenfreund, der versuchte in anderen einen Funken der Leidenschaft für das Leben zu entfachen, die ihn selbst beseelte und beständig antrieb. Doch er erreichte nur wenige, die Mehrzahl suchte Trost im Alkohol. Hunderte Schnapsbrennereien und Schnapskneipen machten ihr Geschäft mit der Hoffnungslosigkeit und dem Vergessen, das sich die Speiseröhre hinunterbrannte und in der Leber auf mehr wartete.

Ella seufzte, als sie daran dachte. »Manchmal erscheint es mir so sinnlos, an der einen Ecke zu beginnen, während du die anderen vernachlässigst, wo genauso viel Leid und Elend ist. Neulich habe ich das Fräulein Lola auf der Straße gesehen, du weißt schon.« Ella setzte sich auf den wackligen Küchenstuhl, der gleichzeitig als Wohnzimmersessel diente. »Vor einem Jahr noch schauten ihr alle Männer hinterher, sie war schön, wenn auch ein wenig vulgär. Bei der Amphitryon-Premiere saß sie im Parkett, und ihr Haar leuchtete. Jetzt ist sie nicht wiederzuerkennen, grau und krank sieht sie aus.«

»Wahrscheinlich hat sie Syphilis«, meinte Peter und griff nach Ellas Hand. »Die meisten Mädchen in der Helenenstraße sterben daran.«

»Siehst du, was ich meine? Was immer wir tun, es ist alles nur ein Tropfen auf den heißen Stein. Stirbt halt eine von fünfzig Prostituierten, na und?«

»Wir dürfen den Mut nicht verlieren«, entgegnete Peter mit Nachdruck. »Wenig zu erreichen ist immer noch besser, als gar nichts zu tun.« Er stand auf und holte unter seinem Bett ein Bündel Papiere hervor, die er auf dem Küchentisch ausbreitete. Aufmerksam studierte er die Bleistiftzeichnungen, die wie von einem anderen Stern schienen, jedoch entfernte Ähnlichkeit mit einem Automobil aufwiesen. »Du musst an dich glauben, an deine Vision und deine Kraft, sie zu verwirklichen«, sagte er leise und strich liebevoll über das Papier. Dann nahm er einen Bleistift und war von einer Sekunde auf die andere versunken in einer Welt aus Achsen, Schrauben und komplizierten Berechnungen, von denen Ella nichts verstand, um die sie ihn aber beneidete, weil sie seinem Leben Richtung und Sinn verlieh.

Sie seufzte wieder und setzte Wasser auf, um das Geschirr abzuwaschen.

Wenn er sich auf die Zehenspitzen stellte, den Hals reckte und mit dem Körper eine Vierteldrehung nach links machte, konnte Thomas die andere Seite der drittgrößten Metropole Europas sehen. Die Schornsteine der Fabriken stießen schwarze, graue und weiße Wolken aus, Rauchzeichen, die jeden Indianer schwindlig gemacht hätten, hier aber von Arbeitsplätzen in Pumpwerken, Gießereien, Kesselschmieden kündeten, die Jahr für Jahr Massen von Zuwanderern anzogen, die sich Hoffnung auf ein besseres Leben machten.

Das Dachfenster war kaputt, scharfer Herbstwind zwängte sich unablässig durch den Sprung, und Thomas zog fröstelnd seinen Hemdkragen hoch. Die meisten strandeten in den Mietskasernenvierteln in Wedding, Neukölln oder Friedrichshain. Oder, am schlimmsten, in den schmalen, feuchten Gassen des Scheunenviertels nördlich vom Alexanderplatz, wo Kriminalität und Prostitution blühten und die Hoffnung einging. Thomas hatte ein Zimmer im Dachgeschoss einer vierstöckigen Mietskaserne in der Andreasstraße gemietet, die quadratisch um einen Innenhof angelegt war. Es stank nach verbranntem Kohl und billigem Schnaps, verdorbener Milch und Notdurft. Vierzig Menschen teilten sich eine Gemeinschaftstoilette. Keine Luft, kein Licht, Kinder, die Blut spuckten, Mütter, die anschaffen gehen mussten, um den Schnaps zu bezahlen, den die Väter brauchten, um sich besinnungslos zu betrinken, nachdem sie die Familie verprügelt hatten.

Thomas hatte sich hier einquartiert, um Impressionen einzufangen, ein Parasit gewissermaßen, der die Ärmsten der Armen für seine Arbeit benutzte, wenn auch mit dem lauteren Ziel, ihr Schicksal in die Welt zu tragen. Dennoch fühlte er sich schlecht dabei, denn das Ziel existierte nur mehr in seinem Kopf, er war außerstande, das Elend, die ausgehöhlten Augen und Wangen, den Dreck und die Brutalität auf Papier zu bringen. Außerdem war ihm ein anderer, besserer zuvorgekommen, einer, der das Berlin verstand, das er zeichnete, die derben Witze und den verzweifelten Zynismus. Heinrich Zille schaute den Leuten aufs Maul und traf den Ton.

»Du bist zu weich für Berlin«, hatten seine Kollegen gesagt. »Geh nach Paris, du bist kein Zeichner, du bist ein Künstler.« Er tröstete sich damit, dass das *Anaconda,* das Satire-Blättchen, das sich vollmundig angeschickt hatte, dem *Simplicissimus* den Rang abzulaufen, schon nach wenigen Ausgaben eingestellt worden war. Doch die Redakteure arbeiteten schon wieder an einem neuen Konzept – ohne ihn. Das Kompliment war nur ein hübsch verpackter Rauswurf gewesen.

Thomas fröstelte. Die Kälte hatte Besitz von dem Zimmer ergriffen, in dem außer einem Bett, einem Kocher und einem Stuhl, über dessen Lehne er sorgfältig seine wenige

Kleidung gelegt hatte, nichts mehr Platz hatte außer der Sehnsucht, per Dampfer das Land Richtung Übersee zu verlassen, um wo auch immer neu anzufangen.

Er stellte den Kocher an, um Wasser heiß zu machen. Heißes Wasser dämpfte den Hunger. Dann schraubte er den Füller auf, den seine Eltern ihm bei der Abreise nach Berlin geschenkt hatten, und begann einen seiner regelmäßigen Begeisterungsbriefe an sie zu schreiben, die er stets so kurz wie möglich fasste und mit »In Eile, Euer Thomas« unterzeichnete. Als er fertig war, faltete er das Blatt, schob es in einen seiner letzten Umschläge, adressierte den Brief schwungvoll und legte ihn vor die Tür, damit er nicht vergaß, ihn mitzunehmen. Er trank das inzwischen lauwarme Wasser aus, verzog das Gesicht und rückte seinen Hemdkragen und die Jacke zurecht, bevor er die bunte Palette und den Skizzenblock unter den Arm klemmte, jene Requisiten, die den reichen Frauen, die Unter den Linden flanierten, gut gefielen. So gut, dass es immer eine gab, die ihn von seinem Stammplatz ins gegenüberliegende Café zu Cremetörtchen und Kaffee einlud und ihm den Vorschlag machte, ihm daheim, wenn der Gatte seinen Geschäften nachging, Modell zu sitzen und vor allem zu liegen.

Thomas hatte irgendwann aufgehört, die Frauen, die er malte, bevor er mit ihnen schlief, zu zählen. Er hatte auch aufgehört, darüber nachzudenken. Was die Frauen ihm zusteckten, sicherte sein Überleben. Wenn er wollte, könnte er auf diese Weise richtig zu Geld kommen, doch das kam für ihn nicht infrage. Irgendwann würde sich das Blatt gewiss wenden, irgendwann würde er wissen, wie die Weichen neu zu stellen waren, irgendwann würde dieser Albtraum einfach vorbei sein.

Nur manchmal, wenn er neben einer dieser Fremden lag

und ihrem Atem lauschte, sah er ihr Gesicht plötzlich vor sich. Gut, dass er nicht zur Hochzeit eingeladen worden war, er hätte es nicht ertragen, sie an der Seite dieses Kaffeeschnösels zu sehen, hätte wegen seiner Eltern aber auch nicht absagen können.

Vielleicht sollte er zu Weihnachten wieder einmal nach Hause fahren. Drei bis vier Bilder, und er würde sich die Bahnfahrt leisten können.

»Den da! Der ist schön, den nehmen wir!«

Der Schnee knirschte, als Felicitas mit großen Schritten auf den Baum ihrer Wahl zulief und ihn aufmerksam umrundete, um seinen Wuchs von allen Seiten zu prüfen. Sie nickte und strahlte Heinrich an, der in seiner pelzgefütterten Jacke, den Tweedhosen und den Gummistiefeln, aus denen dicke graue Wollsocken herauslugten, wie ein Förster wirkte. Ein ziemlich gut aussehender Förster, dachte Felicitas und schaute an sich hinunter. Das Wollkleid war vom Saum bis unter die Knie klitschnass und klatschte ihr beim Gehen um die Beine, was sich eklig und kalt anfühlte, aber keinen Grund zur Sorge gab, da der halblange Waschbärmantel sie warm hielt.

»Du hast Recht, der ist schön«, sagte Heinrich und packte die Säge aus. Der Stamm hatte einen Durchmesser von etwa fünfzehn Zentimetern. Ihn durchzusägen würde keine Kleinigkeit sein.

»Ich würde dir ja die Sterne vom Himmel holen, aber nein, die gnädige Frau verlangt einen Tannenbaum«, neckte er sie gutmütig und zog die Säge über den Stamm.

»Geh bitte ein Stück dort hinüber«, bat er sie mit einem Nicken in die Richtung, aus der sie gekommen war.

Felicitas ging ein paar Schritte zurück und lehnte sich an eine Tanne, erfüllt von Vorfreude auf das Fest. Es ist, als würde Weihnachten Anlauf nehmen, hatte sie als Kind zu ihrem Vater gesagt, der begeistert gelacht und das Bonmot seiner Tochter in seine persönliche Liste der besten geflügelten Worte aufgenommen hatte.

Jedes Jahr waren sie und ihr Vater Anfang Dezember auf die Pirsch gegangen, um einen Baum, den sie aussuchen durfte, zu schlagen und mit einem geliehenen Fuhrwerk nach Hause zu bringen. Ihr Vater versteckte den Baum dann auf dem Treppenabgang zum Hof, weil sie ihn erst an Heiligabend zur Bescherung wiedersehen durfte, was ihre Geduld erheblich strapazierte.

Felicitas liebte es zu schenken und Geschenke zu bekommen. Sie freute sich über Nachthemdchen und Söckchen ebenso wie über das von ihrem Vater so benannte »Hauptgeschenk«, das er mit viel Mühe und Lauferei irgendwo in einem Import-Export-Geschäft oder einem Antiquariat aufgetrieben hatte – die golden lackierte Südsee-Muschel hütete Felicitas immer noch, ebenso die gehämmerte Silberkette, die man im fernen Indien angeblich ums Fußgelenk trug, und das aus Palmblättern gefertigte Tagebuch.

Waren alle Geschenke ausgepackt und die Ohs und Ahs verklungen, lasen ihre Mutter und ihr Vater die Weihnachtsgeschichte vor, natürlich mit verteilten Rollen und schauspielerischer Verve, und schließlich sangen sie alle Weihnachtslieder, in den letzten Jahren unterstützt von Elfriede und Arthur, die den Heiligabend bei ihren Verwandten gefeiert hatten, aber in der Regel früh wieder zurück waren.

Die Säge ächzte, Heinrich fluchte, und Felicitas musste kichern. Er war gewiss froh, wenn er diese ungewohnte körperliche Arbeit, die eigentlich zu den Aufgaben der Stallburschen gehörte, hinter sich hatte. Doch Felicitas hatte darauf bestanden, einen eigenen Baum in ihrem Salon zu haben, den sie und Heinrich schmücken konnten, wie sie es wollten. Die übrigen Bäume konnten ruhig die Angestellten schlagen; für die Andreesens mussten es ja gleich mehrere sein, eine Dreimeter-Nordmanntanne in der Halle, eine kleine Edeltanne im Salon, eine im Wintergarten, selbst das Kontor am Wall wurde nicht vergessen. Aber diese Bauminvasion entsprang nicht einer überbordenden Begeisterung für das Fest, sondern entsprach nur dem, was man ohnehin von einer der ersten, wenn nicht der ersten Familie Bremens erwartete.

Heiligabend sah Felicitas deshalb mit gemischten Gefühlen entgegen. Wie herzlich und stimmungsvoll ein Abend nach strenger Etikette und in einer Familie verlaufen würde, mit der man nicht warm wurde, lag für sie auf der Hand.

Aus Höflichkeit hatte Elisabeth auch ihre Eltern eingeladen, die jedoch ebenso höflich und bedauernd »wegen unserer beruflichen Verpflichtungen« absagen mussten, was Elisabeth sichtlich erleichtert und Felicitas betrübt hatte.

Nur am ersten Weihnachtstag würden sie und Heinrich ihre Eltern beim gemeinsamen Festessen in der Contrescarpe sehen. Um die Form zu wahren, hatte Helen Elisabeth dazu eingeladen, doch postwendend die Absage »wegen gesellschaftlicher Verpflichtungen« erhalten. Kindisch fand Felicitas das alles, doch es bedrückte sie mehr, als sie sich selbst oder gar Heinrich gegenüber zugeben würde.

Quietschend arbeitete sich die Säge durch das Holz, und die Tanne fiel mit einem dumpfen Geräusch in den Schnee.

»Gib es zu, ich bin ein Held!« Heinrich schüttelte sich den Schnee von den Knien.

»Ja doch, du bist Artus und Siegfried in einer Person«, erwiderte sie und schlang ihre Arme um seinen Nacken. Ihre

Lippen fanden sich zu einem dieser Küsse, die nicht enden wollten, ihre Zungen erforschten zärtlich, was längst bekannt, aber stets von neuer Süße war. Langsam lösten sie sich voneinander und sahen sich tief in die Augen.

»Was haben wir für ein Glück, wir beide, dass wir uns gefunden haben«, sagte er leise und streichelte ihr Haar, ihre Wangen, die Ohrläppchen und den Halsansatz.

»Hm«, stöhnte sie, weil er so genau wusste, welche Stellen er berühren musste, um sie schwindlig und verrückt zu machen. »Hör sofort auf damit. Was soll denn der Baum von uns denken?«

»Der Baum ist ihr wichtiger als ich«, rief er in gespielter Verzweiflung in den Wald hinein und begann die Äste zusammenzubinden, bis die Tanne einer Dauerwurst ähnelte, die er einigermaßen gut schultern konnte.

Mit offenem Verdeck und wippender Baumspitze, die die kopfschüttelnden Passanten ironisch zu grüßen schien, fuhren sie vom Wald zurück in die Villa, die schneidende Kälte ignorierend.

Die Temperaturen stiegen in den nächsten Tagen und verwandelten den Schnee in schmutzig grauen Matsch, der nicht gerade zu vorweihnachtlichen Spaziergängen einlud, Felicitas aber nicht davon abhielt, eines Vormittags von der Parkallee zum Schauspielhaus zu laufen. Erstens brauchte sie dringend mehr Bewegung, und zweitens konnte sie sich einfach nicht daran gewöhnen, dass Alfons stets bereitstand, um sie kreuz und quer durch die Lande zu fahren, wenn ihr danach war. Elisabeth hatte sie zwar dazu ermutigt, in der Hoffnung, Felicitas würde auf diese Weise lernen, ein wenig mehr von dem Andreesen'schen Lebensstil anzunehmen und vielleicht so der Schwiegertochter zu ähneln, die sie gerne gehabt hätte, doch Felicitas beharrte darauf, zu Fuß zu gehen.

Sie schritt kräftig aus und erreichte nach einer Dreiviertelstunde das Theater.

Die Probe zu Shakespeares *Sommernachtstraum* war noch nicht vorüber, sodass Felicitas Gelegenheit gehabt hätte, eine Weile zuzusehen. Doch sie verwarf den Gedanken und ging die Treppe hinunter zu den Garderoben, die links und rechts von einem breiten Flur abgingen. Die Garderoben ihres Vaters und ihrer Mutter lagen auf deren Wunsch am Ende des Flurs nebeneinander und durch eine Schiebetür miteinander verbunden.

Der typische Geruch von Puder und Schweiß schlug ihr entgegen. Sie setzte sich an den Schminktisch und öffnete nach kurzem Zögern eine von zwei kleinen Schubladen. Da war es wieder, wenn auch nur für den Bruchteil einer Sekunde, dieses unbeschreibliche Gefühl, einen Schatz gefunden zu haben. Sie lächelte und tauchte den kleinen Finger der linken Hand in das silberne Glitzerpulver, das ihre Mutter vor Jahren aus Versehen verschüttet und mangels besserer Ideen sich selbst überlassen hatte. Felicitas mochte zehn oder elf gewesen sein, als sie wie jetzt auf ihre Mutter wartend aus Neugier die Schublade aufgezogen hatte.

»Der Glitzer wird noch in zehn Jahren auf dich warten«, sagte Helen lächelnd und breitete ihre Arme aus. »Wie schön, dich zu sehen, mein Kind. Blass schaust du aus.«

»Jetzt klingst du wie eine ganz normale Mutter«, erwiderte Felicitas mit einer Spur Trauer in der Stimme, die Helen natürlich nicht entging.

»Es ist wegen Weihnachten, nicht wahr?«

»Hm, ja.«

»Du hast doch noch etwas anderes auf dem Herzen.«

»Nein, es ist nur dieser Geruch, diese Atmosphäre hier. Irgendwie holt mich gerade die Sehnsucht nach früher ein«, sagte sie mit schiefem Lächeln.

»Und gleichzeitig erinnert es dich daran, dass du auf etwas verzichtet hast, nicht wahr? Deshalb hast du dich in meine Garderobe verkrochen, statt zuzuschauen, wie wir proben, wie wir mit den Rollenbüchern gestikulieren und lautstark miteinander diskutieren. Hör auf, in Selbstmitleid zu versinken, Felicitas. Ehrlich gesagt hätte ich nicht gedacht, dass du auch nur einen Gedanken ans Theater verschwendest. Aber wenn deine Sehnsucht so mächtig ist, warum spielst du dann nicht einfach? Geh zum Intendanten, bitte ihn um eine Rolle und spiel. Heinrich hat bestimmt nichts dagegen, und um die feine Verwandtschaft nicht vor den Kopf zu stoßen, nimmst du einen Künstlernamen an.«

»Ich kann mich erinnern, dass du vor meiner Hochzeit behauptet hast, das Theater sei nicht der Nabel der Welt«, entgegnete Felicitas unwirsch.

»Das ist es auch nicht«, gab Helen zurück. »Ich wollte damit nur sagen, dass du es dir nicht so schwer machen sollst. Die Welt der Andreesens wird doch nicht erschüttert, nur weil du einmal auf der Bühne stehst. Und wer weiß, vielleicht eroberst du das Publikum im Sturm, bist morgen berühmt, und alle platzen vor Stolz, dass du eine Andreesen bist …«

»Bitte, Mama, es ist auch so schwer genug für Heinrich und mich …«

Felicitas brach verstimmt ab und verspürte nicht mehr die geringste Lust, Weihnachtseinkäufe mit ihrer Mutter zu machen.

Es hätte schlimmer kommen können. Irgendwann zwischen Putenschenkel und Weinschaumcreme musste Felicitas zugeben, dass die Andreesens es sehr wohl verstanden, einen Abend lang in wenn nicht herzlicher, so doch freundlicher Eintracht zu verbringen.

Elisabeth wirkte mit ihrem weißen Haar und einem halben Lächeln, mit dem sie das Geschehen verfolgte, wie ein Erzengel auf Kokain. Désirée war sprachlos vor Glück, was ein Segen war, und nestelte immerfort an der Perlenkette herum, die Anton, der seine aufgeräumte Stimmung mit reichlich Wein begoss, ihr geschenkt hatte. Selbst Ella hatte ihre Leidensmiene abgelegt. Nach dem Essen gingen sie hinüber in den Wintergarten und widmeten sich dem ausgiebigen Betrachten und Betasten der Geschenke – Aquamarin-Ohrringe, ein Persianermuff und zierliche Mokkatassen für Felicitas von Heinrich, eine Aktenmappe aus Kalbsleder und ein goldener Drehbleistift für Heinrich von Felicitas, eine pelzverbrämte Pelerine und ein silbernes Abendtäschchen für Ella, ein Schachspiel aus Elfenbein und eine Pelzmütze für Anton von Désirée und ein neuer Sattel mit Silberbeschlägen für Elisabeth von allen. Gegen halb acht brach die Familie geschlossen zum Weihnachtsgottesdienst auf, der weniger aus religiösen Gründen denn aus Tradition zum festen Bestandteil des Andreesen'schen Heiligabends gehörte, und Felicitas fühlte, wie eine Welle der Erleichterung sich in ihr Bahn brach. Der erste Heiligabend war ohne Zwist und Katastrophen abgelaufen.

Am nächsten Vormittag trafen Heinrich und Felicitas in der Contrescarpe ein, beladen mit Geschenken. Ein köstlicher Putenduft zog bereits durchs Haus. Max begrüßte sie grinsend. »Willkommen zum göttlichen Aroma!«

Felicitas kicherte. »Elfriede ist berühmt für das göttliche Aroma«, raunte sie Heinrich zu.

»Und was soll das sein?«

»Na ja, ihre Braten haben immer so einen besonderen Geschmack, der mit nichts zu vergleichen ist. Bis wir herausfanden, dass dieses Aroma der Tatsache zu verdanken ist, dass Elfriede immer alles anbrennen lässt. Mit viel Sahne versucht sie das zu vertuschen, und in der Tat schmeckt es wirklich fantastisch.«

»Das muss natürlich unter uns bleiben. Elfriede wäre tödlich beleidigt, wenn sie erführe, dass wir uns ganz unchristlich über sie lustig machen.« Max lachte und drückte Heinrich herzlich die Hand. »Frohe Weihnachten, meine Lieben! Heinrich, wir verziehen uns an den Kamin. Helen legt letzte Hand an ihre Goldlöckchen, und du, Felicitas, kannst Elfriede helfen. Sie rotiert bereits in der Küche und ist kurz vor einem Nervenzusammenbruch.«

Felicitas warf Heinrich eine Kusshand zu und drohte ihrem Vater spielerisch mit dem Zeigefinger. »Erzähl ihm ja keine peinlichen Geschichten aus meiner Kindheit.«

Sie sauste die Treppe hinunter, glücklich, wieder daheim zu sein, und hoffte, dass Elfriede den Hals des Puters wie jedes Jahr abgetrennt und extra gebraten hatte, damit sie ihn schon vorher abnagen konnte. Doch in der Küche traf sie statt Elfriede ihren Sohn, der wie bestellt und nicht abgeholt herumstand.

»Hallo«, nuschelte Thomas unfreundlich. »Frohes Fest.«

»Gleichfalls. Wo ist deine Mutter?«

»Muss sich umziehen. Der Kittel ist ihr nicht fein genug für das vornehme Essen, das uns erwartet.« Er lächelte schief, aber charmant, und Felicitas entspannte sich. Vermutlich ist er nur verlegen, dachte sie und lächelte freundlich zurück.

»Wollen wir einen Kaffee trinken?«, schlug sie vor.

»Gern.«

Sie nahm zwei Becher aus dem Küchenschrank, setzte Wasser auf und füllte sechs Löffel Kaffee in die Metallkanne.

»Seltsam, dass wir uns nie angefreundet haben«, bemerkte sie. »Es hätte doch eigentlich nahe gelegen, als wir klein waren, nicht?«

»Na ja, damals fand ich Mädchen blöd. Wie Jungs halt so sind. Außerdem warst du immer die Prinzessin, genau wie heute.«

Sie registrierte die versteckte Feindseligkeit, die in seinen Worten lag, und schwieg bestürzt. Was bildete er sich ein, ein Urteil über sie zu fällen? Doch statt aufzustehen und ihn sich selbst zu überlassen, was ihrem ersten Impuls entsprochen hätte, blieb sie sitzen und suchte nach Worten, ihm die Andreesens zu erklären. Anscheinend war ihm das nicht entgangen, denn er winkte ab.

»Du musst dich nicht verteidigen.«

»Das weiß ich. Aber ich kann es nicht leiden, wenn Menschen mit Vorurteilen hausieren gehen, ohne auch nur den Ansatz einer Ahnung zu haben, wie es sich tatsächlich verhält. Ich muss mich schon sehr wundern. Bist du als politischer Zeichner nicht der Wahrheit verpflichtet?«

Ein Schatten huschte über seine Züge, doch Thomas hatte sich schnell wieder in der Gewalt. »Doch, gewiss.«

Seltsamer Kauz, befand Felicitas. Verschroben und verstockt. Dabei klangen seine Briefe, die Elfriede ihr immer stolz vorlas, liebevoll und verbindlich, so kurz sie auch waren.

Felicitas stand auf. Sie wollte sich die Laune nicht verderben lassen, sondern das Festessen und das Beisammensein mit ihren Eltern genießen.

Sie nickte ihm zu und verließ die Küche, traf Arthur und plauderte eine Weile mit ihm, suchte ihre Mutter auf, die einsilbig ihre Frisur richtete, gesellte sich zu Heinrich und ihrem Vater, bewunderte den Weihnachtsbaum und naschte rosé Baiser-Kringel und tat so emsig wie vergeblich alles, um das unbestimmte Gefühl einer Bedrohung loszuwerden, dessen Ursache sie in Thomas' Benehmen vermutete. Was nicht der Fall war.

8

Zum Jahreswechsel lag Bremen unter einer für norddeutsche Verhältnisse dicken Schneedecke von fast einem halben Meter. Automobile fuhren im Schritttempo und eierten um die Kurven, Haflinger zogen unbeirrt die Fuhrwerke durch die Stadt, Kinder probierten ihre neuen Schlitten am Osterdeich oder die neuen Gleitschuhe auf dem Hollersee aus, der im Gegensatz zur Weser, deren Eisschicht noch recht dünn wirkte, Vertrauen erweckende tragfähige zehn Zentimeter Eis vorweisen konnte.

Schnee und Eis dämpften die Geräusche der Hansestadt, als läge sie unter Watte.

Die Villa Andreesen wirkte wie das Schloss der Schneekönigin, verwunschen und eisig, das Weiß im weitläufigen Garten war nahezu unberührt, abgesehen von den zierlichen Spuren, die Dompfaffen, Spatzen, Meisen, Eichhörnchen und Katzen auf der Suche nach Futter hinterließen. Nur die Zufahrt von der Parkallee zum Haus, freigeschaufelt von den Stallburschen und zweimal täglich mit Sand versehen, störte den märchenhaften Anblick, sicherte aber die Knochen der Bewohner und deren Gäste.

Max seufzte erleichtert, als er den Streifen rutschfesten Bodens erreicht hatte. Das Auto war kaputt, eine Reparatur im Moment zu teuer, und eine Kutsche war nicht aufzutreiben gewesen. So hatte er sich widerstrebend zu Fuß auf den Weg zu Felicitas gemacht. Was er zu sagen hatte, war nichts fürs Telefon. Außerdem mochte er diese neue Technik nicht besonders. Man sah nicht die Augen seines Gegenübers und konnte Gestik und Mimik nicht deuten, die beredtere Informationen preisgaben als das gesprochene, allzu häufig trügerische Wort.

Er putzte sich die Nase und zog an der Türklingel. Marie öffnete und strahlte ihn an. Sie schwärmte für ihn und besuchte an ihrem freien Tag stets die Vorstellungen im Schauspielhaus, sofern Max Wessels mitspielte.

»Herr Wessels!«

»Marie, Sie werden immer hübscher.« Er wusste seine Bewunderinnen zu bedienen. »Ist meine Tochter da?«

Marie nickte eifrig und nahm seinen Hut und den Mantel entgegen, als wären es Reliquien. Max lächelte ihr zu und sah sich um. Fast hätte er vergessen, wie prachtvoll diese Halle gestaltet war. Es hätte zwar besser in sein Bild gepasst, das er von den Andreesens hatte, wenn der hohe kuppelförmige Raum vor Kitsch aus den Nähten geplatzt wäre, aber dem war nicht so, im Gegenteil. Die Worpsweder Gemälde kamen auf der elfenbeinfarbenen Wandbespannung perfekt zur Geltung. Irgendwann würde er herausfinden, ob das Haus seine geschmackvolle Einrichtung Elisabeth verdankte oder einem Innenausstatter.

»Papa!« Felicitas flog in seine Arme.

»Na, mein Herzenskind? Hast du ein wenig Zeit für deinen alten Vater?«

Felicitas täuschten seine Worte nicht. »Was ist los?«

»Wo können wir in Ruhe miteinander reden?«

Sie lotste ihn die Treppe hinauf in ihren Flügel und in ihr Zimmer. Max pfiff leise durch die Zähne, als er sah, welche Bühne sich Felicitas hier geschaffen hatte, und fuhr neugierig mit dem Finger die Buchrücken entlang, bis Felicitas sich räusperte.

»Nun, ich will nicht um den heißen Brei herumreden. Es gibt schlechte Nachrichten aus Sorau. Sehr schlechte.« Er machte eine Pause. »Constanze ist schwer krank, todkrank, um genau zu sein. Gestern Abend erreichte uns eine Depesche von Verena, in der sie uns um Hilfe bittet.«

»Todkrank«, wiederholte Felicitas. »Aber wieso, ich meine, woran leidet sie denn?«

Max wandte den Blick ab und fuhr sich nervös durchs Haar. »Eine dumme Geschichte. Constanze hat, wie soll ich sagen, heimlich ein Kind zur Welt gebracht, ungefähr zu der Zeit, als ihr geheiratet habt. Deshalb auch diese merkwürdige Absage aus Sorau. Zunächst hat sie das Kind versteckt, bis die Leute, bei denen sie es untergebracht hatte, eines Tages zu Carl und Verena gegangen sind.«

»Das kann doch einfach nicht wahr sein!« Felicitas konnte die Dummheit ihrer Cousine kaum ertragen und verdrehte die Augen. »Und was hat das mit ihrer Krankheit zu tun?«

»Das weiß man noch nicht so genau. Tatsache ist wohl, dass sie immer schwächer wurde, bis sie vor einer Woche zusammengebrochen ist. Seitdem liegt sie in tiefer Bewusstlosigkeit. Aber das ist noch nicht alles …«

»Was denn noch?«

»Dorothee …«

»Was ist mit ihr?« Eiskalter Schrecken durchfuhr Felicitas.

»Sie ist dem Wahnsinn nahe. Redet nicht mehr, nimmt überhaupt nicht mehr am Leben teil. Die Ärzte sind ratlos. Und Carl gibt Verena für alles die Schuld. Als Mutter hätte sie das Unheil voraussehen müssen, behauptet er. Dieser Idiot. Er lässt sie mit allem allein, kümmert sich nur um das Allernotwendigste. Kurz und schlecht, Verena ist am Ende ihrer Kraft.«

Felicitas sah ihn an und wusste, was er dachte. Sie kannte ihren Vater viel zu gut, um es nicht zu wissen. »Und ich soll mit Mama nach Sorau reisen, weil du im Theater unabkömmlich bist, während Mama froh ist, die Rolle der Titania loszuwerden.«

Max lächelte schief. »So in etwa. Es ist nicht die erste Rolle, die ihr Probleme bereitet. Denk nur an die Alkmene. Und in der Tat gibt es niemanden, der den Oberon übernehmen könnte ...«

»Constanze mag mich nicht.«

»Sie mag dich sehr wohl, ihr seid euch nur zu ähnlich. Dickköpfig und stur, alle beide. Aber das spielt ja jetzt auch gar keine Rolle. Dorothee braucht dich. Und deine Mutter auch. Was sie natürlich nie zugeben würde.«

»Eine schöne Wahl habe ich«, stöhnte Felicitas. »Wenn ich nicht fahre, lasse ich Mama allein. Reise ich stundenlang durch die Steppe, um womöglich tagelang an Constanzes Bett zu hocken, lasse ich meinen Mann allein.«

»Der, wie du weißt, das größte Verständnis dafür hätte«, gab Max zurück.

Sie funkelte ihn wütend an. Warum zum Teufel betrugen sich Verena und Carl nicht wie vernunftbegabte Menschen, rissen sich zusammen und kriegten die Situation selbst in den Griff?

Seit Stunden hatte sich die Landschaft kaum verändert, kleinere Dörfer und weite Landstriche bildeten eine in Eis erstarrte Märchenlandschaft, die ab Berlin von einem prächtig blauen Himmel überspannt wurde. Der Zug schob sich rhythmisch schnaufend gen Osten und schaukelte die Passagiere unsanft hin und her. Einige unterhielten sich, andere spielten Karten, die meisten dösten vor sich hin oder schliefen kurz ein, wurden vom eigenen Schnarchen geweckt und sahen sich peinlich berührt um, ob auch niemand das Malheur mitbekommen hatte.

Felicitas und Helen saßen in Decken gehüllt am Fenster,

wechselten ab und zu ein paar Worte, lasen und machten sich manierlich über den köstlichen Proviant her, den Elfriede in der Contrescarpe und die Köchin der Villa zubereitet hatten.

»Gebratene Hühnerschenkel gegen Trüffelmousse«, staunte Felicitas. »Ich glaube, da sind die beiden stillschweigend zu einem kulinarischen Wettbewerb angetreten.«

»Und wer gewinnt?«, fragte Helen und strich mit einem zierlichen Obstmesser die Mousse auf ein Stück Pumpernickel.

»Für meinen Teil sind es eindeutig die deftigen Schenkel. Elfriede mariniert sie vorher mit Paprika, und dadurch wird die Haut so einmalig knackig.«

»Unsinn, du kultivierst nur deine Herkunft, mein Kind. Du glaubst, es sei ein Zeichen von Charakterstärke, schlicht zu bleiben und sich nicht zu sehr an exquisite Genüsse zu gewöhnen. Das hast du von deinem Vater.« Sie schüttelte den Kopf und zog die Nase kraus. »Er weigert sich bis heute, zuzugeben, dass wir der alten Klasse der Komödianten längst entwachsen sind. Wenn wir wollten, könnten wir uns sogar ein neues Automobil leisten. Ich würde es tun, aber dein Vater ist davon überzeugt, dass derlei Luxus den Charakter verdirbt.«

»Vielleicht hat er ja nicht ganz Unrecht«, erwiderte Felicitas und dachte an Anton und Désirée.

»Mag sein, aber das ist nicht der Punkt. Ich finde es einfach unehrlich, sich mit seiner Verweigerung ein gutes Gewissen zu kaufen.«

»Du kannst ganz schön hart sein, Mama. Aber das gestattet mir die Gegenfrage: Wie bewahrst du dir denn deine guten Seiten?«

»Indem ich erst einmal herausfinde, welche das sind.« Helen blickte aus dem Fenster und überließ Felicitas sich selbst, als wollte sie erreichen, dass das Gesagte seine Saat in Ruhe entfalten konnte, statt zu einem Nichts zerredet zu werden.

Fünf Stunden später erreichte der Zug Königsberg.

Die meisten Passagiere wollten hier aussteigen und bildeten Schlangen vor den Ausgängen der Waggons. Felicitas und Helen reihten sich ein, in der einen Hand Proviantbeutel und Handtasche, die andere an einer Sitzlehne, um das gewaltige Ruckeln des bremsenden Zugs auszubalancieren. Schließlich kam der Zug zum Stillstand, und die Reisenden quollen aus den Waggons auf Königsberger Boden.

Keine Spur von Carl.

»Wir warten hier«, schlug Helen vor. »Er hat sich gewiss nur verspätet.«

Felicitas nickte. Sie sah sich suchend um. Die Gelegenheit war günstig, Heinrich ein Telegramm zu senden. Das Gut verfügte schließlich noch nicht über ein Telefon. Felicitas fragte den Bahnhofsvorsteher und erhielt die Auskunft, das Amt befinde sich in der Kaiserstraße, nur fünf Minuten vom Bahnhof entfernt, und dort gebe es seit neuestem sogar ein Telefon. Felicitas' Herz tat einen Sprung bei dem Gedanken, Heinrichs Stimme zu hören.

»Wir sind in Königsberg gelandet. Hier ist alles meterhoch verschneit.«

»Das beruhigt mich. Aber ich vermisse dich. Ich habe dich schon vermisst, als ich dich zum Zug gebracht habe.« Heinrichs Stimme klang sehnsüchtig, und Felicitas lächelte verliebt in den Hörer. »Ich werde die ganze Zeit brav im Kontor sitzen, bis du wiederkommst.«

»Unsinn, mach dir ein paar Junggesellenabende«, sagte sie und fügte hinzu: »Geh mit Bernhard aus.« Der Vorschlag kostete sie Überwindung. Sie traute Bernhard nicht über den Weg und fand sein Verhalten grundsätzlich provokant.

Selbst seine humorvollen, geistreichen Einlagen auf ihrer Hochzeit waren für sie nur der Ausdruck für einen Lebemann, dem nichts heilig war. Doch da sie wusste, dass Heinrich große Stücke auf ihn hielt – »Im Herzen ist er ein Künstler. Du müsstest mal seine Skulpturen sehen. Das ist der wahre Bernhard …« –, akzeptierte Felicitas Bernhards gelegentliche Anwesenheit in der Villa.

»Danke, mein Liebling. Vielleicht mach ich das tatsächlich. Mal sehen. Ich muss sehr viel arbeiten …«

»Wie du meinst. Ich muss jetzt zurück zum Bahnhof. Hoffentlich ist Carl inzwischen eingetroffen.«

»Pass auf dich auf. Ich küsse dich.«

»Ich dich auch.«

Als sie den Bahnhofsvorplatz erreichte, erkannte sie Carls massige Gestalt schon von weitem. Ihre Mutter trat fröstelnd von einem Bein aufs andere, während Carl ihr Gepäck verstaute. Felicitas winkte, doch keiner von beiden reagierte. Als sie näher kam, erschrak sie. Carl war entsetzlich gealtert. Tiefe Falten zogen sich von der Nase zu den Mundwinkeln, dunkle Schatten lagen um seine Augen, in denen nichts von seiner früheren gemütlichen Jovialität zu lesen war.

»Guten Tag, Felicitas. Danke, dass du gekommen bist«, sagte er mechanisch und schüttelte kurz ihre Hand.

Er öffnete die Kutschentür, wartete, bis Felicitas und Helen Platz genommen hatten, und deckte ihre Beine sorgfältig mit einer Decke aus Wolfsfell zu, ohne ein Wort zu sagen. Als die Kutsche anfuhr, wechselten Felicitas und ihre Mutter einen sorgenvollen Blick.

Zwei Stunden kämpften die Pferde sich mühsam durch den Schnee. Ein Verbrechen an den Tieren, wie Felicitas fand. Sie wäre lieber zu Fuß gegangen, musste aber zugeben, dass sie vermutlich bis zu den Knien im Schnee versunken wäre.

Außerdem, wer sollte das Gepäck tragen? Das Gespräch mit ihrer Mutter schoss ihr kurz durch den Kopf, doch sie schüttelte den Gedanken schnell wieder ab.

Dann endlich leuchtete das gelbe Gutshaus auf.

Helen seufzte leise. »Zu Hause«, murmelte sie für sich und schlug die Pelzdecke zurück. Verena hatte das Klingeln der Pferdegeschirre gehört und stand frierend vor der geöffneten Eichentür. Ihre Miene hellte sich auf, als sie Felicitas und Helen erblickte.

»Kommt herein, kommt herein«, rief sie und wedelte mit den Armen, als gälte es, eine Schar Gänse in die Diele zu locken. Carl folgte ihnen mit ihrem Gepäck, setzte es in der Diele ab und ging wortlos und mit schweren Schritten in den ersten Stock des Hauses.

»Constanze?«, fragte Helen, und Verena nickte mit gesenktem Kopf.

Helen und Felicitas legten Cape und Mütze ab und stiegen die Treppe empor. Eine bescheidene Galerie rahmte den oberen Flur ein, von dem sechs Zimmer abgingen. Sie betraten Constanzes Zimmer, in dem es nach Kampfer und Menthol roch.

Constanze lag auf dem Rücken, den Kopf zur rechten Seite gedreht, in tiefer Bewusstlosigkeit. Ihr Mund stand ein wenig offen, ihre Züge wirkten wie glatt gebügelt.

Der Anblick erschreckte Felicitas. Sie musste zugeben, dass sie die Situation unterschätzt hatte.

Carl stand wie versteinert vor ihrem Bett, drehte sich nach einer Weile abrupt um und ging hinaus. Seine Stiefel knallten auf den Holzfußboden.

Felicitas schüttelte den Kopf und schnaubte leise. »Davon wird sie auch nicht wach.«

Das Kind begann zu weinen. Niemand hatte dem kleinen Wesen in der Wiege bislang Beachtung geschenkt. Felicitas ging zu der Wiege und nahm das winzige Bündel auf den Arm, das augenblicklich seine lautstarken Hinweise auf ein elementares Bedürfnis oder gleich mehrere noch verstärkte. Die feinen schwarzen Haare klebten an seinem runden Köpfchen, die Augen waren vor Wut, Trauer, Hunger oder Blähungen zusammengekniffen, und die kleinen Füße wehrten sich strampelnd gegen die Decke, die seinen Körper fest umwickelt hielt. Instinktiv begann Felicitas das Baby sanft zu schaukeln und beruhigende Unsinnigkeiten zu murmeln, als die Tür vorsichtig geöffnet wurde und eine junge Frau ins Zimmer huschte. Behutsam nahm sie Felicitas das Baby ab, setzte sich, öffnete ihr Mieder und legte das Kind an ihre linke Brust. Gierig begann es zu trinken, bis sein Hunger gestillt war.

»Alexander«, sagte die Frau mehr zu sich selbst. Sie wartete, bis der Kleine eingeschlafen war, und bettete ihn in die reich verzierte Wiege, in der, wie Felicitas wusste, schon ihre Mutter und Verena sich ans Licht der Welt hatten gewöhnen müssen.

»Sie sind die Amme«, stellte Felicitas fest und die Frau nickte.

»Tochter hat keine Milch«, erklärte sie mit slawischem Akzent und wies mit dem Kopf zum Bett. »Gott gibt mir mehr Milch, als mein Kind braucht. So bin ich viermal am Tag hier, und Baby trinkt.« Sie nickte Felicitas noch einmal zu und verließ nach einem mitleidigen Blick auf Constanze und Verena geräuschlos das Zimmer.

»Warum lasst ihr das Baby bei Constanze?«, fragte Felicitas ungehalten. »Wie könnt ihr den Kleinen seiner bewusstlosen Mutter überlassen? Niemand hört ihn doch hier oben, wenn er schreit.«

Helen sah sie warnend an. Verena waren die Tränen in die Augen gestiegen, und mit zitternder Stimme antwortete sie: »Weil wir hofften, Constanze würde spüren, dass ihr Baby sie braucht, und deshalb vielleicht aufwachen.«

Natürlich, dachte Felicitas grimmig. Constanze hatte ja auch so viel Mutterliebe im Leib, ihr eigen Fleisch und Blut monatelang anderen Menschen zu überlassen, statt für ihren Fehltritt einzustehen. Da würde sie doch gewiss auch aus der Ohnmacht erwachen, sobald das Baby brüllte. Sie schluckte hinunter, was ihr auf der Zunge lag, doch damit schnürte sie den Knoten aus Wut und Angst nur noch fester.

Was richtete das alles in der kleinen Seele des Kindes an? Warum trieb Sergej sich sonst wo herum und ließ Frau und Kind allein? Oder wusste er am Ende gar nicht, dass Constanze ein Kind erwartet hatte und jetzt im Sterben lag? Ihre Mutter fing ihren Blick auf. Sie schien zu spüren, was in ihr vorging.

»Lasst uns einen Tee trinken und etwas essen. Wir müssen unsere Kräfte zusammenhalten.«

Zu dritt verließen sie das Zimmer, in dem Constanze dem Tod entgegenschlief und ihr kleiner Sohn dem Leben. Sie würde ihn nachts zu sich holen, beschloss Felicitas, egal, ob Verena das passte oder nicht.

In der Küche, wie in vielen Gutshäusern in Ostpreußen der kuscheligste Platz im Winter, lief Verena geschäftig hin und her, kochte Tee und zauberte einen frischen, köstlich duftenden Apfelkuchen aus der Speisekammer, der Felicitas kurz mit der Tatsache versöhnte, die nächste Zeit hier in dieser Tristesse verbringen zu müssen. Sie aß drei Stück und fühlte sich plötzlich bereit, allen Schwierigkeiten zu trotzen. Es nützte ja nichts, über das seltsame Verhalten der Menschen zu lamentieren, es galt, Lösungen zu finden.

»Wo ist Dorothee?«, platzte sie unvermittelt in Verenas immer wieder von Schluchzern unterbrochenen Beschreibung, wann und wie das ganze Elend offenbar geworden war.

Verena stöhnte leise. »In ihrem Zimmer. Vielleicht auch im Stall. Oder irgendwo. Ich weiß es nicht.«

Felicitas sprang auf. Die Larmoyanz ihrer Tante war einfach unerträglich. »Kommst du mit, Mama?«

Helen schüttelte den Kopf und schenkte Tee nach. »Ich denke, Verena und ich haben einiges miteinander zu bereden. Aber geh nur.«

In stillem Einverständnis beschlossen Mutter und Tochter eine Art Aufgabenverteilung. Zum ersten Mal seit langem war Felicitas dankbar, eine Mutter zu haben, die ihre Gefühle unter Kontrolle hatte und die Dinge kühl taxierte.

Sie entschied sich, zunächst das Haus zu durchkämmen, bevor sie sich wieder in die Kälte begab. Doch weder im Haus noch in den Stallungen fand sie ihre Cousine. Beunruhigt beschloss sie, den Feldweg Richtung Wald einzuschlagen, der unterschiedliche Spuren im frischen Schnee aufwies, darunter auch solche, die zu Dorothees zierlichen Füßen passen konnten. Und tatsächlich nahm Felicitas nach zehnminütigem Marsch eine Gestalt in etwa hundert Metern Entfernung wahr.

»Dorothee? Dorothee!« Felicitas rief laut, doch die Angesprochene reagierte nicht auf ihre Rufe. Felicitas heftete sich schwer atmend an ihre Seite. »Dorothee! Halt doch mal an! Dorothee!« Sie schrie fast, und schließlich blieb ihre Cousine stehen.

»Felicitas«, sagte sie mechanisch, den Blick in der Weite verloren.

»Dorothee, um Himmels willen, was ist mit dir los? Wie siehst du überhaupt aus, du bist viel zu dünn angezogen!«

Dorothee zuckte mit den Schultern, drehte sich um und lief den Weg zurück, sorgfältig darauf achtend, nicht in alte Spuren zu treten, sondern frische zu hinterlassen. Sie lächelte. Nichts deutete darauf hin, dass sie Felicitas' Anwesenheit registrierte.

Zögernd folgte diese ihr. Ihr Vater hatte also nicht übertrieben. Ihre Cousine war völlig übergeschnappt.

Der Doktor kämpfte sich alle drei Tage zum Gut vor, untersuchte Constanze und machte »Tstststs«, ein Geräusch, das Felicitas bald auf die Nerven ging. Die Diagnose des alten Mediziners lautete: Durch die unsachgemäße Geburt habe sich Constanze eine böse Unterleibsentzündung zugezogen, die Blase und Nieren angegriffen habe, was aber in den Griff zu bekommen gewesen wäre, wenn sie rechtzeitig ärztlichen Rat eingeholt hätte. Aber da sie es vorgezogen habe, die Infektion zu ignorieren, habe sich der geschwächte Körper irgendwann kampflos einer Lungenentzündung ergeben, die obendrein vermutlich das Herz entzündet habe. »Die Bewusstlosigkeit ist ein Trick der Natur«, erklärte der Doktor, »um Kräfte zu sparen und sich auf die Heilung zu konzentrieren. Allerdings, ich verhehle es nicht, macht mir die Dauer des Zustandes große Sorgen. Zwei Wochen, das ist lang. Verdammt lang, wenn Sie mir den Ausdruck gestatten.«

»Gibt es irgendetwas, was wir tun können, um sie da herauszuholen?«, fragte Helen.

Der Arzt wiegte den Kopf hin und her. »Die meisten meiner Kollegen empfehlen in diesen Fällen absolute Ruhe. Allerdings gibt es auch Kritiker dieser Methode, die der Meinung sind, der Patient sollte so oft wie möglich vertraute Geräusche hören, damit er den Teil seines Lebens nicht vergisst und vielleicht dadurch spürt, dass es Zeit wird, aufzuwachen. Lesen Sie ihr vor, erzählen Sie ihr was, oder singen Sie meinetwegen.«

»Und wenn das nicht funktioniert?«

»Dann ... könnte es sein, dass der Patient einen Grund hat, nicht ins Leben zurückkehren zu wollen. Irgendein Problem, eine Sehnsucht, ein unerfüllter Wunsch. Aber bitte, gnädige Frau, dies ist eine sehr neue, sehr umstrittene Theorie. Weiß der Himmel, ob sie nicht im nächsten Jahr widerlegt ist ...«

»Und Dorothee?«, mischte sich Felicitas ein. »Schläft sie nicht auch auf irgendeine Art?«

»Nein, das kann man nicht miteinander vergleichen. Constanze hält die Wachfunktionen des Körpers sozusagen auf Sparflamme, um alle Kräfte gegen die Krankheit einzusetzen. Bei Dorothee ist ein seelischer Schaden entstanden, dessen Heilung vermutlich Jahre braucht, wenn es überhaupt Hoffnung gibt.« Er ließ die Verschlüsse seiner Tasche zuschnappen und fügte leise hinzu: »Tut mir sehr Leid.«

Nach diesem Gespräch begannen Helen, Verena und Felicitas mit Constanzes planmäßiger Beschallung. Alle zwei Stunden wechselten sie sich am Krankenbett ab. Helen sang Lieder, Couplets und Chansons, Felicitas rezitierte alles, was sie von Penthesilea noch auswendig konnte und Verena las ihrer Tochter ihre Lieblingsmärchen und das Neueste aus dem *Sorauer Boten* vor.

Nach ihrem Dienst, wie Felicitas es insgeheim nannte, machte sie Spaziergänge im Schnee, meist allein, um die unglaubliche Schönheit der Landschaft ungestört in sich aufzunehmen wie eine Injektion der Lebensfreude, Hoffnung und Gelassenheit. Gelegentlich blieb sie stehen, schloss die Augen und stellte sich vor, wie Sand, Wald und das Wasser des nahe gelegenen Sees sich im Sommer zu einer lieblichen Stille vereinten, die vom Singsang sich im Wind wiegender Kornfelder begleitet wurde.

Doch der Winter besaß seinen eigenen, geometrischen

Reiz. Die breite Allee von hundertjährigen Eichen und die schmalen Wege an den Feldrändern durchschnitten das Weiße und gliederten die Fläche, die sich am Horizont mit einem hellgrauen Himmel vereinte. Äußere Ordnung gegen das Chaos der Ereignisse. Es wirkte beruhigend und vertrieb die Fragen, auf die niemand Antworten wusste. Wie war es möglich, dass Constanze ihren Zustand so lange vor ihren Eltern geheim halten konnte? Wollten die beiden nichts sehen, hatten sie sich daran geklammert, dass nicht sein konnte, was nicht sein durfte? Was ist mit Dorothee passiert, dass sie das Leben nicht mehr ertrug?

Bevor Felicitas ins Haus zurückkehrte, besuchte sie die Trakehner, die ungeduldig wieherten und mit den Hufen scharrten, als ob sie es nicht erwarten könnten, endlich wieder mit wehender Mähne an goldgelben Feldern vorbeizugaloppieren, um ihre ganze Kraft und übermütige Lebensfreude auszutoben.

Dampfwolken stiegen von den glänzenden Pferdeleibern auf, deren Muskeln sich unter dem braunen Fell abzeichneten, was Felicitas stets aufs Neue faszinierte. Sobald sie wieder in Bremen war, würde sie mit dem Reitunterricht beginnen. Eine Schirmherrin fürs große Trabrennen, die nicht vernünftig reiten konnte, gab eine lächerliche Figur ab, fand sie. Außerdem hatte sie ihre Scheu vor den Tieren inzwischen fast völlig verloren. Am liebsten mochte sie Kobold, der seinen Namen nicht zu Unrecht trug und Felicitas' Zuneigung vehement erwiderte. Wann immer sie seine Box betrat und unabhängig davon, ob sie einen leckeren Apfel dabei hatte oder nicht, knuffte der Hengst sie behutsam mit dem mächtigen Kopf, rieb seine Nüstern an ihrem Wollschal und schnaubte.

Draußen huschte Dorothee durch den Schnee, in dünner Bluse und ohne Schal. Sie ist zu zart für dieses Leben, dachte Felicitas, tätschelte Kobolds Hals zum Abschied und beeilte sich, ihre Cousine einzuholen.

»Lass uns ins Haus gehen«, sagte sie freundlich und war erleichtert, dass Dorothee ihr folgte. In ihrem Zustand würde sie vermutlich bis Sibirien laufen, ohne etwas zu merken. Felicitas seufzte. Es war alles höchst deprimierend. Verena erging sich in bitteren Selbstvorwürfen, Carl kümmerte sich nur noch um das Notwendigste und vernachlässigte das Gut, Dorothees Zustand war unverändert, und Constanze dämmerte vor sich hin, gelegentlich die Augen öffnend und die Umgebung sekundenlang abschätzend, als ob sie etwas suchen würde. Ein winziges Zeichen der Hoffnung, gewiss, dennoch schien es Felicitas, als gäbe es rein gar nichts, was durch ihr Handeln in den letzten zwei Wochen beeinflusst worden war. Sie konnte nichts weiter tun, als einfach da sein.

Und Sergej benachrichtigen.

Der Gedanke schoss ihr wie ein Feuerpfeil durch Kopf und Herz.

Dass sie nicht gleich darauf gekommen war. Sergej. Ihn suchte Constanze, wenn sie die Augen aufschlug. Sie liebte ihn. Er würde ihr den Lebensmut wiedergeben, den sie verloren hatte, auch wenn er ein Riesenschuft sein mochte.

Beim Abendessen sprach Felicitas es aus.

»Niemals«, sagte Carl.

»Doch«, sagte Verena leise.

Felicitas und ihre Mutter wechselten einen Blick.

Mürrisch und in abgerissenen Kleidern stand Sergej drei Wochen später vor Felicitas, Helen und Verena, Misstrauen und trotzige Sorge in den tiefbraunen, eigentlich sanften Augen. Felicitas hatte drei Tage gebraucht, um bei seinen Eltern und Nachbarn einzelne Hinweise und Gerüchte in

Erfahrung zu bringen, die sie zu einem Ganzen zusammenzusetzen verstand. Sergej hatte mit seiner Familie gebrochen und hielt sich in Moskau auf. Angeblich war seine Rolle bei den Geschehnissen nach der Revolution 1905 nicht unrühmlich gewesen, es hieß sogar, er könnte es bei den Roten weit bringen. Felicitas und Helen glaubten daher eher, dass er sich vor der Verantwortung drücken und dort bleiben würde, wo er war.

Sie hatten ihn unterschätzt.

Helen trat einen Schritt zur Seite und deutete mit knapper Geste nach oben. »Schnell, bevor Carl zurückkommt …«

»Ich habe nichts zu verbergen«, erwiderte Sergej entschlossen. »Wenn ich gewusst hätte, was los ist, wäre ich nicht weggegangen.«

»Willst du etwa behaupten, dass Constanze dir nicht gesagt hat, dass sie ein Kind von dir erwartet?« Felicitas verschränkte die Arme vor der Brust. Dieses Märchen konnte er seinen roten Genossen auftischen, nicht ihr.

»So ist es.« Er sah Felicitas geringschätzig und ein wenig spöttisch an. »Sie gehört zu den Frauen, die einen Mann seinen Weg gehen lassen. Nie hätte sie mich zurückgehalten, um eine Familie zu gründen, wenn das gleichzeitig bedeutet hätte, meine Ziele aufzugeben. Aber das versteht eben nicht jeder.«

»Und warum bist du dann nicht dort geblieben, wo du deiner Meinung nach hingehörst?«

»Weil sie mich braucht. Und weil ich sie liebe.« Er ließ die drei Frauen einfach stehen und ging die Treppe hinauf. Sie sahen ihm nach.

»Unhöflicher Kerl«, murmelte Felicitas.

»Lassen wir sie ein bisschen allein«, sagte Helen. »Und hoffen wir, dass Carl noch eine Weile in Königsberg zu tun hat.«

Nach einer halben Stunde hielt Felicitas es nicht mehr aus, belud ein Tablett mit Tee und Kuchen und machte sich leise auf den Weg nach oben. Die Tür zu Constanzes Zimmer war geschlossen. Widerwillig, hatte dieser Kerl doch keine Ahnung, wie man das Wort Manieren auch nur buchstabierte, klopfte Felicitas an und öffnete die Tür. Das Bild, das sich ihr bot, hatte etwas Biblisches, eine stille Größe, die Felicitas überrumpelte und jäh mit der Erkenntnis konfrontierte, dass Liebe mehr mit Hingabe zu tun hatte, als ihre Erfahrungen sie bislang gelehrt hatten.

Sergej saß an Constanzes Seite, hatte ihren Kopf an seine Brust gebettet und hielt das Baby mit der linken Hand fest an sich gedrückt.

Felicitas setzte das Tablett vorsichtig auf dem Tisch ab, nickte Sergej zu und wandte sich zur Tür, als Constanzes Stimme, rau und sehr leise, sie zurückhielt.

»Siehst du, er hält zu mir. Hättest du nicht gedacht«, flüsterte sie, und ein Funke der alten Streitlust schien in ihren Augen aufzuglimmen, was Felicitas aus tiefstem Herzen freute, war es doch ein sicheres Indiz dafür, dass sich Constanze auf dem Weg der Besserung befand. Sie machte sich keine Illusionen, dass sie und Constanze sich jemals wirklich verstehen würden, egal, wie lange die eine am Krankenbett der anderen wachte, aber sie würden füreinander da sein, ihr ganzes Leben lang.

»Was wollt ihr tun?«, fragte sie.

»Heiraten«, erwiderte Sergej schlicht, als hätte es der Frage wirklich nicht bedurft.

In den darauf folgenden Tagen erholte Constanze sich in einem Tempo, das den alten Doktor von einem Wunder sprechen und Verena zu ihrer Fröhlichkeit zurückfinden ließ. Sergej kümmerte sich mit der gleichen Intensität um Constanze, wie sie, mutmaßte Felicitas ironisch, normalerweise seinen politischen Ambitionen vorbehalten war.

Nur Carl stellte noch ein Problem dar. Nachdem er am Tag von Sergejs Ankunft wie eine Trompete von Jericho getönt hatte, den Taugenichts umbringen zu wollen, verfiel er in ein dumpfes, mürrisches Brüten. Verena und Helen redeten auf ihn ein, diskutierten und argumentierten, dass doch ein Kind zum Vater gehöre und Liebende zueinander, egal, wie verschlungen und mühsam ihre Wege dorthin verlaufen seien, doch Carl wollte nichts davon hören, bis Helen eines Morgens beim Frühstück der Geduldsfaden riss.

»Ich habe es satt, deine männliche Ignoranz noch länger zu ertragen. Finde dich damit ab, dass die Dinge sind, wie sie sind, und hör auf, dich selbst zu bemitleiden. Wenn du besser auf deine Tochter Acht gegeben hättest, wäre das Ganze nicht passiert. Und falls du es vergessen hast, du hast noch eine Tochter, die deiner Hilfe bedarf. Was Dorothee jetzt braucht, ist kein wild gewordener Vater, sondern Menschen, die ihr Stabilität geben. Also reiß dich endlich zusammen.«

»Ich bin dir keine Rechenschaft schuldig«, entgegnete er, stand auf und wandte sich zum Gehen.

»Doch, das bist du«, zischte Helen. »Mir gehört dieses Gut ebenso wie euch, und ich werde nicht zulassen, dass deine gekränkte Eitelkeit und deine Lethargie diesen Besitz in Grund und Boden wirtschaften. Ich hatte in den vergangenen Wochen Zeit genug, mich mit den Büchern zu beschäftigen, und was ich da lesen musste, gefiel mir nicht. Ganz und gar nicht. Aus Rücksicht auf Constanze habe ich den Mund gehalten, aber jetzt ist es genug. Und setz dich gefälligst wieder hin!«

Felicitas hätte am liebsten applaudiert, so bühnenreif war

der Auftritt ihrer Mutter. Verena strich nervös über die Tischdecke, unablässig nicht vorhandene Krümel wegfegend, Dorothee saß starr und gerade da, als hätte sie einen Spazierstock verschluckt.

Carl zögerte und setzte sich schließlich. Seine Stimme klang resigniert und müde wie die eines alten Mannes, der nicht mehr die Kraft besaß, seine Werte und Prinzipien gegen den Ansturm neuer Ideen zu verteidigen.

»Du glaubst also zu wissen, wie man ein Gut bewirtschaftet. Und wie ich meine wahnsinnige Tochter behandeln soll, damit sie wieder gesund wird. Und du meinst auch noch, dass ein dahergelaufener Bolschewik unter meinem Dach leben soll. Du bist verrückt, Helen, du bist die Verrückte, nicht meine Tochter.«

Helen zuckte mit den Schultern und schwieg. In ihren Augen war die Hochzeit beschlossene Sache. Außerdem war sie mit Verena übereingekommen, Dorothee mit nach Bremen zu nehmen. Fern von allem, was geschehen war, würde sie gewiss gesunden, da konnte Carl denken, was er wollte. Zwei Wochen und einige dramatische Auseinandersetzungen später fand in der kleinen Kirche zu Hasenberg eine stille, schmucklose Hochzeit statt, an der außer dem Brautpaar nur die Brauteltern, Helen und Felicitas teilnahmen. Dorothee hatten sie in der Obhut der Amme gelassen. Nichts sollte sie zusätzlich irritieren. Die Fahrt nach Bremen stellte ohnehin schon ein Risiko dar. Aber Helen und Verena hielten es dennoch für das Beste, Dorothee eine Weile eine andere Umgebung zuzumuten.

Hinter Berlin verabschiedete sich der Schnee, und nichts als graue Tristesse blieb übrig, die Felicitas in einen Mantel milden Gleichmuts hüllte, der ihr half, die Ereignisse der vergangenen Zeit gelassen zu betrachten. Während ihre

Mutter vor allem las, aß und Dorothee lustige Geschichten erzählte, die diese mit einem abwesenden Lächeln quittierte, hing Felicitas zwei Gedanken nach. Der erste war die Einsicht der Notwendigkeit, ihr Leben mit Sinn zu erfüllen. Niemals wollte sie so an Heinrich kleben wie Constanze an Sergej und ein Leben ohne ihn als so nutzlos empfinden, dass ihr Körper jeden Lebensmut fahren ließ. Niemals. Vielleicht war es tatsächlich das Beste, eine kleine Rolle unter anderem Namen anzunehmen. Vielleicht.

Der zweite war die Erkenntnis, dass sie Heinrich nicht vermisst hatte. Natürlich hatte sie ihrer Mutter und Verena gegenüber stets behauptet, die Trennung zerreiße ihr das Herz, aber sie war nicht ehrlich gewesen. Sie hatte noch nie einen Menschen vermisst, und Heinrich bildete da keine Ausnahme. Sie glaubte auch nicht, dass Liebe und einander vermissen eins sein mussten. Dennoch dachten und fühlten die meisten Menschen wohl so, wenn sie liebten. Sie dachte an Constanze und Sergej und das rührende Bild, das die beiden abgegeben hatten und das sie fast mit Neid erfüllt hatte. Aber Constanze würde immer diejenige sein, die mehr lieben und mehr leiden und dieses Leid wie eine Siegesfahne vor sich hertragen würde: Seht her, ich leide, also liebe ich wirklich! Nein, sie, Felicitas, war nicht imstande, auf diese Weise zu lieben, und sie bezweifelte, dass das erstrebenswert war. Dennoch fühlte sie sich schuldig, als hätte sie Heinrich verraten.

Als sie Heinrich auf dem Bahnsteig stehen sah, überflutete Wiedersehensfreude ihr Herz, die den feinen Stich schlechten Gewissens vertrieb.

Nieselregen, der, von einem heftigen Wind gepeitscht, gegen Kleider und Koffer schlug, kürzte die Begrüßung und den Abschied von ihrer Mutter und Dorothee, die von Arthur abgeholt wurden, unsentimental ab.

»Ich habe dich vermisst«, sagte Heinrich, als sie pudelnass im Mercedes saßen, dessen Scheiben im Handumdrehen diskret beschlugen, sodass kein neugieriger Blick erfasste, mit welchem Hunger Heinrich sie an sich zog, Lippen, Nase, Hals und wieder Lippen koste, küsste, verschlang. Ein Hunger, den Felicitas umso heftiger erwiderte, weil er ihr eine Antwort ersparte.

Wider Erwarten strahlte auch die Villa in heller Festbeleuchtung. Neue schmiedeeiserne Bürgermeister-Laternen säumten die Auffahrt, und durch jedes Fenster schimmerte es bernsteingelb.

»Herzlich willkommen, mein Liebling«, sagte Heinrich, und Felicitas lächelte ihm voller Wärme zu. Sie küsste ihn leicht und glitt aus dem Wagen, als die Haustür sich öffnete und Elisabeth auf sie zukam.

»Herzlich willkommen, Felicitas.« Elisabeths Stimme klang freundlicher als gewöhnlich, und in ihren Augen spiegelte sich nur leise Missbilligung, was Felicitas im Allgemeinen und ihre wochenlange Abwesenheit im Besonderen betraf. »Ich habe für euch im kleinen Salon decken lassen«, sagte sie. »Ich gehe doch recht in der Annahme, dass ihr ein wenig für euch sein wollt, nicht wahr? Du hast gewiss manches erlebt, das du in Ruhe überdenken musst.«

Felicitas lächelte sie amüsiert an. Sie fragte sich, welche Überwindung Elisabeth diese Freundlichkeit kostete und welche Hebel Heinrich in Bewegung gesetzt hatte, um ihr einen Funken Menschlichkeit zu entlocken.

»Danke, ich bin wirklich etwas müde«, sagte sie, und mit dem ungestümen Willen, Elisabeths Contenance zu erschüttern, fügte sie hinzu: »Es ist in der Tat nicht einfach, mitzuerleben, wie die eine Cousine fast stirbt und die andere dem Wahnsinn anheim fällt.«

Elisabeth zuckte nicht mit der Wimper. »Nun, das eine ist

ja nun offensichtlich glimpflich abgegangen. Und um das andere sollte sich meiner Meinung nach Professor Becker kümmern. Er unterhält Kontakte zu einem renommierten Psychiater, bei dem deine Cousine gewiss am besten aufgehoben wäre. Ich verstehe zwar nichts von Sigmund Freud und seinen Theorien, aber es heißt, sie bewirken mehr als heiße Wickel oder Elektroschocks. Doch das hat ja Zeit bis morgen.« Sie nickte Heinrich und Felicitas zu und wandte sich zur Treppe.

»Tut sie das, um Dorothee zu helfen oder um diesen Makel so schnell wie möglich aus ihrer unliebsamen angeheirateten Verwandtschaft zu tilgen?«, platzte Felicitas heraus.

Heinrich zuckte mit den Schultern. »Ich weiß es nicht, aber sie hat Recht, so viel ist sicher.«

Intensiv und mit äußerster Akribie hatte sich Felicitas jedes Komma und jedes Stichwort einverleibt, doch das half ihr nicht im mindesten, das Gefühl der Unzulänglichkeit abzuschütteln. Seit vier Wochen laborierte sie an ihrer kleinen, aber für die aristophanische Komödie *Die Frösche* nicht unbedeutsamen Rolle der Dienerin von Persephone herum, doch weder bei den Leseproben, die das Fundament der Inszenierung bildeten, indem sich die Schauspieler lässig im Halbrund auf der Bühne sitzend und laut lesend mit dem Text vertraut machten, noch bei den darauf folgenden Stellproben, in denen die Worte der Darsteller in Handlungen gebettet wurden, erwischte sie ein Zipfelchen von dem Glück, das sich angeblich einstellt, sobald man auf den Brettern steht, die die Welt bedeuten.

Sie nahm heimlich an diesen Proben teil. Der Intendant hatte zwar bedächtig mit dem Kopf geschüttelt und Bedenken vorgetragen, aber letztlich eingewilligt. Schließlich konnte man nicht ermessen, welche förderliche Wirkung es für den Kartenverkauf zeitigen würde, wenn man Felicitas' wahre Identität kurz vor der Premiere lüften würde.

Felicitas wollte die Heimlichkeit beenden, sobald sie sicher sein konnte, die Rolle auch tatsächlich zu bewältigen. Andernfalls wäre es unnötig, bei Heinrich die Pferde scheu zu machen. Sie würde das Abenteuer beenden und nie wieder ein Wort darüber verlieren. Heute befand sie sich an dem Punkt, genau dies zu tun – aufzugeben. Sie verpasste zwar keinen Einsatz, befolgte alle Regieanweisungen mit traumwandlerischer Sicherheit und vergaß kein Wort ihres Textes, doch sie spürte, dass sie den Worten kein Leben einzuhauchen vermochte. Sosehr sie sich auch bemühte, es blieben Worte einer Person, die nichts mit ihr zu tun hatte.

»Das gibt sich«, hatte ihre Mutter gemeint. »Du musst ein wenig Geduld mit dir aufbringen.«

Aber das war leichter gesagt als getan. Andererseits hatte der große Max Reinhardt sie vom Fleck weg engagiert, also musste sie ein gewisses Talent besitzen.

Ihr Blick fiel ins Parkett. Dorothee saß still in einer der hinteren Reihen; es war nicht zu erkennen, ob sie die Probe verfolgte oder ins Leere starrte.

Vielleicht hatte sie, Felicitas, sich aber auch durch die Geschehnisse der letzten Monate so sehr verändert, dass ihr Blickwinkel ein anderer wurde und sie sich gegen eine Rolle, die nichts mit dem wahren Leben, ob in Sorau oder São Paulo, zu tun hatte, sperrte. Vielleicht hatte das Theater für sie an Bedeutung verloren, so seltsam ihr dieser Gedanke schien.

»Felicitas, bitte.« Jetzt hatte sie doch den Einsatz verpasst und beeilte sich, ihre Sätze abzuspulen. Der Regisseur neigte den Kopf und lauschte ihrer melodiösen, für eine junge Frau recht dunklen Stimme und nickte ihr zu. »Du fühlst dich noch nicht wohl, Felicitas, und das merkt man. Aber das kriegen wir schon hin.« Er unterdrückte ein Seufzen und fügte an alle gewandt hinzu: »Danke schön, das war's für heute.«

Felicitas nahm ihren Mantel und eilte ins Parkett, froh, dass die Probe vorbei war.

»Hat es dir gefallen?«, fragte sie Dorothee, die artig nickte. Seitdem sie bei Dr. Wischmann in Behandlung war, nahm sie quälend langsam zwar, aber erkennbar wieder am Leben teil. Sie redete immer noch nicht viel, hörte aber immer öfter zu, wenn man mit ihr sprach, und ihre Augen hatten den Schimmer völliger Absenz verloren und hefteten sich aufmerksam auf ihr Gegenüber. Felicitas und ihre Mutter fanden die Methode dieses neuen Zweigs der Medizin, bei der man, auf einer Chaiselongue liegend, seine Träume zeichnete oder schilderte, merkwürdig genug, doch der Erfolg gab ihr Recht. Der Arzt hatte inzwischen anhand der Zeichnungen herausgebracht, dass Dorothee ihre Schwester im Stall gefunden haben musste, in einer Blutlache liegend, das Baby leise atmend zwischen den Beinen. Er vermutete, dass der Schock dieses Anblicks Ursache für ihren Zustand war, und nur eine behutsame Heranführung an das, was geschehen und von ihr ins Unterbewusstsein verdrängt worden war, würde sie ins Leben zurückführen können.

Felicitas wollte ihren Teil dazu beitragen. Jeden zweiten Tag besuchte sie Dorothee in der Contrescarpe, was ihr im Übrigen Gelegenheit gab, das Gefühl des Zuhauseseins auszukosten, ging mit ihrer Cousine spazieren, formulierte gemeinsam mit ihr Briefe an ihre Eltern oder las ihr vor.

Gestern wirkte sie so stabil, dass Felicitas und ihre Mutter übereingekommen waren, dass ein Ausflug ins Theater nicht schaden könnte.

»Hat es dir gefallen?«, wiederholte Felicitas, weil Dorothee nicht geantwortet hatte.

»Ja, sehr«, sagte sie jetzt.

»Lass uns nach Hause gehen und Elfriedes Apfelkuchen vertilgen, einverstanden?«

Dorothee nickte. Sie verließen das Theater und spazierten die wenigen Meter hinüber in die Contrescarpe. Ihre Eltern waren im Theater, aber Heinrichs Mantel hing an der Garderobe. Felicitas' Herz klopfte.

»Heinrich?«

»Ich bin hier«, sagte er und kam aus dem Salon in die Diele. Sein Gesicht wirkte verschlossen.

»Was machst du hier?«

»Nun ja, ich wollte dich überraschen und muss mir von Elfriede berichten lassen, dass du Theater spielst.«

Dorothee sah zu Heinrich, dann zu Felicitas. »Ich gehe in mein Zimmer«, sagte sie leise und verschwand lautlos wie ein Schatten.

Felicitas blickte ihr besorgt nach. Dann sahen sie sich an und schwiegen.

»Ich dachte, du vertraust mir …«, begann Heinrich nach eine Weile.

»Das tue ich auch«, unterbrach ihn Felicitas.

»… doch jetzt bestätigst du Mutters Vorurteile. Sie wird dir und mir die Hölle heiß machen.«

»Hast du davor etwa am meisten Angst? Vor deiner Mutter?«

»Nein, ich habe Angst um unsere Ehe. Ich liebe dich und will, dass wir glücklich sind. Deshalb sollten wir meiner Mutter so wenig Munition wie möglich in die Hand geben. Ich weiß, dass sie nicht besonders nett zu dir ist, aber dies hier wird die Lage nicht verbessern.«

»Du wolltest mich gar nicht überraschen. Du hast es gewusst«, erkannte Felicitas plötzlich und sah, wie der Anflug eines resignierten Lächelns über sein Gesicht huschte.

»Ich kann dir weniger vormachen als du mir. Ja, du hast Recht. Einer von der Presse hat mich angerufen und gefragt, warum du unter einem anderen Namen spielst. Offensichtlich hat einer deiner Kollegen geplaudert.«

»Das wundert mich nicht«, erwiderte Felicitas und zuckte mit den Schultern. »Einige glauben, ich habe die Rolle nur bekommen, weil ich die Tochter meiner Eltern bin. Und sie haben natürlich Recht.« Sie seufzte und begann im Kreis zu laufen, sich auf ihre Gefühle konzentrierend, die sie Heinrich vermitteln wollte. »Jeder schaut mich an und vergleicht mich mit meiner Mutter, und das Resultat fällt gewiss nicht besonders schmeichelhaft aus. Das wäre in Berlin anders gewesen ... Ich weiß nicht, ob ich das aushalten will ... Ich weiß nicht einmal mehr, ob es mir wichtig genug ist.«

Heinrich unterbrach ihren Lauf und nahm sie sanft in den Arm. »Armer Liebling, was für eine verfahrene Situation.«

»Eigentlich brauche ich vor allem eine Aufgabe«, murmelte sie in seinen Gehrock, »etwas, das mich ausfüllt und sinnvoller ist als die Zusammenstellung von Tischordnungen.«

»Vielleicht sind wir ja irgendwann auch mal zu dritt oder zu viert«, entgegnete er zärtlich und strich ihr tröstend über das feine Haar. »Dann hättest du mehr zu tun, als dir lieb wäre.«

9

Du bist dir sicher?«, fragte Helen leichthin und zog sich die Lippen nach. Fünf Minuten mussten reichen, um ihr müdes Gesicht wieder flott zu machen, damit die Elfenkönigin Titania nicht ausschaute wie ihre eigene Großmutter. Gestern Nacht hatte sie eine ganze Flasche Rotwein geleert und sich dennoch schlaflos hin und her gewälzt. Das Ergebnis war ein mimischer Totalschaden, den sie sich nicht einmal auf einer unbedeutenden Stellprobe durchgehen lassen konnte. Felicitas hatte wirklich eine ungünstige Zeit gewählt, sie über ihren plötzlichen Sinneswandel zu unterrichten.

»Ja, ich gebe die Rolle ab.« Felicitas kam sich vor wie auf Besuch, nicht einmal den Mantel hatte sie abgelegt. Das verständnisvolle Gespräch zwischen Mutter und Tochter, wie sie es sich vorgestellt hatte, fand wieder einmal nicht statt.

»Warum?« Die Puderquaste flog über ihr Gesicht, eine gütige milchweiße Schicht über Falten und Augenschatten legend.

»Sie ist es nicht wert, dass ich mir mein Leben mit Heinrich und in dieser Familie erschwere.«

»Und deine Sehnsucht? Mir scheint, du bist recht sprunghaft. Hast du vergessen, dass du vor kurzem inständig darum gebeten hast, etwas Sinnvolles zu tun?« Mit geübtem Schwung verlieh Helen ihren Augenbrauen den spöttischen, eleganten Bogen.

»Ich weiß, aber ...« Felicitas zögerte.

»Aber?« Sie spuckte in ein schwarzes Kästchen, vermischte

Speichel und Farbe, legte den Kopf in den Nacken und übertrug die Farbe mittels eines Kämmchens auf ihre blonden Wimpern, was ihre blauen Augen sensationell funkeln ließ und den Eindruck schlaffer Müdigkeit endlich aus ihren Zügen zwang.

»Es ist für mich nicht so sinnvoll, wie ich dachte. Ich meine, es bedeutet mir nichts mehr, auf der Bühne zu stehen«, fuhr Felicitas leise fort, wohl wissend, dass ihre Mutter ihre Worte wie eine Ohrfeige empfinden könnte. »Ich suche etwas anderes, kann dieses Gefühl aber nicht dingfest machen. Es ist, als würde ich den Anfang des Regenbogens jagen, der aber immer dort ist, wo ich gerade nicht bin. Kannst du mich verstehen?«

»Natürlich, mein Kind.« Vehement fuhr Helen mit der Bürste durch ihr Haar. Sie lächelte ihrem Spiegelbild zu und wandte sich zu Felicitas. »Es tut mir Leid, aber ich muss jetzt wirklich los. Ich sage im Theater Bescheid, wenn du willst. Valentina wird dir unendlich dankbar sein.«

Felicitas grinste schief. »Die zweite Besetzung, die jetzt die erste sein wird. Wenigstens mache ich einen Menschen mit meiner Entscheidung glücklich.«

Helen wickelte sich einen Pelzschal um den Hals und rückte ihn in den Spiegel sehend zurecht. Als ihre Augen die von Felicitas trafen, hielt sie plötzlich inne. Widerstreitende Gefühle spiegelten sich in ihrem Gesicht, und sie zögerte, ihnen mit Worten den Raum zu geben, den sie ihnen beharrlich verweigert hatte. Nicht nachdenken. Nicht dem Wissen folgen, selbst einem Traum aufgesessen zu sein, der sich letztlich als Schimäre erweisen würde, jetzt, da das Publikum begann ihr mit schwindender Schönheit adieu zu sagen, um sich in Stehkinos, die wie Pilze aus dem Boden schossen, wacklige Filmchen mit Klavierbegleitung vom Grammophon anzusehen, lächerliche Geschichtchen von

Kaisern und schneidigen Rosenkavalieren und dämlichen, grotesk geschminkten Gänschen.

Nicht daran glauben, dass sie dafür, dass ihr nun die Liebe der Masse entzogen wurde, damals aufgegeben hatte, was sie wirklich glücklich gemacht hätte. Sie versuchte Gedanken und Bilder zurückzudrängen, doch sie konnte nichts dagegen tun, sich in dem roten Kleid die Treppe in Sorau hinunterschweben zu sehen. Nein, Schluss damit.

Vielleicht würde es ihrer Tochter helfen zu wissen, wie schwer man sich das Leben machen konnte, wenn man nicht aufrichtig zu sich selbst war. Vielleicht. Aber nein, nicht jetzt. Vielleicht nie.

Aufmunternd klopfte sie Felicitas auf den Arm. Das war die einzige Geste, zu der sie in diesem Augenblick imstande war.

Die Tage sprangen zurück in die Routine. Felicitas hatte mit Reitunterricht begonnen und genoss es, der erdrückenden Atmosphäre der Villa zu entkommen, indem sie sich mit Ausrüstung, Haltung und Gangarten, vor allem aber mit den Tieren beschäftigte, deren Sensibilität sie stets aufs Neue beeindruckte und faszinierte.

Sie las viel, ging spazieren, besuchte ihre Eltern und Dorothee und traf sich gelegentlich mit Swantje Petersen, der Tochter des Tabakhändlers Petersen, die sie bei einer Theater-Matinee kennen gelernt hatte und die sich durch eigenwilligen Humor und sympathische Direktheit auszeichnete. Übermütig und vielseitig talentiert, lehnte sie es ab, sich mit einer Heirat auch nur ansatzweise zu befassen. »Eines Tages nehme ich mein Erbe und mache mich auf in ein Land, wo Milch und Honig fließen« lautete ihr Credo, wovon Felicitas zwar nicht überzeugt war, das aber in erfrischendem Gegensatz zum konservativen

Muff stand, der ihr seit der Heirat oft genug den Atem nahm.

Vor allem Désirée ging ihr damit gewaltig auf die Nerven. Sie spielte die hirnlose Gattin des reichen Mannes par excellence und steckte jede Kränkung von Anton scheinbar gleichmütig weg. Nie hatte sie Felicitas gegenüber etwas anderes zu erkennen gegeben als ungetrübtes Glück, nie einen Moment der Vertraulichkeit gesucht, um sich über Anton zu beklagen. Ganz selten huschte ein Zug von Beklommenheit über ihr milchig feines Gesicht.

Auch Ella, auf deren Freundschaft Felicitas gehofft hatte, erwies sich als schwieriger Fall. Die Stunden zwischen den Mahlzeiten verbrachte sie entweder allein in ihrem Zimmer oder außer Haus. Wo sie dann war und was sie tat, behielt sie für sich.

Einmal hatte sie Heinrich darauf angesprochen, doch sein zögernder Kommentar, Ella suche wohl noch ihren Platz im Leben, hatte ihr nur das Gefühl gegeben, dass er dazu durchaus mehr zu berichten wusste, es aber aus geschwisterlicher Loyalität nicht tat.

Sein Wunsch, Dissonanzen innerhalb der Familie zu vermeiden, war für Felicitas' Geschmack ein wenig zu ausgeprägt. Waren sie zwei Abende hintereinander allein in ihrem Flügel der Villa, drängte er darauf, den nächsten mit seiner Mutter zu verbringen. Hing beim Mittagessen eine giftige Bemerkung in der Luft, fing er sie mit einem Lächeln ab und erzählte eine Anekdote aus dem Betrieb. Er hatte stets gute Laune, war liebevoll um Felicitas bemüht, aufrichtig interessiert an ihren Gedanken und schenkte ihr nach wie vor die Geborgenheit, die sie von Anfang an in seiner Gegenwart empfunden hatte. Es war sogar fast unmöglich, einen Streit anzuzetteln.

Bis zu diesem ersten Sonntag im August.

In zwei Stunden würde das traditionelle Trabrennen und damit Felicitas' Feuertaufe als Repräsentantin der reichsten Familie Bremens beginnen. Elisabeth hatte ihr den Ablauf wieder und wieder vorgebetet, sodass Felicitas sich sattelfest genug fühlte. Als Heinrich ihr mitteilte, dass er sie nicht werde begleiten können, änderte sich das schlagartig. Felicitas war entsetzt.

»Es tut mir unendlich Leid, mein Liebling, aber es gibt ein großes Problem. Eine Hamburger Firma versucht uns das Patent streitig zu machen, und all meine Bemühungen, mit den Inhabern zu sprechen, waren bislang vergeblich. Doch vor einigen Tagen erhielt ich einen Brief.« Heinrich lächelte entschuldigend. »Sie schlugen für heute ein Treffen vor. Ich musste zusagen, das verstehst du doch.«

»Nein, nicht im Geringsten! Gestern, vorgestern, morgen, übermorgen, aber doch nicht heute. Du kannst mich nicht allein lassen, das geht nicht!«

»In diesem Fall muss es gehen. Ich bin überzeugt, dass du deine Aufgabe ganz hervorragend meistern wirst. Sie werden dir alle zu Füßen liegen. Selbst die Pferde.«

»Sehr witzig.«

Heinrich seufzte. »Felicitas, hör bitte auf, so eine große Sache daraus zu machen. Worum geht es? Du bist beim Trabrennen dabei, wirst allen Anwesenden vorgestellt, taufst irgendein Pferd auf einen Namen …«

»Vielen Dank. Wenn ich eine Dosis Geringschätzung brauche, war bislang deine Mutter die erste Adresse. Du bist aber auch nicht schlecht«, sagte sie sarkastisch.

»Felicitas, bitte.«

»Begreifst du denn nicht, Heinrich! Es geht nicht um das, was ich da tue. Das würde selbst Désirée hinkriegen. Es geht um die Wirkung, die deine Abwesenheit haben wird. Das Signal an die Leute, das da lautet: Seht her, meine Frau ist mir nicht so wichtig. Was sie tut, ist nicht wichtig. Sie ist nicht wichtig. Verstehst du?«

»Ich finde, du übertreibst.« Er schüttelte verständnislos den Kopf.

»Heinrich, ich habe dich geheiratet und dafür etwas aufgegeben, wodurch ich meine eigene Bedeutung erworben hätte, die nur mit mir zu tun gehabt hätte und nicht mit der Frage, wessen Ehefrau ich bin.« Sie erschrak, als ihr bewusst wurde, was sie gesagt hatte.

»Willst du damit ausdrücken, dass du es bereust?« Heinrich sah sie überrascht und gekränkt an, in ihren Augen nach einer Antwort forschend.

Sie wandte sich ab. »Ich möchte nur, dass du zu mir stehst.« In Gedanken fügte sie hinzu: Und mir die Bedeutung gibst, die ich brauche, um mich nicht nutzlos zu fühlen.

»Das tue ich, Felicitas, in jeder Sekunde meines Lebens. Auch jetzt. Daran wird sich nichts ändern, auch wenn mein Entschluss feststeht, heute nach Hamburg zu fahren.«

Er küsste sie auf die Wange und verließ das Schlafzimmer. Sie hatte sich getäuscht. Sein Wunsch nach Harmonie ging offensichtlich nicht so weit, andere Sichtweisen zu respektieren und sein Verhalten entsprechend zu überdenken. Er macht seinen Stiefel und basta, dachte Felicitas zornig. Gegen diese stählerne Ignoranz kam sie nicht an, nicht in Brasilien, als er sich geweigert hatte, einen anderen Horizont wahrzunehmen als den der Kaffeebarone, und jetzt auch nicht. Die Wut loderte wie eine Stichflamme auf, und Felicitas hätte allzu gerne ein ganzes Kaffeeservice an die Tür geknallt. In ihren Zorn mischte sich jedoch ein plötzliches Begreifen. Diesen Konflikt, den sie schon viel zu lange mit sich herumgetragen hatte, konnte Heinrich nicht für sie lösen. Das konnte nur sie allein. Und es wurde Zeit, den ersten Schritt zu tun.

Sie atmete tief durch, hing das weiße Kostüm, das sie eigens zu diesem Anlass hatte schneidern lassen, zurück in den Schrank und entschied sich für ein rotes, raffinierteres. Mit der Farbe Rot hatte sie schließlich schon einmal einen neuen Abschnitt ihres Lebens markiert.

Sie bestand ihren Parcours tadellos.

Ein leichter Wind hatte die Flagge des Reitclubs gebläht und den herausgeputzten Damen und schwarz-grau gewandeten Herren willkommene Erfrischung zugefächelt. Wettscheine wurden ausgefüllt, Prognosen ausgetauscht, der neueste Klatsch machte die Runde. Ein Fanfarenstoß lenkte schließlich die Aufmerksamkeit aller auf das Podium vor der großen Tribüne, wo der Vorsitzende des Reitclubs sich räuspernd anschickte, eine rustikal-sportliche Begrüßung loszuwerden. Er endete mit einem aufmunternden »Denn man tau« und übergab das Wort an die langjährige Schirmherrin des Trabrennens. Elisabeth lächelte huldvoll, ließ die Geschichte des Bremer Reitclubs, der heute sein fünfzigjähriges Jubiläum feierte, und den Wechsel der Trabrennbahn vom Gröpelinger Wied in die Vahr Revue passieren, immer wieder unterbrochen von respektvollem Applaus.

»Nun ist es an der Zeit, mein Amt jüngeren Händen zu überantworten. Und ich bin der Überzeugung, dass der Vorstand und ich eine gute Entscheidung getroffen haben, wenn wir heute meine Schwiegertochter Felicitas Andreesen als neue Schirmherrin begrüßen.« Elisabeth wandte sich Felicitas zu und klatschte dezent.

Felicitas' rotes Kostüm leuchtete wie ein Strauß frischer Mohnblumen. Lächelnd bedankte sie sich bei Elisabeth und machte eine kleine Pause.

»Allerdings, ich verhehle es Ihnen nicht, habe ich zwei,

drei Momente gezögert, diese ehrenvolle Aufgabe zu übernehmen, denn – ich kann nicht gut reiten.« Ein Raunen ging durchs Publikum, hier und da löste sich ein Lächeln. »Aber nach einiger Überlegung sagte ich mir: Felicitas, eine Schirmherrin muss nicht reiten können, sie muss vor allem dafür Sorge tragen, dass die Geschicke des Reitclubs stets unter einem guten Stern stehen. Und ich bin bereit, genau dies zu tun, mit ganzem Herzen.« Applaus brandete auf. »Dennoch«, schloss sie mit blitzenden Augen und charmantem Lächeln, »probiere ich seit einigen Wochen, mich auf dem Rücken eines lammfrommen Wallachs zu halten. Der Reitlehrer hat schon graue Haare bekommen, aber dem Tier geht es noch gut. So hoffe ich, dass mich bald nicht nur Sie, hochverehrte Gäste, sondern auch die Helden des Trabrennens, die Pferde, als neue Schirmherrin akzeptieren werden.«

Unter tosendem Applaus und einigen begeisterten Pfiffen verließ sie das Podium. Der Vorsitzende des Reitclubs strahlte sie an und schüttelte ihr begeistert die Hand. Selbst Elisabeth rang sich ein anerkennendes Lächeln ab, das Felicitas erleichtert erwiderte.

Drei Stunden und dreizehn Trabrennen später absolvierte Felicitas Teil zwei ihrer Aufgabe und heftete den Siegerpferden hübsche rot-gelbe Papierrosetten an die Trensen, streichelte ihnen über die Blessen und schüttelte den Fahrern die Hände.

Nun begann der gesellige Teil des Tages. In pagodenförmigen weißen Zelten wurden Champagner, Andreesen-Kaffee und Häppchen mit Lachs und geräuchertem Aal gereicht. Riesige Hüte, hohe Zylinder, viel Weiß, perlendes Lachen und fleißiges Bemühen, den Hauch von aristokratischer Noblesse vorzutäuschen, wirkten wie ein plakativ inszeniertes Theaterstück.

Felicitas hatte sich nach einer kleinen Anstandsfrist von der Familie abgesetzt und schlenderte von Zelt zu Zelt, das Kunststück fertig bringend, höflich hier und da zu lächeln, dort zu grüßen, mit älteren Damen ernsthafte Ansichten über das Wetter auszutauschen und Herren jeden Alters mit zwei, drei in die Luft geküssten Sätzen zu beglücken. Felicitas gab eine glänzende Vorstellung, und sie wusste es.

»Dafür, dass Sie das hier völlig unerträglich finden, machen Sie sich verdammt gut.«

Felicitas fuhr herum und begegnete Bernhard Servatius' amüsiertem Blick.

»Ach Sie«, gab sie kühl zurück, innerlich kochend. Was bildete dieser Mensch sich ein, und warum durchschaute er sie immer?

»O bitte, nicht schimpfen«, sagte er lachend und hob die Hände in gespielter Ängstlichkeit. »Nur einmal möchte ich nicht Ihren Unmut herausfordern, sondern in den Genuss des schönsten Lächelns von Bremen kommen. Gewähren Sie mir die Gnade?«

»Nein. Und hören Sie auf, sich lächerlich zu machen.« Sie blickte sich suchend um und sah Swantje Petersen mit ihrer Schwiegermutter reden. »Entschuldigen Sie mich.«

»Was haben Sie eigentlich gegen mich, Felicitas?«

Sie hielt inne und entschloss sich, ihm die Wahrheit zu sagen, damit er sie ein für alle Mal in Ruhe ließ. »Sie sind alles das, was ich keinem anderen wünsche – unberechenbar, laut, respektlos und vermutlich gewalttätig. Ich traue Ihnen nicht einen Zentimeter über den Weg.«

Bernhard legte den Kopf zurück und lachte schallend, sodass einige Leute sich verwundert umsahen. »Sie haben Recht!«

»Seien Sie doch leise«, zischte sie.

»Gehen wir ein paar Schritte?«, flüsterte er. Widerwillig und nur um kein Aufsehen zu erregen nahm sie seinen Arm, winkte Elisabeth und Swantje zu, die ihnen verblüfft nachsahen, und verließ mit ihm das Zelt.

»Eins haben Sie in Ihrer so treffenden Charakterisierung vergessen. Ich mag ein Lump sein, bin meinen Freunden aber äußerst loyal ergeben. Heinrichs Vertrauen würde ich niemals missbrauchen, und deshalb müssen Sie auch keine Angst vor mir haben.« Er lächelte ironisch. »Ich sehe nicht die Frau in Ihnen, sondern gewissermaßen eine Schwester.«

Sie nickte, aber der Hauch von Erstaunen, der auf ihrem Gesicht erschien, entging Bernhard nicht.

»Ihnen kann man aber auch nichts recht machen.«

»Stimmt«, erwiderte sie schnippisch. »Ich bin launisch und geradezu eine Plage, wenn ich mich langweile.«

»Und zurzeit langweilen Sie sich sehr?«

»Ziemlich«, sagte sie lapidar und biss sich auf die Lippen. Es war in Ordnung, höflich zu Heinrichs bestem Freund zu sein, nicht aber, ihn an ihrer Stimmungslage teilhaben zu lassen. »Nur ein wenig«, fügte sie hinzu.

»Vielen Dank!« Bernhard tippte lässig an seinen Hut. »Mir wurden ja schon eine Menge Schmeicheleien an den Kopf geworfen, aber mangelnde Unterhaltsamkeit ist neu.«

»Typisch. Eitle Menschen wie Sie beziehen jedes Wort auf sich. Ich meinte es eher allgemein. Es passiert einfach nichts, was einen aus der Sommerlethargie reißen könnte. Und das Trabrennen wirkt auch nicht gerade inspirierend.«

»Wollten Sie nicht mit ganzem Herzen bei der Sache sein? Wenn ich Ihre brillante kleine Rede richtig verstanden habe …«

»Ach halten Sie doch den Mund«, fiel sie ihm ins Wort. Bernhard lächelte wie ein Raubtier. »Schon gut, schon gut.

Ich weiß, was Sie meinen. Mir ging es auch eine Weile so, genau genommen fast mein halbes Leben lang, weshalb ich häufig, geradezu maßlos, um ehrlich zu sein, Zerstreuung gesucht habe. Mal in London, mal in Berlin. Irgendwann habe ich jedoch begriffen, dass ich nur nicht gelernt habe, richtig hinzusehen.«

»Wie meinen Sie das?«, fragte Felicitas. Ihr Interesse war geweckt. Statt einer Antwort griff Bernhard nach ihrem Arm und zog sie mit sich.

»Kommen Sie, wir unternehmen einen kleinen Ausflug.« Er steuerte durch die Reihen der vor der Trabrennbahn geparkten Automobile auf einen roten Opel mit offenem Verdeck zu und öffnete schwungvoll die Beifahrertür. »Darf ich bitten?«

Felicitas schüttelte den Kopf. »Sie sind verrückt.«

Er lachte. »Mag sein. Aber nicht so verrückt, auch nur eine Sekunde länger dieser Veranstaltung beizuwohnen. Dieses Getue macht mich krank, und Ihnen geht es genauso. Warum also kostbare Zeit mit etwas verplempern, was unzufrieden macht? Sie haben Ihre Pflicht doch zur Genüge erfüllt, oder etwa nicht?«

Sie nickte langsam und kletterte so elegant es ging in das Vehikel. »Wenn Sie mich langweilen, steige ich sofort aus. Und fahren Sie endlich los, sonst überlege ich es mir noch anders.«

Er lachte und reichte ihr galant einen Sonnenschirm. »Wir sollten alles tun, um unerkannt zu bleiben.«

Gelassen warf sie einen Blick auf die rote Seide. »Das ist ja auch ein besonders diskretes Modell. Nein, ich denke, diesen Schirm sollte besser die Dame benutzen, die ihn in Ihrem Wagen vergessen hat.«

Bernhard grinste sie an. »Na dann, bitte festhalten!«, rief er und manövrierte das kleine Auto mit einem Ruck auf die Straße. »Ab jetzt sehen Sie bitte nur nach oben, einfach nach oben. Kümmern Sie sich nicht um Leute und Geschäfte. Sie werden staunen, was Sie plötzlich alles entdecken.«

Folgsam legte Felicitas den Kopf in den Nacken. Während sie fuhren, erklärte Bernhard ihr, was sie sah: malerische Portale aus Klinker und Sandstein, zierliche Balkone mit Ohrmuschel-Ornamentik, Hängebögen und Portaltürmchen der Großen Weserbrücke, den siebzig Meter hohen Turm der Michaeliskirche mit Ziegeln und Terrakotten, den fünfundsiebzig Meter hohen Turm des Verwaltungsgebäudes des Norddeutschen Lloyd mit seiner schier unglaublichen Fülle von Sandsteinreliefs, den zierlicheren Turm der Baumwollbörse, fürstliche Barockfassaden, Renaissance-Bauwerke und klassizistische wie die Kunsthalle am Ostertor, die sich in die sanft hügligen Wallanlagen schmiegte, als hätte der liebe Gott persönlich den Bau entworfen.

Am Domshof hielt Bernhard den Opel kurz an. »Wussten Sie, dass für diesen Brunnen hundertvier Entwürfe vorlagen? Und ausgerechnet den mussten sie nehmen!«

Felicitas betrachtete den Brunnen, an dem sie schon so oft vorbeispaziert war, nachdenklich. Ein nackter Merkur thronte auf einem Schiff inmitten felsiger Meerlandschaft. »Ein bisschen monumental«, sagte sie, verblüfft darüber, dass es ihr erst jetzt auffiel.

Bernhard nickte. »Schade, nicht wahr? An einem anderen Standort käme er weiß Gott besser zur Geltung. Aber ich wollte Sie auf etwas anderes aufmerksam machen.«

»Und das wäre?«, fragte Felicitas versonnen. Während der Fahrt hatte ein seltsames Gefühl von ihr Besitz ergriffen, ähnlich dem, das sie als Mädchen empfunden hatte, wenn sie die Schule geschwänzt hatte. In diesen gestohlenen Stunden schimmerte der Himmel blauer als sonst, roch die

Luft frischer, alles schien intensiver auf sie einzuströmen, wie um sie zu bezaubern und davon zu überzeugen, dass der Sinn des Lebens das Leben selbst war. Nichts zählte mehr in diesem Moment, nicht der unerfreuliche Streit mit Heinrich, nicht die zu erwartende Missbilligung, mit der Elisabeth ihrer Flucht von der Rennbahn begegnen würde, selbst die Tatsache, dass es ausgerechnet Bernhard war, dessen frecher Initiative sie diesen kleinen Urlaub für ihre Seele verdankte, störte sie nicht wirklich.

Langsam wendete Bernhard den Wagen und fuhr Richtung Rathaus. »Sehen Sie die Reiterfiguren vor den Ostportalen? Den Turmbläserbrunnen? Das Bismarck-Denkmal? Oder denken Sie an das Reiterdenkmal für Kaiser Friedrich III.« Er sah sie kurz von der Seite an. »Ohne Franz Schütte gäbe es dies alles nicht. Und ohne Gustav Teichmann auch nicht. Die Stadt verdankt ihre Reichtümer nicht nur, aber vor allem ihren großzügigen Mäzenen.« Bernhard lachte leise und fügte hinzu: »Auch wenn viele Kritiker es wahrlich lieber gesehen hätten, wenn der Kaiser in preußischer Generaluniform und nicht mit nacktem Oberkörper auf dem Streitross gesessen hätte.«

Felicitas lächelte, beeindruckt von seinen sachkundigen, doch amüsanten Schilderungen. »Die Kunst scheint Ihnen viel zu bedeuten.«

Bernhard zuckte lässig mit den Schultern. »Ein wenig.« Schweigend fuhr er weiter, die Obernstraße entlang zum Brill, rechts Richtung Bahnhof und zurück nach Schwachhausen. »Was fehlt, ist die Moderne. Ein ungestümer Geist, der nicht die Vergangenheit feiern will, sondern die Gegenwart. Das Leben.«

»In Rio haben wir wunderbare Gemälde gesehen, die das Land, seine Geschichte und seinen Alltag so wahrhaftig wiedergaben, dass man meinte, hineinspringen und am

Leben der Menschen, ihren Freuden, aber auch ihrem Leid teilhaben zu können. Einige dieser Bilder machten mich nicht zur Betrachterin, sondern zu einem Teil dessen, was sie darstellten. Meinen Sie so etwas?«

»Ja, auch.« Nachdenklich warf er ihr einen Blick zu, den sie nicht zu deuten vermochte. »Ich möchte Ihnen etwas zeigen, Felicitas. Was halten Sie davon, das Atelier eines völlig unbekannten Künstlers zu besuchen?«

Der Nachmittag lag noch vor ihr, und sie verspürte keine Lust, jetzt schon in die Villa zurückzukehren, zumal sie Heinrich nicht vor dem Abendessen erwartete. »Warum nicht? Wenn es sich lohnt.«

»Ich hoffe, das werden Sie mir sagen.«

»Womit beschäftigt sich dieser Künstler?«, fragte Felicitas. Viel Erfolg konnte der Unbekannte nicht haben, jedenfalls nicht, wenn man von dem Viertel, in dessen Richtung Bernhard steuerte, aufs Portemonnaie schloss. In der östlichen Vorstadt wohnten keine reichen Leute, bestenfalls eine Hand voll gutbürgerlicher Familien fühlte sich zwischen Dobben, Lüneburgerstraße und weiter bis nach Hastedt wohl, den ganzen Rest teilten sich Kleinbürgertum und Arbeiter. Die Häuser, schmal, aber stolz und zweigeschossig, bildeten idyllische Straßen und verfügten über gepflegte Vorgärten. Je weiter sie gen Osten fuhren, desto kleiner wurden die Häuser, bis sich die Bebauung schließlich fast verlor. Vor einem Schuppen aus Holz und Steinen stoppte Bernhard den Wagen.

»Da sind wir.« Er stieg aus, öffnete die Beifahrertür und half Felicitas heraus. Dann nestelte er an einem Schlüsselbund und schloss den Schuppen auf.

Felicitas folgte ihm, skeptisch, auf welches Abenteuer sie sich da eingelassen hatte, und blieb überrascht stehen. Der Schuppen bestand aus einem einzigen großen Raum, durch mannshohe Fenster strömte das Licht hinein und malte goldene Streifen auf den Holzfußboden und die weiß getünchten Wände. Überall standen, hingen und lagen Skizzen und wild bemalte Leinwände, es roch nach Ölfarbe, Papier, Leim und feinem Staub.

Wie hypnotisiert ging Felicitas auf ein ovales Gebilde zu, das sich herkömmlicher Bezeichnung entzog, weder eine Skulptur noch ein Relief zeigte. Aus einem suppenterrinengroßen ovalen Feldstein wuchsen hunderte von flachen Steinen, solche, die man mit etwas Geschick über eine Teichoberfläche hüpfen lassen konnte, und bildeten ineinander verschlungene Brücken und Spiralen.

»Das ist unglaublich«, flüsterte Felicitas. »Wer hat das gemacht?«

Sie schaute sich um und entdeckte das Spiralenmotiv in den flüchtigen Skizzen, in einem düsteren, offenbar unvollendeten Gemälde und einer Skulptur, die einen verzweifelten, wütenden Mann darstellte, dessen Körper sich wand wie unter Schlägen, und die ganz und gar aus feinen Gräsern bestand, ein Halm neben dem anderen formte Mimik und Gestik in absoluter Perfektion.

»Das ist unglaublich«, wiederholte Felicitas. »Wunderschön und zerbrechlich auf der einen Seite, roh und brutal auf der anderen.« Sie wies auf die Leinwände. »Ein Spannungsfeld, das einen umbringt, wenn man es nicht in Kunstwerke wie diese leiten kann.« Sie wandte sich Bernhard zu, der die ganze Zeit lässig an der Wand gelehnt, eine Zigarre geraucht und sie beobachtet hatte. Als sich ihre Blicke trafen, keimte ein Verdacht in ihr auf. »Es sind Ihre Werke, nicht wahr?«

Er lachte. »Scharfsinnig wie immer, meine Liebe. Ja, das hier sind meine kleinen Geheimnisse, mein Spannungsfeld sozusagen.«

»Und wann stellen Sie sie aus?«

»Gar nicht. Das bleibt alles hübsch hinter Schloss und Riegel.«

»Aber Kunst ist doch nicht dafür da, in einem Schuppen vor sich hin zu rotten. Sie muss nach draußen, zu den Menschen, am liebsten auf den Marktplatz, damit jeder im Vorbeigehen die Ahnung von einem anderen Leben mitnehmen kann.«

»Hinter der schönen Schale schlägt also ein idealistisches, höchst revolutionäres Herz.«

»Wenn Sie so wollen.« Sein Zynismus perlte an Felicitas ab wie Wasser an einer Ölhaut, denn in diesem Moment stieg eine Ahnung in ihr auf, eine Idee, zart wie gesponnenes Glas, bereit, geformt zu werden.

Wo soll es stattfinden? Brauche ich eine Genehmigung? Was kostet das Ganze? Wer sorgt für die Sicherheit? Wie überzeuge ich Bernhard, seine Werke auszustellen?

Die letzte Frage hatte Felicitas rot unterstrichen.

Sie kaute auf dem Bleistift herum und strich energisch einen Namen von ihrer Liste durch. Auf Thomas Engelke brauchte sie nicht zu setzen. Sie hatte geglaubt, als freischaffender Künstler verfüge er über eine gewisse Erfahrung, was unkonventionelle Konzepte anbetraf, doch auf ihren freundlichen Brief hatte sie heute, zwei Wochen später, die knappe Antwort erhalten, er habe keine Zeit, sie bei ihrem Vorhaben zu unterstützen. Dann eben nicht.

Heinrich trat, sich den Kragen zuknöpfend, vom Ankleideraum ins Schlafzimmer.

»Willst du die Sache nicht doch einfach meinem Adlatus überlassen? Als Frau, selbst als eine Andreesen, könnte es schwierig werden.«

»Dann kann ich es auch ganz lassen«, gab sie unwirsch

zurück, weil er nicht begreifen wollte, wie entscheidend es für sie war, ihre Ambitionen aus eigener Kraft in die Tat umzusetzen.

»Auf die Idee kommt es an, nicht darauf, jedes Detail selbst zu erledigen.« Endlich saß der Kragen. Zufrieden betrachtete Heinrich sich im Spiegel, zog einen grauen Gehrock über das weiße Hemd und die steif gestärkten Manschetten heraus, damit sie die korrekten zwei Zentimeter unter den Ärmeln des Gehrocks hervorlugten. Sein Haar schimmerte leicht. Zum Glück besaß er die Angewohnheit, nur einen Hauch von Pomade zu benutzen, sodass sein braunes Haar einigermaßen natürlich fiel.

Felicitas lächelte. Heinrich wirkte ausgesprochen anziehend auf sie, seine hoch gewachsene, athletische, aber schmale Gestalt weckte in ihr Vorstellungen, die morgens um acht unverschämt deplatziert waren, zumal sie in einer halben Stunde in der Kunsthalle erwartet wurde.

»Schau mich nicht so an«, sagte Heinrich gespielt kühl, »sonst kannst du deine Frisur samt deiner Verabredung mit einem fremden Mann vergessen.«

Felicitas flüchtete kichernd in ihren Teil des begehbaren Kleiderschranks. »Untersteh dich! Dieser Mann ist mir viel wichtiger als du.«

»Wenn du das noch mal sagst, reiche ich die Scheidung ein!«, rief er zurück.

»Wunderbar, dann kann ich mich endlich meinen ausschweifenden Fantasien hingeben.« Felicitas hielt sich ein grau-weiß gemustertes Jackenkleid unters Kinn. »Dieses? Oder«, sie wies auf ein Kostüm mit Schößchen aus schwerer smaragdgrüner Seide.

»Das graue Kleid«, fand Heinrich. »Sieht nicht so pompös aus.«

»Ich will pompös aussehen«, entgegnete sie, hing das grüne Kostüm jedoch wieder auf die Kleiderstange, die sich wenige Monate nach Felicitas' Einzug und ihren ersten Fischzügen bei Bremens besten Schneidern bereits zu biegen begann und vor kurzem verstärkt werden musste.

Heinrich fasste sie an der Schulter, und mit einer eleganten Drehung glitt sie in seine Arme, froh, dass sie den Streit vom Trabrenntag so schnell an den Rand ihrer Erfahrungen drängen konnten, wo er zunächst nicht störte.

Er küsste sie lange. Als sie wieder zu Atem kamen, sagte er: »Lass dich von einem alten Kaffeesack nicht entmutigen. Es ist eine gute Idee.«

Sie löste sich sanft aus seiner Umarmung. »Hoffentlich findet Dr. Meiners das auch.«

Nachdem sie sich voneinander verabschiedet hatten, trank Felicitas rasch einen Schluck Kaffee und zwang sich, trotz ihrer Aufregung ein paar Bissen Brot zu sich zu nehmen. Dann ging sie hinunter in die Halle, schlüpfte leise in ihren Mantel und verließ die Villa, erleichtert, dass Elisabeth ihr nicht in die Quere gekommen war. Seit Felicitas' Flucht von der Rennbahn war ihr Verhältnis bei minus zehn Grad festgefroren, und Felicitas' Pläne würden nicht dazu beitragen, es anzutauen.

Dr. Heribert Meiners, mittelgroß, leichter Bauch, Spitzbart und Seitenscheitel links, hatte einen Teil seines Lebens damit zugebracht, sich aus dem Schatten seines Vaters, des großen Bremer Bürgermeisters, zu lösen. Doch schließlich war es ihm gelungen. Zufrieden saß er an seinem Schreibtisch in der Kunsthalle, blickte gelegentlich auf die Wallanlagen und eine Hand voll spielender Jungs in Matrosenanzügen, die aus Zweigen gebaute Flöße, groß wie zwei Handteller, zu Wasser ließen, und widmete sich wieder seinem Besuch. Seit zehn Jahren trug er die Verantwortung für die Sammlung der Kunsthalle. Akribisch ordnete er die Bestände neu, bereicherte sie durch Neuanschaffungen und organisierte wechselnde Ausstellungen. Er zeigte sich offen für Impressionismus und Neue Malerei und unkonventionelle Ideen, es sei denn, sie erwiesen sich als zu unkonventionell.

»Zusammengefasst wollen Sie mir also sagen, der Künstler wisse noch nichts von seinem Glück, und zudem bestehe sein Werk vornehmlich aus Gräsern und Steinen …«

Felicitas errötete. »Vielleicht habe ich mich falsch ausgedrückt …«

Meiners schmunzelte. »Ich glaube, ich habe Sie ganz gut verstanden. Wissen Sie eigentlich, wie viele so genannte Künstler Schlange stehen, um hier auszustellen? Und bei allem Respekt für Ihre Familie, reiche Damen brauchen einen Zeitvertreib, und Sie sind nicht die Erste, die sich auf die Kunst werfen will. Außerdem«, er räusperte sich verlegen, »ist es in Ihrer Familie nicht gerade Usus, sich um etwas anderes als den Handel zu kümmern.«

»Sie wollen mir also nicht helfen?«

Er lehnte sich zurück und legte die Fingerspitzen aneinander. »Ehrlich gesagt, sehe ich mich außerstande.«

Vielleicht war es wirklich nur eine dumme Idee. Als Felicitas' Zorn verraucht war, musste sie zugeben, dass Dr. Meiners nicht ganz Unrecht hatte mit seinen Einwänden. Besonders die Bemerkung, unter den Andreesens habe es noch nie einen Mäzen, geschweige denn eine Mäzenin gegeben, war nicht von der Hand zu weisen. Wenn sie, Felicitas, mit diesem ungeschriebenen Gesetz brach, musste das Vorhaben der gesellschaftlichen und wirtschaftlichen Stellung der Familie in Bremen entsprechen. Wenn Gustav Teichmann einen Brunnen für viele tausend Mark spendierte, konnte

Felicitas Andreesen nicht mit einer unbedeutenden Ausstellung punkten. Das wäre dilettantisch. Sie würde die Familie und sich selbst der Lächerlichkeit preisgeben.

»Einen schönen Tag noch, Frau Andreesen«, wünschte der Fahrer, als er vor dem Eingang der Villa hielt. »Frau Andreesen?«

»Ja?«, fragte sie geistesabwesend.

»Ich wollte nur sagen, dass Sie mir Glück gebracht haben. Beim Trabrennen. Ich habe zwanzig Mark gewonnen.«

»Das freut mich.« Felicitas nickte ihm freundlich zu.

Sie betrat die Halle und zog sich ungestüm den Mantel aus. Reiten – das war jetzt genau das Richtige. Sie würde sich die kreisenden Gedanken aus dem Kopf galoppieren. Schlagartig hellte sich ihre Stimmung auf, und sie begann, den Rock bis übers Knie gerafft, zwei Stufen auf einmal zu nehmen.

»Guten Tag, Ella«, begrüßte sie ihre Schwägerin im Vorbeigehen, blieb aber stehen, als sie Ellas Miene sah, die noch bedrückter wirkte als sonst. »Was ist los?«

»Ach, nichts«, antwortete sie und ließ den Brief, offensichtlich der Grund ihrer Betrübnis, sinken.

Felicitas ging schulterzuckend weiter. Niemandem in dieser Familie würde sie sich je aufdrängen, und wenn Ella ein Problem hatte, aber keinen Mumm, sich Rat zu holen, dann musste sie wohl oder übel allein damit fertig werden.

»Felicitas?«

Es war wirklich eine Situation, die einem das Leben gründlich versauern konnte, fand Felicitas. Seit einer halben Stunde saßen sie nun in ungewohnter Vertrautheit beieinander. Ella berichtete erst stockend, dann entströmten ihr die Worte. Felicitas hörte zu und staunte, welches Doppelleben ihre Schwägerin in den letzten Monaten geführt hatte, ohne dass ihr Elisabeth auf die Schliche gekommen war.

»Na ja, und jetzt hat der Schuldirektor, dieses aufgeblasene Ekel, Mutter einen Brief geschrieben, in dem er darum bittet, dafür zu sorgen, dass ich mich anderweitig betätige.« Ella lachte unfroh. »Weil ich schließlich nicht qualifiziert sei, Frauen einen wie auch immer gearteten Unterricht zu erteilen.«

»Woher weißt du das?«

Ella wedelte mit dem Brief. »Weil ich ihn abgefangen und geöffnet habe.«

»Was ist mit Peter Gerhard?«

»Er will, dass wir heiraten.«

»Und was willst du?«

Ella zuckte mit den Schultern. »Ich weiß es nicht. Ich liebe ihn, aber …« Sie errötete und blickte zu Boden. »Ich empfinde nicht so … körperlich für ihn. Aber ich bin gern mit ihm zusammen. Ich möchte ihm gern helfen, sein Unternehmen aufzubauen. Mit dem Gewinn könnten wir Karitatives leisten …«

Es klopfte, und gleichzeitig wurde die Tür geöffnet – Elisabeths Art, Höflichkeit zu wahren und trotzdem ihren Anspruch auf Kontrolle zu demonstrieren.

»Hier seid ihr. Wie schön.« Elisabeth wirkte überrascht und tatsächlich erfreut, Ella und Felicitas im Gespräch zu sehen. »Ich wollte euch mitteilen, dass ich beschlossen habe, nächsten Sonntag einen Ausflug mit der ganzen Familie zu unternehmen. Das Ziel ist mein Geheimnis. Wir fahren um zehn Uhr los.«

10

*D*er blaue September-Himmel mit vereinzelten Wolken, die sich aufplusterten wie frierende Vögel im Winter, ließ es ratsam erscheinen, eine dicke Jacke mitzunehmen. Allzu schnell könnten sie in die Moorniederungen herabsinken und sich als Nebel zwischen den von Birken gesäumten Feldern und Wiesen verstecken.

Elisabeth stand auf dem Balkon ihres Schlafzimmers, blinzelte ins Blau und musste über sich selber lächeln. Ein romantisches Abenteuer dieser Art war ihr nicht beschieden gewesen. Abgesehen von den Reisen nach Rom und Wien, die in erster Linie geschäftlichen Interessen dienten, konnte sie die Ausflüge mit Gustav an den Fingern einer Hand abzählen. Immerhin hatte Worpswede zweimal zu den Abstechern vom Alltag, die Gustav mit seiner Pflichterfüllung hatte vereinbaren können, gehört.

Nachdem ihre Jugendideale vom Liebesglück mit Gustav sich in nichts aufgelöst hatten, hatte sie alles darangesetzt, wenigstens jene Zufriedenheit herbeizuzwingen, die Macht und Kontrolle über andere mit sich brachten. Mit straffer Hand hatte sie die Familie geführt, keine Fehler bis auf einen unentschuldbaren geduldet, und verweichlichte Befindlichkeiten aus ihrem Vokabular und dem ihrer Kinder verbannt. Dennoch, ein gemeinsamer Ausflug musste sein, und das idyllische Worpswede bot sich an. Es war weit genug von Bremen entfernt, um ihnen allen genügend Abstand von den Anforderungen ihres täglichen Lebens und den eingespielten Mustern ihres Verhaltens untereinander zu schenken, und bot mit seinen vielfältigen künstlerischen Anregungen zu viel Kurzweil, um sich miteinander zu langweilen.

Ihr Vorschlag, der auf milde Überraschung gestoßen war, entsprang, das gestand sie sich ein, nicht dem Wunsch, an Wärme und Liebe nachzuholen, was durch ihr Zutun versäumt worden war, das war ohnehin unmöglich, sondern dem unbestimmten Gefühl, dass die Fäden ihr aus der Hand glitten.

Zunächst hatte Elisabeth geglaubt, es läge am Alter, doch das war es nicht. Sie fühlte sich sowohl was den Körper als auch den Kopf betraf kräftig und elastisch genug, um es problemlos mit den Jüngeren aufzunehmen. Damit ihre gute Form auch niemandem verborgen blieb, hatte sie sich für ein cremeweiß-weinrot kariertes Kleid mit knapp geschnittener Jacke in tiefem Weinrot entschieden, ein passendes Seidentuch um den Hals gewickelt und die unvermeidliche Perlenkette in der Schatulle gelassen. Ein mutiger Aufzug, vielleicht sogar ein wenig gewagt, aber schließlich würde sie in Worpswede so Gott wollte niemand erkennen, und außerdem ging ihr das ungeschriebene Gesetz, demzufolge Frauen über fünfzig, Witwen zumal, wenn nicht ganz in Schwarz, so doch wenigstens in gedecktem Grau ihr Leben fristen mussten, insgeheim gewaltig gegen den Strich.

Nein, am Alter lag es nicht. Elisabeth musste zusehen, wie die Dinge sich auf eine Weise entwickelten, die ihr nicht gefiel. Anton offenbarte sich immer mehr als eine merkwürdige Mischung aus der Dekadenz des reich Geborenen und einer unterschwelligen Aggression, deren Ursache Elisabeth nach wie vor völlig schleierhaft war.

Ella hatte ihre Bockigkeit zwar weitestgehend abgelegt, schien sich aber unaufhaltsam in einem Zustand schwerster Melancholie zu verlieren. Selbst Heinrich bereitete ihr

Sorgen. Er arbeitete zu lange und ließ Felicitas zu oft allein. Noch schwangen die beiden im selben Takt, doch wie schnell eine solche Situation aus dem Ruder laufen konnte, wusste Elisabeth aus eigener leidvoller Erfahrung.

Felicitas allerdings, das musste sie zugeben, stellte sich keineswegs als so schlechte Wahl heraus, wie sie befürchtet hatte. Ein Diamant, ungeschliffen zwar, aber ein Diamant. Niemand in diesem Hause machte es ihr besonders leicht, sich wohl zu fühlen, nicht einmal der eigene Mann, dessen Harmoniebedürfnis mitunter etwas unmännlich wirkte, wie Elisabeth manchmal schon gedacht hatte. Dennoch schien Felicitas sich ihren Schneid nicht abkaufen lassen zu wollen, bewies Standfestigkeit, eleganten Charme und Persönlichkeit. Irgendetwas in ihr sagte Elisabeth, dass die Familie genau diese Eigenschaften noch brauchen würde. Sie fröstelte. Die Sonne verschwand hinter den Wolken. Hoffentlich würde es nicht regnen.

Weiße, silbrig schimmernde Birken mit Blättern, die im Wind wisperten wie keine anderen, rahmten das im 18. Jahrhundert entstandene Moordorf mit dem bescheidenen Weyerberg, der mehr ein Hügel war, ein. Still und abgelegen, stellte es jene Idylle dar, nach der manche sich ein Leben lang sehnen, während andere ihre Sehnsucht verwirklichen, die Koffer in Berlin, München oder Frankfurt zuklappen und mit Sack und Pack in die Einöde ziehen. Diese Konsequenz besaßen meist nur wahrhaftige Künstler, die ihr Werk schaffen müssen, getrieben von einem inneren Dämon oder liebevoll geleitet von einem Engel. Die einzige Sehenswürdigkeit, bevor die Künstler um Fritz Mackensen das Dörfchen Ende des 19. Jahrhunderts aus dem Schlaf rissen, war die Zionskirche mit dem Rokokoaltar, neben dem ein Wappen mit den Initialen König

Georgs II. von Hannover und England prangte, der 1750 eintausend Taler für den Bau gestiftet hatte. Doch wen interessierte noch das Kirchlein, als die Künstler Pinsel, Paletten und Leinwände ausgepackt hatten und sich ans Werk machten, Gemälde von ergreifender verinnerlichter Schlichtheit zu schaffen? Ihre Werke beeinflussten das Kunstempfinden der Hansestädter und kam einer Strömung entgegen, die den Kunstwert der großen dekorativen Werke der Gründerjahre in Zweifel zog. Es gab nicht nur Kunstausstellungen der Worpsweder in Bremen, einige von ihnen schufen auch die Innendekoration für Wohnhäuser und Schiffe des Norddeutschen Lloyd. Heinrich Vogeler, der Beste von allen, verpflichtete sich dem Jugendstil und gestaltete die Güldenkammer im Alten Rathaus – ornamental, dekorativ, pompös. Das Ausnahmetalent illustrierte Bücher, schrieb bewegende Lyrik, entwarf Möbel, Teppiche, Geschirr und Bestecke.

Felicitas' Vater fand die Jugendstilmalerei Vogelers degoutant, viel zu bourgeois. Ihre Mutter dagegen liebte die Worpsweder Künstler und hatte hin und wieder einige von ihnen zu kleinen Abendessen geladen, die regelmäßig in von ihrem Vater angezettelten lautstarken Diskussionen und wilden Besäufnissen endeten, bis ihre Mutter sich weigerte, je wieder solche Zusammenkünfte unter ihrem Dach zu gestatten, geschweige denn zu initiieren. Einmal mehr fand Felicitas ihre Eltern seltsam. Gemeinhin pflegten Schauspieler lebhaften Austausch mit anderen Künstlern, debattierten kontrovers, aber geistreich. Doch ihr Vater blieb lieber bei seinen vertrauten Kollegen, und ihre Mutter gab es irgendwann auf zu versuchen, mit ihm auf einen Nenner zu kommen.

Später hatten sich ihre Ambitionen erübrigt; Worpswede

war mittlerweile berühmt und Ziel vieler Ausflügler, die zwischen Kaffee und Kuchen ein wenig Kunst atmen wollten. Die meisten Künstler ertrugen die Anwesenheit des Banalen nicht und zogen fort.

Was niemanden der Besucher ernsthaft störte. Hauptsache, man konnte ein paar Andenken erstehen oder womöglich sogar einen erschwinglichen Druck, der sich gut im Gästezimmer machen würde. Vor allem sonntags wurde Worpswede von kunsthungrigen Hansestädtern heimgesucht. Automobile aller Klassen säumten die Gassen des Dörfchens und verstopften die Zufahrt zum Barkenhof, der sich ob des Andrangs in einem Belagerungszustand befand.

Felicitas vermutete, dass die wenigsten, schon gar nicht die Kinder, die bereits jetzt verdrießlich in der Schlange standen und ihre Geschwister an den Haaren zogen, die Kunstweberei von Martha Vogeler sehen wollten. Vielmehr hofften die meisten, dass Heinrich Vogeler in persona ihnen für einen unvergesslichen Moment über den Weg laufen würde, ihnen eine Sonderführung durch sein Werk angedeihen ließ oder, besser noch, sie an der Planung einer seiner nächsten, bis ins Detail durchkomponierten legendären Feste, bei denen alles aufs i-Tüpfelchen passte, teilhaben lassen würde. Was, wie Felicitas wusste, wohl kaum der Fall sein dürfte, da der Künstler sich längst öfter in München aufhielt als in Worpswede.

Elisabeth machte ein Gesicht, als hätte sie auf eine Zitrone gebissen, bemühte sich aber um einen gelassen-heiteren Ton. »Na denn wollen wir mal. Ich bin zuversichtlich, dass sich dieser Volksauflauf binnen kurzem aufgelöst hat.« Aufmunternd sah sie der Reihe nach Heinrich, Felicitas und Ella an, die sich daraufhin ins Unvermeidliche schickten und aus dem Wagen kletterten. Keiner verspürte die geringste Lust, sich nach der zweistündigen Autofahrt in die stetig wachsende Schlange einzureihen.

Désirée und Anton, die mitsamt einem gigantischen Proviantkorb in einem nagelneuen Zweisitzer hinterhergefahren waren und neben dem Mercedes parkten, blieben missgelaunt sitzen.

»Da kriegen mich keine zehn Pferde rein«, murmelte Anton.

»Wenn sie Elisabeth heißen, dann schon«, flüsterte Désirée ironisch, unterdrückte ihr Kichern aber, als Elisabeths Blick sie traf.

»Ich bin nicht schwerhörig, Désirée, und ganz sicher zwinge ich niemanden, sich einem Kunstgenuss hinzugeben, wenn ihm der Sinn dafür abgeht. Schade.« Abrupt wandte sie sich ab, überquerte langsam den Platz und reihte sich in die Warteschlange ein, eine zierliche Gestalt, die in der Entfernung zerbrechlich und müde wirkte. Das weinrote Kleid verlor sich im Rot der Backsteine.

Felicitas warf Heinrich einen Blick zu, und wortlos setzten sie sich in Bewegung.

Als sie endlich ins Innere des Hofes vorgelassen wurden und sich schlagartig mit düsteren Gemälden hohläugiger Frauenporträts konfrontiert sahen, fuhr Felicitas zurück. Der Mangel an Licht und Farbe in den Bildern und die bedrängende Anwesenheit von Verstörung und Verzweiflung waren kaum zu ertragen, doch gleichzeitig so bewegend, ergreifend, dass ihr die Tränen in die Augen stiegen. Elisabeth warf ihr einen schnellen Blick von der Seite zu.

»Man ist fasziniert und abgestoßen von Paula Modersohn-Becker«, sagte sie. »Es ist, als würde sie ihren frühen Tod vorausahnen.«

»Ich finde die Bilder entsetzlich«, erwiderte Heinrich. »Das mag ganz große Kunst sein, aber mal ehrlich: Wer will sich diese freudlosen Geschöpfe über den Kamin hängen?«

»Ich entsinne mich, dass du die angeblich schönen Worpsweder den farbenfrohen Brasilianern vorgezogen hast«, entgegnete Felicitas.

»Aber doch nicht diese hier. Ich meine Künstler wie Vogeler.«

Elisabeth schüttelte den Kopf. »Das ist ignorant, mein Sohn. Die Werke von Paula Modersohn-Becker sind wohl kaum dafür gemacht, welchen Salon auch immer zu zieren. Sie sind Ausdruck eines Schicksals und einer Haltung, wenngleich ich sie auch nicht sonderlich schön finde. Aber das sollen sie auch nicht sein.«

»Wer zwischen den Pinselstrichen lesen kann, entziffert vielleicht noch die Aussage, wie ungerecht Frauen in der Kunst behandelt werden«, mischte sich eine ältere Besucherin ein, die ihr Gespräch mit angehört hatte. Unwillig maß Elisabeth die Frau von Kopf bis Fuß, konstatierte billigen Kleiderstoff und abgetretene Schuhe und schwieg peinlich berührt. »Sie wurden und werden ignoriert oder bekämpft«, fuhr die Frau ungerührt fort und sprach in den Raum, als wollte sie alle Anwesenden zum Zuhören zwingen. »Ihre Ehemänner geben ihre Werke für die eigenen aus, die Gesellschaft ächtet sie. Und kaum jemand hält es für nötig, ihnen Respekt zu zollen, geschweige denn Hilfe anzubieten.« Sie nickte den Andreesens zu und ließ sich von dem Besucherstrom wegtreiben.

Felicitas starrte der Frau nach. Die Erinnerungen drängten jäh und machtvoll in ihr Bewusstsein und fügten sich zusammen mit den Worten der Unbekannten und den vagen Gefühlen, die der Besuch in Bernhards Atelier in ihr ausgelöst hatte, zum Fundament einer Idee, die sich schon bald zu einer Vision verdichten sollte.

»Meine Güte, was für eine seltsame Person«, murmelte Elisabeth und blickte ihr kopfschüttelnd hinterher.

Sie setzten ihre Besichtigung fort, wurden es aber bald müde, sich zwischen den vielen Menschen durchzuschieben und verbrauchte Luft einzuatmen. Als sie zu den Wagen zurückkehrten, hatten Anton und Désirée sich nicht einen Meter von der Stelle gerührt, stattdessen eine Flasche Wein aus dem Proviantkorb geöffnet und zur Hälfte geleert. Désirée hing gelangweilt in ihrem Sitz und hielt ihr Gesicht in die Sonne. Anton warf Karten in die Luft und versuchte sie mit dem Mund aufzufangen, was ihn wie einen gestrandeten Karpfen aussehen ließ.

»Ein Bild vollkommener Harmonie«, spottete Ella. Ihre Miene ließ keinen Zweifel daran, dass dieser Ausflug ihretwegen ruhig hätte ins Wasser fallen können. Gespannt beobachtete sie, wie ihre Mutter auf Antons Provokation reagieren würde, doch diese tat ihr nicht den Gefallen, die Unternehmung vorzeitig abzubrechen. Mit eiserner Heiterkeit gab sie den Befehl zum Durchhalten. »Wir picknicken auf der Wiese hinter dem Haus.« Anton schleppte den Picknickkorb, Heinrich zwei Wolldecken und Ella und Felicitas teilten sich die Krocket-Ausrüstung. Niemand verspürte wirklich Lust, die dicken Kugeln mit bauchigen Holzschlägern durch kleine Torbogen aus Draht zu treiben, doch die germanische Volksversion des britischen Cricket sollte ein wenig englisches Flair verbreiten, das Elisabeth so schätzte. Im Schatten einer mächtigen Eiche hatten sie die Decken ausgebreitet, Hühnerbeine und Kartoffelsalat auf Wedgwood-Porzellan verteilt und bis auf gelegentliche Bitten um Salz, Brot oder noch etwas Wein schweigend verzehrt. Schließlich verteilten sie die Tore auf der Wiese und überließen sich träge dem Spiel und den eigenen Gedanken. Pock. Pause. Pock. Pause. Pock. Das dumpfe Geräusch der auf die Holzkugeln treffenden Schläger bildete den Pulsschlag dieses Nachmittags.

Nach einer Weile legte Felicitas den Schläger hin. »Vielleicht ist es jetzt etwas ruhiger im Hof. Wenn ihr nichts dagegen habt, sehe ich mir noch einmal einige Skulpturen genauer an.« Sie gab Heinrich einen Kuss, und bevor er etwas erwidern konnte, lief sie bereits über die Wiese, froh, dass niemand sie begleiten wollte.

Im Barkenhof eilte sie ohne einen Blick für die Kunstwerke von Zimmer zu Zimmer, doch die unbekannte Frau war nirgends zu finden. Enttäuscht ging Felicitas zurück zum Picknickplatz.

Die Gasse war schmal, so schmal, dass ihr Körper die glatten, kühlen Wände berührte. Sie lief schnell und immer schneller, die Wände schienen sich ihr zuzuneigen, bis sie plötzlich lautlos zur Seite kippten und den Blick freigaben auf eine dunstverhangene Ebene. Rote Erde und braune Leiber mischten sich mit Bildnissen leidender Frauen, das Grün der Palmen wurde überströmt von frischem Blut, aus dem üppige Rosen sich entfalteten, auf deren Blütenblättern goldene Figuren, halb lachend, halb schreiend, tanzten und verschwanden, sobald sie sich ihnen näherte. Dann kamen sie zurück und zogen sie mit sich in ein Kaleidoskop wirbelnder Farben, welche sich spiralförmig zum Himmel wanden, und riefen ihr etwas zu, was sie verzweifelt bemüht war zu verstehen.

Seit Wochen verfolgte und ängstigte dieser Traum Felicitas. Seine Intensität und die Regelmäßigkeit, mit der er sie heimsuchte, gaben ihr aber zugleich das Gefühl, dass dies kein hysterisches Gewitter aus Herz und Hirn war, sondern eine Botschaft, von woher auch immer. Wenn Träume Aufschluss über die Vergangenheit geben konnten, warum nicht auch über das Hier und Heute, vielleicht sogar das Morgen?

Es war fünf Uhr, zu früh zum Aufstehen. Sie kuschelte sich an Heinrichs Rücken, atmete seinen Duft ein, und eine Welle der Liebe durchströmte sie. Nach ihrem Streit hatten sie zu dem wortlosen Gleichklang zurückgefunden, der ihre Ehe von Beginn an bestimmt hatte und naturgemäß die Gefahr barg, in gleichgültigem Schweigen zu enden. Doch Felicitas fühlte tief im Innern, dass das Schicksal sie davon verschonen würde, zumal ihre Körper stets eine eindeutige Sprache fanden, ihre Liebe auszudrücken und zu erfrischen. Ihre Sehnsucht, einander zu berühren und sich selbstvergessen ineinander treiben zu lassen, war mächtiger als je zuvor. Oft liebten sie sich im Morgengrauen und sanken danach zurück in einen kurzen, zärtlichen Schlaf. Dennoch erschien es ihr zuweilen seltsam, wie wenig Neigung sie verspürte, ihn an ihren Gedanken teilhaben zu lassen. Sie hatte ihm weder von der brasilianischen Figur erzählt, die sie zwischen ihrer Wäsche versteckte, gelegentlich in die Hand nahm und betrachtete, ohne ihr Geheimnis zu ergründen, noch, dass die Worte der Frau im Barkenhof etwas in ihr ausgelöst hatten, das sie noch nicht erfassen konnte. Sie gab nichts preis von den unbestimmten Gefühlen, die in ihr kämpften, und nichts von diesem merkwürdigen Traum. Alles schien auf rätselhafte Weise miteinander in Verbindung zu stehen, doch wie sollte sie etwas formulieren, das gerade dabei war sich zu formen? Nein, nichts davon würde sie Heinrich erzählen, zumindest jetzt noch nicht. Mit dem Jawort hatten sie sich schließlich nicht zugleich uneingeschränkten Zugang in ihre Seele zugestanden. Es war, wie es war, und es war gut, wie es war.

»Wir eröffnen heute den Freimarkt«, sagte Heinrich in die

Stille und drehte sich erwartungsvoll zu Felicitas um, früher Schalk in den morgenschweren Augen.

»Wir?«

»Ja, wir, du und ich und der Bürgermeister.«

Hellwach setzte Felicitas sich auf. Freimarkt, das war wunderbar. Freimarkt, das war die fünfte Jahreszeit im Herzen der Hansestädter, ein Meer von Lichtern und Farben, ein spätsommerlicher Gruß an die Lebensfreude, bevor der Herbst sich über die Stadt senkte. Selbst der sprödeste Bremer steckte eine Nelke ins Knopfloch und machte sich auf, sich den Magen mit Zuckerwatte und Liebesäpfeln, Würstchen und Schaschlik, Bier und Brause zu füllen, um ihn sich in der Schiffsschaukel und auf dem hohen Rücken von Haberjahns Pferden endgültig zu verrenken. Erst war das Spektakel auf dem Marktplatz angesiedelt, doch als sich Bude um Bude dazugesellte, hatten die Stadtobersten Anfang des 19. Jahrhunderts beschlossen, das Treiben auf den Liebfrauenkirchhof, Domshof, Domsheide, die Wallanlagen und das Bahnhofsgebiet zu verlegen. Weil die Karusselle immer größer wurden, konnte jedoch die Sicherheit der Bürger in der Stadt nicht mehr gewährleistet werden, sodass man den Grünenkamp in der Neustadt und die benachbarten Straßen zum festen Schauplatz des Freimarktes wählte.

Felicitas liebte den Freimarkt. Als sie zehn Jahre alt war, hatte ihr Vater ihr den Verboten ihrer Mutter zum Trotz fünf Mark gegeben und ihr erlaubt, die abenteuerliche Welt der Schausteller allein zu betreten und sich von den bunten Lichtern und betörenden Gerüchen verzaubern zu lassen. Drei Mark hatte sie wieder mit nach Hause gebracht; vor lauter Schauen und Staunen war sie außerstande, das Geld auszugeben. Hundert Lebkuchenherzen mit rosa Zuckerguss, die an grün und rosa schimmernden

Bändern hingen, waren das Paradies, ein einzelnes war nur ein schwacher Abglanz. Deshalb hatte sie nur einen Scherenschnitt ihres Profils erstanden und ihn wie einen Schatz nach Hause getragen. Weil sie das Vertrauen ihres Vaters nicht missbraucht hatte, durfte sie von diesem Jahr an immer allein auf den Freimarkt gehen. Sie fuhr allein Karussell, lernte quietschrote Papierrosen zu schießen, kaufte Lose über Lose, ohne je »Freie Auswahl« zu gewinnen und damit eins der hübschen Püppchen, die sie gewählt hätte, wenn Fortuna ihr gesonnen gewesen wäre. Später unterhielt sie sich gern mit den Schaustellern über ihre Reisen und ihr fahrendes Leben, streifte zwischen den Wagen umher, die als rollende Wohnungen dienten und zum Teil gemütlich, zum Teil aberwitzig dekoriert waren. Freimarkt, das war Felicitas' einsames Abenteuer, das sie nie mit jemandem geteilt hatte.

Um elf Uhr trafen sie sich mit dem Bürgermeister Dr. Pauli am Riesenrad. Die roten Kabinen schaukelten beängstigend im leichten Septemberwind, eine Blaskapelle spielte »Alte Kameraden«, und zu hunderten hatten sich die Bremer eingefunden, um zu hören, mit welchen Worten Dr. Pauli ihnen dieses Mal den Freimarkt übergeben würde. Es waren fast die gleichen wie jedes Jahr mit dem Unterschied, dass die Familie Andreesen einen großen Kaffeeausschank zum Vergnügen beigesteuert hatte, was Dr. Pauli begeistert betonte. Die Menge klatschte, Heinrich winkte, und Felicitas lächelte.

Wie gern hätte sie sich davongestohlen, um den Zauber auf ihren gewohnten einsamen Wegen durch das Labyrinth der unzähligen Buden zu finden. Sie stand neben dem Riesenrad, ihre Hand auf dem eiskalten Gestänge der unteren Verstrebung, und beobachtete, wie der Wind mit den Haaren der Frauen spielte, hier einen Hut, dort einen

Schal mit sich nahm, Staub hochwirbelte und Papierfetzen tanzen ließ. Die Worte des Bürgermeisters drangen wie durch einen Watteschleier zu ihr, zunehmend leiser. Sie merkte nicht, wie besorgt Heinrich sie beobachtete. Wie von einer dünnen Membran umhüllt, fühlte sie sich getrennt von dieser Zeit und diesem Ort und reiste zurück in die Vergangenheit, sah sich als Kind durch die damals sehr engen Gassen wandern, aufmerksam und ziellos, Karussell fahren und sich fest an die Zügel der Holzpferde klammern, dem Gefühl hingegeben, die Welt würde an Konturen verlieren und nur sie selbst bliebe übrig und wäre alles, worauf sie sich wirklich verlassen könnte. Sie sah sich von der alten zahnlosen Frau die Handlinien lesen, sah, wie die Schere des Papierkünstlers über den grauweißen Karton wirbelte, sah sich im Zelt der Boxer in die vordere Reihe drängen und an den Knien der Umstehenden vorbei atemlos wieder ins Freie jagen und sich tausendundeiner Impression ausgesetzt, die sie elektrisierend durchdrangen, bis Körper und Kopf summten und brummten.

Und ganz sacht, von ganz fern und tief unten begann das Wissen sie zu durchströmen. Endlich bekam alles einen Sinn. Das Widerstrebende fügte sich ins Naheliegende, das Unmögliche ins Mögliche, das Nichtgedachte ins Kühne. Das Meer ihrer Ängste teilte sich und machte ihrer Bestimmung Platz.

»Ich habe Dr. Pauli eingeladen, in unserem Kaffeehaus einen Imbiss mit uns einzunehmen. Kommst du?«

Felicitas erwachte aus der anderen Welt und sah sich benommen um. Sie fühlte unbändige Lust, sich zu schütteln und die Verzweiflung der letzten Wochen von sich zu werfen wie ein Hund den Regen. Stattdessen strahlte sie Heinrich an und nahm seine Hand.

»Gern.«

Prüfend sah er in die blauen Augen, die von innen erleuchtet schienen. »Geht es dir gut? Ich hatte vorhin den Eindruck, dass du mit deinen Gedanken weit weg warst, zu weit, um dich je wieder zu erreichen.«

»Ja, ich war ein wenig abwesend. Die Rede von Dr. Pauli war wirklich nicht sonderlich mitreißend. Ich glaube, ihm geht der Sinn für den Freimarktspaß etwas ab.«

»Ach was, das liegt nur daran, dass er seine Worte so wählen muss, dass ihm die Journalisten sie nicht im Munde umdrehen. Er befürchtet stets, nicht richtig verstanden und falsch zitiert zu werden, mithin seine Beliebtheit einzubüßen. In Wirklichkeit ist er ganz umgänglich, du wirst schon sehen.«

Die Menge, wild entschlossen, sich nicht einen Tropfen von dem Freikaffee durch die Lappen gehen zu lassen, den Heinrich jedem versprochen hatte, der bis Mittag Punkt zwölf seine Bestellung aufgegeben hatte, folgte ihnen auf dem Weg zu Andreesens Kaffeeausschank. Sprachlos blieb Felicitas stehen. Heinrich hatte keinen gewöhnlichen Ausschank bauen lassen, sondern einen orientalischen Pavillon, der mit niedrigen achteckigen Tischen und dazu passenden fein geschnitzten Stühlen ausgestattet war. An den Wänden hingen bunte Mosaik-Repliken, die zeigten, wie Frauen, die Salome oder Scheherazade heißen mochten, Sultanen und Großwesiren dampfenden Kaffee kredenzten.

»Ich muss schon sagen, lieber Andreesen«, meinte Dr. Pauli verblüfft, »ungewöhnlich, höchst ungewöhnlich.« Er nahm sich einen Stuhl, befingerte unschlüssig die Rückenlehne und setzte sich mit einiger Mühe. »Bequem, durchaus. Obwohl sie wirklich nicht so aussehen.«

»Gefällt es dir, Prinzessin aus dem Morgenland?«, murmelte Heinrich Felicitas zu, die jedes Detail musterte, als wären sie auf das »Sesam öffne dich« gestoßen. Sie war zutiefst überrascht, wie viel Fantasie und Mut zum Unkonventionellen ihr Ehemann aufgebracht hatte, und fühlte den letzten Stein von ihrem Herzen plumpsen. Er würde sie unterstützen, ganz gewiss, auch wenn ihr Plan verrückt sein mochte.

»Es ist märchenhaft, geliebter Sultan«, flüsterte sie augenzwinkernd zurück. Sie hätte ihn gern geküsst, aber Dr. Pauli musste bei Laune gehalten werden. Sie würde seine Hilfe in absehbarer Zeit brauchen. Mit einem charmanten Lächeln wandte sie sich dem spitzbärtigen Bürgermeister zu. »Wie mögen Sie Ihren Kaffee am liebsten, Dr. Pauli?«

Eine kühne Idee, tollkühn, aber nicht unmöglich. Sie, besser gesagt Heinrich konnte das erforderliche Geld gewiss aufbringen. Und hatte er nicht auch einmal gesagt, die Kunst sei wichtig, Brot für die Seele? Oder war es Bernhard gewesen? Egal. Sie würde ihren Ehemann überzeugen, und hatte sie ihn für die Sache gewonnen, würde sie auch andere überzeugen.

Nach dem Mittagessen war Heinrich wieder ins Büro gefahren, was Felicitas köstliche Stunden schenkte, sich ihrer Vision, und das war es zweifelsfrei, hinzugeben und das Bild, das aus ihrem Innern aufstieg, zu vervollkommnen.

Ein Park der Kunst, der Magie, der Lichter, des Skurrilen würde es werden, eine Anderswelt mit offenen Ateliers, in denen gearbeitet wurde, mit Ausstellungen internationaler Kunst, die fremde Chiffren und Zeichen in die Hansestadt brachten und Verständnis weckten über alle Grenzen hinaus. Eine Begegnungsstätte und Talentschmiede mit Restaurants, Cafés, einer kleinen Theater- und Varietébühne, auf der ohne Zensur experimentiert werden durfte. Mit einem Debattierclub für Philosophinnen und einer Werkstatt für Instrumentenbauerinnen. Ein Park für die Kunst von Frauen, einzigartig im ganzen Reich und in ganz Europa.

Der letzte Gedanke brachte Skepsis mit und die Frage, die schon viele gute Ideen zu Fall gebracht hatte: Wer war sie denn eigentlich, sich so etwas zuzutrauen? Doch mit erwachtem Selbstbewusstsein drehte sie die Frage einfach um. Wer war sie denn, sich so etwas nicht zuzutrauen? Sie war intelligent, verfügte über Beziehungen und war in der Lage, strukturiert zu denken. Und sie glaubte an diesen Stern, der ihr Universum so unvermittelt erhellt hatte. War es nicht vor allem dies, der unbeirrbare Glaube an sich, der Menschen von jeher die Kraft verliehen hatte, aus einer Eingebung eine Handlung zu gestalten, die am Ende zum Ziel führte?

In den nächsten Tagen war Felicitas kaum ansprechbar und ständig unterwegs. Sie plünderte die Bibliothek ihrer Eltern zu deren größtem Erstaunen, entlieh in der Stadtbibliothek Standardwerke über Kunst von der Antike bis zum Impressionismus, las und las und machte tausend Notizen auf riesigen Papierbogen, die sie in der Druckerei des *Bremer Kuriers* nach vielen Wenn und Aber hatte erstehen können. Sie streifte durch die Kunsthalle und machte dem Vorsitzenden des Kunstvereins schöne Augen, um ihm zu entlocken, wo es weibliche Talente zu entdecken galt, die ihr Leben noch unterm Deckel männlicher Kunstvorherrschaft fristen mussten. Sie erstellte Listen mit Namen derer, die sie brauchte, um eine offizielle Genehmigung der Stadt und des Senats zu bekommen, und solcher, deren fachliche, vielleicht auch moralische Unterstützung sie benötigen würde. Sie stopfte sich mit Informationen voll wie eine Weihnachtsgans.

Vor allem aber ging sie spazieren und ließ sich mit der Elektrischen in Gegenden tragen, die sie nie zuvor betreten hatte. Welche Straße, welche Gasse, welches Gebiet war hübsch und zentral gelegen oder wenigstens bequem zu erreichen? Ein Park für die Kunst von Frauen nützte niemandem, wenn er zu weit vor den Toren Bremens lag. Und im Herzen der Stadt war es schlechterdings unmöglich, ihren Plan zu verwirklichen. Zu schmal die Gassen, zu viele Menschen, die dort Haus und Hof besaßen.

Die Standortfrage entschied über Erfolg oder Misserfolg und bereitete ihr deshalb erhebliches Kopfzerbrechen. Ihre Eltern um Rat zu fragen, fand Felicitas nicht angebracht. Ihre Mutter war zu kühl und zu skeptisch für so ein Unternehmen, und ihr Vater würde ihr Geheimnis womöglich ausplaudern. Bernhard Servatius würde gewiss eine gute Idee auf Lager haben, zumindest war er unkonventionell genug, gegen den Strich zu denken, aber selbst wenn er ihr beim Trabrennen eine andere Seite seines Charakters gezeigt hatte, blieb er doch ein Hasardeur, dem sie ihr Vertrauen ganz bestimmt nicht schenken würde. Und Heinrich wollte sie ja erst einweihen, wenn der Plan fix und fertig war, um ihn zu beeindrucken und ihm möglichst wenig Angriffsfläche zu bieten. Sie musste sich auf sich selbst verlassen.

Stolz blickte sie auf die Unmenge von Büchern und Notizen, die in säuberlichen Stapeln, thematisch geordnet, den roten Isfahan in ihrem Zimmer fast völlig bedeckte. An der Wand hatte sie vier aneinander geklebte Bogen aufgehängt, die das Grundgerüst des Parks zeigten. Jeden Nachmittag holte sie ihr Material aus einer großen messingbeschlagenen Eichentruhe, breitete es auf dem Teppich aus und ergänzte es um neue Informationen und Ideen. Bevor sie zum Tee in den Wintergarten ging, packte sie es sorgfältig zusammen und verstaute es wieder in der Truhe. Marie hatte sie verboten, die Truhe zu öffnen, doch zur Vorsicht deckte sie das Material noch mit ihrem Brautkleid zu und legte einen Zettel darauf mit den Worten: »Finger weg, Marie!« Außerdem tat sie ein Haar von ihr zwischen Deckel und Wand. Ein Vorhängeschloss wäre die einfachste Lösung gewesen, aber das hätte nur unnötigen Verdacht erregt.

Felicitas saß im Schneidersitz inmitten ihrer Bücher, trank eine Tasse heiße Schokolade und betrachtete nachdenklich ihre Zeichnung an der Wand. Wo in aller Welt sollte sie die Volkstänzerinnen unterbringen?

Sie hatte von einer interessanten Truppe älterer Frauen gehört, die in Mythen und Legenden nach traditionell weiblichen Tänzen forschte, um sie zu rekonstruieren und zu neuer Blüte zu führen. Die Frauen brauchten Platz, um die Schritte einzustudieren, was sie aber keinesfalls auf einer Bühne tun wollten, sondern unbedingt in der Natur.

Felicitas zog die Stirn kraus und kaute auf ihrem Bleistift herum. Sie fuhr zusammen, als es klopfte. Elisabeth war ausgegangen. Anton und Désirée besuchten sie nie. Ella?

»Moment«, rief Felicitas, doch da öffnete sich bereits die Tür, und ein Bukett roter Rosen schob sich schüchtern durch den Spalt.

»Darf ich?«, fragte Heinrich, senkte den Strauß und lächelte sie an.

Während sie fieberhaft überlegte, wie sie das Kunststück fertig bringen sollte, ihn von den Papierstapeln abzulenken, flog sie ihm in den Arm, pikste sich an den Rosen und flüsterte atemlos: »Wie schön … Ich habe dich noch gar nicht erwartet …«

»Es ist so ein herrlicher Tag. Ich habe mich aus dem Büro geschlichen, um mit dir auszufahren.« Liebevoll sah er ihr in die Augen, doch natürlich entging ihm das geordnete Chaos in ihrem Zimmer nicht. »Was ist das?«

»Nun ja …«, begann Felicitas zögernd, erwog blitzschnell tausend Schwindeleien und verwarf sie wieder. Jeder Moment ist der richtige, wenn die Idee richtig ist, fuhr ihr mit einem Mal durch den Kopf, und sie zog ihn zu ihrer Chaiselongue. »Bitte setz dich. Es ist nämlich so …«

Einmal vom Zügel gelassen, galoppierten ihre Worte davon, als hätten sie nur darauf gewartet. Mit Leidenschaft, Kraft und Tempo entwarf Felicitas ihren Plan vor Heinrich, erläuterte ihre Zeichnung und erklärte ihm das Konzept, das sie aus der Fülle an Material destilliert hatte. In ihren aquamarinblauen Augen glomm ein Feuer, das Heinrich faszinierte und ihm eine völlig neue Seite von Felicitas offenbarte. Er hörte zu, ohne sie ein einziges Mal zu unterbrechen, und Felicitas spürte, dass er das Wesen ihres Plans begriffen hatte, und auch, welche Bedeutung er für sie besaß.

»Nun, was denkst du?« Gespannt und erwartungsvoll sah sie ihn an.

Er nickte nachdenklich. »Du wirst den Senat und einen Haufen einflussreicher Leute von deiner Idee überzeugen müssen. Ein Spaziergang wird das nicht werden.«

»Ich weiß. Das ist aber nicht die entscheidende Frage«, erwiderte sie und sah ihm unverwandt in die Augen. »Ich brauche deine Unterstützung, moralisch wie finanziell. Wenn ich den Kunstpark alleine auf die Beine stellen will, wird es Jahre dauern, die erforderliche Summe zusammenzubetteln. Und abgesehen davon, wie würde das ausschauen, wenn ich mir Mittel von anderen Bremer Kaufleuten und Banken besorge, während sich die Andreesens vornehm zurückhalten? Nein, der Park soll ein Andreesen-Projekt sein. Andere spendieren der Stadt Brunnen und Gemälde, wir schenken ihr eine andere Welt. Denk doch nur, welche Wirkung das über die Landesgrenzen hinaus haben wird. Die Menschen werden zu tausenden Bremen besuchen, hier Quartier beziehen, hier ihr Geld lassen – und Kaffee trinken.«

Heinrich lachte und hob abwehrend die Hände. »Schon gut, schon gut, ich ergebe mich.« Doch sogleich wurde er ernst. »Es ist ein wunderbarer Plan. Aber dir ist klar, dass dabei der Name der Familie auf dem Spiel steht, nicht wahr? Aus dem Grund wird es auch nicht einfach sein, meine Mutter mit ins Boot zu holen. Sie hat einen untrüglichen Instinkt für Details. Das heißt, die Planung und die Finanzierung müssen absolut wasserdicht sein, und dafür fehlt dir das Wissen.« Felicitas wollte aufbegehren, doch er fuhr fort: »Ich werde dich unterstützen, aber mir fehlt die Zeit, mich intensiv damit zu befassen. Deshalb schlage ich vor, du holst dir einen Berater an die Seite, dem du vertrauen kannst und der etwas von solchen Sachen versteht. Bernhard wäre genau der Richtige. Er hat einiges von der Welt gesehen und in London an der Anlage eines großen Parks mitgearbeitet. Er hat Ideen und jede Menge Kontakte zur Kunstszene.«

Felicitas runzelte die Stirn. Ausgerechnet Bernhard.

»Du weißt doch von seinen künstlerischen Ambitionen. Du bist die einzige Frau, der er je sein Atelier geöffnet hat.«

»Mag sein, aber er ist und bleibt ein windiger Typ, auch wenn er dein Freund ist«, beharrte sie. »Und außerdem ist er ein Mann. Ich will einen Kunstpark für Frauen gestalten.«

»Aber auf dem Weg wirst du an den Männern dieses Landes nicht vorbeikommen. Es wäre von Vorteil, wenn du dir von Bernhard helfen lassen würdest. Schau mal, Frauen haben doch noch nicht einmal das Recht zu wählen! Du wirst mit Verhandlungspartnern konfrontiert sein, die sich schlichtweg weigern werden, mit einer Frau, und sei sie noch so charmant, Gespräche dieser Tragweite zu führen. Bernhard könnte als Unterhändler fungieren.«

Sie seufzte. »Wahrscheinlich hast du Recht. Ich überlege es mir.«

Eine Weile schwiegen sie, während der jeder seinen Gedanken nachhing.

»Wie willst du vorgehen?«

»Als Erstes muss ich ein geeignetes Grundstück finden. Dann informiere ich die Bürgermeister. Ich hoffe nur, dass der Plan nicht ruchbar wird. Was meinst du, muss ich Konkurrenz fürchten?«

Heinrich brach in schallendes Gelächter aus. »Nein, ich glaube nicht. Auf diese Idee kommt außer dir kein Mensch!« Er holte die goldene Taschenuhr von Gustav, die er seit dessen Tod bei sich trug, aus der Westentasche, klappte sie auf und nickte. »Halb fünf. Was hältst du davon, noch ein wenig durch die Gegend zu fahren? Vielleicht stoßen wir unterwegs zufällig auf genau den Flecken Erde, der darauf wartet, ein Kunstpark zu werden.«

Verflixt noch mal, jetzt hatte sie endlich einen Termin bei Dr. Pauli und Dr. Marcus, und sie saß im Rathaus vor der Kloschüssel. Felicitas fror. Der November war in diesem Jahr ungewöhnlich kalt. Die Köchin der Andreesens servierte traditionsgemäß deftige Eintöpfe als Vorspeise, die einem gehörig einheizten, doch heute hatte sie es mit dem Meerrettich in der Kürbiscremesuppe wohl etwas übertrieben.

Allmählich beruhigte sich ihr Magen, und sie stand auf, um sich den Mund zu spülen und den Schweiß von der Stirn zu tupfen. Das fahle Licht in dem Toilettenraum verlieh ihrem

Teint eine gelbliche Blässe. Sie fand, sie sah einfach grauenhaft aus. Aber schließlich sollen die Herren nicht mein Aussehen bewundern, sondern meine Ausführungen, dachte Felicitas, ordnete ihr verklebtes Haar so gut es ging und marschierte entschlossen los in den ersten Stock, ihre Mappe mit den Zeichnungen und der doppelten Ausfertigung ihres Konzepts fest unter den Arm geklemmt.

Leutselig, aber mit kaum verhohlener Überraschung segelten die Bürgermeister mit fliegenden Rockschößen auf sie zu, höflich bot der eine Felicitas den Arm, während der andere eine einladende Bewegung in sein Amtszimmer machte, das so groß war, dass man dort mit Blick auf Marktplatz und Roland hätte Federball spielen können.

Auf einem niedrigen kleinen Biedermeiertisch schnaufte ein silberner Samowar vor sich hin, Dominosteine und Mürbeteigplätzchen verströmten intensives Vanillearoma, das vergeblich gegen den Muff aus kaltem Zigarrenrauch, dem Angstschweiß politischer Gegner und dem Staub alter Brokatvorhänge in dem dunkel möblierten, wichtigsten Raum Bremens ankämpfte.

Die Bürgermeister nahmen auf zwei ausladenden Ratsherrenstühlen Platz, Felicitas überließen sie ein mit blaßgrün gestreiftem Chintz bezogenes Sofa. Sie plauderten ein wenig über das Wetter und wie schnell Weihnachten wieder vor der Tür stehen würde, bis Felicitas es nicht mehr aushielt.

»Sie wundern sich sicherlich ein wenig über meinen Besuch«, sagte sie charmant und ließ ihre Augen blitzen, »aber ich wüsste nicht, wen ich in einer solchen Situation um Rat bitten sollte, wenn nicht Sie.« Geschickt machte sie eine kleine Pause, schlug dann ihre Mappe auf und sagte strahlend: »Es fällt mir leichter, wenn ich es Ihnen anhand einiger Darstellungen erläutern kann.« Sie entnahm der

Mappe Zeichnungen und Notizen, die sie auf Karton geklebt hatte, und sah sich suchend um. Die Anrichte neben
dem Sofa war genau richtig. »Darf ich?« Ohne eine Antwort abzuwarten, schob sie eine Zigarrenkiste und eine
Obstschale aus Bleikristall, auf der ein feiner Staubfilm
lag, beiseite und stellte die Schaubilder darauf, teilweise an
die Wand, teilweise an ein Porträt des Kaisers Wilhelm II.
gelehnt. »Wenn Sie Ihre Stühle ein wenig herumrücken,
können Sie besser sehen.«
Folgsam korrigierten die Bürgermeister ihre Position. Dr.
Pauli nahm seinen Zwicker ab, putzte ihn und setzte ihn
umständlich wieder auf, mit der Nase zuckend wie ein Ka-
ninchen. Dr. Marcus saß stocksteif da und zwirbelte seinen Spitzbart noch spitzer. Die Situation war ihm sichtlich
suspekt.
»Also …«, sagte Felicitas heiter, obwohl ihre Knie zitterten und ihr der Schweiß ausbrach. Sie zwang ihre Stimme in das souveräne Bühnentimbre, das sie gelernt hatte,
atmete in den Bauch und deutete auf die erste Tafel. »Was
könnte die Menschen dazu bewegen, eine Stadt wie Bremen zu besuchen und ihr Geld hier auszugeben, wenn
eine ungleich größere Stadt wie Hamburg sozusagen gleich
um die Ecke liegt? Nur etwas ganz Besonderes. Eine Attraktion, die es nirgendwo im Deutschen Reich gibt –
nicht in Hamburg, nicht in Lübeck, nicht einmal in Berlin …«
Felicitas redete sich warm und erläuterte Tafel für Tafel
schlüssig und wortgewandt ihr Konzept.
»Drei Gebiete sind besonders geeignet für die Umsetzung
des Vorhabens«, sagte sie und deutete auf die letzte Tafel,
die eine Karte von Bremen und drei markierte Flächen
zeigte. »Der Stadtwald, das Blockland und der Lehester
Deich. Der Stadtwald gehört der Stadt und liegt natürlich

außerordentlich zentral, doch auch das Blockland und der Lehester Deich wären mit Autos und Kutschen gut erreichbar. Die Eigentumsverhältnisse sind weitestgehend geklärt. Wir hätten es mit drei Grundbesitzern zu tun, die sich aber nach Erfahrungen meines Mannes durchaus kooperativ anstellen sollen.«

»Diese Gebiete liegen alle im Norden der Stadt«, wandte Dr. Marcus ein.

»Ja, weil ich davon ausgehe, dass die meisten Besucher aus dem Süden des Landes anreisen werden und so durch die Stadt fahren müssten. Das bedeutet, sie würden auch anhalten, ein Essen zu sich nehmen oder etwas kaufen. Läge der Park im Süden, würden sich die Besuche möglicherweise auf den Park beschränken, und das wäre nicht ganz in unserem Sinn.« Beide Bürgermeister nickten. »Damit Sie meine Ausführungen noch einmal nachlesen können, habe ich Ihnen zwei Ausfertigungen mitgebracht«, sagte Felicitas abschließend und reichte beiden jeweils ein Exemplar.

Dr. Marcus betrachtete das geheftete Bündel Papier, das auf seinem Schoß lag, wie eine Zeitbombe, die jede Sekunde hochgehen konnte. Felicitas sah die beiden Männer gelassen an, obwohl ihr Herz raste. Schließlich brach Dr. Pauli das Schweigen.

»Frau Andreesen, dies ist ein bemerkenswertes Vorhaben …«

»Aber schwierig, sehr schwierig«, fuhr Dr. Marcus dazwischen. »Vor allem die Einschränkung, der Park sei nur für Frauen gedacht, wirkt gelinde gesagt etwas eigenwillig.«

»Wenn natürlich die Familie Andreesen als Mäzen auftritt, sehe ich gewisse Möglichkeiten. Sie stimmen mir zu, Dr. Marcus?«

Dr. Pauli warf seinem Kollegen einen Blick zu, den Felicitas nicht zu deuten vermochte.

»Wir werden darüber beraten«, sagte Dr. Pauli und stand auf.

Felicitas nickte zufrieden. Mehr konnte sie zunächst nicht erwarten.

Sie verstaute ihre Schaubilder in der Mappe, ließ sich in den Mantel helfen und verabschiedete sich. Auf dem Weg in die Halle fühlte sie, wie ihr Magen erneut begann Alarm zu schlagen. Eigentlich wollte sie nur noch nach Hause, aber sie hatte ihrem Vater fest versprochen, einen Kaffee mit ihm zu trinken. Seitdem sie mit den Planungen beschäftigt war, hatte sie sich in der Contrescarpe kaum noch blicken lassen, und das schlechte Gewissen plagte sie schon eine ganze Weile.

Felicitas beschloss, den Weg zu Fuß zu gehen. Durch die Wallanlagen brauchte sie höchstens zehn Minuten, und die frische Luft würde ihr nach diesen eineinhalb Stunden olfaktorischer Zumutung sicher gut tun.

Kurz vor der Bischofsnadel rettete Felicitas sich zum ersten Mal hinter einen Baum, auf Höhe der Contrescarpe Nr. 40 ein zweites Mal. Als sie ihr Elternhaus erreichte und Elfriedes aufmerksamem Blick begegnete, in dem sich satte Zufriedenheit und drängende Neugier mischten, begriff Felicitas, dass der Meerrettich wohl doch nichts mit ihrem Zustand zu tun hatte.

11

Das Leuchten, das Heinrichs Züge erhellt hatte, nachdem Felicitas ihm gesagt hatte, dass sie ein Kind erwarte, die Freude, die ihre Eltern und selbst Elisabeth immer wieder aufs Neue zum Ausdruck brachten, waren, wenn sie es recht bedachte, das Schönste an ihrer Schwangerschaft. Den Rest konnte man sich wirklich schenken.

Felicitas stand vor ihrem Kleiderschrank und sortierte ungehalten aus, was ihr nicht mehr passte. Für die trapezförmigen Monster von Umstandskleidern war ihr Bauch noch nicht rund genug, doch die schicken, auf Taille geschnittenen Kostüme kamen im fünften Monat auch nicht mehr infrage. Nur das Graue saß noch einigermaßen, war aber eindeutig zu dünn für den frostigen Februar, der heute eine trügerische Sonne übers Land schickte.

Seufzend nahm sie eins der dunkelblauen Umstandskleider vom Bügel und schlüpfte hinein. Prüfend betrachtete sie sich im Spiegel. Ihr Haar glänzte, doch ihre Haut wirkte müde. Kein Wunder, schließlich hatte sie wochenlang unter heftigen Übelkeitsattacken gelitten. Professor Becker hatte ihr Obst und Gemüse und einen stärkenden Kräutertrunk verschrieben, dessen Geruch allein sie schon ins Badezimmer trieb. Als ihr Magen sich im vierten Monat endlich mit der Situation abgefunden zu haben schien, jetzt zwei ernähren zu müssen, hatte der Hausarzt eine Infektion diagnostiziert, und, um Mutter und Ungeborenes zu schützen, strengste Bettruhe verordnet. Die Bediensteten liefen auf Zehenspitzen durchs Haus, Elisabeth persönlich brachte ihr mittags die extra für Felicitas zubereitete Schonkost ans Bett, und selbst die Pferde schienen gedämpfter zu wiehern, um sie nicht zu stören. Felicitas kam sich vor wie eine Kreuzung aus einer Porzellanpuppe und einer Zuchtstute. Allerdings, das musste sie zugestehen, gaben sich fast alle Familienmitglieder größte Mühe, sie aufzuheitern.

Heinrich brachte ihr jeden Tag Blumen und ein kleines Geschenk mit, war an den Abenden bei ihr, erzählte Anekdoten aus dem Betrieb und machte Vorschläge, wie sie das Kinderzimmer einrichten könnten; nachts legte er ihr schützend seine Hand auf den Bauch.

Ella besuchte sie häufig am Vormittag und hatte Felicitas in ihren Plan eingeweiht, eines Tages politische Vorträge zu halten, und las ihr sogar einige ihrer ersten Entwürfe vor, die sie zur Tarnung in eine Erstausgabe von Goethes *Wahlverwandtschaften* geklebt hatte. Am meisten freute sich Felicitas über Dorothees Besuche. Ihre Cousine hatte sich prächtig erholt und war, seitdem sie Klavierunterricht bei einem jungen Orchestermusiker der Bremer Sinfonie nahm, kaum wiederzuerkennen. Nur manchmal und aus heiterem Himmel huschte ein dunkler Schatten über ihr weiches, zartes Gesicht. Dann nahm Felicitas ihre Hand, und so saßen sie eine Weile in stillem Einvernehmen beisammen. Über Sorau sprach Dorothee niemals.

Nur von ihrem Vater, der wesentlich häufiger als ihre Mutter den Weg in die Parkallee fand, hörte Felicitas gelegentlich, dass man sich Verenas Briefen zufolge auf dem Gut einigermaßen arrangierte. Carl hatte einen neuen Trakehner Hengst gekauft und kümmerte sich fast nur noch um die Pferde, während Sergej sich der Bewirtschaftung der Felder angenommen hatte. Der kleine Alexander schien Verenas ganze Freude zu sein. Während ihre Schilderungen sonst eher mager ausfielen, beschrieb sie ihren Enkel begeistert als robust, freundlich und wissbegierig.

Felicitas hätte gern gewusst, ob Dorothee nicht ihre Heimat vermisste, die Weite der Landschaft und die Ruhe der Seen, ob sie sich nach einer Umarmung ihrer Mutter und ihrer Schwester sehnte, doch sie traute sich nicht, das Thema anzuschneiden.

Zu Felicitas' größtem Erstaunen verging kaum ein Tag, an dem Désirée nicht ihren Kopf in die Tür steckte und neckisch fragte: »Willst du das Allerneueste hören?« Bewaffnet mit köstlichen Keksen und Pralinen von der Andreesen-Konkurrenz aus der Obernstraße, setzte sich ihre Schwägerin dann mit Schwung auf ihr Bett und servierte den neuesten Klatsch und Tratsch. Gestern hatte sie statt der Süßigkeiten die neuesten Schnittmuster für die Frühjahrssaison ausgebreitet und hin und her überlegt, welche davon sie sich in Moiré und welche in Seide würde schneidern lassen. Als sich kurz ihre Blicke trafen, rollte Désirée mit den Augen.

»Ach verzeih, ich bin ja so dumm. Du denkst an diese schrecklichen Zelte, die du demnächst tragen musst. Aber weißt du, mit ein bisschen Reiten hast du deine alte Figur bestimmt in null Komma nichts wieder.«

Felicitas hatte schweigend die Seiten weitergeblättert. Eine Frage drängte sich ihr auf die Lippen, mit der sie Désirée vielleicht zu nahe treten würde, aber sie wollte es wissen.

»Möchtet ihr nicht auch irgendwann Kinder haben?«

Mit allem hatte Felicitas gerechnet, aber nicht damit. Ein feines ironisches Lächeln umspielte Désirées Mund, und drei Sekunden betrachtete sie Felicitas, als würde sie prüfen, wie viel sie von sich preisgeben durfte, dann antwortete sie leise und mit einem spöttischen Unterton, den Felicitas ihr niemals zugetraut hätte: »Nein, danke. Solange sich

Anton nicht dramatisch ändert, denke ich gar nicht daran, meine Figur und meine Zukunft von einem Baby ruinieren zu lassen.«

»Und wie … ich meine, wie verhinderst du das?« Allein der Gedanke, dass es solche Möglichkeiten geben könnte, erschien Felicitas verwegen.

»Na ja, es gibt in Bremen die eine oder andere sachkundige Frau …«, erwiderte Désirée gedehnt und beugte sich vor, als hätten die Wände in Felicitas' Zimmer Ohren. »Man bekommt einen ekligen Trank, und zwei Tage später bist du es los. Wenn du dir das ersparen willst, nimmst du eine Art Schwämmchen …« Sie senkte ihre Stimme, bis sie kaum mehr war als ein Wispern. »Das musst du vorher einführen, du weißt schon. Da kommt nichts durch, was ein Kind machen kann.« Désirée schwieg einen Moment und sah Felicitas verschwörerisch an. »Wenn du interessiert bist, sag mir Bescheid.«

»Nein, nein«, hatte Felicitas abgewehrt. »Danke, aber nein.«

Als wäre nichts von Belang gewesen, war Désirée zu den Schnittmustern zurückgekehrt und hatte sich schließlich mit einem vertraulichen Zwinkern verabschiedet und mit dem Zusatz: »Das bleibt unter uns, nicht?« Kichernd war sie verschwunden und hatte Felicitas einigermaßen erstaunt zurückgelassen. So viel kühle Berechnung hätte sie Désirée, die doch stets die kleine Naive gab, gar nicht zugetraut. Andererseits, wie klug war Désirées Schachzug wirklich? Kinder schützten in erster Linie die Mütter. War die Nachfolge in den Familien gesichert, konnten die Frauen darauf vertrauen, nicht verstoßen oder durch eine Mätresse ersetzt zu werden.

Plötzlich lachte Felicitas unfroh. Für die Nachfolge hatte sie zu sorgen, die Frau des Erstgeborenen …

Sie legte die Hände auf ihren Bauch. Von überbordenden Muttergefühlen hatte sie bislang nur gelesen, sie selbst spürte keinerlei Verbindung zu dem kleinen Wesen, das da in ihr heranwuchs, außer gelegentlichen Anflügen von Ärger, den sie, da sich sofort ihr schlechtes Gewissen meldete, unterdrückte, so gut es ging. Sie ärgerte sich über ihren schwächlichen Zustand und darüber, dass, seitdem sie schwanger war, nichts anderes mehr zu zählen schien.

Die Herren Pauli und Marcus hatten einen Brief geschickt und »die Angelegenheit mit Rücksicht auf Ihren Zustand bis auf weiteres vertagt«, wie es hieß. Als ob sie krank wäre oder wie eine Elefantenkuh erst in eineinhalb Jahren niederkommen würde.

Doch sie dachte nicht daran, aufzugeben. Im Gegenteil.

Sie kniff sich in die Wangen, um die Blässe zu vertreiben, nickte ihrem Spiegelbild zu und verließ ihr Zimmer. Am Treppenabsatz wurde ihr schwindlig und sie zwang sich, langsamer zu gehen und tiefer zu atmen, bis das Schwächegefühl wieder verging.

Bernhard erwartete sie bereits im Wintergarten und sprang auf, als Felicitas näher kam. Besorgt sah er in ihr blasses Gesicht, lächelte aber erfreut, als er ihren aquamarinblauen Augen begegnete.

»So schnell lassen Sie sich nicht unterkriegen, nicht wahr?«

»Sie haben es erfasst«, erwiderte sie und reichte ihm die Hand. Sie war sich keineswegs sicher, ob Heinrichs Rat, seinen Freund einzubinden, und ihr Entschluss, dies jetzt tatsächlich zu tun, ihre Pläne vorantreiben würden. Aber es war das Einzige, was sie im Moment tun konnte, um zu verhindern, dass Pauli und Marcus Gras über die Sache wachsen ließen, um es zu gegebener Zeit selbst abzufressen und den freigelegten Schatz für sich und in ihrem Sinne zu reklamieren. Garantiert würde auf diese

Weise der Anteil der Künstlerinnen auf ein Minimum reduziert, wenn sie überhaupt noch an dem Kunstpark beteiligt würden. Nein, niemand sollte sich mit ihren, Felicitas', Federn schmücken und Schafwolle daraus spinnen. Selbst wenn sie dafür einen Mann wie Bernhard um seine Hilfe bitten musste. Nach wie vor weckte er höchst widersprüchliche Gefühle in ihr, doch der Zweck heiligte die Mittel.

Ohne Umschweife begann Felicitas ihren Plan zu erläutern, welche Vorarbeit bereits getan war, wie die Bürgermeister auf ihren Vortrag reagiert hatten und welche Rolle sie Bernhard zugedacht hatte.

»Sie haben allen Ernstes die Anrichte leer geräumt und den beiden alten Aktenträgern Papptafeln unter die Nase gehalten? Das ist großartig!« Bernhard lachte schallend.

Felicitas runzelte die Stirn. »Was hätte ich denn sonst tun sollen?«

»Nun ja, Sie hätten einen Beraterstab um sich scharen können, der ein lupenreines Dossier …«

»Was ich gesagt habe, war lupenrein!«

»… angefertigt hätte, was durch einen der Familie geneigten Senator ins Gespräch gebracht worden wäre. Das wäre aller Wahrscheinlichkeit nach von mehr Erfolg gekrönt gewesen als der Überfall einer, mit Verlaub, noch recht jungen Dame.«

Felicitas winkte ab. »Mag sein. So etwas hat Heinrich auch angedeutet. Doch ich denke nicht daran, mich hinter irgendwelchen Senatoren zu verstecken.«

»Aber der Sache wäre ein solcher Schachzug gewiss dienlicher gewesen.« Süffisant lächelnd beugte er sich vor. »Es sei denn, es geht Ihnen nicht nur um die Sache, sondern auch darum, es selbst durchzuboxen. Mithin die Lorbeeren selbst zu kassieren.«

Wütend funkelte Felicitas ihn an. »Sie müssen mir nicht helfen, ich bin weiß Gott nicht auf Sie angewiesen.«

»Ich habe nicht gesagt, dass ich Ihnen nicht helfen werde«, gab er gleichmütig zurück. »Nur erwarten Sie nicht von mir, dass ich mich wie ein Claqueur benehme. Ich erkenne einen gesunden Egoismus, wenn ich ihn sehe, und ich benenne ihn auch so. Im Übrigen habe ich eine Schwäche für aussichtslose Abenteuer.«

Felicitas wusste nicht, ob sie ihm einen Tee anbieten oder ihn zum Teufel wünschen sollte. Doch Bernhard war der Familie Andreesen verpflichtet, wenn sie auch nicht wusste, auf welcher Grundlage dieses seltsame Bündnis beruhte, und deshalb sprach mehr für ihn als für jeden anderen Bremer Architekten. Sie biss in den sauren Apfel.

»Alles, was ich von Ihnen will, ist eine unkonventionelle Gestaltung des Parks und seiner Gebäude. Erschaffen Sie eine andere Welt, verwunschene Gärten, in denen sich Skulpturen verstecken, Labyrinthe und meinetwegen verspiegelte Flussläufe. Ich brauche Modelle, etwas zum Anfassen, damit man im Rathaus begreift, dass ich trotz anderer Umstände nicht gedenke den Plan aufzugeben. Den Rest überlassen Sie mir.«

Nachdem Bernhard gegangen war, merkte Felicitas, wie sehr sie das Gespräch angestrengt hatte. Sie hatten gefochten, zwei ebenbürtige Gegner, die sich nichts schenkten, doch sie hatte gewonnen. Zwar hatte sich Bernhard mit einem sibyllinischen »Ich werde darüber nachdenken« verabschiedet, aber Felicitas wusste, dass es nicht dabei bleiben würde. Er hatte Feuer gefangen, das hatte sie in seinen Augen gesehen, und fast wider Willen empfand sie tiefe Vorfreude bei der Vorstellung, welche außergewöhnliche Architektur aus seiner Feder fließen würde, so fein und filigran und voller Überraschungen wie seine Kunstwerke, zu denen er ihr in einer sentimentalen Anwandlung Zugang gestattet hatte. Kein Zweifel, seine Mitarbeit an dem Kunstpark würde eine große Bereicherung sein.

Sie erhob sich und begann die Kissen aufzuschütteln, um die Spuren ihrer Anwesenheit und damit offenkundigen Bettflucht vor Elisabeths Rückkehr zu verwischen, als die Tür geöffnet wurde.

»Ich habe dir ein wenig Ingwer mitgebracht, Felicitas. Wie ich sehe, meinst du, dass es dir besser geht. So viel besser, dass du bereits Herrenbesuch empfangen kannst.« Elisabeth stellte ein Päckchen auf den Tisch und wartete.

»Vielen Dank«, entgegnete Felicitas. »Ja, ich denke, ich sollte mich allmählich wieder den Dingen des Lebens zuwenden statt zuzusehen, wie mir langsam die Decke auf den Kopf fällt.« Sie lächelte harmlos, doch Elisabeth erwiderte das Lächeln nicht. Sie setzte sich Felicitas gegenüber in den Sessel, in dem kurz zuvor Bernhard gesessen hatte, und betrachtete ihre Schwiegertochter wie eine Katze die Maus. Felicitas wusste nicht, worauf das zweite Spiel dieses Nachmittags hinauslaufen sollte, doch sie war entschlossen, es ebenso für sich zu entscheiden wie das erste. Sie blieb bei ihrem Lächeln und schwieg, bis die Sekunden zäh wie Ahornsirup verrannen. Schließlich war es Elisabeth, deren Frage die Stille durchschnitt.

»Möchtest du mir etwas sagen, mein Kind?«

»Nein, nicht dass ich wüsste. Für den Ingwer habe ich mich ja bereits bedankt«, antwortete Felicitas leichthin, ahnend, wohin der Hase laufen sollte, Heinrich für seinen Gehorsam verfluchend und wissend, dass sie sich dieser Inquisition jetzt nicht entziehen konnte außer durch einen Ohnmachtsanfall.

»Schade, dass du so wenig Vertrauen zu mir hast«, begann

Elisabeth und machte eine Pause, als hoffte sie, Felicitas würde ihr ersparen zu sagen, was sie sagen musste. »Heinrich hat mir von deinem Plan erzählt, und ich muss zugeben, er nötigt mir einen gewissen Respekt ab. Allerdings gefällt mir dein eigenmächtiges Handeln überhaupt nicht. Mit Dr. Pauli und Dr. Marcus zu sprechen, ohne dass ich davon in Kenntnis gesetzt, geschweige denn um Erlaubnis gebeten werde, ist eine Anmaßung, die dir nicht zusteht.« Felicitas fuhr hoch, doch Elisabeth ließ sie nicht zu Wort kommen. »Bleib sitzen, und halte an dich. Ich bin noch nicht fertig. Ist dir eigentlich klar, dass ich solange ich lebe Mitspracherecht habe bei dem, was in diesem Haus und in dieser Firma geschieht? Aber gut«, fügte sie in sanfterem Ton hinzu, »ich erkenne deine Tatkraft an und habe Heinrich gesagt, er möge dir ein Konto einrichten, über das du verfügen kannst, sobald das Baby gesund auf die Welt gekommen ist. Hast du mich verstanden? Wenn du das Leben des Kindes gefährdest, kannst du deinen Plan vergessen.«

»Es ist nicht nötig, mich an meine Pflichten zu erinnern«, entgegnete Felicitas schneidend. »Und schon gar nicht in diesem Ton. Ich bin es allmählich leid, mich von dir herumkommandieren und unfreundlich behandeln zu lassen. Wenn du dir Sorgen um das Baby machst, kannst du das zur Abwechslung ja auch mal freundlich äußern, ohne mir gleich ins Gesicht zu springen. Aber dazu bist du offensichtlich nicht imstande. Kein Wunder, dass niemand in dieser Familie Lust hat, um des schönen Scheins willen mit dir Ausflüge nach Worpswede oder sonst wohin zu unternehmen. Du tust mir Leid, Elisabeth.« Felicitas stand auf und nickte ihrer Schwiegermutter zu. Bevor sie den Wintergarten verließ, drehte sie sich um. »Und was den Kunstpark anbelangt, lass dir eins gesagt sein: Ich werde ihn verwirklichen. Ob mit oder ohne euer Geld.«

Felicitas fegte aus dem Wintergarten und riss ihren Waschbärmantel von der Garderobe. Sie brauchte frische Luft, um ihren inneren Aufruhr zu betäuben. Und das Baby vermutlich auch, dachte sie und musste unwillkürlich lächeln. Zum ersten Mal hatte sie instinktiv an ihr Kind gedacht, daran, es vor den Giftpfeilen in seiner Umgebung zu schützen. Wozu ein Streit doch gut sein konnte! Ihrer Stellung in der Familie und ihrem Plan hatte sie jedoch zweifellos geschadet. Dennoch bereute sie kein einziges Wort, im Gegenteil. Lange genug hatte sie gute Miene zum bösen Spiel gemacht, immer wieder einen Pflock zurückgesteckt mit Rücksicht auf Heinrich. Dabei hielt er es nicht einmal für nötig, sie über die wahren Entscheidungsbefugnisse im Hause Andreesen in Kenntnis zu setzen. Sie fühlte sich getäuscht und gedemütigt, doch gleichzeitig entfaltete sich in ihr die Erkenntnis, dass es wahr war, was sie Elisabeth spontan entgegengeschleudert hatte. Sie würde es schaffen, mit oder ohne Unterstützung der Familie. Felicitas wusste nicht, woher sie dieses Wissen schöpfte, aber es belebte sie, als hätte sie in Champagner gebadet.

Nachdem sie den Park umrundet und durch die Ställe geschlendert war, kehrte sie erfrischt und mit rosigen Wangen in die Villa zurück, bereit, den Kampf fortzuführen. Sie hörte Heinrich und Elisabeth im Wintergarten angeregt plaudern, verspürte aber nicht die geringste Lust, ihren Mann zu begrüßen. Leise schlich sie durch die Halle. Ihr Blick fiel auf das Messingtablett am Fuß der Treppe, auf dem die Post abgelegt wurde. Ein elfenbeinfarbenes Kuvert erregte ihre Aufmerksamkeit, und als sie den Absender entziffert hatte, atmete sie tief durch. Diese Chance würde sie nutzen, und niemand würde sie davon abhalten können.

Das Stimmengewirr, das den großen Bankettsaal im Rathaus summen ließ wie tausend Bienenkörbe, erstarb und wich minutenlanger gespannter Stille. Das Licht von hunderten weißer Kerzen und drei gewaltigen Kristalllüstern am gewölbten Himmel des Saales brach sich in den Juwelen der Damen und Monokeln der Herren. Seide und Taft raschelten leise, hier und da quietschten ein Paar blank geputzte schwarze Lackschuhe übers spiegelglatte Parkett, ein unterdrücktes Niesen und vornehm leises Räuspern waren die einzigen Verlautbarungen, die gerade noch geduldet wurden. Mit strengem Blick und einer auf einem Klemmbrett befestigten Liste schritt ein Uniformierter mit drei Pfund Orden auf der Brust die Reihen ab und kontrollierte, ob auch alle Gäste den Platz eingenommen hatten, wo sie dem Protokoll nach hingehörten. Als er das letzte Häkchen auf der Liste gemacht hatte, nickte er einem anderen Uniformierten zu, der wiederum einem anderen zunickte. Eine Weile tat sich nichts. Dann endlich wurde die Doppeltür geöffnet. »Seine Majestät der Kaiser«, rollte es von den Lippen eines Uniformierten, und im Saal fielen die Damen in einen tiefen Knicks und die Herren in klappmesserscharfe Verbeugungen.

Wilhelm II. betrat den Saal, gefolgt von einer Entourage, deren stolze Spitze Dr. Pauli und Dr. Marcus bildeten, und zur Enttäuschung der Damen ohne seine schamhafte Kaiserin Auguste Viktoria, mit der er im Jahrestakt Prinzen zeugte und die man auch in Bremen gar zu gern einmal von der Nähe betrachtet hätte, um mit eigenen Augen zu sehen, ob sie wirklich so unscheinbar und blass und teigig wirkte, wie es allgemein hieß. Wilhelm II. entschädigte sie dafür, indem er sich für eine seiner fantastischen Uniformen, die seine Behinderung geschickt verbargen, entschieden hatte und den entschlossenen Blick zeigte, den man von Fotos und Gemälden kannte.

Auf ein Zeichen des Kaisers hin klappten die Senatoren und einflussreichsten Kaufleute der Stadt nebst ihren Gattinnen wieder in die Senkrechte und warteten, bis der hohe Gast, der Bremen jedes Jahr besuchte, dieses Mal aber nur Zeit für eine Stippvisite und ein inoffizielles Abendessen gefunden hatte, seinen Platz am größten der runden, mit weißem Damast bedeckten Tische eingenommen hatte.

Links davon teilten sich die Andreesens mit den van der Laakens, dem Präsidenten der Baumwollbörse und seiner Frau sowie drei Honorarkonsuln einen Tisch. Nachdem Wilhelm II. das Gespräch mit seiner seltsam ruckenden Stimme, als würde der Kehlkopf im Sekundentakt seinen Dienst verweigern, eröffnet hatte, setzte das Geplauder an allen Tischen ein. Es perlte vom Wetter im März zur Baumwollausbeute in Virginia, vom neuesten Mercedes-Modell zu Wilhelms Herrschaft, die ihm, seit er 1888 angetreten war, viel Zeit für seine Lieblingsbeschäftigungen ließ. Er liebte die Jagd, Paraden, Feste, Pomp und Prunk und den Frieden, der, davon war man fest überzeugt, auch durch gelegentliches Säbelrasseln aus serbischem Untergrund und angelsächsisches Gemeckere nicht ernsthaft gefährdet werden konnte.

Und er liebt die Kunst oder das, was er dafür hält, dachte Felicitas voller Genugtuung. Sie wusste, dass sie heute Abend ganz besonders bezaubernd aussah, selbst ihr Siebenmonatsbauch wölbte sich nicht allzu aufdringlich unter der blassblauen Seide, gerade so, dass man ihr vielsagend und augenzwinkernd alles Gute wünschte statt sich in Verlegenheit zu winden. Schönheit und Schwangerschaft, dieses Kapital würde sie heute Abend zu nutzen wissen. Möglicherweise hatte Elisabeth geahnt, was in Felicitas vorging. Jedenfalls hatte sie besorgt vorgeschlagen, Felicitas solle sich die ganze Aufregung des Kindes wegen lieber ersparen und auf die Einladung verzichten. Auch Heinrich plädierte dafür, dass sie daheim blieb, doch Felicitas schmollte und bat so lange, bis er schließlich nachgeben und sich der Debatte mit Elisabeth gestellt hatte, die ziemlich lautstark ausgefallen war. Doch er hatte sich dieses Mal durchgesetzt.

Nur mit halbem Ohr folgte Felicitas der Unterhaltung, ihre ganze Aufmerksamkeit galt Wilhelm II. Fasziniert beobachtete sie, wie der Kaiser sich einer eigens für ihn angefertigten, seitlich zum Messer geschliffenen Gabel bediente. Das Besteck ersparte ihm die Peinlichkeit, sich das Fleisch von Bediensteten zerteilen lassen zu müssen, was aufgrund seines um fünfzehn Zentimeter kürzeren linken Arms ohne die Erfindung unabdingbar gewesen wäre, es sei denn, er hätte ausschließlich von Hackfleisch und Kartoffelpüree leben wollen.

Nach dem Zitronensorbet zwischen drittem und viertem Gang passierte es. Der Kaiser stand auf und verließ den Saal.

Auch Majestäten müssen mal, dachte Felicitas. Das war der Moment, auf den sie gewartet hatte. Sie machte ein leidendes Gesicht und drückte sich ein Spitzentaschentuch auf die Lippen.

»Entschuldigen Sie mich bitte«, murmelte sie. Die Herren sprangen auf.

»Ich begleite dich«, sagte Heinrich, doch mit sanftem Druck auf seinen Arm und einem besänftigenden Blick bedeutete sie ihm, dass das nicht nötig war.

Felicitas begab sich gemessenen Schrittes zur Saaltür, obwohl sie lieber gerannt wäre. Zwei Uniformierte bewachten den Ausgang. Niemand durfte den Saal verlassen, solange der Kaiser seinem Geschäft nachging.

»Bitte«, sagte Felicitas flehend und blickte verschämt auf ihren Bauch. Die Uniformierten sahen sich unsicher an, gaben aber schließlich den Weg frei.

Die Halle war menschenleer, bis auf drei Sicherheitsbeamte, die vor der Toilettentür warteten. Felicitas versteckte sich hinter einer Säule und schickte ein Stoßgebet gen Himmel, dass ihre Taktik aufgehen möge. Nach einer Weile rauschte es hinter der Tür, und wenig später wurde sie schwungvoll geöffnet.

Jetzt, dachte Felicitas, glitt hinter der Säule hervor und fiel vor Wilhelm II. in einen tiefen Hofknicks. Überrumpelt ergriff er ihre Hand.

»Wen haben wir denn da?«, fragte er und sah sie mit traurigen, merkwürdig leeren blauen Augen an.

»Kaiserliche Hoheit!«, rief einer der Beamten entsetzt und wollte Felicitas zur Seite ziehen.

»Nun lassen Sie das doch, Timmermann«, sagte der Kaiser ungeduldig. »Die junge Dame wird gewiss kein Attentat im Sinn haben.«

»In gewisser Weise doch, Majestät«, erwiderte Felicitas so charmant und strahlend, wie sie konnte. »Mein Name ist Felicitas Andreesen, und ich habe einen Plan, der in Bremen leider wenig Unterstützung erfährt …«

Kurz und prägnant setzte sie den Kaiser ins Bild, der erst skeptisch, dann immer amüsierter an seinem Bart zupfte. Als sie fertig war, verzog er den Mund zu einem tonlosen Lachen.

»Nicht zu fassen, welche Ideen manche Damen ausbrüten, wenn sie in anderen Umständen sind.« Er ließ Felicitas stehen und marschierte Richtung Festsaal zurück. Die Uniformierten rissen die Tür auf, und Wilhelm II. drehte sich um. »Andererseits kann ein Kunstpark nicht schaden, nicht wahr? Aber nur für Frauen!? Was für eine Idee! Timmermann, sehen Sie zu, dass Dr. Pauli sich der Sache annimmt. Und Sie, junge Dame, erstatten mir regelmäßig Bericht nach Berlin. Wie war noch der Name?«

»Andreesen, Felicitas Andreesen«, sagte sie atemlos. »Andreesen-Kaffee.«

»Kenne ich. Kennt ja wohl jeder. Tochter von Gustav Andreesen?«, schnarrte der Kaiser.

»Nein, frisch verheiratete Andreesen.«

»Jaja, Andreesen. Sagt mir was. Guter Mann. Wie geht es ihm?«

»Er ist verstorben, schon vor einiger Zeit …«

»Bedauerlich. Schade, schade.«

Geistesabwesend reichte er Felicitas seinen Arm und führte sie unter den neidischen, neugierigen oder ungläubigen Blicken der Gäste zurück an ihren Tisch.

»Andreesen«, sagte der Kaiser, und Heinrich sprang auf. »Gnädige Frau, lieber Andreesen«, fuhr der Kaiser fort. »Ich möchte Ihnen, wenn auch etwas spät, mein tief empfundenes Beileid ausdrücken. Ich hoffe, Sie finden die Kraft, um das Lebenswerk Ihres Mannes und Vaters fortzuführen. Wie ich hörte, erfahren Sie fabelhafte Unterstützung.«

»Danke, Majestät«, erwiderte Heinrich so freundlich wie erstaunt.

»Ein Kunstpark! So was Verrücktes. Alle Achtung.« Damit drehte er sich um und überließ Felicitas der losgetretenen Lawine.

»Aber mein lieber Heinrich«, sagte van der Laaken lächelnd mit kalten Augen. »Musst du jetzt schon deine Gattin vorschicken, um deine Pläne unter Dach und Fach zu bekommen?«

»Spannen Sie uns nicht auf die Folter, Andreesen«, polterte der Präsident der Baumwollbörse laut und jovial los. »Was hat es damit auf sich?«

»Wie überaus interessant«, lispelte einer der Honorarkonsuln. »Geht es dabei nur um deutsche Kunst, oder wäre es möglich, auch internationale Strömungen mit einzubinden?«

»Wir werden sehen«, antwortete Heinrich freundlich und schnitt damit weitere Fragen elegant ab.

Spätestens morgen, davon war Felicitas überzeugt, würde ihr Plan in aller Munde sein, und die Anerkennung des Kaisers, auch wenn sie noch so zweideutig geklungen hatte, würde es dem Senat und der Bürgerschaft verdammt schwer machen, ihn zu torpedieren. Zufrieden mit sich senkte sie den Blick und widmete sich dem geschmolzenen Zitronensorbet, dessen blassgelbe Konsistenz Elisabeths Gesichtsfarbe ziemlich nahe kam.

Die Orgel dröhnte durch den Bremer Dom, und Gesa wehrte sich gegen die Lärmbelästigung mit der einzigen Gegenmaßnahme, die ein drei Monate altes Baby kannte – sie schrie dagegen an. Zärtlich flüsterte Ella ihrem Patenkind beruhigende Koseworte ins Ohr und hielt ihr den Zeigefinger vor die rosigen Lippen, damit Gesa daran nuckeln konnte. Ella ist so lieb mit ihr, dachte Felicitas. Sie wird einmal eine bessere Mutter abgeben als ich, aber dazu gehört ja auch nicht viel.

Die Geburt war beklemmend schnell verlaufen. Morgens um fünf Uhr, nachdem sie zwei Stunden lang von heftigen Wehen auseinander gerissen worden war, hatte Professor Becker Felicitas das kleine Bündel gewaschen und gewickelt schon in den Arm legen können. Unendliche Erleichterung hatte sie überflutet, und glücklich war sie eingeschlafen, doch zu ihrer Bestürzung versickerte dieses Gefühl, sobald sie Professor Beckers Privatklinik und ihr Zimmer, das erfüllt war vom Duft roter Rosen und überfüllt mit Puppen und Teddys, Pralinenschachteln und Präsentkörben, verließ.

Auch jetzt, drei Monate später, vermochte Felicitas sich nicht wirklich über das Kind zu freuen. Gesa quengelte, schrie ganze Nächte durch und ließ sich weder von dem Kindermädchen noch von Felicitas zur Ruhe bringen. Nur wenn Heinrich sein Töchterchen aus der Wiege nahm und sanft an seine Schulter bettete, schien Gesas Welt in Ordnung zu sein. »Du bist zu ungeduldig mit ihr«, meinte er, doch Felicitas war insgeheim davon überzeugt, dass Gesa sie ablehnte, als würde sie spüren, wie wenig Neigung ihre Mutter aufbrachte, sich mit ihr zu beschäftigen, weil große Pläne ihre Aufmerksamkeit fesselten.

Felicitas' geschickter Schachzug und die Tatsache, dass Gesa gesund zur Welt gekommen war, hatten Elisabeth unter Zugzwang gesetzt. Sie verfügte nun über ein eigenes Konto und war ständig unterwegs, um die besten Künstlerinnen aus Norddeutschland ausfindig zu machen, was sich als ausgesprochen schwierig erwies. Sobald Gesa wenigstens ein halbes Jahr alt sein würde, wollte sie ihre Suche auf das ganze Reich ausdehnen, eine Vorstellung, die sie mit quecksilbriger Lebensfreude erfüllte. Das ganze Unternehmen schien dazu da, Felicitas zum Kern ihres Wesens vordringen zu lassen. Endlich konnte sie ein Ziel mit der Leidenschaft verfolgen, die sie so lange gesucht hatte. Ein Glücksgefühl, das sich mit nichts vergleichen ließ. Und aus dem Rathaus erfuhr sie nun auch Rückenwind.

Felicitas war zwar überzeugt, dass der Kaiser sie längst

vergessen hatte – auf keinen ihrer Briefe, die sie regelmäßig nach Berlin schickte, erhielt sie eine Antwort –, aber das war auch gar nicht nötig. Der Nimbus der vom Kaiser Erwählten umwehte Felicitas wie eine Gloriole. Dr. Pauli und Dr. Marcus scharwenzelten um sie herum, fragten nach dem Stand der Planungen und hielten sie auf dem Laufenden, welche Senatoren bereits eingeweiht waren, welche den Kunstpark befürworteten und welche zurückhaltend reagiert hatten. Der Senat, das war Felicitas bewusst, musste auf ihrer Seite stehen, nur dann würde sie der Abstimmung in der Bürgerschaft gelassen entgegensehen können.

Erhebliches Kopfzerbrechen bereitete ihr allerdings der Standort.

Heinrichs vernehmliches Räuspern riss sie aus ihren Gedanken.

Der Pastor, ein junger hagerer Mensch, der im letzten Jahr das Amt von seinem verstorbenen Vorgänger übernommen hatte, sah Felicitas streng an. Als er sich ihrer Aufmerksamkeit versichert hatte, fuhr er mit der Zeremonie fort und benetzte Gesas Köpfchen behutsam mit dem geweihten Wasser, was sie zu Felicitas' Verwunderung ganz still, beinahe ehrfürchtig über sich ergehen ließ.

»Im Namen des Vaters, des Sohnes und des Heiligen Geistes taufe ich dich auf den Namen Gesa Helen Elisabeth Ella Verena.«

Der Pastor setzte Gesa das weiße Spitzenkäppchen wieder auf und legte Felicitas das Baby in den Arm. Heinrich und sie schritten unter den wohlwollenden Blicken der hundert Gäste hinaus in den strahlenden Oktobertag.

»Danke«, sagte Felicitas und blickte ihn zerknirscht an.

»Schon gut. Ich weiß doch, wie viele Überlegungen in deinem Kopf Karussell fahren.«

»Andere Männer hätten mir schon längst die Hölle heiß gemacht.«

»Mag sein, aber als ich dich um deine Hand bat, wusste ich doch, dass dein Herz für die Kunst schlägt. Dann darf ich mich jetzt nicht beklagen. Auch wenn ich mir manchmal wünsche, dass du mehr Zeit mit Gesa verbringen und … dich, nun ja, etwas mütterlicher benehmen würdest. Aber soll ich dir den Kunstpark verbieten?« Er schüttelte den Kopf. »Du würdest mich irgendwann hassen, wenn ich das täte. Außerdem liegt mir dieses patriarchale Gehabe nicht. Du hast meine Nachgiebigkeit gewiss häufig verflucht, besonders wenn es um deine Konflikte mit meiner Mutter ging. Aber du siehst, es hat auch Vorteile.« Liebevoll blickte er ihr in die Augen, und Felicitas' Herz flog ihm zu. Später würde sie sich an diesen Moment, da er sie ermutigte, ihren Talenten Ausdruck zu geben und sich dadurch ganz und heil, geborgen und angenommen zu fühlen, als einen der wenigen kostbaren, vollkommenen Augenblicke ihres Lebens erinnern.

Gemeinsam brachten sie Gesa nach Hause und überließen sie der Obhut des Kindermädchens, bevor sie zum Festessen in den Schütting am Marktplatz fuhren, um hundert Geschenke und gute Wünsche entgegenzunehmen.

Als der Strom der Gratulanten langsam verebbte, kam Bernhard auf sie zu, drückte Heinrich die Hand und verneigte sich vor Felicitas. »Meinen Glückwunsch.«

»Und?«, fragte sie leise.

»Nichts zu machen«, erwiderte er. »Der Bauer, dem das Blockland gehört, will partout nicht verkaufen. Nicht für alles Geld der Welt will er auf seinen Grund und Boden und seine zwei windschiefen Scheunen verzichten.«

»Also Lehester Deich oder Stadtwald.«

»Der Untergrund am Lehester Deich ist eine Katastrophe. Um dort bauen zu können, müssten wir den Boden komplett auskoffern und auf der ganzen Fläche Fundamente schaffen, was Ihr Budget bei weitem übersteigen würde, das wissen Sie doch.«

Felicitas seufzte. Wie sollte sie den Senat dazu bringen, den Stadtwald zu verkaufen oder für ihren Kunstpark auszuweisen? Und vor allem die Bürgerschaft? Die Sozialdemokraten würden Amok laufen, wenn das Erholungsgebiet für alle in eine eintrittspflichtige Zone umgewandelt würde. Und ohne Eintritt würde sie den Kunstpark auf lange Sicht nicht finanzieren können.

Sie blickte Bernhard nachdenklich an. »Was wissen Sie über den Kopf der Sozialdemokraten? Diesen Hendrik Nussbaum?«

Nach dem Essen fuhr die Familie zurück in die Villa. Heinrich hatte einen Fotografen bestellt, der von Gesa im Schoß ihrer Eltern und Großeltern, Cousins und Cousinen Aufnahmen machen sollte.

Der Fotograf, ein spindeldürrer, hoch aufgeschossener Mann mit Glatze, saß gleichmütig in einem Sessel und wartete auf seine Motive, die Leica neben sich, die auf einem dreibeinigen Stativ aus Holz ruhte und sich inmitten der Palmen im Wintergarten wie ein schwarzköpfiges, langbeiniges Insekt ausmachte.

»Ich glaube, ich sollte mir noch ein wenig die Nase pudern«, sagte Helen und blickte Elisabeth fragend an.

»Du kannst mein Bad benutzen. Ich begleite dich hinauf.«

Elisabeth war froh über die Gelegenheit, mit Felicitas' Mutter ein paar Worte wechseln zu können. Bislang hatte sie sich zwar darauf verstanden, den durch die Heirat unumgänglichen Kontakt auf das absolute Minimum zu beschränken, doch die Situation ließ Elisabeth keine Wahl. Sie musste Helen ins Vertrauen ziehen.

Wie aufs Stichwort begann Gesa zu schreien. Ihr Gebrüll durchdrang die dicke Eichentür des Kinderzimmers, schien sich durch sämtliche Ritzen des dicken Gemäuers zu winden, um im Garten an den oktoberkahlen Ästen der Büsche und Sträucher zu rütteln, in der verzweifelten Hoffnung, irgendwo ein Echo zu finden.

Elisabeth und Helen wechselten einen Blick.

»Die Taufe und die vielen Menschen haben die Kleine wohl etwas durcheinander gebracht«, sagte Helen in ihrer nüchternen Art, die Elisabeth zum ersten Mal aufhorchen ließ, weil sie in keinster Weise der Reaktion entsprach, die sie von dieser Schauspielerin erwartet hätte, sondern im Gegenteil die eigene unsentimentale Haltung spiegelte. Elisabeth entschloss sich, nicht um den heißen Brei herumzureden.

»Ja, heute ist es besonders schlimm. Aber es vergeht auch sonst kein Tag und keine Nacht, ohne dass Gesa nicht das ganze Haus zusammenbrüllt.«

»Dreimonatskoliken vielleicht. Felicitas hat auch sehr darunter gelitten, ich selbst angeblich auch, wenn man meiner Mutter, Gott hab sie selig, glauben kann.«

»Professor Becker hat das Kind mehrmals untersucht und nichts dergleichen festgestellt, keine Krankheit, keine Anomalien, nur eine vage, von den Psychologen inspirierte Theorie …«

»Und die lautet natürlich: Das unstete Leben der Mutter, ihre Nervosität und Ungeduld, überträgt sich auf magische Weise auf das unschuldige Wurm.« Helen zog arrogant eine Augenbraue hoch. »Ich glaube nicht an diese Küchenphilosophie. Meiner Meinung nach werden solche Gehirngespinste erfunden, um Frauen daran zu hindern, das zu tun, was sie tun wollen.«

Wider Willen musste Elisabeth über die mit Nonchalance servierte Unverfrorenheit lachen. Sie erreichten das Bad, und Elisabeth öffnete die Tür.

»Hier in dem Schrank findest du alles, was du brauchst, wenn du dich frisch machen möchtest.« Unschlüssig blieb sie im Türrahmen stehen. Helen fing ihren Blick im Spiegel auf und hielt inne.

»Elisabeth, wir werden uns niemals so nah stehen, wie es Großmütter vielleicht sollten, aber wir sind uns ähnlicher, als du und ich gedacht haben. Deshalb lass mich dir eins sagen: Nimm Felicitas nicht das Glück, das ihr diese zugegeben bemerkenswert ungewöhnliche und verantwortungsvolle Aufgabe schenkt.« Sie machte eine Pause. »Ich weiß, wie es sich anfühlt, auf etwas zu verzichten, das dem Leben Erfüllung gibt. Allerdings war ich damals zu dumm, es zu erkennen.«

Ich auch, dachte Elisabeth. Die Worte drängten sich in den Raum. Was für ein verführerischer Gedanke, sich einmal, nur ein einziges Mal jemandem anzuvertrauen. Einmal seine Fehler eingestehen zu dürfen. Nur einmal von einer verwandten Seele ein wenig Verständnis und Trost zu erfahren. Elisabeth schüttelte leise den Kopf. Wenn sie nicht aufpasste, würde sie auf ihre alten Tage noch sentimental werden.

Die Aufnahmen gestalteten sich schwieriger als gedacht. Entweder versagte das seltsame Blitzgerät und die Glühbirne gab zischend und rauchend ihren Geist auf, oder Gesa zappelte herum, oder einer von ihnen schloss im entscheidenden Moment die Augen. Als endlich alles im Kasten war, schlug die Uhr sechs, und Helen und Max verabschiedeten sich hastig. Um sieben mussten sie im Theater sein, sie waren spät dran. Nach dem Abendessen zogen Heinrich und Felicitas sich in ihren Salon zurück. Elisabeth hatte über Kopfschmerzen geklagt und war schon vor dem Essen zu Bett gegangen. Und Anton und Désirée kümmerten sich ohnehin nicht darum, was sie tat.

Beschwingt schlüpfte Ella in ihre Stiefeletten, legte sich das dicke Wintercape um die Schultern und zog die Schleifen ihrer dickkrempigen Samtkappe unterm Kinn fest. Skeptisch betrachtete sie sich im Spiegel, aber ihre Erscheinung war tadellos. Nicht verspielt, nicht zu reich, sondern ernst und gemessen. Ihre Worte sollten im Vordergrund stehen, nicht ihr Aussehen.

Leise zog sie die Haustür hinter sich zu und bedachte den Mercedes mit einem bedauernden Blick. Ein Jammer, dass der Wagen samt Fahrer zu viel Aufsehen erregen würden. Sie schlug den Weg Richtung Hauptbahnhof ein. Von dort wollte sie die Straßenbahn nehmen. Eisig wehte ihr der Wind entgegen und trieb ihr die Tränen in die Augen.

Nach einem halbstündigen Fußmarsch und einer weiteren halben Stunde mit der Bahn stieg sie in der Pappelstraße aus. Am Haus Nr. 46 klingelte sie dreimal, machte eine kurze Pause und klingelte noch zweimal – das verabredete Zeichen.

»Kommen Sie rein«, begrüßte eine schwarzhaarige ältere Frau mit exotischen, fast katzenhaften Gesichtszügen die durchgefrorene Ella und maß sie von Kopf bis Fuß mit schrägen grünen Augen. »Sie sind die Rednerin?«, fragte sie freundlich, aber mit einem Hauch von Skepsis in der Stimme, als würde sie nicht glauben, dass Ella imstande war, drei zusammenhängende Sätze zu formulieren.

Ella nickte.

»Fein, wir haben schon auf Sie gewartet. Ich bin übrigens Henriette, genannt Henry.«

»Freut mich«, erwiderte Ella und folgte Henry in den ersten Stock.

Ihre Zusammenkünfte fanden stets woanders und mit wechselnder Besetzung statt, doch in letzter Zeit war die Zahl der Frauen, die sich für die Sache interessierten, so sprunghaft in die Höhe geklettert, dass der harte Kern der Bremer Frauenrechtlerinnen ernsthaft den Ankauf eines Gebäudes diskutiert hatte.

Als Ella das Wohnzimmer betrat, begann ihr Herz zu hämmern, und ihr brach der Schweiß aus. Dreißig Augenpaare musterten sie. Die meisten der Frauen kannte sie nicht, weil sie die Vortragsabende erst wenige Male besucht hatte. Jede neue Mitstreiterin musste, bevor sie in den geheimen Zirkel aufgenommen wurde, eine kleine Rede halten, in der sie ihre Herkunft, politischen Ansichten und Ziele darlegen sollte.

»Herzlich willkommen!«, sagte Gerlinde Groll. Die Vorsitzende, eine hoch gewachsene, schwere Frau mit silbernem Haarknoten, stand auf und ging mit ausgebreiteten Armen auf Ella zu und geleitete sie zu einem Pult. »Bitte schön. Wir sind alle sehr gespannt.«

Ella legte ihr Cape auf einen Stuhl und ihr Manuskript auf das Pult.

»Ich heiße Ella Gerhard«, begann sie und wurde sogleich von einer untersetzten Frau mit keifender Stimme unterbrochen.

»Das ist schon mal die erste Lüge. Sie heißen nicht Gerhard, sondern Andreesen, und sind die Tochter einer der reichsten, wenn nicht der reichsten Familie der Stadt. Ich hab Sie heute Vormittag gesehen, als Sie schick in Schale aus der Kirche kamen, und hab eine Frau gefragt, wer Sie sind. Emma, sagte ich zu mir, dann hast du dich letztes Mal wohl verhört, als Ella Gerhard sich als Ella Gerhard vorstellte. Jetzt frage ich mich allerdings, welches Spiel Sie hier spielen. Möchten Sie zur Abwechslung die Luft der

rauen Wirklichkeit schnuppern? Oder bespitzeln Sie uns?«
Voll grimmiger Genugtuung blickte die Frau, die sich
Emma genannt hatte, in die Runde.

»Nein! Ich ... nun, ich dachte, der Name tut nichts zur
Sache.« Ella spürte, wie ihr das Blut ins Gesicht schoss.

»Der Meinung bin ich aber schon«, beharrte Emma. »Besonders, wenn man bedenkt, dass ihre Schwägerin ebenso im Geld schwimmt wie Sie und darüber hinaus noch
einen Kunstpark für Frauen gründen will. Wäre es nicht
klüger – und diese Frage richtet sich an euch alle, Genossinnen –, Felicitas Andreesen für unsere Sache zu gewinnen statt einer Ella Gerhard, die ihre Identität verheimlichen will?«

»Ich weiß nicht, was ich sagen soll«, stotterte Ella. »Ich
wollte Ihnen von meiner Tätigkeit im Schnoor berichten,
von dem Unterricht, den ich Frauen und Kindern erteile,
die weder lesen noch schreiben können und der mir von
der Behörde verboten ...«

»Das ist gewiss ehrenwert«, schaltete sich eine andere Frau
ein. »Aber der Vorschlag von Emma ist angesichts unserer
desolaten Kassenlage nicht von der Hand zu weisen. Zumindest sollten wir darüber diskutieren.«

»Wie denken Sie darüber, Ella? Ich muss gestehen, dass
mir Ihre Vorgehensweise auch nicht besonders zusagt,
aber ich nehme an, Sie haben Ihre Gründe?« Die Vorsitzende beugte sich vor und blickte Ella forschend ins Gesicht.

»Ich ... ich wollte einfach nur ich selbst sein und nicht die
Tochter ...«

»Aber wenn wir die Gesellschaft gerechter gestalten wollen, müssen wir dafür einstehen. Farbe bekennen. Und
die Chancen nutzen, die wir haben, zumal, wenn sie so
glänzend sind wie die Ihren. Denken Sie nur, wenn Ihre

Schwägerin uns in die Organisation des Parks einbinden würde!«

Ella nickte, nahm ihr Manuskript und griff nach ihrem Cape.

»Typisch«, raunte eine Frau. »Frauen wie die halten nichts aus, nicht mal eine kleine kritische Frage.«

»Das war keine Frage«, sagte Ella mit zitternder Stimme, »das war ein Verhör. Sie sind gar nicht an meinen Ausführungen interessiert, nur daran, dass ich eine Kuh bin, die man melken kann. Damit sind Sie nicht besser als die, die sie bekämpfen. Männer tun wenigstens nicht so scheinheilig.«

»Ella, nun beruhigen Sie sich doch«, mahnte Gerlinde Groll. »Setzen Sie sich, und lassen Sie uns gemeinsam überlegen.«

»Ein andermal.« Ella drehte sich um und floh.

Als sie auf der Pappelstraße stand, mochte es neun Uhr sein. Sie wusste es nicht, und es war ihr auch egal. Von weitem sah sie die Straßenbahn kommen. Sie stieg ein, bezahlte und setzte sich auf eine der Holzbänke. Außer ihr waren noch drei Frauen und zwei Männer in dem Wagen, die miteinander lachten und scherzten. Blicklos starrte Ella geradeaus.

»Vielleicht hatte die Frau sogar Recht.« Deprimiert nippte Ella an ihrem Tee mit Rum, auf dem Peter bestanden hatte, als sie um zehn Uhr bei ihm hereingeschneit war. Keine zehn Pferde hätten sie heute Abend in die Parkallee gebracht. Sie brauchte Peters Nähe und sein Verständnis. Fürsorglich hatte er sie in eine Wolldecke gewickelt, ihr die durchweichten Stiefeletten ausgezogen und begonnen ihre Füße zu massieren, bis wohlige Wärme ihre Lebensgeister wieder weckte.

»Ja, in gewisser Weise schon«, entgegnete er vorsichtig, um sie nicht zu verletzen. »Wie willst du für eine Sache einstehen, wenn du es nicht einmal für dich selbst tust?«

»Ich weiß. Aber ich kann nicht anders.« Sie zuckte mit den Schultern.

»Heirate mich, Ella.« Flehend sah Peter ihr in die Augen. »Heirate mich. Sag endlich ja. Du würdest mich zum glücklichsten Mann der Welt machen. Und du würdest zu dem stehen, was du bist, was du willst – und wen du liebst. Bring Ordnung in dein Leben.«

»Ach Peter, meine Mutter wird niemals ihre Einwilligung geben. Du bist nicht standesgemäß.«

»Vielleicht jetzt noch nicht, im Moment. Aber du weißt doch, dass das Ziel zum Greifen nah ist. Bald werde ich den Betrieb eröffnen …«

»Peter, bitte, lass uns morgen darüber reden. Ich bin so müde und kann nicht mehr klar denken.«

Seine Traurigkeit schnitt ihr ins Herz. Aber sie liebte ihn nicht so, wie eine Frau einen Mann lieben sollte. Anfangs hatte sie ihre Gefühle für ihn für Verliebtheit gehalten, doch im Laufe der Zeit begriffen, dass sie nur der Freude entsprangen, aufmerksam und liebevoll behandelt zu werden. Sie begehrte ihn nicht. Ihr Schoß, der ihr schon so manches Mal, wenn sie allein im Bett lag, köstlich verbotene Gefühle geschenkt hatte, schwieg, wenn Peter sie küsste und berührte. Nein, sie konnte ihm nicht die Wahrheit sagen, auch wenn das unrecht sein mochte. Dann würde sie den einzigen Menschen verlieren, der ihr Halt gab.

Behutsam streichelte sie seine Hand. Er stand auf, zog seinen Mantel an und reichte ihr das Cape.

»Es ist wohl besser, wenn ich dich jetzt nach Hause bringe.«

Hendrik Nussbaum wohnte am Peterswerder. Zu dem bescheidenen Häuschen gehörte eine Werkstatt, in der er Tische, Stühle und Kommoden anfertigte, ein Handwerk, das er von seinem Vater gelernt hatte und das ihm und seiner sechsköpfigen Familie ein bescheidenes Einkommen sicherte. Sein Talent reichte gerade aus, Gebrauchsmöbel für Arbeiter zu tischlern, was seinen Vater stets betrübt hatte, seinen Sohn aber nicht weiter bekümmerte. Hendrik Nussbaums Ehrgeiz galt der Politik. Obschon er nicht sehr gebildet war, reichte eine gewisse Bauernschläue, vor allem aber seine Kunst, andere zu begeistern und flammende Reden zu halten, um sich in der sozialdemokratischen Bewegung Bremens nach vorn und schließlich ganz nach oben zu boxen.

»Sie möchten also, dass ich Ihren Plan unterstütze. Angesichts der Tatsache, dass es in dieser Stadt Menschen gibt, die nicht wissen, wie sie ihre Kinder ernähren sollen, fällt es mir wirklich schwer, das auch nur in Erwägung zu ziehen. Nennen Sie mir einen einzigen Grund, warum ich es dennoch tun sollte.« Seine braunen Augen fixierten Felicitas einen Moment, dann wandte er sich wieder einem Vierkantholz zu. Das Schleifpapier schrappte leise, feine Sägespäne rieselten zu Boden.

Aus einem Impuls heraus hatte Felicitas beschlossen, den Kopf der Sozialdemokraten daheim aufzusuchen, um dem Gespräch eine intime Note zu geben. Doch in dieser Umgebung kam sie sich wie ein Eindringling vor, ein Paradiesvogel, der mit seinem schillernden Gefieder die Steppe der Wirklichkeit beschämte. Grüne Seide gegen braunen Drillich, das musste ja schief gehen, dachte Felicitas. Andererseits sollte ja nicht nur das betuchte Bürgertum in ihren Kunstpark gelockt werden, sondern vor allem die in braunem Drillich und grauer Wolle. Im Grunde genommen verfolgten Nussbaum und sie die gleichen Ziele: Verständigung, Gleichstellung, Bildung, Toleranz. Nur ihre Mittel unterschieden sich. Sie überlegte nicht lange und sagte ihm, was sie dachte.

»Mit dem Kunstpark schaffen wir Arbeitsplätze und ein Stück Zukunft. Wenn Sie mir helfen, den Stadtwald zu bekommen, sorgen Sie dafür, dass viele Menschen, vor allem die, um die es Ihnen geht, den Park besuchen können. Wenn Sie mir Ihre Unterstützung verweigern, muss ich den Park woanders bauen, vermutlich so weit draußen, dass Arbeiter und Handwerker kaum die Gelegenheit haben werden, dort hinzukommen. Finden Sie das etwa sozial gerecht?«

Nussbaum hatte ihr schweigend zugehört, ohne seine Tätigkeit zu unterbrechen. Jetzt legte er das Schleifpapier zur Seite und strich mit der Handfläche über das glatte Holz.

»Sie verstehen es, die Worte zu drehen und zu wenden. Doch Sie verschleiern die Tatsache, dass erstens der Besuch des Stadtwalds nicht mehr unentgeltlich sein wird, sondern Eintritt kostet, und dass zweitens Sie eine Grünfläche zubauen wollen, die den Menschen Erholung und frische Luft schenkt.«

»Aber nein. Wenn Sie sich meine Entwürfe anschauen würden, würden Sie sehen, dass der Park seinen Namen wirklich verdient. Es wird Teiche und Seen geben ...«

»Es wird Eintritt kosten.«

»Ja, aber wenn ich darauf verzichte, wäre ich auf eine langfristige Mitfinanzierung von Seiten der Stadt angewiesen. Das wird wohl kaum in Ihrem Sinn sein.«

»Liebe Frau Andreesen, das Ganze ist nicht in meinem Sinn. Ich werde Ihren Park nicht unterstützen.« Seine Stimme klang weich, fast ein wenig mitleidig.

»Aber das Eintrittsgeld kann doch nicht der Grund sein!«

Er fixierte sie, als würde er Maß nehmen, wie und an welcher Stelle sie am besten zu treffen war. Schließlich sagte er gelassen, doch mit leiser Aggressivität in der Stimme: »Ich mag Leute Ihres Schlags nicht. Die Andreesens und van der Laakens und wie sie alle heißen sind mir von Grund auf zuwider. Sie sitzen in ihren Palästen und haben keine Ahnung, wie es sich anfühlt, Hunger zu leiden und jeden Tag um die eigene Existenz bangen zu müssen. Ich werde es nicht dulden, dass es Ihnen gestattet wird, sich selbst ein Denkmal zu setzen. Und jetzt gehen Sie!«

Felicitas atmete hörbar aus. Sie hasste es, zu einem Mittel greifen zu müssen, das ihrem Charakter nicht entsprach. Aber Nussbaum ließ ihr keine Wahl. »Ist Ihnen bekannt, dass der Kaiser den Bau des Kunstparks befürwortet?«, fragte sie freundlich.

»Ich hab so was läuten hören«, antwortete Nussbaum mürrisch. Ohne sie eines weiteren Blicks zu würdigen, drehte er ihr den Rücken zu und widmete sich dem nächsten Vierkantholz.

Felicitas nahm allen Mut zusammen. Hoffentlich stimmte Bernhards Information, sonst wäre sie geliefert. »Soweit ich weiß, werden Feinde des Deutschen Reiches hart bestraft. Wer sich der Gründung einer revolutionären Zelle schuldig macht und beispielsweise anonym Flugblätter in Umlauf bringt, die das Ansehen des Kaisers herabsetzen, kann mit einer Gefängnisstrafe von schätzungsweise fünf Jahren rechnen.«

Nussbaum lachte kurz und abfällig. »Das ist eine halbe Ewigkeit her. Ich war jung, besaß ein wildes Herz und hatte Flausen im Kopf. Kein Mensch wird mich heute dafür einbuchten.«

»Aber Fragen wird man stellen. Die Zeitung wird darüber berichten, viel Staub würde aufgewirbelt.«

»Das ist infam.« Blass vor Wut starrte Nussbaum Felicitas an. Sie hielt seinem Blick stand, beschämt, aber entschlossen, ihren Plan nicht zunichte machen zu lassen von einem Mann, der seine Aversionen gegen ihren Stand austobte.

»Sie haben die Wahl.« Brüsk drehte sie sich um und verließ die kleine Werkstatt.

Bevor der Fahrer aufspringen konnte, hatte Felicitas schon die Wagentür aufgerissen und ließ sich in die Polster fallen.

»Fahren Sie in die Hastedter Heerstraße«, sagte sie tonlos. Als der Wagen wenige Minuten später vor Bernhards Atelier hielt, stürmte sie hinaus und drückte auf die Klingel. Bernhard öffnete, und aufgebracht drängte sie sich an ihm vorbei.

»Es war furchtbar«, zischte sie.

»Was um Himmels willen ist passiert? Sie sind ja völlig aufgelöst.« Bernhard trug einen weißen Kittel, sein Haar und seine Hände waren von einem feinen Staub bedeckt, doch Felicitas kümmerte es nicht, ihn offensichtlich bei der Arbeit unterbrochen zu haben. Auf einem kleinen gusseisernen Ofen dampfte eine Kanne Kaffee. Bernhard nahm zwei Becher und schenkte ein. »Trinken Sie, das beruhigt die Nerven.«

Gehorsam nahm Felicitas zwei Schlucke.

»Was machen wir denn jetzt?«, fragte sie kläglich, nachdem sie ihre Begegnung mit Nussbaum geschildert hatte.

»Wenn er das ausposaunt, können wir einpacken.«

»Das wird er ganz bestimmt nicht tun.«

Eine Frage drängte sich ihr auf. »Wie haben Sie sein Geheimnis eigentlich in Erfahrung gebracht?«

Bernhard grinste. »Ach Felicitas, Sie kennen mich doch. Ein wenig Glücksspiel hier, eine aufschlussreiche Bemerkung dort …«

Sie verzog das Gesicht. »So genau wollte ich es gar nicht

wissen.« Plötzlich fiel ihr Blick auf ein halb fertiges Modell aus weißem Gips.

»O nein!« In gespieltem Entsetzen versperrte Bernhard ihr die Sicht, ging drei Schritte rückwärts und warf schnell eine Decke über die Arbeit. »Das heben wir uns für einen erfreulicheren Moment auf. Am Ende gefällt Ihnen der Entwurf nicht, und dann ist nicht nur Ihr Tag im Eimer, sondern meiner auch.«

Felicitas lachte. Bernhard war wirklich der widersprüchlichste Mensch, den sie kannte. Verschlagen und berechnend, sensibel und humorvoll. Sie wurde nicht schlau aus ihm, aber es schien ihr in jedem Fall ratsam, immer ein wenig auf der Hut zu sein.

»Was tun wir, wenn Nussbaum dagegen stimmt?«

»Die Abstimmung in der Bürgerschaft soll in drei Wochen stattfinden. Ich werde noch einmal mit dem Bauern sprechen. Vielleicht kann ich ihn ja doch noch überreden.«

»Soll ich mitkommen?«

»Besser nicht. Der Mann hat etwas gegen junge forsche Damen. Dass Frauen selbstständig denken, passt nicht in sein Weltbild. Nein, nein, überlassen Sie mir das.«

Bernhard begleitete sie zur Tür und sah dem weißen Mercedes gedankenverloren nach.

Die drei Wochen vergingen so schnell wie ein Wimpernschlag. Als der Tag der Abstimmung gekommen war, wünschte Felicitas sich ans andere Ende der Welt. Der Bauer weigerte sich nach wie vor zu verkaufen, und wie Nussbaum abstimmen würde – und damit entscheidende Teile der Bürgerschaft –, lag für Felicitas auf der Hand. Alles hing nun von Dr. Pauli und Dr. Marcus ab und von den Senatoren, die mehrheitlich für den Bau des Kunstparks waren.

297

Am frühen Nachmittag stillte sie Gesa noch einmal, zog sich um und ließ sich ins Kontor am Wall fahren, um Heinrich abzuholen. Nur er und Bernhard würden sie begleiten. Ihre Eltern waren im Theater unabkömmlich. Elisabeth hatte sich ohne Begründung geweigert, diesem »unwürdigen Schauspiel« beizuwohnen, und Ella, Anton und Désirée fehlte offensichtlich jedes Interesse für Felicitas' große Stunde.

Ihre Ankunft im Rathaus glich einem Spießrutenlauf, und Felicitas war froh, als sie die Galerie erreichten, der einzige Ort, an dem sich außerparlamentarische Gäste während der Sitzungen aufhalten durften.

Dr. Pauli eröffnete die Sitzung, indem er mit einem Hammer auf den mächtigen Eichentisch klopfte. Das Stimmengewirr verebbte.

»Wir stehen heute vor der Aufgabe, über einen Antrag abzustimmen, der die Geschicke unserer Stadt maßgeblich beeinflussen wird. Der Stadtwald …« begann er.

»Aufhören!«, tönte es ihm entgegen. »Ihre Aufgabe ist es, Schaden von der Stadt zu wenden und solche Ansinnen gar nicht erst zur Abstimmung zuzulassen.«

»Genau. Wo kämen wir denn da hin, wenn jede Frau, die dem Kaiser schöne Augen macht, sich das Recht herausnimmt, in Bremen was auch immer errichten zu wollen! Da hätten wir ja eine Menge zu tun – eine Menge Unsinn!«

»Kapitalblödsinn!«

Felicitas sank das Herz. Beruhigend drückte Heinrich ihre Hand.

Bernhard grinste. »Warten Sie's ab. Das ist bloß das übliche Kettenrasseln.«

»Meine Herren, mäßigen Sie sich«, mahnte Dr. Pauli und klopfte wieder mit dem Hammer auf den Tisch. »Ich habe hier einen Brief Seiner Majestät des Kaisers, in dem er zum

Ausdruck bringt, dass ihm an einem positiven Ergebnis gelegen ist …«

»Wieso weiß ich nichts davon?«, flüsterte Felicitas und blickte Bernhard fragend an.

»Vielleicht ist der Brief heute erst gekommen?«, schlug er vor und zwinkerte ihr zu.

Ein kleiner dicker Mann aus den Reihen der Sozialdemokraten sprang von seinem Platz auf. »Der Kaiser!«, höhnte er. »Dieser Mann, der uns an den Rand des nächsten Krieges treibt, dieser verantwortungslose Mensch, in dem wir das zerbröckelnde Kaiserreich erblicken …«

»Abgeordneter Ahrens! Das ist Hochverrat!« Dr. Pauli schwenkte den Hammer, als wollte er den Vorsitzenden der Sozialdemokraten damit erschlagen.

»Aber bitte, bitte«, schaltete sich ein anderer ein. »Das lässt sich doch alles demokratisch regeln. Es geht doch, wie ich dem Antrag entnehme, zunächst einmal darum, den Stadtwald einer anderen Nutzung zu überantworten.«

»Die Frage ist aber auch«, warf jemand schneidend ein, »welche Art Kunst später dort ausgestellt werden soll. Eine erbauende Ästhetik, die unserem Volk zugute kommt, oder dieses rättische, parasitäre Gepinsel einer Unterrasse. Dazu noch weiblich!«

Felicitas hielt es nicht mehr länger aus und sprang auf.

»Ja, weiblich. In der Tat wird es Zeit, dass in diesem Land mehr für die Frauen getan wird, dass sie nicht länger daran gehindert werden, ihre Kunst zu zeigen, die genauso viel wert ist wie die der Männer. Es ist meine Idee, meine Sehnsucht, etwas für unsere Zukunft zu tun, und es ist unser Geld, mit dem wir Bremen etwas schenken, das einzigartig im ganzen Reich sein wird. Sie haben es ja gehört, selbst der Kaiser stimmt mir zu. Und meines Wissens ist er – ein Mann! Und lassen Sie sich eins gesagt sein, meine Herren:

Wenn Sie dem Plan nicht zustimmen, dann wird er woanders in die Tat umgesetzt. In Hamburg, Rostock oder Lübeck. Aber verhindern werden Sie ihn nicht.«

Sie blieb stehen und hielt den entgeisterten Blicken der Abgeordneten und Heinrichs stand. Bernhard pfiff leise durch die Zähne und musterte sie anerkennend.

Nussbaum sah auf und traf Felicitas' Augen. Hasserfüllt blickte er sie an, als er zu sprechen begann. »Ihr Benehmen ist gelinde gesagt ungewöhnlich, Frau Andreesen. Doch in einem Punkt muss ich Ihnen Recht geben, die Sache der Frauen ist auch eine Sache der Sozialdemokratie. Ich stimme dem Antrag zu.«

»Na also«, sagte Bernhard gelassen. »Haben wir ihn, haben wir alle. Wir haben gewonnen.«

Eine halbe Stunde und dutzende von Wortmeldungen später erfolgte die Abstimmung.

»Achtundsechzig dafür, sechzig dagegen, zwei Enthaltungen. Damit ist der Antrag angenommen.«

Felicitas starrte hinunter auf die Abgeordneten, die aufgesprungen waren und teils wütend, teils triumphierend debattierten. Dr. Pauli hieb unverdrossen mit dem Hammer aufs Podium, ohne den Tumult unterbrechen zu können.

»Was ist los? Freust du dich denn gar nicht?«, fragte Heinrich.

Felicitas nickte. »Doch, natürlich«, entgegnete sie und brachte ein Lächeln zustande, obwohl sie wusste, dass sie eine Schlacht gewonnen hatte, nicht aber den Krieg. Nussbaum, das wurde ihr schlagartig klar, würde alles daransetzen, sie zu Fall zu bringen. Sie hatte ihn unter Druck gesetzt, und er würde zurückschlagen.

Felicitas fröstelte.

$\mathcal{S}$chau, so musst du es machen.«

Constanze legte ein weißes Hühnerei an ihre Lippen und blies so kräftig in das mit der Stopfnadel gebohrte Loch hinein, dass das Innere des Eis an der Eispitze herauslief und schmatzend in die Schale plumpste. »Siehst du? Jetzt ist das Ei leer und ganz leicht, und wir können es bemalen.«

Mit seinen kleinen Händen griff Alexander nach einem Ei und pustete, doch natürlich war ein fast dreijähriges Kind mit der Aufgabe überfordert. Constanze unterdrückte ihre Ungeduld, lächelte ihren Sohn an und hielt ihm eins der ausgeblasenen Eier hin.

»Komm, nimm das hier, und hier, diesen Pinsel. Jetzt kannst du es anmalen, wie du möchtest.«

Alexander krähte vor Vergnügen und tauchte, die Zunge auf die rosige Unterlippe gepresst, den Tuschpinsel in das Glas mit der gelben Farbe.

Constanze warf einen Blick hinaus auf die Felder. Obschon es noch so bitterkalt war, dass die Küche mit ihrem gewaltigen Emailleofen der gemütlichste Raum im ganzen Haus war, hatte der Winter seinen Zenit deutlich überschritten und überließ seinem fröhlichen Nachfolger das Feld, der sich eifrig dranmachte, die Tage länger werden zu lassen und das Land mit tausenden und abertausenden Narzissen in einen wogenden gelben Teppich zu verwandeln.

Im Dorf schickten sich Mütter und Mädchen an, mit Bäckereien und mehr oder weniger geschickten Bastelarbeiten das Fest vorzubereiten, das das Ende der Passionszeit bedeutete, während die Männer und Burschen das ihre dazu beitrugen, indem sie an Häusern und gepflasterten Wegen das instand setzten, was der Frost kaputtgemacht hatte. Das Klopfen und Hämmern trug der Wind von Haus zu Haus, von einem Gut zum nächsten, als wollte er die Nachricht verbreiten, dass es Zeit wurde, sich an die Arbeit zu machen. Heute jedoch schwiegen die Werkzeuge. Es war der Sonntag vor Ostern.

Constanze lächelte, als sie beobachtete, wie der schwarze Wallach Samson Bocksprünge auf der Koppel vollführte und mit übermütigem Wiehern die anderen Trakehner anzufeuern schien, es ihm gleichzutun, um die ersten Sonnenstrahlen zu begrüßen. Nur Kalinka und ihr vor zwei Wochen geborenes Fohlen mussten noch im Stall bleiben. Das Kleine kränkelte und brauchte viel Wärme und Pflege. Ihr Vater gab dem Fohlen keine Chance, doch Constanze dachte nicht daran, es abzuschreiben. Wenn sie diese Eiermalerei hinter sich hatte, musste sie unbedingt nach dem Tier sehen und ihm seine Extraportion Milch geben.

Nicht, dass sie nicht ohnehin genug zu tun hätte. Nach ihrer Hochzeit hatte sich das Leben auf dem Gut mehr schlecht als recht eingespielt, und in der letzten Zeit spürte Constanze immer deutlicher, dass der Friede nur ein Waffenstillstand gewesen war. Nicht begeistert, aber konsequent hatte Sergej damit begonnen die Arbeit auf dem Gut zu übernehmen, die Carl ihm zuwies. Mit zehn Burschen machte er sich daran, die Felder zu bestellen, die Ernte einzufahren und sie mit größtmöglichem Gewinn zu verkaufen, sodass die finanzielle Schieflage, in die Carl geraten war, sich wieder stabilisierte. Mit den anderen unermesslich reichen Gütern, den vornehmen Grafen und Baronen würden sie sich niemals messen können, dafür hatten Helens und Verenas Vorfahren es versäumt, genügend Land in ihren Besitz zu bringen, aber sie würden immerhin zu einem ansehnlichen Wohlstand zurückfinden.

Doch je besser das Gut dastand, umso mehr schmolz Sergejs Haltung dahin. Er vernachlässigte die Felder, verschwand immer öfter in der Dorfkneipe oder streifte ziellos durch die Gegend. Mochte der Winter auch ein gewisses Maß an Phlegma tolerieren, der Frühling ließ dergleichen nicht durchgehen. Jetzt mussten die Felder bestellt werden, nicht im April. Zunächst fing Constanze Sergejs Abwesenheit auf. Sie fütterte das Vieh, sah auf den Feldern nach dem Rechten, teilte die Leute zur Arbeit ein und kontrollierte das Saatgut. Doch ihre Eltern waren weder blind noch taub. Ihre Mutter redete Sergej ins Gewissen, ihr Vater machte ihm die Hölle heiß. Vergeblich. Es schien, als ob Sergej es auf einen Bruch anlegen würde. Constanzes flehenden Fragen wich er aus, doch sie wusste auch so, dass ihn die Tatsache, ein Gut von Kapitalisten zu bewirtschaften, ja, durch die Heirat mit ihr ein Teil dieser verhassten Schicht zu sein, ihn dazu trieb, alles zu zerstören. Auch ihre Liebe. Bis auf eine halbherzige, von ihr ertrotzte Vereinigung hatte er sie seit Wochen nicht mehr angerührt.

Mit einem satten Scheppern kippte das Glas auf den Boden. Ein Teil der gelben Farbe landete klatschend am Küchentisch, der Rest drängte sich vorbei an den Scherben und versickerte in den Fasern des Sisalteppichs.

Erschrocken ließ Alexander den Pinsel fallen und schaute seine Mutter ängstlich an. Seufzend nahm sie einen Lappen und wischte die Bescherung fort. Alexander rannen Tränen über die Wangen, und linkisch strich sie ihm einmal übers Haar.

»Ist doch nicht so schlimm«, sagte sie müde. Manchmal

wunderte sie sich selbst, wie sehr sie Alexander liebte, das Zeugnis ihrer Liebe zu Sergej, das sich buchstäblich ins Leben gekämpft hatte, und wie selten sie die Kraft aufbrachte, ihm das zu zeigen. Sie ließ ihr Kind ihre Erschöpfung spüren, und das durfte nicht sein, sonst würde ihr Alexanders Liebe eines Tages entgleiten wie die Sergejs.

»Constanze! Um Gottes willen, Constanze!« Totenbleich kam Verena in die Küche gerannt. »Vater ist gestürzt, komm schnell!«

Constanze hüllte Alexander rasch in eine Decke, drückte ihn an ihre Brust und folgte ihrer Mutter zu den Stallungen. Ihr Vater lag mit schmerzverzerrtem Gesicht auf der Erde, die Leiter, die zum Heuboden führte, neben ihm.

»Vater!«, rief Constanze und sank auf die Knie. »Was ist passiert?«

»Ich weiß nicht …«, stieß er mühsam und undeutlich hervor.

Entsetzt sah Constanze, dass sein Gesicht entstellt war, schief, als würde die eine Seite nicht mehr zur anderen gehören.

»Was sollen wir nur tun?« Verena rang verzweifelt die Hände.

Constanze überlegte nicht lange. Ihr Vater musste zu einem Arzt gebracht werden, und zwar so schnell wie möglich. Sergej trieb sich sonst wo herum, und die Burschen waren unterwegs, schließlich war Sonntag. Ihre Mutter und sie konnten ihren Vater nicht in die Kutsche hieven, das war bei seinem Gewicht völlig unmöglich. Sie drückte ihrer Mutter das Kind in die Arme und lief auf die Koppel. Samson musste jetzt zeigen, was er konnte.

Ungestüm schwang sie sich auf seinen Rücken, sie hatte sich nicht einmal die Zeit genommen, das Pferd zu satteln.

Sie kannte den Wallach von klein auf, er reagierte auf ihre Kommandos wie ein Uhrwerk. Constanze peitschte Samson über die Feldwege. Als sie zu dem Wäldchen kamen, ließ sie das Tier kurz in Trab fallen. Der Weg durch den dichten Tannenhain war nicht ungefährlich, aber ein Umweg würde sie wertvolle Zeit kosten. Entschlossen trieb sie Samson in das Dickicht.

Der Ast war so dünn, dass man ihn übersehen konnte, aber dick genug, eine Reiterin zu verletzen. Constanze schrie auf, als der Schmerz durch ihre linke Schulter fuhr, Samson stieg, und sie landete in gefährlich hohem Bogen zwischen Ästen, Tannenzapfen und weichem Moos.

Constanze lag auf dem Rücken und starrte benommen in den Himmel. Sie hatte jedes Zeitgefühl verloren. Die Schmerzen durchfluteten sie, doch sie waren auszuhalten. Was wirklich wehtat, war das Gefühl, versagt zu haben. Was sie auch unternahm, sie machte alles falsch. Durch ihre Dummheit würde ihr Vater womöglich sterben. Durch ihre Unfähigkeit würde sie auch Sergej verlieren. Dabei wusste sie doch, wie sie ihm helfen konnte. Das, was ihren Mann wirklich mit Leidenschaft erfüllte, das war die Revolution, das war Russland. Sie hatte geglaubt, die Arbeit auf dem Gut und seine kleine Familie würden ihn über seine Sehnsucht hinwegtrösten, die sie nie verstanden hatte. Das Land war so kalt, so groß, seine politische Zukunft so ungewiss, niemals würde der Zar sein Zepter abgeben. Und dennoch, sie durfte die Augen nicht länger davor verschließen. Wenn sie Sergej halten wollte, würde sie mit ihm gehen müssen.

Behutsam stupste Samson sie mit der Nase an und holte sie so in die Wirklichkeit zurück. Constanze bewegte vorsichtig erst das linke, dann das rechte Bein, rollte sich auf die Seite und setzte sich auf. Gott sei Dank schien nichts gebrochen zu sein, doch ihre verletzte Schulter machte es ihr unmöglich, aufzusitzen. Kein Baumstumpf weit und breit, der ihr als Leiter hätte dienen können. Ihr blieb nichts anderes übrig, als den Rest des Weges zu Fuß zu bewältigen. Nach zwei Stunden erreichte sie Sorau, durchgefroren, am Ende ihrer Kraft und überwältigt von dem deprimierenden Gefühl, dass das Schicksal offenbar nicht vorhatte, ihr irgendetwas zu schenken.

»Das ist der letzte Brief für heute«, sagte Felicitas zu sich selbst und blickte stolz auf den Stapel der Papiere, die sie bereits gesichtet und in »interessant« und »absagen« unterteilt hatte. Seit der Abstimmung in der Bürgerschaft erreichten sie täglich Briefe von Künstlerinnen, die sich für den Park bewarben, und aufgebrachten Künstlern, die sich darüber beschwerten, aufgrund ihres Geschlechts ausgeschlossen zu werden. Einige waren höflich formuliert, viele jedoch geizten nicht mit Beschimpfungen und persönlichen Beleidigungen und landeten sofort zerrissen im Papierkorb. Felicitas' beschauliches Leben hatte sich in das betriebsame einer Geschäftsfrau verwandelt, ihre Zeit war ausgefüllt mit Korrespondenz, Besprechungen und der Arbeit mit Bernhard, an dessen Modell sie gemeinsam feilten, um das wirtschaftlich Machbare mit dem künstlerisch Sinnvollen unter einen Hut zu bekommen. Private Einladungen nahm sie nur noch selten an, weil Heinrich und sie ohnehin viel zu wenig Gelegenheit fanden, allein zu sein. Zum Glück erwies sich das Kindermädchen als überaus zuverlässig und liebevoll und tröstete Gesa hingebungsvoll über die häufige Abwesenheit ihrer Mutter hinweg.
Sie schlitzte das blassblaue Kuvert auf und stutzte. Franziska Ferrik lud sie zum Tee ein. Na, so was. Nach kurzem Zögern legte Felicitas die Einladung auf den Stapel »absa-

gen« und sah auf die goldene Taschenuhr, die Heinrich ihr zu Weihnachten geschenkt hatte. »Die wirst du jetzt brauchen«, hatte er liebevoll gesagt, und in der Tat war die Uhr zum wichtigsten Requisit ihres neuen Lebens geworden. Sechs Uhr. Sie würde es gerade noch schaffen, Gesa in den Arm zu nehmen, sich frisch zu machen und umzukleiden, bevor sie Dorothee von der Contrescarpe abholen musste. Sie verspürte nicht die geringste Lust, drei Stunden im Theater am Tempelberg zu verbringen und Mozart, Händel und Beethoven zu lauschen, doch sie hatte es Dorothee fest versprochen, sie heute Abend zu begleiten. Dorothee war völlig hingerissen von klassischer Musik, es schien sogar, als hätte der Klavierunterricht ihrer Seele geholfen, wieder zu genesen. Wenn sie Felicitas gelegentlich vorspielte, glitt ein heller Schimmer über ihre entspannten Züge, sie war ganz sie selbst. Felicitas verstand zwar nichts von Musik, doch sie hatte den Eindruck, dass Dorothee nicht nur gern, sondern virtuos spielte. Pierre Levi, der wie viele Musiker der Bremer Philharmonie sein bescheidenes Jahreseinkommen von fünfzehnhundert Mark mit privatem Unterricht für höhere Töchter aufbesserte, musste ein hervorragender Lehrer sein.

Händels *Wassermusik* perlte zu ihrer Loge herauf. Dorothee empfand jede Note wie ein Streicheln auf ihrer Haut, die Harmonien wie eine Nachricht aus einer anderen, besseren Welt, die Akkorde wie einzelne Sterne, die eine funkelnde Brücke zwischen ihnen bauten. Pierre im Orchestergraben zu sehen, so versunken in sein Spiel, ließ ihr Herz einen aberwitzig rasanten Takt dazu pochen. Pierre. Mit jeder Tonleiter und jeder Etüde, die er sie in den Unterrichtsstunden wiederholen ließ, war ihr Vertrauen zu diesem sensiblen Mann mit den irritierend feinen, schmalen

Händen gewachsen. Er hetzte sie nicht, tadelte nicht, erklärte sanft, wenn ihr ein Griff nicht gelingen wollte, massierte ihre stets klammen Finger, bis Wärme sie durchpulste, und schenkte ihr das Gefühl, dass es gut war, wie sie war, mit allen Schmerzen, aller Schuld, allen Schwächen. Pierre hatte mehr zu ihrer Gesundung beigetragen als Ärzte, Psychiater und alle anderen, ausgenommen Max, der sich strikt geweigert hatte, seine Einwilligung zu einer Elektroschock-Behandlung zu erteilen, die Professor Becker in Erwägung gezogen hatte, als Dorothee zunächst so gut wie keine Fortschritte erkennen ließ.

Max und Helen umsorgten Dorothee so gut sie konnten, besonders Max hatte sie ins Herz geschlossen wie eine zweite Tochter. Sie fühlte sich stark und stabil und verschwendete nicht einen Gedanken an Sorau, geschweige denn an ihre Rückkehr. Der Vater war sehr krank, gewiss. Die Nachricht von seinem Unfall, der durch einen leichten Schlaganfall ausgelöst worden war, hatte Dorothee zwar erschüttert, aber nur beinahe in die Pflicht genommen, nach Hause zu reisen. Constanze hatte einen bitterbösen Brief geschrieben, in dem sie ihre Schwester anklagte, sich der gemeinsamen Verantwortung für die Familie und das Gut zu entziehen, doch zum ersten Mal in ihrem Leben handelte Dorothee eigennützig und blieb, wo sie war. Hier in Bremen spielte für sie die Musik.

Der letzte Satz verklang, und Applaus brandete auf. Levi schaute hoch und nickte Dorothee zu. Ihr Herz vollführte einen Sprung, und sie warf ihrer Cousine einen schnellen Blick von der Seite zu. Doch Felicitas war mit dem Opernglas beschäftigt, mit dem sie die Besucher im Parkett studierte, die sich anschickten, das Theater zu verlassen.

Sie betrachtete ihre Cousine ohne Neid. Felicitas bildete den Mittelpunkt des Theaters, in der Pause wollte jeder mit ihr sprechen, ihr unerhörter Auftritt in der Bürgerschaft hatte ihr einen unwiderstehlichen Ruf von Eigenwilligkeit, Mut und Charme eingetragen. Felicitas schien den Auftrieb zu genießen. Ihre aquamarinblauen Augen blitzten wie Eis im Sonnenschein, ihre milchweiße Haut schimmerte makellos im Glanz der Lüster, und seit Gesas Geburt war alles Kindlichweiche einer marmornen Schönheit gewichen. Und sie muss glücklich sein, dachte Dorothee. Heinrich ist ein wunderbarer Mann.

»Und jetzt«, sagte Felicitas lächelnd und legte das Opernglas auf die samtene Balustrade, »verrate mir bitte den Grund, warum wir hier sind.«

»Die Philharmonie …« begann Dorothee errötend.

»Ach was, Unsinn. Ich habe das Gefühl, dir hätte ein ganz bestimmter Musiker auch genügt.« Aufmunternd sah sie Dorothee an.

»Ja, Pierre bittet uns um die Ehre, ein Glas Champagner mit ihm zu trinken.«

»Hat er sich so ausgedrückt?« Felicitas sah amüsiert aus, doch als sie Dorothees verschreckten Gesichtsausdruck bemerkte, änderte sie ihren Ton. »Komm, das ist eine gute Idee. Ich nehme die Einladung gerne an.«

Erleichtert stand Dorothee auf.

Die meisten Besucher waren zwar bereits gegangen, doch viele Musiker standen noch mit ihren Gästen in der Halle und plauderten. Als Pierre Dorothee und Felicitas die Treppen von der Galerie herunterkommen sah, bahnte er sich einen Weg durch die Menge und ging ihnen strahlend entgegen.

»Ich freue mich so, Sie endlich kennen zu lernen, Frau Andreesen«, begrüßte er Felicitas. »Dorothee hat mir so viel über Sie und Ihr Engagement für die Kunst erzählt.«

»Danke«, entgegnete Felicitas freundlich und sah Pierre in die sanften braunschwarzen Augen. Sie erkannte intuitiv, dass dieser Mann kein falsches Spiel mit Dorothee treiben würde. »Pierre Levi?«, sagte sie fragend, und er nickte gewinnend.

»Ja, ich bin eine seltsame Mischung. Meine Mutter ist Französin, mein Vater Berliner, beide sind Musiker und wollten eine klingende Harmonie für meinen Namen finden. Ein Hauch Savoir-vivre, ein wenig Schalom.«

Felicitas lachte, und Dorothee, glücklich über die spontane Sympathie, die Felicitas und Pierre offensichtlich füreinander empfanden, stimmte ein. Das Gespräch floss mühelos dahin, von Paris über Berlin nach Bremen, von Klassik zur Kaffeehausmusik, vom Kunstpark bis zum Louvre. Um Mitternacht schloss das Theater, und zusammen mit den anderen Gästen, die auch kein Ende an diesem schönen Abend finden konnten, wurden sie hinausgespült in die kühle Frühlingsnacht. Pierre begleitete Felicitas und Dorothee zum Wagen.

Ein Mann kam mit gesenktem Kopf und den Händen in den Hosentaschen langsam auf sie zu und musste sie übersehen haben, so gedankenverloren, wie er wirkte. Grob stieß er Pierre an und ging einfach weiter. Die Straßenlaternen waren schon verloschen, doch das Mondlicht erhellte das Gesicht des Mannes für einen Moment.

»Anton!«, rief Felicitas ihm hinterher.

»Lassen Sie nur«, sagte Levi und machte eine wegwerfende Handbewegung. »Das kann ja mal passieren.«

»Willst du dich nicht entschuldigen?«, beharrte Felicitas dennoch, fassungslos über Antons dreistes Benehmen.

Anton warf Pierre einen abschätzigen Blick zu. »Nein, ich denke nicht.«

»Was zum Teufel machst du hier überhaupt?«, fragte Felicitas wutentbrannt, aber verwirrt. Antons Augen funkelten fiebrig, doch er war nicht betrunken, zumindest roch er nicht nach Alkohol.

»Ein bisschen Glücksspiel mit Bernhard vielleicht. Mir gibt man ja kein Geld, um hirnverbrannte Ideen in die Tat umzusetzen.«

Felicitas gefror zu Eis. »Geh nach Hause, Anton. Oder besser noch in die Gosse. Da gehörst du hin.« Sie packte Levi am Arm und zog ihn zum Wagen.

»Steigen Sie ein, Pierre. Los, Dorothee, beeil dich. Fahren Sie los, Alfons. Machen Sie schon. Herr Anton hat andere Pläne.«

Gehorsam startete der Fahrer und ließ die Limousine an Anton vorbeirollen, der ihnen sarkastisch grinsend nachsah.

»Es tut mir Leid, Herr Levi, ich muss mich für meinen Schwager entschuldigen. Ich weiß wirklich nicht, was in ihn gefahren ist.«

»Machen Sie sich keine Gedanken. So was passiert gelegentlich«, sagte Pierre gleichmütig.

»Aber warum denn?«, fragte Dorothee entsetzt und kurz davor, in Tränen auszubrechen. Er nahm ihre Hand vorsichtig in die seine.

»Das nennt man Antisemitismus. Es gibt Menschen, die einen Hass auf alle Juden haben.« Pierre sah Dorothee tief in die Augen und lächelte beruhigend. »Das gab es schon immer, Dorothee, und das wird es immer geben. Aber das ist kein Grund, Ihre hübsche Stirn in Falten zu legen.«

Dorothee nickte und brachte ein kleines Lächeln zuwege. »Na sehen Sie.«

Der Wagen rollte durch die Nacht. An der Suhrfeldstraße stieg Pierre aus.

»Vielen Dank fürs Mitnehmen, Felicitas. Ich darf Sie doch so nennen.«

»Ich bitte darum. Vor allem in Anbetracht meiner Ahnung, dass wir Sie häufiger in der Contrescarpe zu sehen bekommen werden.«

Pierre lächelte viel sagend und küsste Dorothees Hand.

Zwei Minuten später hielt Alfons in der nahe gelegenen Contrescarpe.

»Kommst du allein zurecht?«, fragte Felicitas ihre Cousine, die immer noch ein wenig blass aussah.

»Natürlich. Ich bin nicht so ein ängstliches Gänschen, wie du denkst.« Dorothee lächelte Felicitas voller Wärme an. »Es ist vielleicht albern, schließlich brauche ich deine Genehmigung nicht, um einen Mann nett zu finden, aber ich bin sehr erleichtert, dass dir Pierre gefällt.«

»Und ob er mir gefällt. Er ist klug und sensibel. Ich werde mit Elisabeth über den Vorfall reden, und Anton wird sein Fett abkriegen.«

»Ja. Gute Nacht, Felicitas.«

»Gute Nacht.«

»Felicitas?«

»Ja?«

Verlegen senkte Dorothee die Stimme. »Findest du es sehr egoistisch von mir, in Bremen zu bleiben?«

»Nein, ganz und gar nicht«, antwortete Felicitas und machte eine wegwerfende Handbewegung. »Denk nicht an Constanze. Sie sucht immer einen Grund, auf anderen herumzuhacken. Wenn deine Anwesenheit in Sorau wirklich notwendig wäre, hätte deine Mutter längst telegrafiert. Und wenn sie es dir nicht hätte sagen mögen, hätte sie meine Mutter gebeten, mit dir zu sprechen. Nein, zerbrich dir bloß nicht den Kopf. Du hast selbst genug Schlimmes erlebt und deshalb allen Grund, dein Leben erst einmal zu genießen.« Sie zwinkerte Dorothee zu. »Alles in Ordnung?«

»Ja. Danke dir.« Dorothee ließ die Wagentür los und wink-te, bis der Mercedes vom Dunkel der Nacht verschluckt wurde.

Als Felicitas die Villa betrat, brannte im Wintergarten noch Licht, und der Kamin flackerte. Elisabeth saß, eine Decke um die Beine gewickelt und ein Glas Rotwein in der Hand, auf dem Sofa und schaute in das Feuer.

»Früher habe ich geschlafen wie ein Stein«, sagte sie zu Felicitas. »Aber je älter ich werde, desto weniger Schlaf scheine ich zu brauchen. Ich weiß bloß nicht, wohin mit der vielen Zeit. Vielleicht sollte ich öfter in Konzerte ge-hen …«

»Ist Anton schon daheim?«

»Nicht, dass ich wüsste«, erwiderte Elisabeth erstaunt. »Seit wann interessierst du dich für Antons Kommen und Gehen?«

»Seit heute Abend, genauer gesagt seit heute Nacht«, ant-wortete sie und schilderte den Vorfall vor dem Theater, Antons seltsam fiebrige Augen, seine abstruse Weigerung, sich zu entschuldigen, und welche Erklärung Pierre dafür hatte.

»Mein Sohn … ein Antisemit?« Elisabeth trank gelassen einen Schluck Rotwein. »Nein, ganz bestimmt nicht.«

»Aber er ist direkt auf uns zugekommen«, beharrte Feli-citas, »die Straße war fast menschenleer. Er hatte keinen Grund, Pierre anzurempeln, es sei denn …«

»Felicitas, ich weiß, dass Antons Verhalten nicht immer dazu angetan ist, ihn sehr sympathisch zu finden, aber so ein Vorwurf ist völlig aus der Luft gegriffen. Wahrschein-lich hatte er ein Glas zu viel getrunken. Vielleicht war er auch einfach übermüdet. Irgendeine plausible Erklärung wird es schon geben, da bin ich sicher.«

Felicitas seufzte. »Ich verstehe nicht, warum du Anton

stets in Schutz nimmst. Er tanzt dir auf der Nase herum, aber du sagst keinen Ton dazu. Ausgerechnet du, die doch keinen Jota nachgibt, wenn es um Ella, Heinrich oder mich geht.«

»Felicitas, in diesem ganzen Kanon der Verrücktheiten, die derzeit auf der politischen Bühne Europas dargeboten werden, spielt der Antisemitismus wohl die allergeringste Rolle, meinst du nicht?«

Rasche Schritte auf der Treppe unterbrachen ihre Auseinandersetzung.

»Bist du endlich da?« Heinrich sah blass aus und wütend. »Ich glaube, Gesa hat Fieber.«

»Wo ist das Kindermädchen?«, fragte Felicitas.

»Das Kindermädchen hat seinen freien Tag, wie du vielleicht noch weißt, und deshalb habe ich die Wiege zu uns ins Zimmer gestellt. Ich bin von Gesas Wimmern aufgewacht. Sie glüht wie ein Ofen.«

Felicitas blickte ihm in die Augen und las darin etwas, was dort noch nie gestanden hatte.

»Du gibst mir die Schuld daran?« Sie schüttelte den Kopf und wandte sich zur Treppe. »Babys werden nun manchmal krank, ob die Mutter im Konzert sitzt oder an ihrem Bett.«

Sie stürmte die Treppe hinauf, marschierte ins Bad, riss zwei Handtücher aus dem Schrank und ließ kaltes Wasser ins Waschbecken laufen. Mit den Wickeln lief sie ins Zimmer. Elisabeth trat an die Wiege und fühlte Gesas Stirn.

»Ist halb so schlimm, Felicitas«, sagte sie und, zu Gesa gewandt: »Wird alles wieder gut, meine Kleine.«

Überrascht bemerkte Felicitas, wie viel Zärtlichkeit in Elisabeths Stimme lag, ging aber nicht darauf ein.

»Die Oma hat Recht«, ergänzte sie stattdessen. »Jetzt wird

es etwas kalt, ganz kalt, aber gleich geht es dir besser.« Gesa greinte, als die klammen Wickel ihre Beinchen fesselten, schlief aber nach wenigen Minuten erschöpft ein.

»Morgen früh ist sie wieder gesund«, sagte Elisabeth und sah Heinrich eindringlich an. »Vertragt euch wieder. Kleine Kinder, kleine Sorgen, so ist das nun mal. Denkt daran, dass man nie weiß, wie lange das Schicksal es gut mit einem meint.«

Heinrich fuhr sich verlegen durchs Haar. Er küsste seine Mutter auf die Wange und nahm Felicitas' Hand. »Tut mir Leid.«

Elisabeth seufzte leise und beschloss, ihren Rotwein in Ruhe auszutrinken. An Schlaf war jetzt ohnehin nicht mehr zu denken, allzu viele Fragen drängten sich auf, die Antworten suchten. Sie hatte keine Sekunde daran gezweifelt, dass Felicitas' Schilderung dessen, was vor dem Theater passiert war, der Wahrheit entsprach. Es passte zu genau in das Bild, das sie von ihrem Sohn wahrnahm, wenn sie die Brille der törichten, blinden Liebe einer Mutter zum Schwächsten, Bedürftigsten ihrer Nachkommen absetzte. Aber warum zog Anton mit Bernhard durch die Stadt? Fühlte er sich dessen wildem Charakter vielleicht instinktiv nah, so als wüsste sein tiefstes Inneres mehr, als seine Mutter je zu sagen sich getraut hatte?

Mit einem Ruck stellte Elisabeth das Glas ab. Jetzt war nicht der Moment für Selbstvorwürfe und larmoyante Anwandlungen. Jetzt galt es, Anton den Kopf zu waschen. Vorher würde sie aber noch diskret Erkundigungen einholen lassen, in wessen Gesellschaft sich ihr Sohn die Zeit vertrieb. Wenn es sich gar nicht vermeiden ließ, würde sie auch mit Bernhard sprechen müssen. Doch Elisabeth hoffte inständig, dass sie darum herumkommen würde.

Unendlich zart, als hielte er ein Küken in der Hand, ließ Bernhard das täuschend echt wirkende Modell eines Ahorns en miniature neben eine Reihe anderer, ebenso echt aussehender Bäumchen gleiten, die alle zusammen einen perfekten Kreis bildeten, der von einer geschwungenen Linie aus zehn Bäumen in zwei Hälften geteilt wurde, die von Hasenglöckchen überwuchert war. In der Mitte jeder Hälfte wuchs wiederum ein Ahorn.

»Yin und Yang. Eins ist im anderen enthalten, das Eine gibt es nicht ohne das Andere. Und das Eine ist das Tao.« Bernhard richtete sich auf und stemmte die Arme in die Hüften. »Wenn die Natur sich freundlicherweise an unsere Vorgaben hält, wird sich auch Frau Mitzouko nicht mehr darüber beklagen können, dass wir die asiatische Kultur völlig außer Acht gelassen hätten.«

»Nein«, erwiderte Felicitas staunend. »Und das ist allein Ihre Leistung.«

Zufrieden blickten beide von oben auf das Kunstpark-Modell. Fünfzig Gebäude vom Reetdachkoben bis zu einem steinernen Zirkuszelt hatte Bernhard so geschickt über die dreihundert Hektar des Stadtwaldes verteilt, dass sie mit der Vegetation zu verschmelzen schienen. Schmale Pfade und Bachläufe verbanden die einzelnen Elemente miteinander wie Talismane auf einem Bettelarmband: Alles war verschieden und gehörte doch zusammen. Selbst die baufällige Villa, auf deren Erhalt die Bürgerschaft bestanden hatte, störte die Harmonie der Sinfonie der fünfzig Stile nicht. Die Arbeit an dem Modell hatte lange gedauert, zu lange fast. Die Baufirmen, die mit den Aushubarbeiten beauftragt worden waren, lagen Felicitas in den Ohren, wann sie denn endlich beginnen könnten, und Felicitas hatte sie ein ums andere Mal vertrösten müssen. Doch das Warten hatte sich gelohnt.

Felicitas empfand immer größere Achtung vor Bernhards Können und seinem Reichtum an Ideen. Sein Privatleben ging sie nichts an, interessierte sie auch nicht, aber sie musste ihm diese Frage stellen. »Was wissen Sie über Anton?«

»Kein so übler Bursche, wie es den Anschein hat, glaube ich. Aber ich kann mir nicht wirklich ein Urteil erlauben.«

»Waren Sie denn nicht mit ihm beim Glücksspiel? Irgendwo am Theaterberg muss so eine Kaschemme sein, wo Black Jack und was weiß ich nicht alles gespielt wird.«

Er grinste sie an. »Sie kennen sich aus, Felicitas? Das wirft ja ein völlig neues Licht auf Ihre Persönlichkeit. Es bereichert sich um eine faszinierende Facette.«

»Ach, halten Sie doch den Mund!«, fuhr sie ihn an.

»Was ist denn los, Felicitas? Wollen Sie mir nicht sagen, was Sie bedrückt?« Er wechselte den Ton und sah sie ernst an, doch Felicitas funkelte wütend zurück.

»Sie wären wirklich der Letzte, dem ich meine Sorgen anvertrauen würde«, sagte sie schnippisch. »Aber es geht nicht um mich. Ich hatte nur den Eindruck, dass mein Schwager in schlechte Kreise geraten ist.«

»Ach, Sie meinen sein rechtes Getöse!« Bernhard lachte. »Machen Sie sich darüber keine Sorgen. Mit diesem Gerede von Volk und Vaterland und dem Erzfeind in Gestalt des Juden versuchen manche junge Männer Eindruck bei den Mädchen zu machen. Manchmal klappt das sogar.«

»Wollen Sie damit andeuten, Anton treibt sich mit anderen Frauen herum?«, fragte Felicitas. »Obwohl, wundern würde es mich nicht.«

Bernhard lachte wieder. »Mich auch nicht. Allerdings kenne ich kaum einen Mann, Heinrich mal ausgenommen, der sich nicht gern in Versuchung führen lässt.«

Felicitas verzog das Gesicht. Da war es wieder, dieses Unberechenbare in seinem Charakter, das sie bei aller Bewunderung für sein Werk stets auf der Hut sein ließ. Er war ein Glücksspieler, und er würde es bleiben. Sie wechselte das Thema.

»Werden Sie diese Ahorn-Babys tatsächlich in natura bekommen?«

»Allerdings«, stöhnte Bernhard mit einem Augenzwinkern. »Ich habe den besten Gärtnern des Reiches so lange in den Ohren gelegen, bis einer von ihnen mir zugesichert hat, die Bäume im September zu liefern.«

»Ausgezeichnet.«

»Wissen Sie eigentlich, was Sie mir antun, Felicitas? Ich habe keine Zeit mehr fürs Glücksspiel, keine Zeit mehr für Müßiggang. Ich habe nicht mal mehr die Zeit, meinen Freund Heinrich aus dem Büro zu locken. Ich habe noch nie so viel gearbeitet.«

Sie lachte. »Dann wird es wohl Zeit ...«

»Wenn das alles hier getan ist, werde ich eine schöne lange Reise machen und mir die Gärten dieser Welt ansehen. Und wenn ich zurückkehre – falls ich Lust dazu verspüre –, werde ich nur noch Gärten anlegen. Die Pflanzen muss man nämlich lediglich einmal fragen, ob sie sich an dem Ort, den ich für sie vorgesehen habe, wohl fühlen, und wenn ich ihr Einverständnis spüre, hole ich den Spaten und pflanze sie ein. Basta. Eigentlich dachte ich, dass man Künstlerinnen am besten genauso behandelt. Aber nein.«

»Sie haben vielleicht Ideen. Aber ich weiß, das ewige Hin und Her geht mir auch auf die Nerven. Erst will die eine nur dann, wenn die andere nicht kann, dann wieder gar nicht. Und so fort. Ehrlich gesagt hätte ich es mir nicht träumen lassen, dass unter Künstlerinnen so viel Rivalität herrscht. Doch wie dem auch sei, hier habe ich eine vorläufig endgültige Liste fast aller zukünftigen Kunstpark-Bewohnerinnen.«

Felicitas hielt Bernhard eine stattliche Liste mit fünfzig Namen unter die Nase, von Stefanie Adamcyk, Rügen, Speckstein-Skulpturen bis Emely Winter, London, Modedesign. Leise pfiff er durch die Zähne, während er die Liste überflog.

»Das ist bemerkenswert«, sagte er ohne jede Ironie und betrachtete Felicitas, als sähe er sie zum ersten Mal. »Meine Hochachtung. Heinrich kann sich wirklich glücklich schätzen, eine Frau gefunden zu haben, die nicht nur schön ist, sondern intelligent und beharrlich.« Schnell, als würde er sich über seine unverhohlene Bewunderung ärgern, drehte er sich um und widmete sich wieder seinem Modell, sodass ihm entging, wie ein Schatten sich über Felicitas' Züge legte.

Im Gegensatz zu Bernhard zeigte Heinrich nämlich deprimierend wenig Interesse an den Fortschritten des Kunstparks. Seine ganze Aufmerksamkeit konzentrierte sich auf die Firma. Er ertrank geradezu in Arbeit. Schiffsladung um Schiffsladung mit Kaffeebohnen wurde im Hafen gelöscht und in die Andreesen-Röstereien geliefert, die rund um die Uhr arbeiteten, damit Heinrich die Nachfrage aus allen Teilen des Reiches und sogar aus Belgien und Frankreich befriedigen konnte. Die Firma kam mit den Auslieferungen der Bestellungen kaum nach. Es schien, als ob alle Welt noch rasch Andreesen-Kaffee bunkern wollte, bevor ein Krieg den Handel mit Genussmitteln wie Kaffee, Tabak und Kakao erheblich behindern, wenn nicht sogar zum Erliegen bringen würde.

Heinrich und die Mehrheit der Bremer Kaufleute waren zwar der Überzeugung, dass kein Staat, weder Deutschland noch Frankreich noch Großbritannien, vom krisengeschüttelten Russland ganz zu schweigen, Interesse an einem Krieg haben konnte, doch niemand vermochte vor den Unruhen in Europa die Augen zu verschließen.

Der Balkan hatte sich zu einem gewaltigen Pulverfass entwickelt. 1912 hatten Serbien, Bulgarien, Griechenland und Montenegro der Türkei den Krieg erklärt und die türkische Herrschaft auf dem Balkan beendet, heute, ein Jahr später, standen sich die Sieger als Gegner gegenüber, weil sie sich nicht über die Aufteilung der Kriegsbeute einigen konnten.

Das Deutsche Reich hatte sich von der zurückhaltenden Außenpolitik, wie Bismarck sie betrieben hatte, verabschiedet und befand sich, gestärkt durch eine starke Wirtschaft und die rasant wachsende Bevölkerung, auf Expansionskurs. Mehr Kolonien! hieß die gierige Losung, und der Kaiser ließ Heer und Flotte massiv aufrüsten. Statt geschickter Diplomatie übte sich die deutsche Spitze in forschem Auftreten und machiavellistischen Manövern. Großbritanniens Kriegsminister Lord Richard Haldane hatte in Berlin zwar noch über die Begrenzung der Flottenrüstung auf beiden Seiten verhandelt, und das Deutsche Reich setzte auf britische Neutralität in Europa, doch London erklärte die Zugeständnisse Deutschlands für unzureichend und reagierte prompt so, wie der Kaiser es am meisten befürchtet hatte. Das Empire rüstete seine Flotte ebenfalls auf und suchte nach dem Bündnis mit Frankreich nun auch noch die Nähe Russlands.

Deutsche Militärs plädierten deshalb für einen Präventivkrieg.

Felicitas und vielen anderen schien es, als ob sich zwei mächtige Bluthunde gegenüberstünden, die wütend an ihrer Kette rissen, die gerade noch hielt, deren Glieder aber im Begriff waren, jeden Moment auseinander zu brechen. Wenn der Krieg kommt, so munkelte man, dann würde es ein gnadenloser Zweifrontenkrieg gegen Paris im Westen und Moskau im Osten.

Wie Deutschland das verkraften sollte, war Felicitas schleierhaft, und sie hoffte inständig, dass die Regierenden so viel Verstand hatten, nicht Millionen von Menschen in den sicheren Tod zu schicken. Waren der Kaiser und der Zar nicht verwandt und einander innig zugetan, nannten sich sogar Willi und Nicki?

Auch an einen Blitzkrieg, der angeblich schnell und vergleichsweise human klar machen würde, wer in Europa das Sagen hatte, glaubte sie nicht. Wie sollten tausende von Kilometern im Handstreich überrannt und besetzt werden? Nein, so dumm konnte niemand sein, dessen Hintern auf einem Regierungssitz ruhte.

In Bremen war von Kriegsgefahr und Hysterie wenig zu spüren. Die Bevölkerung hielt es mit der traditionellen Haltung des »Watt mutt, dat mutt«, ein gelassener Fatalismus, der der Zukunft die Bedrohlichkeit nahm. Anders als in der Hauptstadt, wo zigtausende junger Männer sich im Siegesrausch ergingen und die Gewehre nicht schnell genug schultern konnten, hielt man seine Gefühle hansestädtisch im Zaum, die patriotisch-nationalistischen ebenso wie die pazifistischen. Der linke Flügel der Bremer Sozialdemokraten hatte zur »Demonstration gegen Militarismus, Imperialismus und Kapitalismus« aufgerufen, doch die Bremer hatten sich taub gestellt.

Auch wenn Felicitas nicht an Krieg glauben mochte, war sie realistisch genug zu erkennen, dass die Situation auf des Messers Schneide stand. Sie musste sich darauf vorbereiten, dass ein Krieg die Arbeiten für kurze Zeit unterbrechen könnte, und bevor dies der Fall sein würde, wollte sie so viel wie möglich unter Dach und Fach gebracht haben. Sie schob die Gedanken an einen Krieg und an Heinrich beiseite und konzentrierte sich wieder auf das Modell.

»Haben Sie die Statik des Paul-Huber-Hauses geprüft?«

Ein marodes Gebäude, das seit mehr als hundert Jahren am Rand des Stadtparks stand und an Ästhetik und Stabilität zu wünschen ließ, aber dennoch nicht abgerissen werden sollte.

»Ja. Wir können das Haus sanieren, das ist kein Problem. Die Frage ist bloß, warum Sie die Kosten tragen sollen. Es gehört der Stadt, und die will unbedingt, dass es bleibt, wo es ist. Meinen Sie nicht, dass die Stadt dann auch den Umbau bezahlen sollte?«

»Tolle Idee«, entgegnete Felicitas. »Hendrik Nussbaum wird mir das Geld gewiss gern zur Verfügung stellen. Besonders jetzt, wo unser Kaiser-Bonus nicht mehr funktioniert.«

»Sie meinen, weil er zurzeit andere Probleme hat als unseren Kunstpark?«

»Na ja, das liegt doch nahe.«

»Nein, nicht bei Wilhelm II. Ich glaube, dass er den Dingen, die ihn wirklich interessieren, auch verbunden bleibt. Die Politik lässt ihn in Wirklichkeit völlig kalt. Aber wenn er einen Kunstpark wie den Ihren eröffnen soll, wird ihn das begeistern – Krieg hin oder her.«

»Aus Ihrem Mund klingt das, als wäre der Kaiser ein Idiot«, erwiderte sie.

»Mit Verlaub, Felicitas, aber es kann Ihnen nicht entgangen sein, dass Wilhelms Entscheidungen nicht immer von, sagen wir, großer Weitsicht getragen waren.«

»Immerhin hat er die Sonntagsruhe und das Verbot von Kinderarbeit durchgesetzt, gegen Bismarcks Willen. Und er hat das Deutsche Reich zu einem modernen Staat geformt. Wir haben die Monarchie, aber eben auch eine Jugendbewegung. Sogar eine Freikörperkultur«, sagte Felicitas grinsend. »Bis Bremen ist die allerdings noch nicht vorgedrungen.«

Bernhard dachte über ihre Worte nach. »Sie haben Recht. Und auch wieder nicht. Denn in der Modernität hat viel Altes überlebt. Im Beamtentum, im Offizierskorps, im Großgrundbesitz, im Kleinbürgertum gibt es nach wie vor ständisches Denken und eine stockkonservative Haltung, die alles Moderne in die Hölle wünscht. Viele Juden gehören zu der verhassten Moderne und werden so selber zur Zielscheibe des Hasses. Anton ist nur ein Beispiel von vielen, Felicitas. Aber die Moderne wird sich behaupten, das ist von Anbeginn der Zeiten so gewesen.«

»Sonst würden wir ja auch noch im Paradies leben«, ergänzte Felicitas schlagfertig und sprang auf. Sie hatte sich schon viel zu lange aufgehalten. »Tun Sie für dieses Paul-Huber-Haus, was Sie können. Ihnen fällt schon etwas ein.«

Behände lief sie hinaus und öffnete mit Schwung die Tür ihres schwarzen Coupés. Stolz strich sie über das Mahagonilenkrad und startete den Wagen. Kein Chauffeur konnte Elisabeth mehr Bericht erstatten, wo er Felicitas hingefahren hatte. Sie fühlte sich frei und unabhängig. Oft fuhr sie einfach so durch Bremen, ziellos, nur, um dieses Gefühl auszukosten.

Felicitas konzentrierte sich auf die Straße. Innerhalb weniger Jahre hatte sich die Anzahl der Automobile auf fünfundsechzigtausend erhöht, und der Andreesen-Mercedes hatte auch in Bremen Gesellschaft bekommen. Aber das störte Felicitas nicht im Geringsten, sie war eine gute, sichere, nur gelegentlich etwas zu wagemutige Fahrerin. Eigentlich sollte sie sich schonen. Sie war wieder schwanger, zu Heinrichs größter Freude und Elisabeths erwartungsvoller Genugtuung. Ihre Schwiegermutter machte kein Hehl daraus, dass nach einem Mädchen ein Sohn und Erbe mehr als angebracht wäre.

Professor Becker hatte Felicitas eingeschärft, dass eine zweite Schwangerschaft nicht unbedingt leichter für sie werden würde. Doch bis jetzt verspürte sie weder Anfälle von Übelkeit noch von Schwäche. Sie fühlte sich prächtig, wie von einer inneren Kraftquelle gespeist, und solange das der Fall war, würde sie weiterarbeiten, auch wenn Heinrich anderer Meinung war.

Felicitas parkte in der Wachtstraße und ging die paar Schritte zur Böttcherstraße zu Fuß. Ihr Blick fiel auf Andreesens Kaffeehaus. Sie lächelte. Was war alles geschehen, seitdem sie dort vor langer Zeit Kaffee getrunken und sich vor dem Unterricht bei Franziska Ferrik gefürchtet hatte! Felicitas klopfte an die Tür des schmalen dreistöckigen Hauses und wartete.

Ganz in Schwarz gekleidet und viel Silberschmuck – Franziska Ferrik sah aus, wie Felicitas sie in Erinnerung hatte. Nur ihre Lider wirkten schwerer und die Falten um die Mundwinkel tiefer. »Der Zahn der Zeit«, sagte sie lapidar, als sie Felicitas gegenüberstand und sie unverhohlen von Kopf bis Fuß musterte. Schließlich nickte sie zufrieden. »Du hast eine gute Entscheidung getroffen. Die Ehe und deine Aufgabe bekommen dir. Du wirkst lebendiger als früher, geradezu befreit. Ich wusste doch, dass das Theater dich im Innersten kalt ließ.«

Felicitas hatte damit gerechnet, dass sie sich über Franziska Ferrik ärgern würde, allerdings nicht sofort, kaum dass man sich nach sieben Jahren zum ersten Mal wieder in die Augen sah und die Hand reichte. Was sie davon abhielt, kurz und bissig zu antworten, waren allein die Stimme und der Ton ihrer alten Schauspiellehrerin. Franziska Ferrik sprach abgehackt und monoton, die Worte schienen auf dem Kehlkopf festzukleben, als hätten sie Angst, sich zu lösen.

Auf dem Treppenabsatz blieb Franziska Ferrik stehen und breitete die Arme aus. »Deswegen bist du hier, Felicitas. Das alles hier soll Teil deines Kunstparks werden. Wenn du willst.«

Fotos und Postkarten, vor allem aber viele hundert Briefe lagen gebündelt auf einem Jugendstilschreibtisch, venezianische und afrikanische Masken stapelten sich auf dem blanken Linoleumboden und Theater- und Ballettkostüme begruben ein monströses Louis-quinze-Bett unter sich.

Felicitas trat näher und strich mit den Händen über Brokat und Samt, Seide und Papier, Gips und Leder, Federn und Boas.

»Ein erstaunlicher Fundus«, sagte sie sachlich. »Aber meinen Sie nicht, dass diese Schätze in einem der Theater besser aufgehoben wären?«

»Ach was«, entgegnete Franziska Ferrik und zündete sich einen Zigarillo an. »Was sollen die mit meinen Erinnerungen? Mit den Fotos von Reinhardt und Löwenstein? Mit meinen alten Kostümen? Nein, nein, ich möchte, dass du sie bekommst. Genauer gesagt heißt das, ich will in deinen Kunstpark einziehen. Ich eröffne ein Schauspiel- und Ballettmuseum mit angegliederter Schule für Tanz und Schauspiel. Mit allem Drum und Dran, Fechten und Steppen, Singen und so weiter und so weiter. Ich brauche nur etwas mehr Platz als andere, aber das wird sich ja wohl machen lassen.«

Hin und her gerissen von der zweifellos guten Idee einer Schauspielschule, die sich perfekt in den Kunstpark einfügen würde, und Franziska Ferriks seltsamem, fast anmaßendem Verhalten, ließ Felicitas ihren Blick durch das Zimmer wandern, bis er bei den wenigen gerahmten Fotos hängen blieb, die Franziska Ferrik an ihrem Platz belassen hatte. Sie trat näher und betrachtete die Aufnahmen genauer. »Sind das denn ebenfalls berühmte Schauspieler und Tänzer? Oder ihre Familie?« Dabei fiel ihr auf, dass sie nichts, absolut gar nichts von Franziska Ferrik wusste, außer, dass sie ihren Vater unterrichtet hatte und ihm und ihrer Mutter von Stadt zu Stadt gefolgt war.

»Nein«, antwortete Franziska Ferrik barsch und riss die Fotos herunter. »Sag mir, was du von meinem Vorschlag hältst.«

»Ich werde darüber nachdenken«, erwiderte Felicitas und meinte, was sie sagte. Sie würde sich in der Tat sehr genau überlegen müssen, inwieweit sie bereit war, Franziska Ferrik in das Unternehmen einzubinden.

»Papperlapapp«, entgegnete sie und lächelte Felicitas zum ersten Mal freundlich, und auch ein wenig amüsiert an. »Du magst mich nicht, sagst es jedoch nicht aus Rücksicht auf mein Alter. Aber weißt du was? Mich hast du nicht lange am Hals. Ich habe irgendeine Krankheit, weiß der Teufel, welche, die mich von innen auffrisst. Ganz langsam. Im Moment knabbert sie an meinem Kehlkopf, was dir sicher nicht entgangen ist. In spätestens einem Jahr bin ich weg vom Fenster.«

Felicitas erschrak.

»Sei nicht schockiert, Kindchen. Es ist nun einmal, wie es ist. Ich fürchte mich nur vor den Schmerzen. Aber letzten Endes kann man nicht tiefer fallen als in Gottes Hand.« Sie drückte den Zigarillo aus. »Sag mir Bescheid, wenn du dich entschieden hast.«

Damit drehte sie sich ohne ein weiteres Wort um und ließ Felicitas inmitten der Briefe und Fotos und Kostüme stehen. Unwillkürlich bückte Felicitas sich und hob die Fotos auf, die Franziska Ferrik heruntergerissen hatte.

Zwei Frauen in Anzügen, die eine davon unverkennbar

die Ferrik in jungen Jahren. Die Ferrik mit einem kleinen Jungen auf dem Arm. »Mon amour« stand in steilen Buchstaben auf der Rückseite. Seltsam, dachte Felicitas und legte die Fotos rasch wieder weg, als hätte sie einen Blick in eine Welt getan, in der sie nichts verloren hatte.

13

Der Frühsommer 1914 legte sich mächtig ins Zeug, als wollte er seinem großen Bruder zeigen, dass auch er es schaffen konnte, die Menschen ins Schwitzen zu bringen, die Thermometer auf dreißig Grad im Schatten zu treiben und eine gewaltige Erdbeerernte und den entsprechenden Preisverfall zu provozieren, der es auch den Ärmsten gestattete, sich für fünfundzwanzig Pfennig ein Pfund der roten Früchte zu gönnen.

Ganz Bremen stöhnte über die Hitze, die Kaufleute legten Gehröcke und Zylinder ab, um keinen Hitzschlag zu riskieren, die Frauen verzichteten auf den Unterrock und ließen den seltenen Wind kühlend um ihre Waden streichen. Auf Hollersee und Emmasee drängelten sich die Ruderboote, an den bescheidenen Stränden an Weser und Ochtum war vor lauter in geringelte Badeanzüge gehüllten Leibern kaum noch ein Quadratmeter Sand zu erkennen. Das Leben floss träge dahin, seltsam narkotisiert.

Felicitas lag unter einem mächtigen Ahorn und lauschte auf die regelmäßigen Atemzüge von Clemens und Christian. Die winzigen Zwillinge hatten sich zwar einen Monat zu früh auf die Welt gedrängt, waren aber gesund, munter und doppelt anstrengend. Nachts scheuchten sie Felicitas sechsmal aus dem Bett, um abwechselnd über ihre Brüste herzufallen, die inzwischen so empfindlich geworden waren, dass Felicitas ihre Baumwollhemden mit Watte auspolstern musste, um den schmerzhaften Kontakt mit Stoff auf ein Minimum zu reduzieren. So einig sich die Zwillinge in ihrem nächtlichen Rhythmus waren, so sehr unterschieden sich ihre Bedürfnisse bei Tag. Während Christian die meiste Zeit friedlich in seinem Bettchen lag und schlief und nur gelegentlich das Märchenmobile über seiner Wiege anblinzelte, schaute Clemens mit erstaunlich wachen Augen ins Leben, hielt weniger von Schlaf, dafür viel von Unterhaltung, als müsste er die zwei Minuten, die ihm sein Bruder an Lebenszeit voraushatte, aufholen. Kümmerten sich weder Felicitas und Elisabeth noch das Kindermädchen um ihn, begann er in einer Lautstärke zu schreien, die selbst Gesas Babygebrüll übertraf.

Doch jetzt herrschte ausnahmsweise himmlische Ruhe. Die Zwillinge schliefen, und Gesa spielte selbstvergessen mit ihrem Teddybär.

Das Blau des Himmels strahlte wie blank geputzt, kein Lüftchen schenkte sekundenkurze Abkühlung, selbst die Pferde waren zu träge, um zu wiehern. An einen Ausritt war ohnehin noch nicht zu denken, Felicitas' Muskeln waren noch zu schwach. Die letzten zwei Monate vor der Geburt hatte sie wieder liegend verbracht, um die Kinder nicht zu verlieren. Der Preis schien ihr hoch, fast zu hoch, denn alles, was ihr wichtig war, hatte sie aus der Hand legen müssen. Wäre Bernhard nicht für sie eingesprungen, der ohne viel Federlesen die Geschäfte des Kunstparks übernommen und ihr einmal in der Woche Rechenschaft abgelegt hatte, hätte sie das Unternehmen für eine ganze Weile auf Eis legen müssen, was zu unkalkulierbaren Konsequenzen hätte führen können. Hendrik Nussbaum hatte heimlich, still und leise einige Kritiker des Kunstparks um sich geschart, die nur darauf warteten, dass Felicitas etwas falsch machte. Und den Bau der ersten Häuser über mehrere Monate zu stoppen, wäre ein Kardinalfehler gewesen – der Beweis, dass eine Frau dem ehrgeizigen Plan nicht gewachsen war. Felicitas machte sich keine Gedanken über Bernhards Motive, seine eigenen Arbeiten zu vernachlässigen, um ihr zu helfen, war aber überzeugt, er würde irgendeine Form der Genugtuung oder Befriedigung empfinden, und sei es die Tatsache, einmal in seinem Leben uneigennützig gehandelt zu haben. Doch im Grunde war es ihr gleichgültig. Sie arbeiteten Hand in Hand, sachlich, schnell und pragmatisch, und das war es, was zählte. Was Bernhard dazu trieb, sich nachts dem Glücksspiel, dem Schnaps und rothaarigen Frauen zu ergeben, interessierte sie nur insofern, als sie selbst manchmal nach etwas Verbotenem gierte, nach rotem Tüll und lautem Gelächter, nach einem wilden, rebellischen Gegenentwurf zu dem ehern strukturierten Leben in der Villa. Das behielt sie aber lieber für sich. Nicht einmal der tolerante Heinrich, bis über die Ohren verliebt in seine Familie, die nun endlich so gedieh, wie er es sich immer gewünscht hatte, würde Verständnis für ihre gedanklichen Eskapaden aufbringen.

Lautes Gebrüll riss Felicitas aus ihrem entspannten Zustand zwischen Wachen und Träumen. Gesa hatte ihren Teddybär auf Clemens' Gesichtchen gelegt und schaukelte die Wiege so sehr hin und her, dass dem Baby speiübel werden musste.

»Gesa!«, schrie Felicitas, sprang auf und riss die Hand ihrer Tochter von der Wiege. »Bist du verrückt? Das darfst du nie wieder machen, verstehst du?«

Gesa sah ihre Mutter mit aller Feindseligkeit an, die eine Vierjährige aufbringen konnte. »Mens ärgert meinen Teddy«, sagte sie trotzig.

»Du lügst. Clemens ist viel zu klein, um deinen Teddy zu ärgern.«

Wütend wandte Felicitas sich ab und tröstete den greinenden Clemens, der sich zum Glück nicht übergeben musste. Seitdem die Zwillinge auf der Welt waren, hatte

Gesa, ohnehin kein besonders fröhliches, eher schüchternes Kind, sich zu einem kleinen Monster entwickelt, das seine hilflosen Brüder zwiebelte, wann immer sich die Gelegenheit bot. Felicitas hatte ihr wieder und wieder versucht zu erklären, dass sie keinen Grund zur Eifersucht habe, dass sie, Mama, ihr kleines Mädchen genauso lieb habe wie die beiden Jungen. Doch an Gesas Haltung änderte das nichts. Felicitas hegte den geheimen Verdacht, dass ihre Tochter instinktiv spürte, dass ihre Worte nicht ganz ihren wahren Gefühlen entsprachen; in der Tat liebte sie die Zwillinge mehr, sosehr sie sich auch bemühte, das emotionale Gefälle zu korrigieren. Gesa war nur in den Augenblicken friedlich und fröhlich, wenn sie auf Heinrichs Schoß sitzen und mit ihm schmusen durfte. »Ella war in dem Alter mitunter auch sehr merkwürdig«, versuchte Elisabeth ihrer Schwiegertochter Mut zuzusprechen, doch Felicitas war überzeugt, dass es sich in diesem Fall nicht um eine vorübergehende Entwicklungsphase handelte, sondern um einen Charakterzug, mit dem sich Gesa weder jetzt noch später viele Freunde machen würde.

»Hoppla, junges Fräulein! Wer wird denn an so einem schönen Tag so ein missmutiges Gesicht machen? Da lassen die Blumen ja die Köpfe hängen.«

Gesa funkelte Bernhard zornig an, stampfte mit dem Fuß auf und lief weg.

Bernhard lachte. »Ganz die Mutter!«

Felicitas seufzte. »Sehr witzig. Sie treibt mich zur Weißglut.«

Sie sahen dem Kind nach, wie es über die Wiese lief, gefolgt von dem Kindermädchen, das Order hatte, Gesa nicht aus den Augen zu lassen. Mit seinen hellblonden Locken und dem weißen Kleidchen wirkte das Kind wie ein irrlichterndes Gänseblümchen, das über das Grün stob.

Felicitas wandte sich ab. Für heute hatte sie es gründlich satt, sich über die Mutwilligkeit ihrer Tochter zu ärgern.

»Was gibt es Neues?«

»Nicht viel. Franziska Ferrik findet das Gebäude, das wir für die Theaterschule vorgesehen haben, zu klein.«

»So etwas habe ich kommen sehen. Gib dieser Frau den kleinen Finger, und sie nimmt die ganze Hand. Vielleicht sollten wir den Kunstpark gleich Ferriks Park nennen.«

»Beruhigen Sie sich.« Bernhard sah sie amüsiert an und setzte sich in einen der weiß lackierten gusseisernen Liegestühle. »Meine Güte, sind die unbequem. Sehr schön und sehr repräsentativ, aber nicht sehr komfortabel.«

Felicitas warf ihm eins der Sitzkissen zu. »Machen Sie es bitte kurz. Es reicht, wenn meine Tochter meine Nerven strapaziert.«

»Ich kenne wirklich keine Frau, die so ungeduldig ist wie Sie. Und ich kenne viele«, entgegnete er süffisant. »Ich habe meinen ganzen Charme eingesetzt, um Franziska Ferrik von unserem Vorschlag zu überzeugen, und nach einer mühsamen halben Stunde ist es mir auch geglückt. Sie akzeptiert den Pavillon. Ein hartes Kaliber, das muss ich zugeben. Aber nicht unsympathisch.«

»Ach, ich ärgere mich schon, dass ich ihr überhaupt nachgegeben habe, doch ich konnte nicht anders. Mein Vater ist dieser Frau herzlicher zugetan als seiner eigenen Mutter, und er hätte es mir nie verziehen, wenn ich sie abgelehnt hätte, zumal sie auch noch schwer krank ist. War das alles?«

»Der Thronfolger und seine Frau sind in Sarajevo erschossen worden.«

»Ich weiß.« Felicitas wies auf den *Bremer Kurier,* der auf der ersten Seite über das Attentat, die mutmaßlichen Mörder und ihre Hintermänner berichtete. »Aber auf dem Balkan wird doch alle naselang jemand umgebracht.«

»Schon, nur dieser Mord wird das empfindliche Gleichgewicht der europäischen Mächte nicht gerade stabilisieren«, entgegnete Bernhard.

»Vielleicht haben Sie Recht. Andererseits darf man sich nicht wundern, wenn die serbische Seele vor Wut kocht. Ich meine, Franz Ferdinand ist im Lande des österreichischen Todfeinds aufgetreten wie ein König. Generaluniform, Stulpenhut mit grünem Federbusch, seine Gattin ganz in Weiß. Ein wenig mehr Zurückhaltung wäre vielleicht angebracht gewesen, so prekär, wie die Lage nun einmal ist. Das rechtfertigt natürlich keinen Mord, aber die serbische Regierung kann ja nichts dafür, wenn ein wild gewordener Rebell plötzlich eine Waffe zieht.«

»Ich denke, das Ganze ist eine abgekartete Sache. Vielleicht wusste man in serbischen Regierungskreisen sogar Bescheid, hat aber nichts unternommen, weil der Tod des Thronfolgers ihnen ganz gut in den Kram passt. Sie dürfen nicht vergessen, dass Bosnien und die Herzegowina 1908 von Österreich annektiert wurden und seitdem das Unruhezentrum der Region bilden. Die muslimischen Bosnier und die katholischen Kroaten haben zwar weitgehend ihren Frieden mit der Habsburger Doppelmonarchie gemacht, doch die Mehrheit der in Bosnien lebenden Serben will die Vereinigung mit dem Mutterland, dem Königreich Serbien.«

Felicitas schnaubte. »Für den gesunden Menschenverstand klingt das logisch, doch Wien wittert natürlich Hochverrat.«

»Und nicht ganz zu Unrecht«, sagte Bernhard. »Serbien schürt die Anschlussbestrebungen nämlich nach Kräften, ihr Fernziel ist die Vereinigung aller Südslawen, Serben,

Bosnier, Kroaten und Slowenen unter serbischer Führung. Franz Ferdinand strebt für die Südslawen eine Autonomie unter dem Dach der österreichischen Monarchie an und ist deshalb ihr Todfeind.«

»War«, verbesserte Felicitas trocken und ließ es dabei bewenden. Es war einfach zu heiß für politische Diskussionen.

Die Neuigkeit schien zunächst niemanden ernsthaft zu beunruhigen. Erst als die Nachrichten in den nächsten Tagen nicht abrissen, breitete sich in ganz Deutschland die Erkenntnis aus, dass die Zeit des Friedens sich unerbittlich dem Ende zuneigte. Was hätte getan werden müssen, um einen Krieg zu verhindern, wurde versäumt.

Wilhelm II. erhielt die Nachricht an Bord der kaiserlichen Yacht Hohenzollern, mit der er an der Kieler Woche teilnahm, und geriet außer sich. Franz Ferdinand war sein persönlicher Freund, vor zwei Wochen erst hatte er ihn auf seinem böhmischen Jagdschloss besucht. Auch wenn das Deutsche Reich keine politischen Interessen auf dem Balkan hatte – diese Tat musste gesühnt werden. »Mit den Serben muss aufgeräumt werden, und zwar bald«, schrieb der Kaiser an den Rand einer Depesche und garantierte Österreich-Ungarn rückhaltlose Unterstützung in einem Krieg gegen Serbien. Ein militärischer Blankoscheck, auf den Wien prompt reagierte und Serbien ein auf achtundvierzig Stunden befristetes und praktisch unannehmbares Ultimatum stellte. Obwohl Belgrad dennoch fast alle Forderungen akzeptierte, brach Wien die diplomatischen Beziehungen ab.

Zar Nikolaus II. sprach sich für die Unterstützung Serbiens aus und befahl Generalmobilmachung, als Österreich-Ungarn Serbien den Krieg erklärte.

Am 1. August versammelten sich hunderttausende auf den

Marktplätzen großer Städte und kleiner Dörfer im Reich, um von ihren Bürgermeistern das zu hören, worauf sie gewartet, was manche herbeigesehnt, andere befürchtet und verflucht hatten: Das Deutsche Reich erklärte Russland den Krieg.

Zwei Tage später folgte die Kriegserklärung an Frankreich. Damit befand sich Deutschland in einem Zweifrontenkrieg zwischen Frankreich im Westen und Russland im Osten.

Noch war kein Schuss gefallen, da schwirrten bereits aberwitzige Gerüchte durch die Bremer Luft. Französische Spione trieben angeblich schon in Vegesack ihr Unwesen, britische Flugzeuge bombardierten Nürnberg, feindliche Saboteure vergifteten am Rhein die Brunnen, und der deutsche Kronprinz sollte erschossen worden sein. So absurd die Gerüchte auch sein mochten, schürten sie trotzdem die patriotische Stimmung. »Ein Krieg ist schrecklich, und trotzdem kann er auch eine Erlösung bedeuten«, hieß es im *Bremer Kurier*.

Fast der gesamte Abitursjahrgang 1914 meldete sich freiwillig. Es galt als Schande, auf die Einberufung zu warten oder, schlimmer noch, nicht genommen zu werden. Brücken und Unterführungen wurden von Militärposten bewacht, und der Senat amnestierte Militärdienstpflichtige, die noch bis zu einem Jahr im Gefängnis hätten sitzen müssen und sich nun auf die Freiheit im Kugelhagel und in Schützengräben freuen konnten.

In Bremen wurde das Infanterieregiment Nr. 75 mobil gemacht. Das Regiment umfasste drei Bataillone, zwei in Bremen und eins in Stade, im Ganzen fünfzehn Kompanien einschließlich einer Maschinengewehrkompanie. Bei der Mobilmachung wurde dann noch das Reserveinfanterieregiment Nr. 75 und das Landwehr-Infanterieregiment Nr. 75 mit je drei Bataillonen aufgestellt.

Jubelnd und singend oder weinend und in trunkener Katzenjammerstimmung, allein oder begleitet von Angehörigen zogen die Reservisten, Landwehrmänner und viele, die sich freiwillig gemeldet hatten, in die Kasernen. Dreitausenddreihundertsieben Mannschaften, zweihundertneunundsechzig Unteroffiziere, sechsundsiebzig Offiziere standen am 6. August zum Ausrücken bereit, gestärkt durch erbauliche Worte von Garnisonspfarrer Reinhard Großcurth und dem tröstenden Ritual des Abendmahls. Bereits in der Nacht zum 7. August wurden die ersten Teile des Regiments auf dem Bahnhof verladen, Richtung Lüttich, an die Westfront.

Die ersten Toten beklagte Bremen am 18. August, doch Trauer und Entsetzen bremsten den patriotischen Rausch der Mehrheit der Bevölkerung nicht, die den Kriegsausbruch als »Erlösung«, »Befreiung« und »innere Reinigung« feierte. Akademiker wie Arbeiter, Kaufleute wie Künstler wurden von der kollektiven Ekstase mitgerissen, selbst die Sozialdemokraten prangerten den »französischen, russischen und britischen Imperialismus« an und heizten damit die Stimmung der Genossen an.

Die Zahl der Kriegsfreiwilligen stieg beständig, viele Jugendverbände gaben sich militaristisch und ließen ihre Mitglieder mit Gewehren und Schwertern aus Holz und in improvisierten Uniformen den Ernstfall üben. Anton Andreesen war von alldem überaus angetan, kümmerte sich in seltenem Eifer um den Jungdeutschlandbund, der Fahrten und Übungen durchführte, die die Sinne schärfen und die Muskeln straffen sollten, und überlegte genau, wann er sich melden sollte und wohin. Denn dass er es tun würde, stand außer Zweifel.

Seit dem 22. August häuften sich die Siegesmeldungen von der Westfront. Deutsche Truppen waren zuvor in das neutrale Belgien eingefallen, um so schnell wie möglich nach Frankreich zu gelangen. Ein klarer Bruch des Völkerrechts, der Großbritannien als Garantiemacht für Belgiens Neutralität provozierte, die Rolle der letzten auf Ausgleich drängenden europäischen Großmacht abzuwerfen und in den Konflikt einzutreten. Im Osten gab die Lage zwar Anlass zur Besorgnis, weil der Zar schneller mobil gemacht hatte als gedacht und zwei Armeen mit mehr als einer halben Million Soldaten in Ostpreußen eingedrungen waren, aber dennoch glaubte die deutsche Führung unerschütterlich an einen schnellen Sieg.

In den Aushangkästen der Bremer Zeitungen, in Schaufenstern von Zigarren- und Papierläden, an Bäumen und Zäunen, überall hingen Flugblätter mit patriotischen Appellen aus, die Häuser zeigten Flaggenschmuck, Chöre sangen auf den Plätzen der Stadt vaterländische Lieder, die Denkmäler von Kaiser Wilhelm I., Kaiser Friedrich, Bismarck und Moltke sowie das Kriegerdenkmal wurden mit Blumen und Lorbeer geschmückt. Ganz Bremen badete in einem Meer aus Flaggen und Fahnen und summte die Melodie, die Bürgerschaftspräsident Dr. Rudolf Quidde komponiert hatte: »Hoch Kaiser und Reich! Hoch Heer und Marine! Hoch, Hoch, Hoch!«

Nicht im Traum hätte Felicitas an das gedacht, was sie nun, am 1. Oktober, in einem lapidaren Schreiben aus Berlin lesen musste.

»Das Unternehmen Kunstpark wird als nicht kriegsdienlich eingestuft, sämtliche Arbeiten müssen sofort eingestellt werden.« gez. Rommelmeier.

Außer sich vor Wut, telegrafierte sie nach Berlin, dass sie über genügend Bauarbeiter verfüge, die noch gar nicht eingezogen seien. Außerdem appellierte sie an diesen Herrn

Rommelmeier, dass es in Kriegszeiten für die Moral der Bevölkerung sicher besser sei, ein Zeichen fortwährenden Optimismus zu setzen. Doch ihre Worte und ihre Wut verhallten.

»Ich könnte schwören, dass Nussbaum seine Finger dabei im Spiel hat«, sagte sie zu Heinrich. Doch der schüttelte den Kopf.

Bremen wurde jetzt von Berlin regiert, und die Argumente einer Frau aus der norddeutschen Provinz gingen im todbringenden Lärm der Granaten und Haubitzen unter. Felicitas musste sich fügen.

Der Seeverkehr auf der Weser wurde eingestellt, von den vierhundertzweiundsechzig Dampfern der bremischen Seehandelsflotte gingen bei Kriegsbeginn gleich fünfzig verloren, nur wenige waghalsige Kapitäne, deren Schiffe im neutralen Ausland ankerten, gingen in Ausnahmefällen das Risiko ein, deutsche Häfen anzusteuern. Die Kaffeespeicher der Firma Andreesen waren noch gut gefüllt und würden Heinrich erlauben, noch eine Weile davon zu zehren, doch sollte der Krieg andauern, würden sich die Bremer an Ersatzkaffee gewöhnen müssen. Elias Frantz experimentierte schon seit Kriegsbeginn, um die am wenigsten eklige Variante aus Zichorien herzustellen, deren Wurzeln geröstet und gemahlen wurden – eine kriegsdienliche Aufgabe, die ihn und Heinrich bis auf weiteres von einer Einberufung befreiten.

Wie lange, vermochte niemand zu sagen, und Felicitas dankte dem Himmel für jeden Tag, an dem kein unscheinbarer grauer Briefumschlag zugestellt worden war.

Felicitas sorgte sich nicht nur, sie fühlte sich zutiefst abgestoßen von dem Kriegsgetöse, das dem Leben einen hämmernden, gnadenlosen Takt vorgab. Ihr fehlte zwar das Wissen, um einzuschätzen, ob das Deutsche Reich seinen Kriegsgegnern tatsächlich so überlegen war, wie der Kaiser und die Oberste Heeresleitung behaupteten, doch unabhängig davon vermochte sie nicht nachzuvollziehen, warum Menschen Freude empfinden konnten, anderen Tod und Verderben zu bringen. In ihren Augen hatte das nichts mit Patriotismus zu tun, sondern mit Dummheit, Brutalität und niederer Gesinnung.

Gelegentlich konnte sie ihre Empörung mit Ella und Elisabeth teilen, doch in der Regel vermieden sie das Thema, vor allem bei Tisch, um sich Antons Begeisterung zu ersparen.

»Was die Weiber da krempeln und klopfen drauflos und spinnen und winden und weben! Euch ficht doch der Krieg im geringsten nicht an!«

»Im geringsten nicht? Oh, du Verfluchter! Wie? Trifft er nicht doppelt und dreifach uns Frauen? Wir haben die Knaben geboren, wir haben gewappnet ins Feld sie geschickt.«

»Schweig still von den Unglücksgeschichten!«

»In der Zeit, wo wir sollten des Lebens uns freun und die Tage der Jugend genießen, da bereitet der Krieg uns ein einsames Bett …«

»Helen, bei diesen Worten könntest du auf Max zugehen, mit langsamen Schritten, schließlich seid ihr Gegner, aber auch ein wenig sinnlich, damit er begreift, was du mit deinem Plan erreichen willst«, sagte der Intendant zu Helen, die konzentriert zuhörte.

Seit einer Woche probte das Ensemble im Schauspielhaus die Komödie *Lysistrata* von Aristophanes, eins der so genannten Friedensstücke des griechischen Dichters der Antike, in der die streitbare Athenerin Lysistrata den Frauen einen Plan zur Beendigung des Bruderkrieges gegen

Sparta schmackhaft machen will: Alle Frauen sollen so lange in den Liebesstreik treten, bis die Männer freiwillig Frieden schließen.

Helen spielte die Titelrolle, Max die des Ratsherrn, der Lysistratas Plan lächerlich machen will, aber ihrer inneren Überzeugung nicht wirklich etwas entgegenzusetzen hat.

Helen nickte dem Intendanten zu, verbiss sich ein Grinsen und schwebte mit schwingenden Hüften auf die Bühnenmitte zu. »Ungefähr so?«

Max pfiff leise, und die Statisten, die den Chor der Männer darstellten, fingen an zu klatschen und zu jubeln. Diese Inszenierung bereitete allen Akteuren Spaß, obwohl der Anlass traurig und gewiss kein Grund zur Heiterkeit war. Doch die unfreiwillige Komik, die die Anweisungen des nicht sehr Regie geübten Intendanten mit sich brachten, versetzte die Schauspieler in eine fast skurril ausgelassene Stimmung, die dem Stück zugute kam. In vier Wochen würde Premiere sein, und die, darin waren sich alle einig, würde ein »Bombenerfolg« werden, wie Helen es so zynisch wie treffend formuliert hatte.

Sie hatte fast zu ihrer alten Form zurückgefunden, was einerseits daran lag, dass sie einen Arzt aufgetan hatte, der ihr Johanniskraut und Mönchspfeffer verschrieb, zwei Kräuter, die ihre Wechseljahrsbeschwerden ein wenig linderten, und andererseits daran, dass Max und sie in stillem Einvernehmen zu einer heiteren Inszenierung ihres Zusammenlebens gefunden hatten, die so wunderbar gespielt war, dass nur dem sehr aufmerksamen Beobachter auffallen mochte, dass unter der Oberfläche der Leichtigkeit einiges im Argen lag. Helens wie zufällig weggedrehter Kopf, der Max' Kuss auf ihrer Wange landen ließ, seine Hand, die ins Leere streichelte.

Dennoch entlastete das Spiel ihren Alltag. Helen genoss es, nicht mehr ständig darüber nachdenken zu müssen, ob und vor allem wie sie ihrem Leben eine andere Richtung geben sollte. Gelegentlich luden sie wieder zu ihren beliebten Soupers in die Contrescarpe ein und schienen befriedet mit dem, was sie hatten.

Als Max und Helen an diesem Mittag nach der Probe nach Hause schlenderten, fanden sie einen Brief aus Sorau vor. In wenigen Zeilen teilte Verena ihnen mit, dass Sergej sich aus dem Staub gemacht habe. »Er will auf Seiten der Russen kämpfen, der Wahnsinnige, und Constanze ist mit ihm gegangen. Ich bin am Ende meiner Kraft.«

Helen ließ das Blatt sinken. Max fing ihren Blick auf und begriff, dass er sie nicht würde zurückhalten können. Das Spiel war vorüber.

»Das ist verrückt, Helen, das kannst du nicht auf dich nehmen, nur weil deine Schwester zu wenig Mumm hat, die Dinge selbst zu regeln. Ich meine, was sollst du in Sorau tun, was sie nicht selbst tun könnte?«

»Es ist das Gut meiner Eltern. Du weißt, wie viel es mir bedeutet. Und außerdem liegt Sorau doch ganz und gar außerhalb der Schusslinie.«

»Das stimmt nicht, und du weißt es. Mag sein, dass die Deutschen die Lage an der Ostfront derzeit im Griff haben …«

»Deine Formulierung ist gelinde gesagt ein wenig untertrieben«, unterbrach Helen ihren Mann amüsiert. »Ludendorff und Hindenburg haben die Russen geschlagen und sind im Begriff, aus Litauen, Kurland und der westlichen Ukraine die deutsche Provinz Ober-Ost zu machen. Was für ein abscheulicher Name! Doch sie bauen dort angeblich sogar schon Fabriken und Eisenbahnen!«

»In einem Krieg kann sich das Blatt jederzeit wenden«,

beharrte Max. »Ich werde dich also begleiten, wenn du auf deiner Reise bestehst.«

»Du kannst doch Felicitas und Dorothee, das Haus und das Theater nicht allein lassen, Max. Nein, das ist keine Lösung.«

»Dorothee könnte mit dir fahren.«

»Dieses Hühnchen? Sie hat gerade wieder Lebensmut gefasst.« Helen schüttelte den Kopf und sah Max ungeduldig an. Seine Reaktion erschien ihr kindisch und egoistisch, doch sie verkniff sich eine ruppige Bemerkung, weil sie einem Streit aus dem Weg gehen wollte. »Schau, Max ...«, begann sie nachsichtig, doch er unterbrach sie wütend und zugleich resigniert.

»Helen, du machst alles kaputt. Es stand lange nicht gut zwischen uns, aber in den letzten Monaten rückten sich die Dinge irgendwie wieder zurecht. Das musst du doch auch bemerkt haben. Wenn du jetzt nach Sorau fährst, zeigst du mir sehr deutlich, was und wer dir wirklich wichtig ist. Ganz abgesehen von der Verantwortung, die auch du für das Theater trägst, nicht nur ich.«

Helen seufzte. Offensichtlich wollte er sie nicht verstehen. »Mein Entschluss steht fest, Max, und es würde mir und uns mehr helfen, wenn du fair bleibst statt mir Vorwürfe zu machen. Meine Rolle kann Dora Henning übernehmen. Und ich werde schließlich nicht ewig in Sorau bleiben.«

Sie starrten sich an, keiner wollte nachgeben. Schließlich senkte Max den Blick und zuckte mit den Schultern. »In Ordnung. Tu, was du für richtig hältst.« Er küsste sie flüchtig auf die Wange und begab sich zur Haustür. »Warte nicht mit dem Essen auf mich, ich gehe noch ein wenig spazieren.«

Mit einem leisen Klicken fiel die Haustür ins Schloss. Am

liebsten hätte Helen ihm eine Vase oder am besten gleich ein ganzes Service hinterhergeschmissen, um seine Haltung, diese für Max so typische Mischung aus Arroganz und Selbstmitleid, zu erschüttern. Stattdessen ging sie die Treppe hinunter ins Souterrain, um Elfriede über ihre bevorstehende Abreise und die Aufgaben, die in der Zeit ihrer Abwesenheit zu erledigen waren, zu unterrichten. Als sie die Küche betrat, bollerte kein Ofen gemütlich vor sich hin, kein Duft frisch gebrühten Kaffees noch irgendeiner Mahlzeit betörte die Nase. Elfriede saß wie versteinert auf der Ofenbank und blickte ins Leere.

»Thomas soll an die Ostfront«, sagte sie tonlos, als sie Helens Schritte hörte.

Helen setzte sich zu ihr und nahm ihre kalten Hände in die ihren.

»Im Westen soll es viel schlimmer sein, Elfriede. Sei froh, dass er nach Ober-Ost kommt. Schick ihm einen deiner köstlichen Apfelkuchen und ein Foto von euch. Und deine ganze Liebe. Mehr kannst du nicht tun.«

Elfriede blickte hoch und sah Helen in die Augen. »Unsere Nachbarn haben ihren Sohn in Ober-Ost verloren. Was ist das für eine Welt, in der die Regierenden die Söhne ihres Landes in den Tod schicken, weil sie sich nicht einigen können?«

»Die Einzige, die wir haben«, erwiderte Helen.

Eine Woche später brachten Max und Felicitas Helen zum Bahnhof. Felicitas hatte Gesa und die Zwillinge mitgenommen, um, wie Helen vermutete, dem Abschied eine versöhnliche, heitere Note zu geben. Der Versuch misslang. Clemens und Christian quengelten unablässig, aufgeschreckt durch den ohrenbetäubenden Lärm der Dampfloks und Güterwaggons, die hin und her rangiert wurden, und Gesa heulte, weil sie keins der bunten »Für Volk und Vaterland«-Fähnchen aus Papier schwenken durfte. Max wirkte angegriffen und nervös, und Felicitas schaute argwöhnisch von ihrem Vater zu ihrer Mutter.

Meine Tochter besitzt ein feines Gespür für die emotionale Großwetterlage ihrer Eltern, dachte Helen, und im Allgemeinen auch einen Sinn für Diskretion. Doch darauf mochte sie sich jetzt nicht verlassen. Sie beschloss, diese Szene so unsentimental und kurz wie möglich zu halten, um Felicitas nicht die Gelegenheit zu geben, in letzter Sekunde unbequeme Fragen zu stellen. Sie umarmte die sich windende Gesa, streichelte die Zwillinge, küsste Max und Felicitas und stieg in den Waggon. Als sie ihr Abteil erreichte, stellte sie erleichtert fest, dass sich nur zwei Mitreisende darin befanden, ein älterer Herr und eine Ordensschwester. Sie öffnete das Fenster und winkte Max und Felicitas zu.

»Passt auf euch auf!«, rief sie ihnen zu, als sich der Zug in Bewegung setzte.

»Ruf an, sobald du in Königsberg bist!«, rief Felicitas zurück.

»Oder schick wenigstens ein Telegramm.« Max' Theaterstimme übertönte den Lärm mühelos.

Helen nickte, lächelte und schloss das Fenster. Aufatmend ließ sie sich in die Polster sinken. Träge betrachtete sie die Landschaft, die in prachtvollem Grün an ihr vorbeizog, und das Gefühl, die richtige Entscheidung getroffen zu haben, floss durch ihre Glieder wie warmer Honig.

»Du hast wirklich nicht bemerkt, was sich da zusammenbraute?«

»Nein. Constanze wirkte vielleicht nicht besonders glücklich, aber deswegen verlässt man ja nicht gleich Haus und Hof.«

»Vor allem stürzt man sich nicht mit einem kleinen Kind in so ein verdammtes Abenteuer. Nach Russland! Was will sie denn dort? An Sergejs Seite in den Krieg ziehen, das Kind im Tornister auf dem Rücken?«

»Ich weiß es nicht. Ich will es auch gar nicht wissen. Sie ist nicht mehr meine Tochter. Das ist alles, was ich wissen muss.«

Helen und Verena saßen auf der Bank vor dem Gutshaus. Die Sonne ließ das warme Gelb der Fassade leuchten, die Stimmen der Erntehelfer, ihr gelegentliches Gelächter hallten von den Feldern zu ihnen herüber. Auf den ersten Blick schien alles so zu sein, wie es immer zur Erntezeit gewesen war, doch Helen spürte die Agonie, die sich wie Mehltau über den Besitz gesenkt hatte.

Ein harter Zug lag um Verenas Mund. Ihre Schwester, früher immer die Milde von beiden, wirkte nicht verzagt, wie Helen es erwartet hatte, sondern verbittert und ohne Hoffnung. Die Pflege des kranken Carl, der inzwischen fast rund um die Uhr betreut werden musste, die Organisation der Ernte, die Verantwortung für die Trakehnerzucht überforderten sie, und der Verrat ihrer Tochter und ihres Schwiegersohns hatten ihren Glauben an das Leben zutiefst erschüttert. Welche Motive Constanze auch getrieben haben mochten und welche Trauer ihr Verhalten auch auslöste, entscheidend war jetzt einzig und allein die Frage, wie es auf dem Gut weitergehen sollte. Ein vernünftiger Plan, davon war Helen überzeugt, würde Verena schon aus ihrer Resignation locken.

»Traust du es dir zu, das Gut allein zu führen?«

»Auf keinen Fall, nicht in diesen Zeiten. Der Krieg wird schneller hier sein, als du es dir vorstellen kannst.«

»Aber wir haben die Russen doch geschlagen.«

»Eine Schlacht ist geschlagen, mehr nicht«, entgegnete

Verena müde. »Und glaub mir, der Iwan kann warten. Das Land hat ihn Geduld gelehrt.«

»Bis es jedoch so weit ist«, sagte Helen, ihre Ungeduld mühsam zügelnd, »müssen wir uns überlegen, wie wir die Situation in den Griff bekommen. Was hältst du davon, wenn wir uns nach einem Verwalter umsehen?«

»Ich weiß nicht …«

»Wir könnten es wenigstens probieren. Irgendeinen fähigen Mann wird es doch in dieser Gegend geben, der noch nicht eingezogen worden ist und der Arbeit sucht. Gleich morgen werde ich eine Annonce in die Zeitung setzen lassen, und dann sehen wir weiter.« Helen lächelte Verena aufmunternd zu und stand auf. »Ich gehe noch ein wenig spazieren. Kommst du mit?« Sie brauchte dringend Bewegung, damit die Lethargie nicht ebenfalls von ihr Besitz ergriff. Verena schüttelte den Kopf, doch Helen gab nicht nach. »Rumsitzen und den Kopf hängen lassen hat noch niemandem geholfen. Na los, lass uns zum Teich gehen und ein paar Weidenzweige sammeln. Der Kletterzaun für die Wicken muss dringend repariert werden.« Folgsam erhob sich Verena und strich sich mechanisch die fleckige Schürze glatt. »Und wenn wir das erledigt haben«, sagte Helen, »ziehen wir uns um, machen uns hübsch, nehmen einen Fünfuhrtee und tun so, als gäbe es nichts Wichtigeres als die neueste Mode. Ganz wie bei Herrschaften.«

Verena verzog das Gesicht zu einem schiefen Lächeln. »Ich wünschte, der liebe Gott hätte mir einen Bruchteil deiner Kraft mitgegeben.«

»Das hat er gewiss getan. Du hast nur immer Angst vor deiner eigenen Courage gehabt, weil sie mit deiner Bequemlichkeit kollidierte.«

»Und ich wünschte, Er hätte deine Zunge nicht so spitz geformt.«

Helen lachte und hakte Verena unter. Als sie den Weg zu dem kleinen Teich mit den Weidenbäumen einschlugen, hörten sie in der Ferne ein dumpfes Grollen.

Am Morgen des vierten Tages, nachdem die Anzeige im Lokalblatt von Sorau erschienen war, klopfte ein Mann an die Tür des Gutshauses. Er mochte Mitte fünfzig sein, sein volles gewelltes Haar war von hellgrauen Strähnen durchzogen. Seine Lederjacke war abgewetzt, und seine braunen Knickerbocker hatten die beste Zeit hinter sich, doch der Mann strahlte eine natürliche Souveränität aus, die sein schäbiges Äußeres vergessen machten.

Helen öffnete und erstarrte.

»Habe ich nicht gesagt, dass du mich eines Tages brauchen wirst?«, sagte der Mann leise. »Nun, hier bin ich.«

Als der Landser Anton Andreesen im März 1915 in Tauroggen im nördlichen Ostpreußen zusammen mit seinen Regimentskameraden aus dem Zug stieg, hatten Hindenburgs Armeen die Russen zum zweiten Mal aus Masuren vertrieben, hunderttausend Soldaten gefangen gesetzt und im Reich eine Hindenburg-Hysterie ausgelöst. Von Kiel bis Königsberg wurden Hindenburg-Eichen gepflanzt, Hindenburg-Türme gebaut, Hindenburg-Pfefferkuchen gebacken. Selbst Federhalter, Krawatten und Heringe trugen den Namen des Helden von Tannenberg. Der zweite Oberbefehlshaber, Erich Ludendorff, fiel dabei seltsamerweise unter den Tisch, obwohl beide Generäle gleichen Anteil am großen Sieg im Osten trugen und sich nun anschickten, die von Bomben, Granaten und Feuer zerstörten Städte und Dörfer nach deutschem Vorbild und deutscher Ordnung zu formen. Täglich wurden eintausendachthundert Menschen zwangsentlaust, Briefschreiben war nur auf Deutsch, das Backen nur dienstags und samstags erlaubt, Schulen wurden eingerichtet und eine eigene Währung eingeführt, das »Ostgeld«. Das paradiesische Neuland im Osten hatte nur einen kleinen Haken – viereinhalb Millionen russische Soldaten brannten darauf, es wieder in den Besitz des Zaren zu bringen. Doch diese Tatsache schien kaum jemand als Gefahr wahrzunehmen. »Ober-Ost« war deutsch, und damit basta.

Wer hierher abkommandiert wurde, hatte es besser getroffen als die meisten anderen Soldaten, die im Westen in kilometerlangen Schützengräben in zermürbendem Stellungskrieg kämpften und bangten und zu hunderttausenden von Schrapnellgeschossen, Gewehrkugeln und Haubitzen zerschmettert und zerfetzt wurden und als unkenntlicher Brei aus Uniformstoff, Knochen und Gedärm im Morast der verschlammten französischen Erde versanken.

Hier in Ober-Ost hatte man es nur mit gelegentlichen Übergriffen einiger versprengter russischer Regimenter zu tun.

Doch nicht allein deshalb war Anton Andreesen guten Mutes. Endlich fühlte er sich seinem Bruder Heinrich einmal überlegen, dem strahlenden Erbprinzen, der sich so feige hinter der Firma verkrochen hatte statt das zu tun, was ein Mann jetzt tun musste – kämpfen. Die Überzeugung, endlich eine Aufgabe gefunden zu haben, die seinem inneren Wollen entsprach, stärkte Anton auf nie gekannte Weise das Rückgrat und flößte ihm Selbstvertrauen und ein Gefühl natürlicher Autorität ein.

»Ober-Ost« begriff er als seine Chance, seine naiven Bemühungen, in der Politik Fuß zu fassen, denen seine Mutter mit zynischer Skepsis gegenübergestanden hatte, endlich von Erfolg zu krönen. Hier würde er dazu beitragen, die Bewegung voranzutreiben. War der Krieg erst vorüber, würde er seine finanziellen Mittel dafür einsetzen, das nationalistische Gedankengut zu einer Partei reifen zu lassen, die auch in seiner Heimatstadt Fuß fassen würde. Doch jetzt galt es, als Landser mitzukämpfen, an vorderster Front den Dienst zu verrichten, dessen das wahre Deutschland jetzt dringend bedurfte. Er lächelte, als er daran dachte, wie entsetzt seine Familie auf seinen Entschluss reagiert hatte, entsetzt und erstaunt. Ausgerechnet er, der Spielsüchtige, hatte sich freiwillig gemeldet. Aber er würde es ihnen allen zeigen und mit einer Tapferkeitsmedaille zurückkehren. Denn dass er zurückkehren würde, stand für ihn außer Frage.

Er zündete sich einen Zigarillo an und trabte mit den anderen Soldaten zu den wartenden Militärwagen, die sie nach Ober-Ost, nach Libau bringen sollten.

Mehr als zwei Stunden waren sie bereits auf holprigen Wegen unterwegs. Sie passierten verbrannte Dörfer und kahle Wälder. Später zeichnete sich am Horizont das von Flüssen geäderte Tiefland mit sumpfigen Wäldern ab, das den Beginn der russischen Steppe markierte. Dahinter, so hieß es, breiteten sich mächtige Wälder aus, in denen noch Wölfe und Bären lebten, die im Westen so gut wie ausgestorben waren.

Die Dämmerung fiel wie ein Schleier über den Konvoi. Das Brummen der Motoren wiegte die Soldaten in einen unruhigen leichten Schlaf. Als Antons Kopf auf seine Brust sank, riss ein ohrenbetäubender Knall ihn wieder hoch. Die Wucht der Detonation schleuderte Wagen und Menschen durch die schwefelgelbe Luft.

Der Schmerz wühlte sich durch Antons Körper, trieb ihn an den Rand der Bewusstlosigkeit, in der er vor sich hin dämmerte. Stille und Staub senkten sich über die versprengten Leiber und die zerstörten Wagen. Anton gab auf und schloss die Augen.

»Der ist hin«, sagte ein Soldat und machte eine wegwerfende Handbewegung.

»Bist du sicher?«, fragte ein anderer, kniete nieder und legte seinen Kopf auf Antons Brust. »Er lebt. Komm, pack mit an.« Doch der andere Soldat hatte sich im Schutz der Dunkelheit davongemacht.

So blieb Thomas Engelke nichts anderes übrig, als den verwundeten, grausam entstellten Kameraden allein in Sicherheit zu bringen. Wo immer das sein mochte.

ua!« Gesas dunkelblaue Augen füllten sich mit Tränen, doch statt den Hammer, der viel zu schwer für sie war, loszulassen, hieb sie so unverdrossen wie vergeblich auf den Nagel ein.

»Nun nehmen Sie dem Kind doch endlich den Hammer aus der Hand!«, rief eine junge Frau empört. »Das kann man ja nicht mit ansehen. Außerdem wollen andere Leute heute auch noch drankommen und sich nicht bis Weihnachten die Beine in den Bauch stehen!« Ihre beiden Söhne, sie mochten sechs und sieben Jahre alt sein, grinsten Gesa spöttisch an.

»Das schafft die doch nie«, sagte der Ältere.

Sein Bruder pflichtete ihm bei. »Ist auch Männersache. Frauen können so was sowieso nicht.«

Felicitas lächelte gleichmütig. »Meine Tochter hat den Nagel bezahlt, und es dauert eben so lange, wie es dauert. Statt zu meckern, sollten Sie die Beharrlichkeit einer Fünfjährigen bewundern. Das ist die Zukunft des deutschen Volkes.« Ihr Ton troff vor Ironie, und die Frau presste die Lippen zusammen.

Weil das Reich die üblichen Gold- und Silbermünzen für den Finanzbedarf im Außenhandel benötigte, wurden sie eingezogen und durch Banknoten ersetzt. Viele Bürger kamen der Aufforderung nach und gaben nicht nur ihre Münzen ab, sondern opferten auch ihren Schmuck. Nicht wenige tauschten sogar ihre goldenen Eheringe gegen solche aus Eisen mit der Aufschrift »Vaterlandsdank 1914«.

Und jetzt auch noch der Eiserne Roland, eine Statue vor dem Rathaus, die nach dem Vorbild des echten Roland aus Holz gefertigt worden war, in die jeder Bürger gegen zehn Pfennig einen Nagel schlagen durfte. Für eine Goldmünze wurde »Freinagelung« gewährt, was bedeutete, dass der Spender drauflosnageln konnte, wie ihm der Sinn stand und seine Kraft reichte. Für die Kinder war es ein Riesenspaß, für die Erwachsenen eine patriotische Pflicht, der sie mit würdevoller Miene nachkamen.

Felicitas ging die ganze Kriegsbegeisterung auf die Nerven. Überall Fähnchen und Wimpel und verklärte Gesichter, obwohl im Feld die Männer starben wie die Fliegen. Die Roland-Einnagelung war nur ein Akt der Augenwischerei mehr, den Menschen das Geld aus der Tasche zu ziehen, um einen sinnlosen Krieg zu finanzieren. Sie ärgerte sich aber vor allem auch deshalb über die Raffgier des Reiches, weil sie sie zwang, eine viel versprechende Idee auf Eis zu legen, für die im Moment aber niemand eine Mark übrig haben würde – die Idee, jedem Bremer ein symbolisches Stück Kunstpark zu verkaufen. Für einen Obolus zwischen fünfzig und fünfhundert Mark würden die Käufer ein Zertifikat erhalten, das sie als Miteigentümer auszeichnete. Abgesehen von dem finanziellen Gewinn sollte das ungewöhnliche Vorhaben dazu beitragen, die Verbundenheit der Bremer mit dem Kunstprojekt zu fördern.

Mit einem letzten Hieb trieb Gesa den Nagel endlich so weit ein, dass er zumindest halten würde, bis sie ihm den Rücken gekehrt hatte. Stolz betrachtete sie ihr Werk, bis die beiden Jungen es satt hatten und Gesa unsanft zur Seite drängten. Felicitas nahm sie an die Hand und bugsierte sie durch die Masse der Wartenden zu ihrem Wagen.

»Hast du es gesehen, Mama? Der Nagel saß astrein!« Gesa strahlte und sah Felicitas erwartungsvoll an.

»Astrein«, bestätigte Felicitas. »Das hast du wirklich gut gemacht.«

Plötzlich zog Gesa eine Schnute. »Du konntest es gar nicht sehen, du warst viel zu weit weg.«

Felicitas startete den Wagen und lenkte ihn Richtung Domsheide, um über den Wall zum Stadtpark zu fahren, bevor sie so antwortete, wie es das Spiel verlangte.

»War ich nicht.«

»Warst du doch.«

»War ich nicht.«

»Warst du doch.«

»War ich nicht.«

»Warst du doch. Doch, doch, doch!«

Manchmal gewann Felicitas, meistens jedoch Gesa, die ihre weiche Kleinmädchenstimme in ungeahnte Höhen und Lautstärken schwingen konnte, was Heinrich dazu veranlasst hatte, ihr den Spitznamen »Kleine Primadonna« zu verleihen und darüber zu spekulieren, ob es Sinn machte, Gesa jetzt schon Gesangsunterricht erteilen zu lassen, damit ihre natürliche Gabe nicht verkümmerte. Felicitas musste ihn jedes Mal, wenn die Rede darauf kam, daran erinnern, dass Gesas Stimme zwar tragfähig war, aber die Musikalität ihrer Tochter sich in Grenzen hielt.

Doch wenn Gesa alle Ziele, die sie erreichen will, so verbissen verfolgt wie sie es meist tut, selbst beim Einschlagen eines dummen Nagels, würde einer Gesangskarriere wohl nichts im Wege stehen, dachte Felicitas amüsiert und zauste Gesa die blonden Locken.

»Lass das«, murrte Gesa, und Felicitas zog ihre Hand zurück. Ihr Verhältnis hatte sich nicht wesentlich gebessert, auch wenn Felicitas immer wieder versuchte, eine Nähe zwischen ihnen herzustellen. Gesa war ein Vater-Kind, ganz wie sie selbst. Sie schob den Gedanken beiseite und konzentrierte sich aufs Fahren.

Der knallrote Opel von Swantje Petersen stand vor dem Eingang des Kunstparks, welcher von einem hohen Bretterzaun umgeben war, der Neugierige, vor allem aber Diebe abhalten sollte, die scharf auf brandneue Ziegel, Rotstein und andere Baumaterialien waren, die auf ihre Verarbeitung warteten.

Trotz ausdrücklicher Anweisung, die Arbeiten einzustellen, liefen sie im Verborgenen weiter, aber in so bescheidenem Umfang, dass niemand, nicht einmal Hindenburg selbst daran hätte Anstoß nehmen können. Felicitas hatte es geschafft, zwei Dutzend alte Männer anzuheuern, die den Bau der Häuser vorantrieben, langsam zwar, aber der geringste Fortschritt war besser als der deprimierende Stillstand. Darüber hinaus hatte sie versucht Frauen für das Projekt zu gewinnen, war damit aber weniger erfolgreich als gedacht, denn in Bremen wie im übrigen Reich musste das angeblich schwache Geschlecht inzwischen für die Arbeiten rekrutiert werden, die im Allgemeinen von den Männern verrichtet wurden. Vom Hafen bis in die Kontorhäuser sorgten Frauen nun dafür, dass das öffentliche und wirtschaftliche Leben nicht völlig zum Erliegen kam. Kein Wunder, dass kaum eine sich dafür begeistern mochte, ihre wenige freie Zeit mit noch mehr Arbeit zu belasten. Im Stillen hatte Felicitas auf Ella gesetzt, doch ihre Schwägerin leistete ihren Dienst an der Allgemeinheit im Soldaten-Genesungsheim im Tivoli ab, und Désirée behauptete, für »so etwas« zwei linke Hände zu haben.

Mit Feuereifer hatten sich dagegen Swantje Petersen und erstaunlicherweise Franziska Ferrik in die ungewohnte Arbeit gestürzt. Erstere genoss es, die Innenwände der zwei bereits fertig gestellten Gebäude zu verputzen, um auf den jungfräulichen hellgrauen Flächen allerlei unterschiedliche Maltechniken auszuprobieren, die sie seit Jahren akribisch studiert hatte; ein Steckenpferd, das ihr Vater seltsam unweiblich fand, seiner Tochter aber dennoch nicht verboten hatte, was dem Kunstpark nun zugute kam. Eine Wand glänzte wie Carrara-Marmor, eine andere schimmerte hellgelb wie die aufgehende Sonne, auf der nächsten zeichneten sich täuschend echt wirkende toskanische Landschaften ab. Ein ziemliches Durcheinander, wie Felicitas fand, doch da es sich bei dem einen Haus um das Atelier zweier Täuschungskünstlerinnen und bei dem anderen um die Werkstatt einer Bildhauerin handeln sollte, würde Swantjes Experiment gewiss helle Begeisterung auslösen.

Franziska Ferrik dagegen nutzte die Herausforderung, um sich, was sie natürlich nie zugegeben hätte, von ihrer Krankheit und der Angst vor dem, was kommen würde, abzulenken, und außerdem kam es ihr höchst gelegen, ihr zukünftiges Wirkungsfeld unter Kontrolle zu haben. Keiner der alten Männer wagte es, einen Stein zu mauern, bevor Franziska Ferrik es nicht gestattet hatte.

»Sie hat ihren Beruf verfehlt, eigentlich hätte sie Polier werden müssen«, hatte Felicitas einmal zu ihrem Vater gesagt, der wie immer, wenn seine Schauspiellehrerin Ziel des Spotts oder der Kritik war, etwas pikiert reagiert hatte.

Von weitem sah Felicitas die beiden Frauen auf zwei Sandsäcken sitzen, in angeregtem Gespräch mit Bernhard Servatius vertieft. Swantje trug einen alten ausgeleierten Pullover, der ihr drei Nummern zu groß war, und eine ausgebeulte Manchesterhose und war von bunten Farbflecken übersät. Der Wind bauschte ihre roten Locken zu einer üppigen Mähne auf, die ihr rundes sommersprossiges

Gesicht ungestüm umspielte. Swantje wirkte überaus attraktiv, und die Art, wie Bernhard ihre Freundin ansah, versetzte Felicitas einen feinen Stich, zu fein, um ihm Aufmerksamkeit zu schenken.

»Einen Kaffee?«, begrüßte Bernhard sie und schwenkte die Thermoskanne. »Eine Tasse dürfte noch übrig sein.«

»Vielen Dank«, sagte Felicitas. Sie nahm die Tasse entgegen und setzte sich. Sie plauderten eine Weile über dies und das und bestärkten sich darin, den Krieg abscheulich und unmenschlich und ganz und gar sinnlos zu finden. Felicitas liebte die Offenheit, die sie einander entgegenbrachten. So unterschiedlich ihre Charaktere auch sein mochten, so kritisch Felicitas vor allem Franziska Ferrik und Bernhard betrachtete, sie waren doch Freunde geworden auf eine unpathetische, selbstverständliche Art.

»Genug pausiert!«, rief Swantje und klopfte sich auf die Schenkel. »Macht's gut, ihr drei. Ihr findet mich in Haus 2.« Der Einfachheit halber hatten sie die Gebäude, ob fertig oder nicht, nummeriert.

»Und mich in Haus 1«, sagte Franziska Ferrik und schloss sich Swantje an.

Bernhard sah den beiden hinterher und lächelte. »Wir sind schon ein bizarres Quartett, nicht wahr?«

Felicitas nickte. »Das kann man wohl sagen. Und dazu noch das Dutzend alter Herren.«

Bernhard sah ihr in die Augen. »Und Sie sind die Seele des Ganzen.«

»O nein, ich hatte lediglich die Idee. Ohne Ihre Hilfe …«

Sie brach ab, alarmiert von der Ernsthaftigkeit seines Tons. »Sie wollen mir doch damit nicht sagen …«

Er nickte. »Scharfsinnig wie immer, die Dame. Übermorgen.«

»Wohin?« Ein eiskalter Ring legte sich um ihren Brustkorb. Gesa hüpfte singend umher, die Vögel zwitscherten. Alles wirkte plötzlich so unwirklich, wie eine schöne Kulisse, die die grausame Wirklichkeit barmherzig abschirmte.

»Irgendwo an der Küste. Mehr sollten Sie nicht wissen, zu Ihrer eigenen Sicherheit. Es … handelt sich um eine Sondermission«, antwortete er.

Am 22. Februar wurde der uneingeschränkte U-Boot-Krieg befohlen. Handelsschiffe Krieg führender und neutraler Staaten wurden innerhalb der erklärten Seekriegsgewässer durch deutsche U-Boote torpediert. Nach der Versenkung des britischen Passagierschiffs Lusitania wurde der Befehl zwar offiziell wieder aufgehoben, doch im Geheimen setzte die deutsche Regierung weiter auf die Sondermissionen, weil das Reich nur auf diese Weise die dringend benötigten Rohstoffe – Rohgummi, Nickel, Zinn – heranschaffen konnte.

»Hat der Kaiser die U-Boote nicht zurückgepfiffen?«
Bernhard lächelte. »Offiziell schon …«

»Wieso werden Sie zu einem U-Boot-Einsatz abkommandiert?«

»Weil ich dafür ausgebildet wurde«, entgegnete er gleichmütig.

»Das wusste ich nicht.«

»Woher sollten Sie auch?« Bernhard nahm die Kaffeetassen und die Thermoskanne und verstaute alles in seiner Aktentasche.

»Besuchen Sie uns doch noch einmal«, sagte Felicitas schnell. »Heute Nachmittag. Marie hat bestimmt einen Kuchen gebacken, und Heinrich …«

»Ich tauge nicht für Abschiedsszenen«, fuhr er ihr brüsk ins Wort und reichte ihr die Hand. »Leben Sie wohl, Felicitas.«

»Was hätten Sie gemacht, wenn ich nicht zufällig hier ange-
halten hätte?«, erwiderte sie aufgebracht und verschränkte
die Arme vor der Brust. »Ich hatte heute gar nicht vor, hierher zu kommen. Hätten Sie mir eine Karte aus Calais geschrieben?«

Er lächelte. »Auf Wiedersehen, Felicitas.«

Stumm sah sie ihn an und nahm schließlich seine Hand.
»Auf Wiedersehen, Bernhard. Passen Sie auf sich auf.«

»Die werden mich schon nicht erwischen. Unkraut vergeht nicht. Und ich bin ein verteufelt guter Seemann.«
Lässig winkte er ihr zu und ging.

Wie betäubt sah Felicitas ihm nach. Ohne Bernhard würden der Park und die Arbeit daran nicht mehr dasselbe
sein. Ein Gefühl leiser Panik ließ sie frösteln. Am liebsten wäre sie ihm hinterhergelaufen, um, ja, was eigentlich
zu tun? Sie unterdrückte den unbestimmten Impuls und
nahm ihre Tasche, um sich in einem der Häuser umzuziehen. Ein paar aussortierte Hosen von Heinrich, ein alter
Pulli von ihrem Vater. Der Yin-und-Yang-Garten war ihr
Revier. Die Bäume würden zwar vor Ende des Krieges
nicht geliefert werden, aber die kleinen Findlinge, groß
wie Handbälle, die den Rahmen bilden sollten, türmten
sich seit Mai neben dem Rund. Und irgendetwas musste
sie schließlich auch tun.

»Komm, Gesa.«

Zwei Stunden arbeitete Felicitas konzentriert und ohne
eine Pause einzulegen. Die körperliche Anstrengung und
die Gleichförmigkeit der Tätigkeit beruhigten ihre aufgewühlten Gefühle. Selbst Gesa, der Felicitas aufgetragen
hatte, aus lauter weißen Kieselsteinen im Innern des Krei-
ses ein kleines Mosaik zu legen, respektierte die unausgesprochene Bitte ihrer Mutter, eine Weile in Ruhe gelassen
zu werden.

Als Felicitas auf die Uhr sah, erschrak sie. »Schon fast fünf. Die Oma wartet mit dem Tee auf uns, Gesa. Und vielleicht ist der Papa heute ja auch früher daheim.« Sie streckte sich und klopfte sich den Staub von der Hose.

»Guck mal, Mama. Ist das schön?« Hoffnungsvoll sah Gesa ihre Mutter an, und dieses Mal versäumte Felicitas es nicht, das Werk ihrer Tochter eingehend zu betrachten. Die weißen Kieselsteine bildeten einen fast perfekten Kreis, und Felicitas lächelte.

»Das hast du gut gemacht«, sagte sie und nahm Gesas Hand.

»Hab ich nicht«, krähte Gesa fröhlich und lachte.

»Hast du doch.«

»Hab ich nicht.«

»Hast du doch.«

»Hab ich nicht.«

»Hast du doch. Doch, doch, doch.«

»Mama«, unterbrach Gesa das Spiel plötzlich, »muss Papa auch in den Krieg wie Onkel Bernhard und Onkel Anton?«

Schweigend drückte Felicitas ihre Tochter an sich, unsicher, was sie antworten sollte. Gesa war zu klug, um sich mit Ausflüchten abspeisen zu lassen, aber nicht so stabil für die ganze Wahrheit.

»Weißt du«, begann sie, »Papa tut alles, um uns nicht verlassen zu müssen, und er hat viele wichtige Freunde, die ihn dabei unterstützen. Und wir müssen fest die Daumen drücken, dass das noch lange so bleibt. Verstehst du?«

Gesa nickte und hielt beide Daumen mit den Fingern umklammert. »So?«

»Genau. Das machst du ab jetzt immer vor dem Einschlafen, einverstanden?«

»Und das soll helfen?«, fragte sie misstrauisch. »Warum?«

»Nun, das ist eine alte Sitte, die Glück bringt.«

Stirnrunzelnd betrachtete Gesa ihre Händchen. »Glaub ich nicht.«

»Das solltest du aber. Es ist ein bisschen wie Zauberei. Niemand kann erklären, wie es funktioniert, doch es funktioniert.« Felicitas war sich bewusst, dass ihre Erklärungen aus dem Ruder zu laufen drohten. Heinrichs Schicksal in die Nähe einer von zwei Daumen zu beeinflussenden Macht zu rücken, schien nicht geeignet, Gesas wachen Verstand zu überzeugen. Deshalb wechselte sie abrupt das Thema. »Wir müssen uns noch von Swantje und Franziska Ferrik verabschieden, und dann sollten wir fahren. Marie hat bestimmt Kuchen gebacken.«

Schweigend lief Gesa neben ihr her.

Zu Hause angekommen, stürzte sie aus dem Wagen und lief in den Garten.

Felicitas folgte ihr und lächelte über das Idyll, das sich ihr bot.

Clemens und Christian wackelten behände und wegen der dicken Baumwollwindeln breitbeinig über den Rasen, Bauklötzchen, Rasseln, Teddys und anderes Spielzeug verliehen dem satten Grün lustige bunte Tupfer. Gesa hatte sich Heinrich in den Arm geworfen, der, auf einer Decke sitzend, das Gleichgewicht nicht hatte halten können, und Gesa lachend mit sich gerissen hatte, sodass sie nun kichernd nebeneinander lagen. Etwas weiter entfernt hatte sich Désirée auf einer Liege ausgestreckt und las.

Auf einem weißen Gartentisch wartete das tägliche Wunder – ein Kuchen, dessen Butteranteile der liebe Gott ihnen gespendet haben musste, denn so viele Buttermarken erhielten die Andreesens wohl kaum, dass es dafür reichte. Seit die Köchin ihren Dienst quittiert hatte, um ihren Eltern in Syke zur Hand zu gehen, hatte sich Marie die Küche erobert und die Familie mit kulinarischem Können erstaunt, sodass Elisabeth darauf verzichtete, sich andere Bewerberinnen um den Posten anzusehen. Besonders Maries kleine Wunder hatten es ihnen angetan, auch wenn allen klar war, dass die wundersame Vermehrung von Butter, Fleisch oder Rotwein nicht mit rechten Dingen zugehen konnte. Doch Marie stellte sich stets arglos und murmelte etwas von »altem Hausfrauentrick«. Elisabeth ließ es dabei bewenden, schließlich war das Butterwunder ein Segen für die Kinder. Und Fleisch und Rotwein waren auch nicht zu verachten.

Elisabeth, eine Ente aus Holz auf dem Schoß, hatte Limonade für die Kinder und für sich und Heinrich Tee eingeschenkt und war damit beschäftigt, den Kuchen und Äpfel und Birnen in mundgerechte Stücke zu schneiden. Einmal mehr dachte Felicitas, wie viel liebevoller Elisabeth mit ihren Enkeln umging als ihre Mutter. Zugegeben, sie hatte wegen ihres Berufs und nicht zuletzt auch wegen Sorau weniger Gelegenheit, die Kinder zu sehen, doch Felicitas wettete eins zu hundert, dass diese Tatsache nicht wirklich ausschlaggebend war. Ihr fehlte der Großmutterinstinkt. Ihr Vater verdiente das Prädikat »lieber Großvater« allerdings auch nicht. Sein Engagement ließ ihm zu wenig Zeit, sich intensiv um seine Enkel zu kümmern, und seiner Eitelkeit ging es zudem ein wenig gegen den Strich, den »Opa« zu geben, wie er es lakonisch formuliert hatte.

»Liebling!« Heinrich blieb liegen, ruderte aber mit den Armen, sodass er wie ein Käfer auf dem Rücken aussah, was Gesa lachend in die Hände klatschen ließ.

»Na, du Käfer!«, stimmte Felicitas in das Spiel ein, setzte sich aber zu Elisabeth und schenkte sich durstig ein großes Glas Limonade ein, das sie in einem Zug austrank. »Entschuldige bitte«, sagte sie zu Elisabeth, »aber ich bin halb verdurstet.« Mit einem Blick auf ihre Hände fügte sie hinzu: »Und ein wenig reinigungsbedürftig.«

»Was hast du heute gemacht? Wieder ein Haus fertiggestellt?«, fragte Heinrich neckend.

»Schön wär's«, antwortete Felicitas. »Ich habe es gerade geschafft, zehn kleine Findlinge einzugraben.«

»Wenn es im Betrieb so weitergeht, biete ich dir meine Dienste als Maurer an«, sagte Heinrich lakonisch. »Heute haben sich wieder fünfzig Männer abgemeldet, die übermorgen in irgendwelchen Schützengräben …«

»Scht«, zischte Elisabeth tadelnd. »Nicht vor den Kindern.«

»Mama hat gesagt, wenn ich dir ganz fest die Daumen drücke, musst du nicht in den Krieg. Ich hab's aber nicht geglaubt, das mit den Daumen«, sagte Gesa und sah ihren Vater eindringlich an, als würde sie von ihm einen vernünftigeren Rat erwarten.

»Aber die Mama hat Recht«, entgegnete Heinrich. »Ich mache es auch so. Schau!« Er hielt seine Fäuste mit den versteckten Daumen in die Höhe. »Wie wäre es, wenn du dieses Geheimrezept deinen Brüdern erklärst?«

»Na gut«, meinte Gesa wenig begeistert. »Ihr könnt es ruhig sagen, wenn ihr mich loswerden wollt.«

Heinrich blickte ihr nach und seufzte. »Sie müsste ja auch taub und blind sein, um nicht mitzubekommen, was los ist.«

Stille breitete sich zwischen ihnen aus, in der die Sorge fast greifbar wurde. Um Anton, der verletzt, aber außer Lebensgefahr in einer Klinik in Ober-Ost lag, in einem Gebiet, das mittlerweile von heftigen Stellungskriegen zwischen Deutschen und Russen gezeichnet war. Die Familie hatte aufgeatmet, eine Verletzung, wie schlimm sie auch sein mochte, bedeutete Heimaturlaub, doch seit vier Wochen hatte kein Brief aus Libau die Andreesens mehr erreicht. Aber ihre Sorge galt auch Helen, die sich aus unerfindlichen Gründen immer noch in Sorau aufhielt und gelegentlich betont muntere Briefe schrieb, in denen sie ihre baldige Rückkehr ankündigte, aus der aber nie etwas wurde. Warum sie sich so verhielt, war nie Gegenstand der Diskussion, weder zwischen Felicitas und ihrem Vater noch innerhalb der Andreesen-Familie. Man sorgte sich, doch darüber hinaus waren Helen, aber auch Anton kein Thema. Niemand wagte daran zu rühren, als würde schon die Erwähnung schreckliches Unheil verursachen, und an dieses ungeschriebene Gesetz hielten sie sich auch dieses Mal.

Nach einer Weile sagte Heinrich: »Heute habe ich den alten Claußen getroffen. In seinem Im- und Export wurde von siebenundvierzig Kontorangestellten der Letzte einberufen, seine überseeischen Gründungen sind vernichtet, die englischen Kolonien zwangsweise liquidiert oder enteignet. Er fragte mich, ob er den Strick oder die Kugel wählen solle.« Er machte eine Pause. »Andere Firmen gehen pleite, weil ihre Außenstände nicht mehr oder nur teilweise bezahlt werden. Vorgestern wurde die fünfte von den vierzehn Bremer Brauereien stillgelegt, gestern haben Paulsen & Dallert dichtgemacht.«

»Ach um Himmels willen!«, rief Elisabeth. »Wie oft haben Gustav und ich ihnen die Pest an den Hals gewünscht, weil sie versucht haben sich in unsere Brasiliengeschäfte einzumischen und unsere Preise unterboten, aber so ein Ende haben sie nicht verdient. Ich werde Emma Paulsen nachher schreiben.«

»Spar dir die Mühe, Mutter. Sie sind fort.«

»Ja aber wohin denn?«

Heinrich zuckte mit den Schultern. »Niemand weiß etwas

Genaues. Es heißt, sie hätten sich nach Südamerika abgesetzt. Jedenfalls ist ihr Haus verrammelt, das Tor abgeschlossen.«

»Sünde.« Elisabeth schüttelte den Kopf.

»Machen wir uns nichts vor«, sagte Heinrich nüchtern, fast schonungslos, was ungewöhnlich für ihn war, »wenn der Krieg noch lange fortgeführt wird, können wir alle stempeln gehen. Nur die Kriegswirtschaft floriert noch. Kanonen und Haubitzen …« Er schnaubte verächtlich.

»Bernhard ist eingezogen worden«, warf Felicitas ein, die bislang schweigend zugehört hatte.

»Ich weiß«, meinte Heinrich und vermied Felicitas' Blick. »Er hat es mir gestern gesagt.«

Elisabeth sah zu Heinrich und dann zu Felicitas, was dieser nicht entging, und wie schon einmal heute überfiel sie ein intuitives Wissen. Wieder legte sich der eiserne Ring um ihre Brust, ihr Herz begann laut und hart zu schlagen, ihr Atem schneller zu gehen, bis Übelkeit in ihr aufstieg.

Die Schonfrist für Heinrich war vorbei.

»Ich lasse euch allein«, sagte Elisabeth und ging hinüber zu den Kindern.

»Wohin?«, fragte Felicitas tonlos.

»Nach Frankreich.«

Ausgerechnet. Im Westen tobte eine verheerende Materialschlacht, die dem Krieg eine neue, entsetzliche Dimension gegeben hatte. Von Kompanien, die mit hundertsiebzig Mann ins Feld marschiert waren, kehrten nur zwanzig, höchstens dreißig Männer zurück. Von nächtelangen Granatenbeschüssen war die Rede, von Giftgas, das sich nicht sofort tödlich, aber umso qualvoller in Augen, Haut und Lungen ätzte.

Felicitas liefen die Tränen über die Wangen.

»Wie viel Zeit bleibt uns noch?«, flüsterte sie.

»Eine Woche«, antwortete er und fügte aufmunternd hinzu: »Abgesehen vom Rest unseres Lebens natürlich.« Zärtlich sah er ihr in die Augen. »Felicitas, ich …«

»Komm«, unterbrach sie ihn und zog ihn hoch.

Den restlichen Nachmittag und in der Nacht schenkten sie einander Körper und Seele, vergewisserten sich leidenschaftlich, fast ungestüm der Kraft ihrer Liebe und beschworen das Leben mit Küssen und Blicken, bei ihnen zu bleiben.

Als Offizier Heinrich Andreesen am 15. August 1915 von einem Feldwebel abgeholt wurde, weigerte sich Gesa heulend, ihrem Vater auf Wiedersehen zu sagen, weil er sie angelogen hatte. »Die doofen Daumen habe ich gedrückt. Und du hast versprochen, dass es nützt!«, schluchzte sie bitterlich. Heinrich strich ihr sanft übers Haar, aber sie versteckte ihr Gesicht in Elisabeths Röcken.

»Komm zurück zu mir, hörst du?« Eindringlich sah Felicitas in Heinrichs sanfte blaue Augen. Er nickte und küsste sie. Der Kies knirschte unter seinen Stiefeln, als er zum Wagen ging. Gesa heulte auf.

»Es gibt Schlimmeres als diesen Abschied, mein Kind«, sagte Felicitas ahnungsvoll und schaute dem schwarzen Wagen nach, bis er nicht mehr zu sehen war.

Als Martin Fromberg das Gutshaus in Sorau betrat, wusste Helen, dass sie so schnell wie möglich abreisen sollte. Doch die Ereignisse nahmen ihr die Entscheidung aus der Hand. Mit sofortiger Wirkung und bis auf weiteres, so hieß es in dem Schreiben aus Berlin, sollte das Gut als Lazarett dienen. Die Besitzer hätten umgehend Sorge zu tragen, dass der Betrieb unverzüglich aufgenommen werden konnte.

Warum ausgerechnet Sorau dafür herhalten musste, konnte Helen sich denken. Vermutlich hatten die vermögenderen, einflussreichen Gutsbesitzer sich mit dem Hinweis auf ihre für die Moral und das Wohlergehen des deutschen Volkes unverzichtbare Aufgabe des Säens und Erntens des Korns aus der Affäre gezogen und dem kleinen Gut dadurch den schwarzen Peter zugespielt.

»Wie stellen die sich das vor?«, hatte Helen aufgebracht gerufen, doch Martin hatte gelassen reagiert.

»Das werden sie uns schon mitteilen.«

Zwei Tage später morgens um sechs Uhr fuhren die Militärwagen vor. Zwei Ordensschwestern kletterten aus einem Transporter und wirkten in ihren schwarzen Capes, die sich im Wind bauschten, wie zwei frierende Raben, die sich verflogen hatten. Während die Schwestern geduldig warteten, dass sich jemand von der Gutsfamilie sehen ließ, luden einige Soldaten unter den strengen Blicken eines Offiziers das Gepäck der Schwestern, Feldbetten und Pakete mit Medikamenten ab.

»Entschuldigen Sie, dass wir Sie so früh überfallen«, sagte der Offizier höflich, als Helen, Verena und Martin vor die Tür traten, und ging ihnen entgegen.

»Überfallen ist in diesem Zusammenhang wirklich eine passende Formulierung«, entgegnete Helen lakonisch und bereute ihre Worte sofort, da die Miene des Offiziers gefror.

»Und Ironie ist nicht gerade das, was dem deutschen Volk den Rücken stärkt«, gab er knapp zurück und fügte eisig hinzu: »Sie müssen kooperieren, ob es Ihnen passt oder nicht. Schwester Agathe und Schwester Monika werden im Haupthaus untergebracht. Der Stall wird von meinen Männern mit Stroh und Pritschen ausgestattet. In Kürze werden die ersten fünfzig Verwundeten ankommen.«

»Und wann dürfen wir mit den Ärzten rechnen?«, fragte Martin freundlich.

Der Offizier zögerte eine Sekunde. »Darüber wird in der Stabsstelle entschieden.«

»Sie wissen, was es bedeutet, wenn zwei Schwestern sich allein um so viele Patienten kümmern müssen, abgesehen von denen, die noch folgen werden? Ihre Kompetenz in allen Ehren, aber wir können ja wohl an den Fingern einer Hand ausrechnen, wann die Frauen zusammenbrechen.« Martin sagte dies schlicht und ruhig, ohne eine Spur von Wut oder Erregung in der Stimme, was Helen beeindruckte. Ohne es zu wollen, verglich sie ihn wieder mit Max, der spätestens jetzt den Offizier zur Schnecke gemacht und wer weiß welche Konsequenzen heraufbeschworen hätte.

»Die Schwestern schaffen das schon«, entgegnete der Offizier laut, trat etwas näher und senkte die Stimme. »Hören Sie auf damit! Es gibt weit und breit keinen Arzt mehr. Sie werden auf sich allein gestellt sein, und je eher Sie sich damit arrangieren, desto besser.« Er wandte sich ab, drehte sich aber noch einmal um. »Es tut mir Leid.«

Seit diesem Tag verbrachten Helen und Verena die meiste Zeit im Lazarett, notgedrungen, denn nach der Ankunft der ersten Verwundeten war der Strom derer, die Hilfe brauchten, nicht abgerissen. In kürzester Zeit war die befohlene säuberliche Trennung zwischen deutschen Soldaten und russischen Kriegsgefangenen nicht mehr möglich; doch keiner der Soldaten hatte die Kraft, sich daran zu stören, mit dem Feind ein Lager zu teilen. Schwester Agathe und Schwester Monika hatten Helen und Verena die wichtigsten Handgriffe, Verbandstechniken und einige Grundregeln der Pflege Schwerkranker beigebracht, aber weder vermochten sie das Leid wirklich zu lindern noch sich an den Anblick zu gewöhnen – verstümmelte Gliedmaßen, eitrige Wunden, unkenntliche Gesichter. Das Einzige, was Helen, Verena und die Schwestern für diese Männer tun konnten, war nett zu ihnen zu sein, stumm eine Hand zu halten, behutsam den Fieberschweiß abzutupfen und zu antworten, wenn sie im Delirium nach ihrer Mutter riefen. Nur wenige Soldaten waren ansprechbar, noch weniger so weit wiederhergestellt, dass sie bald in die Heimat oder im Fall der Russen ins Kriegsgefangenenlager entlassen werden konnten. Weit hinter dem Stall und außer Sichtweite des Gutshauses musste Martin mit der Hilfe einiger älterer Erntehelfer, die ihnen noch geblieben waren, ein Grabfeld anlegen, das jeden Tag um mehrere hölzerne Kreuze erweitert wurde.

Selbst wenn Helen es gewollt hätte, eine Abreise nach Bremen war unter diesen Umständen völlig indiskutabel. Sie und Verena kümmerten sich inzwischen fast rund um die Uhr um die Verwundeten, während Martin sich der Felder und der Pferde annahm, was zu schaffen so gut wie unmöglich war. Doch er beklagte sich nicht, noch verlor er jemals Geduld und Mut. Helen liebte ihn mit einer Kraft, die sie fast ängstigte, und fragte sich immer wieder, wie sie diesen Mann hatte verlassen können.

Doch sie kannte die Antwort ja. Damals, vor so vielen Jahren, als sie das schönste Mädchen weit und breit gewesen war, wollte sie nur weg aus Sorau, fort von der bäuerlichen Scholle, an der ihr Leben klebte wie die fette Erde unter dem Stiefel. Max Wessels, der junge Schauspieler, war das Ticket auf die Bühnen und in die Salons Deutschlands, Martin Fromberg, Bauer mit Herz und Seele, hatte dem nichts entgegenzusetzen außer seiner leidenschaftlichen Liebe zu ihr.

Doch Helen hatte sich nicht entscheiden können, bis zu Max' letzter Vorstellung in Sorau, der ein Tanzabend im Dorfkrug folgte. Helen hatte sich das schönste Kleid gekauft, das es in ganz Königsberg gegeben hatte, ein rotes Samtkleid, einer Diva würdig. An diesem Abend versprach sie Max, mit ihm zu gehen, doch noch in der Nacht war sie Hals über Kopf zu Martin gelaufen, und sie hatten sich geliebt, stürmisch und verzweifelt. Am nächsten Tag reiste sie mit Max ab. Neun Monate später war Felicitas auf die Welt gekommen. Das Geheimnis dieser Nacht wäre eins geblieben, wenn Helen nicht der Versuchung erlegen gewesen wäre, das rote Kleid aufzubewahren.

Kurz vor der *Amphitryon*-Premiere suchte Max auf dem Dachboden in der Contrescarpe nach dem Monokel seines Vaters, weil er es für seine nächste Rolle in Oscar Wildes *Bunbury* gut gebrauchen konnte, und entdeckte in der hintersten Kiste das rote Kleid – und ein Foto von Martin. Er machte kein Drama aus der Sache, doch das Wissen, immer nur zweite Wahl in Helens Herzen gewesen und vielleicht nicht einmal der Vater von Felicitas zu sein, ging wie ein Riss durch seine Persönlichkeit.

Helen war außerstande, auf Max zuzugehen. Stattdessen verschloss sie ihre Gefühle und wurde zu der kühlen Frau, die sie bis vor kurzem noch gewesen war. Bis sie Martin wiedergetroffen hatte. Ihr Herz heilte, und obwohl sie keine Vorstellung hatte, wie es weitergehen sollte mit ihm, mit Max, mit ihrem ganzen Leben, fühlte sie sich so lebendig wie nie zuvor. Sie liebte es, Martin zu beobachten, seinen massigen, aber von der Reiterei trainierten Körper, seiner tiefen, weichen Stimme zu lauschen, mit der er sanft auf die Pferde einredete, sie liebte es, mit ihm zu sprechen und zu schweigen und sich im tiefsten Innern verstanden zu wissen.

Verena hatte sich zu alldem nicht geäußert, sie hatte andere Sorgen.

Carls Zustand verschlechterte sich, es schien, als würde

die gedrückte Stimmung der Verwundeten seiner Seele das letzte bisschen Lebenskraft rauben. Jeden Morgen und jeden Abend verbrachte Verena eine halbe Stunde an seinem Bett, erzählte ihm, was sie bewegte und wie gut Martin trotz der widrigen Umstände das Gut im Griff hatte. Sie bemühte sich, heiter zu erscheinen, doch Carl sah durch sie hindurch, als würde er sich nach dem anderen Land, das ihn zweifellos erwartete, sehnen.

Ging Verena danach ins Lazarett, fragte sie die Schwestern als Erstes, wer von den Soldaten das Bewusstsein wiedererlangt hatte. Sie trug ein Hochzeitsfoto von Constanze und Sergej bei sich, das sie den Russen voller Hoffnung zeigte, doch sie erntete stets ein Njet oder stummes Kopfschütteln.

An einem Oktobermorgen, Verena und Helen hatten gerade begonnen eine Kohlsuppe für die Kranken zuzubereiten, traf ein neuer Verwundetentransport ein.

»Du liebe Güte«, stöhnte Verena, »wo sollen wir die armen Männer denn bloß noch unterbringen? Sie liegen doch bereits wie die Heringe nebeneinander.«

»Ich kümmere mich drum«, sagte Helen, legte das Messer beiseite und band sich die Schürze ab. Sie verließ die Küche und trat vor die Tür. Die Sonne schien fahl durch den zarten Nebel, einige Seeadler zeichneten sich wie ein Scherenschnitt gegen die milchige Helligkeit ab. Es würde ein schöner Tag werden.

»Guten Tag, Frau Wessels«, grüßte der Offizier. Obwohl er jeden Transport nach Sorau begleitete, vergaß Helen seinen Namen, sobald der Wagen vom Hof gefahren war. Immerhin hatten sie zu einer freundlichen Haltung gefunden, gelegentlich bot Helen ihm sogar eine Tasse Kaffee an, die er gern annahm.

»Wie viele sind es heute?«

»Zwanzig Männer.«

Helen seufzte. »Wir wissen nicht mehr, wohin mit ihnen. Der Stall ist voll, da passt keine Katze mehr hinein.«

Stumm wies der Offizier zum Haupthaus.

»Daran habe ich auch schon gedacht, aber wir haben einen Schwerkranken im Haus, der absolute Ruhe braucht und keine vor Schmerzen schreienden Soldaten«, entgegnete Helen. »Abgesehen davon brauchen die Schwestern und auch wir einen Hauch von Privatsphäre und Ruhe.«

»Erklären Sie das mal den Männern, die ihr Leben für Sie aufs Spiel gesetzt haben.«

Für mich bestimmt nicht, dachte Helen, schluckte die bissige Bemerkung jedoch hinunter. Der Offizier konnte schließlich nichts dafür. »Schon gut. Bringen Sie sie nach hinten. Wir haben einen Anbau für Vorräte hinterm Haus. Dort können sie erst mal bleiben.«

Als die Verwundeten teils aus den Wagen getragen wurden, teils selber gehen oder humpeln konnten, stutzte Helen. Zwei der Gesichter kamen ihr bekannt vor, und sie schrie auf. »Thomas! Anton!« Sie lachte, und gleichzeitig stiegen ihr die Tränen in die Augen, als sie an Elfriede dachte und auch an Elisabeth. »Die beiden kommen zu uns!«, rief sie dem Offizier zu. »Es sind Verwandte!«

Helen entschied, dass sie in Constanzes und Sergejs ehemaligem Schlafzimmer untergebracht wurden, und schnitt Verenas Einwände kurzerhand ab.

Aufatmend sank Anton auf die Matratze. Der Transport vom Lazarett in Libau nach Sorau hatte ihn so geschwächt, dass er kaum noch sprechen konnte. Bevor seine Augen zufielen, flüsterte er Helen zu: »Er hat mir das Leben gerettet. Ohne ihn hätten mich die Russen schon an ihre Schweine verfüttert. Nur das linke Bein, das haben sie bekommen …«

Helen wandte sich zu Thomas. »Stimmt das?«

»Na ja, ich hab ihn in ein Gebüsch geschleppt und von dort aus auf ein Gehöft …«

»Und dort hat er eine Pritsche gebastelt und mich nächtelang durch die Gegend gezogen, bis wir endlich auf eine deutsche Kompanie stießen …« Antons Stimme erstarb, und er fiel in einen tiefen Schlaf.

»Es ist ein Wunder, dass er überhaupt noch lebt«, sagte Thomas leise. »In Libau haben sie ihn notdürftig zusammengeflickt. Bis auf das Bein natürlich.«

»Und du? Was ist mit dir?«

»Ach, es geht schon.«

Helen wartete, doch Thomas wollte offensichtlich nicht mehr preisgeben. Das kannte sie schon von den anderen Soldaten. Das Grauen, das sie durchlitten hatten, musste so unsagbar sein, dass nur die wenigsten Worte dafür fanden. Schweigend saßen sie eine Weile beisammen.

»Warum meint man immer alles aushalten zu müssen?«, fragte Thomas plötzlich, und Helen verstand, was er ihr sagen wollte.

Sobald es die Arbeit im Lazarett zuließ, besuchte Helen die beiden im Haupthaus. Anton, den sie bei den gelegentlichen Familientreffen in der Villa als schnöselig und unterschwellig aggressiv in Erinnerung hatte, gab sich freundlich und, so weit es sein Zustand erlaubte, aufgeräumt. Sein verlorenes Bein machte ihm arg zu schaffen, doch er jammerte nicht. Helen kam es so vor, als hätten das Leid und die Schmerzen Anton verändert, ja, geläutert. Désirée würde sich freuen.

Thomas genas schnell. Er hatte sein kleines Skizzenbuch retten können und wieder angefangen zu zeichnen. Vergessen waren die gefälligen Damenporträts, mit denen er sich in Berlin über Wasser gehalten hatte, und mit ihnen das ganze halbseidene Leben zwischen fremden Betten und schrillen Bars.

Nur einmal, als Anton schlief, gestattete er sich, das Bild von Felicitas anzuschauen, das er damals nach der Premiere von *Amphitryon* mit wenigen Strichen aufs Papier gezaubert hatte. Es hatte ihm auf eine verrückte, unerklärliche Weise Halt gegeben, ihre Augen schienen ihm provozierend zuzuflüstern: Steh auf. Kämpfe. Lass dich nicht hängen.

Er betrachtete Felicitas' Züge lange. Schließlich schüttelte er den Kopf über sich selbst und faltete das Blatt rasch zusammen. Als Thomas aufblickte, traf er Antons Augen.

»Interessant«, sagte Anton gedehnt. »Die Mutter meiner Schwägerin pflegt uns mit Hingabe, und du trägst das Bild ihrer Tochter mit dir herum und schmachtest es an.«

»Das hat nichts zu sagen«, gab Thomas so gleichmütig zurück, wie er konnte. »Nur eine Charakterstudie …«

Anton grinste und drehte sich auf die Seite.

Seitdem Peter Gerhard irgendwo in Flandern für das deutsche Reich kämpfte, hatte Ella die kleine Wohnung in der Braunschweigerstraße gemieden. Zu schmerzlich empfand sie die Leere, und die Schuldgefühle, ihn nicht geheiratet und nicht gegen alle Widerstände zu ihm gestanden zu haben, überfielen sie dort mit intensiver Wucht. Anfangs dachte sie, die Arbeit im Schnoor würde sie ablenken, doch die Frauen hatten angesichts der drückenden Sorge um ihre Männer keinen Sinn für korrekte Rechtschreibung.

Ella suchte Zuflucht und fand sie zu ihrem eigenen Erstaunen dort, wo sie es am wenigsten vermutet hätte – zu Hause, in der Villa. Da kaum noch Burschen und Hilfsarbeiter zur Verfügung standen – selbst die über Fünfundfünfzigjährigen mussten nun in Fabriken »Kriegsdienst« tun, und auch Kammerdiener Ludwig hatte seine livrierte Weste ausziehen müssen –, beteiligte sich Ella an der Gartenarbeit und unterstützte Marie, das Haus in Schuss zu halten. Die Zeit, die ihr blieb, verbrachte sie in ihrem Zimmer, las und schrieb. In einer roten Ledermappe, die sie unter ihrer Matratze versteckte, sammelten sich etliche Artikel und Aufsätze über die Situation der Frauen und die Rechte, die ihnen nicht länger vorenthalten werden durften. In regelmäßigen Abständen ließ sie ihre Gedanken der Vorsitzenden des Frauenvereins zukommen, die sie auf Ellas ausdrücklichen Wunsch unter einem Pseudonym im Vereinsblatt veröffentlichte.

An diesem Nachmittag hatte sie lange an einem Aufsatz über das Recht auf Abtreibung gefeilt, und als sie endlich einen Punkt unter das heikle Thema setzen konnte, schwirrte ihr der Kopf. Sie legte den Bleistift beiseite und beschloss, frische Luft zu schnappen.

Der graue Briefumschlag ließ ihr Herz klopfen. Hoffentlich ist er von Peter, dachte sie und flog die Treppe hinunter. Tatsächlich war der Brief an sie adressiert, doch die Handschrift ähnelte weder der von Peter noch der von Heinrich. Absender war die Anwaltskanzlei Höppner & Decker, und Ella fragte sich schuldbewusst, ob das Schreiben irgendetwas mit ihrer geheimen Tätigkeit zu tun haben könnte.

»Gut, dass du da bist, mein Kind. Wir erwarten heute Abend Besuch. Wilhelm Grothke und sein Sohn, du weißt schon, der von der Baumwollbörse …«

»O Mutter, bitte!«, sagte Ella, stopfte den Brief in den Ärmel ihres Kleides und wandte sich zur Haustür.

Elisabeth seufzte. »Du kannst wirklich nicht behaupten, dass ich dich über Gebühr belästige.«

»Nein, das nicht«, gab Ella zu, »aber ich glaube, du verbindest mit diesem Besuch mehr als nur die Hoffnung auf einen unterhaltsamen Abend.«

»Ella, es gibt nicht mehr so viele Männer, die für eine Heirat infrage kommen, und wenn ein vernünftiger, gebildeter Mann wie Daniel Grothke auf Heimaturlaub ist, sollten wir die Gelegenheit nutzen, ihn näher kennen zu lernen. Wer weiß, vielleicht magst du ihn sogar.«

»Ja, vielleicht, aber vielleicht auch nicht. Das ist mir auch ganz egal. Ich finde nur die eindeutige Absicht so ... demütigend.« Ella stiegen die Tränen in die Augen. Sie nestelte ein Taschentuch aus ihrem Ärmel und zog dabei den Brief mit heraus.

»Was ist das?«, fragte Elisabeth.

»Ich weiß es nicht.« Ella hob den Brief auf und öffnete ihn. Sollte ihre Mutter doch alles erfahren!

Ella las die Worte, und alle Farbe wich aus ihrem Gesicht. Vor seiner Abreise hatte Peter Gerhard Ella im Falle seines Todes zu seiner Alleinerbin erklärt. Dieser Fall war vor zwei Wochen eingetreten, im flandrischen Ypern.

Nachdem sie Ella zu Bett gebracht hatte wie damals als kleines Kind, blieb Elisabeth noch eine Weile bei ihr und lauschte ihren tiefen, regelmäßigen Atemzügen.

Irgendwann hatte das Schluchzen aufgehört, und erst stockend, dann immer drängender waren die Worte aus ihr herausgekommen. Sie erzählte, was sie mit Peter verband und dass sie es sich nicht verzeihen würde, ihn im Ungewissen gelassen zu haben. Schließlich war sie erschöpft eingeschlafen.

Leise stand Elisabeth auf, löschte das Licht und schloss die Tür hinter sich.

Nein, Ellas Verhalten konnte sie beim besten Willen nicht gutheißen, aber sie verstand den Schmerz ihrer Tochter und auch, dass es nun an ihr, Elisabeth, war, ihrer Tochter zu helfen, damit umzugehen.

Elisabeth begab sich ins Bad, wusch sich rasch die Hände und ordnete ihr Haar.

»Entschuldigen Sie bitte meine Verspätung. Eine dringende Angelegenheit«, sagte sie, als sie kurz darauf das Esszimmer betrat und die angeregte Unterhaltung von Felicitas und Désirée mit den Grothkes unterbrach. Die Herren sprangen auf und deuteten eine Verbeugung an.

»Liebe Frau Andreesen«, sagte Grothke senior und umschloss Elisabeths zierliche Rechte mit beiden Händen, »wie schön, dass wir uns einmal wiedersehen.«

»Denk dir nur«, berichtete Felicitas strahlend, »Daniel lässt uns von Heinrich grüßen. Sie waren in derselben Kompanie.«

Daniel Grothke nickte und reichte Elisabeth seine linke Hand. Der rechte Ärmel baumelte leer herunter. Elisabeth tat nicht so, als hätte sie es nicht gesehen, und blickte ihn auffordernd an.

»Fort Deaumont«, sagte Daniel und setzte sich wieder neben seinen Vater. »Eigentlich sollte unsere Einheit sich weiter südlich durch die Stellung der Franzosen kämpfen, doch plötzlich wurde der Befehl geändert, und wir sollten die Festung einnehmen. Was uns ja auch gelungen ist.« Stolz schwang in seiner Stimme mit.

Der Verlust seines Arms scheint ihn nicht weiter zu betrüben, dachte Elisabeth erstaunt, aber vielleicht hilft ihm die zur Schau getragene Sachlichkeit auch nur, die Fassung zu bewahren. Deshalb ging sie nicht näher darauf ein. »Ich erinnere mich, dass Heinrich das Fort in einem seiner Briefe erwähnte. Dort haben Sie sich also gesehen?«, fragte sie stattdessen.

»Ja, wir kämpften Seite an Seite. Wir waren die einzigen

Bremer weit und breit.« Daniel lachte kurz auf. »Danach wurde seine Einheit jedoch zum Fort Vaux abgezogen.« Er schaute in die Runde und zögerte, als würde er überlegen, wie viel militärische Information den Damen zuzumuten war. Schließlich fuhr er fort: »Drei Festungen liegen vor Verdun. Befinden sie sich in deutscher Hand, wird Verdun fallen – und damit der Krieg, zumindest im Westen, entschieden.«

»Ich verstehe zwar nichts von diesen Dingen, aber gestatten Sie mir eine Frage«, warf Elisabeth ein. »Wäre es nicht weniger zermürbend für die deutschen Soldaten und die Angehörigen, wenn man diese Entscheidung ein wenig forcieren würde? Immerhin dauert der Kampf um diesen winzigen Flecken weit vor den Toren von Paris schon mehr als ein Dreivierteljahr.«

»Nun ja«, schaltete sich der alte Grothke ein, unbehaglich seinen Schnurrbart auf Kaiserart zwirbelnd, »um die Ostfront zu verstärken, wurden einige Kompanien aus Frankreich abgezogen und nach Ober-Ost verfrachtet. Die fehlen jetzt natürlich im Westen. Aber es ist nur eine Frage der Zeit, bis wir den Franzosen Räson beigebracht haben. Durch den langen Stellungskrieg ist der Gegner moralisch ohnehin schon erheblich geschwächt.«

Und wir auch, dachte Elisabeth unwillig. Sie teilte den Optimismus der Grothkes nicht, ganz im Gegenteil, doch eine Debatte mit zwei Kriegsbefürwortern zu führen erschien ihr sinnlos und ermüdend. Heinrichs Briefe an Felicitas, die ihre Schwiegertochter mit Ausnahme der persönlichen und intimen Passagen ihr vorlas, zeichneten ein anderes, viel ernsteres Bild der Lage, und selbst dies entsprach sicher nicht der ganzen Wahrheit.

»Ich denke, wir nehmen den Kaffee im Wintergarten. Marie hat zudem eine kleine Überraschung gezaubert, die

Ihnen hoffentlich munden wird«, sagte sie und beendete damit elegant das Thema.

Als die Grothkes sich verabschiedeten, schlug die Uhr halb elf.

»Zwei Hähne im Korb«, bemerkte Désirée launig, die den ganzen Abend kaum ein Wort gesagt hatte. »Für die beiden muss es das Paradies gewesen sein. Schade, dass Ella unserem holden Reigen ferngeblieben ist. Wo ist sie überhaupt?«

»Sie fühlt sich nicht wohl«, sagte Elisabeth, die sich im selben Moment entschlossen hatte, Désirée nichts von den Ereignissen zu erzählen.

15

Früher hatte sie den würzig-herben Duft frisch geschnittener Steckrüben gemocht, heute verging Felicitas
schon beim Gedanken an den orangegelben Eintopf der
Appetit. Zu häufig hatte er in diesem Winter auf dem Spei-
sezettel gestanden. Dabei musste sie noch dankbar sein,
denn Marie zauberte stets eine Scheibe Speck und Koch-
würste dazu, die das Mahl erträglich machten, erträglicher
jedenfalls als das, was die Mehrheit der Bremer im dritten
Kriegsjahr auf dem Teller hatte.

Um das wenige zu rationieren, hatte die Regierung ein
Verbot vorzeitiger Schlachtung von Vieh erlassen, sämtliche Getreide- und Mehlvorräte registriert und die staatli-
che Kontingentierung auf fast alle Lebensmittel ausge-
dehnt.

Wöchentlich erhielt jeder Bremer zwei Kilo Brot, täglich
rund dreihundert Gramm, die aber schon seit geraumer
Zeit mit gequetschtem und geriebenem Kartoffelmehl ge-
streckt wurden.

Butter, Zucker, Fleisch – nach und nach wurde alles rationiert, der freie Verkauf eingestellt und Marken und Be-
zugsscheine eingeführt, die das nackte Überleben garantieren sollten. Doch auf der Straße regierte der Hunger,
eine Million Menschen waren an den Folgen der Unter-
ernährung bereits gestorben, die meisten davon Kinder.

»Die Granaten töten die Männer, den Rest erledigen Hunger und Skorbut«, hatte Felicitas eines Morgens sarkastisch bemerkt und Elisabeth den Vorschlag unterbreitet,
eine wöchentliche Speisung für Bedürftige einzurichten.

»Das ist zwar auch nicht viel mehr als ein Tropfen auf den heißen Stein, aber immer noch besser als gar nichts.«

»Die Sozialdemokraten haben doch gerade getönt, dass sie für Massenspeisungen sorgen wollen. Ich möchte nur wissen, wo sie die Lebensmittel dafür herkriegen wollen. Ich halte das für reine Propaganda.« Elisabeth stand seit jeher mit der linken Seite der Bremer Politik auf Kriegsfuß und traute ihr nicht über den Weg und nichts zu.

»Mag sein. Das geht vermutlich auf Nussbaums Konto. Aber selbst wenn sie ihren Plan in die Tat umsetzen, sollten wir uns nicht der Verantwortung entziehen. Ich denke, es ist an der Zeit, ein wenig von dem abzugeben, was wir besitzen«, meinte Felicitas und dachte an die Mengen an Mehl, Linsen, weißen Bohnen und Graupen, die Heinrich vor dem Krieg in weiser Voraussicht gekauft und in den Speichern am Hafen unweit der Kaffeevorräte eingelagert hatte.

»Nun gut. Aber wo willst du die Menschen bewirten? Bei aller Nächstenliebe werde ich aus diesem Haus bestimmt keine Garküche machen.«

»Ich dachte erst an die Speicher im Hafen, aber dort gibt es keine Möglichkeit, das Essen zuzubereiten. Also müssten wir es hier kochen und zum Hafen transportieren, was die Sache unnötig verkompliziert. Deshalb dachte ich daran, im hinteren Teil des Gartens eins dieser großen Zelte aufzubauen.« Felicitas biss auf Granit.

»Auf keinen Fall werde ich erlauben, dass mir wildfremde Menschen durch die Rabatten laufen. Andererseits hast du natürlich Recht, unsere gesellschaftliche Stellung verpflichtet uns, einen Beitrag zu leisten.«

»Der uns auch ein wenig moralisches Prestige verleiht«, fügte Felicitas schlau hinzu.

Schließlich hatten sie sich darauf geeinigt, dass Essen in

der Küche der Villa zuzubereiten und es mit Pferden und Wagen den kurzen Weg zum Kunstpark zu transportieren, um es dort in den halb fertigen Häusern auszuteilen. Ein Kompromiss, der aber den Vorteil hatte, den Kunstpark ganz nebenbei im Bewusstsein der Menschen zu verankern.

Seit diesem Gespräch waren einige Wochen vergangen, und Felicitas hatte sich darangemacht, die notwendigen Vorbereitungen zu treffen und Ella und Désirée zu überreden, sich an der Arbeit zu beteiligen. Für Ella war es eine willkommene Gelegenheit, sich von ihren Schuldgefühlen abzulenken und sich sogar mit dem Segen ihrer Mutter karitativ zu engagieren. Désirée zeigte sich erstaunlich kooperativ; es schien, als ob Antons Abwesenheit ihr gut bekommen würde. Schließlich hatten auch Dorothee und Swantje Petersen ihre Hilfe zugesagt.

Heute nun hatte Felicitas das Tor zum Kunstpark geöffnet, und Schlag zwölf, wie es in der Zeitung geheißen hatte, strömten die Menschen auf das Gelände, um sich ihre Henkelmänner mit Suppe füllen zu lassen. Obwohl es ein bitterkalter Tag war, hatte sie für die Leute, die ihre Portion an Ort und Stelle zu sich nehmen wollten, auch Tische in einem der Häuser aufstellen lassen. Mehr als zweihundert Menschen waren dem Aufruf gefolgt und drängten sich vor den fünf Gulaschkanonen.

Désirée, Ella und Dorothee waren gut gelaunt bei der Sache. Dorothee schwebte ohnehin auf irgendeiner Wolke, weil Pierre Levi ihr in seinem jüngsten Brief mitgeteilt hatte, dass er einen guten Posten als Musiker in Ober-Ost ergattert habe. Die Offiziere legten Wert auf eine heitere Atmosphäre, und die Konzerte mit Mozart und Brahms sollten das ihre dazu beitragen.

»Bitte schön, guten Appetit«, sagte sie freundlich zu einem

alten Mann in einem zerknitterten dunkelgrauen Winter-mantel, der sich geistesabwesend bedankte und mit seinem Teller zu einem der Tische schlurfte.

Das Elend der Menschen berührte Felicitas tief. Es erin-nerte sie an das Leid der Plantagenarbeiter in Brasilien, an ihre ausgemergelten Körper und die Resignation in ihren Augen, und plötzlich schob sich das Bild der Frau aus dem Dschungel in ihre Gedanken. »Wenn die Zeit der Tränen vorüber ist …« Ihre Worte hallten in Felicitas nach und ein Schauder lief ihr über den Rücken.

Die Vision der Frau hatte sich bewahrheitet. Es war eine Zeit der Tränen, für alle Menschen in Europa und natür-lich auch für ihre Familie. Heinrich erlebte das Grauen an der Front bei Verdun, Anton hatten sie zum Krüppel ge-bombt, ihre Mutter saß in Sorau fest, ihren Vater fraß die Sorge um Helen fast auf, er wirkte nervös und seine laute Fröhlichkeit war ihm abhanden gekommen, und niemand wusste, wie es Constanze, Sergej und Alexander ging, ob sie vielleicht längst in Sibirien interniert waren.

Man hörte so entsetzliche Dinge. Angeblich mordeten und vergewaltigten die Kosaken, was ihnen in den Weg lief. Und dann diese Revolution! Zweihunderttausend Men-schen hatten St. Petersburg lahmgelegt, der Thron des Za-ren wackelte, auf den Straßen skandierte der Mob »Brot, Brot, Brot«. Der Aufstand von 1905 war dagegen ein Spa-ziergang gewesen. Jetzt kämpften Soldaten gegen Bauern, Arbeiter gegen den Adel. Was zählte da ein einzelnes Le-ben, zumal das von irgendwelchen Deutschen, die sich in die Sache mischten!

Und keine Zeile von Bernhard.

Ja, es war eine Zeit der Tränen. Für alle.

Felicitas hoffte inständig, dass dies der Kern ihrer Prophe-zeiung war, doch tief in ihrem Innern wusste sie, dass die

Frau noch etwas anderes gemeint hatte, etwas, das allein Felicitas' Schicksal betraf.

Rasch schob sie den Gedanken beiseite. Sie tat ja bereits das, was die Frau ihr ans Herz gelegt hatte –helfen. Mit dem Kunstpark war sie schließlich im Begriff, eine Brücke zu bauen, eine Verbindung herzustellen zwischen den Menschen in Übersee und den Deutschen. Sobald der Krieg vorüber war, wollte sie mit Heinrich erneut nach Brasilien reisen, um Gemälde und Kunstgegenstände einzukaufen, die in einem Pavillon ausgestellt werden sollten. Vielleicht würde es sogar möglich sein, Fran Fontanelli für einige Zeit hier wohnen und arbeiten zu lassen.

»Danke«, sagte eine junge Frau.

Noch immer stellten sich Menschen ans Ende der Schlange, doch es gab kein Essen mehr.

»Es tut mir Leid«, sagte Felicitas laut. »Sie müssen nächste Woche wiederkommen.« Einige stöhnten auf, andere blieben stur stehen, in der Hoffnung, sich verhört zu haben, doch allmählich löste sich die Schlange auf.

Die fünf Frauen räumten auf und verstauten die Gulaschkanonen und das benutzte Geschirr auf zwei Wagen. Felicitas führte eins der Pferde, Ella das andere, und nach einer Viertelstunde erreichten sie die hintere Pforte zum Andreesen-Anwesen.

Nachdem sie alles abgeladen und in die Küche zum Abwaschen gebracht und die Pferde getränkt hatten, fühlte Felicitas sich abgeschlagen und müde. Es war doch anstrengender gewesen, als sie vermutet hatte.

»Ich lege mich einen Augenblick hin«, sagte sie zu Ella, band sich die Schürze ab und ging die Treppe hinauf.

»Felicitas?« Elisabeths Stimme drang leise aus ihrem Schlafzimmer.

Felicitas erschrak, als sie Elisabeth sah. Ihre Schwiegermutter lag im Bett, was an sich schon ein Alarmsignal war, weil sie sich trotz ihres Alters so gut wie nie ein Nachmittagsschläfchen gestattete, und sie sah schlecht aus. Sie war blass, Schweißperlen bedeckten ihre Stirn, und sie fror.

»Es ist nichts«, sagte Elisabeth, als Felicitas besorgt die Stirn runzelte. »Eine kleine Erkältung, ein wenig Fieber.«

»Ich lass sofort Professor Becker holen.«

»Nein, das tust du bitte nicht. Ich käme mir albern vor. Professor Becker hat gewiss wichtigere Dinge zu tun. Aber ich muss dich bitten, dich um das Geschäft zu kümmern, Felicitas. Nur solange ich unpässlich bin. Du musst nichts entscheiden, es ist in dieser Zeit nur wichtig, dass einer von der Familie vor Ort ist.«

»Natürlich«, erwiderte Felicitas. »Gibt es irgendetwas Besonderes, auf das ich achten muss?«

»Nein, nur Frantz liegt mir seit einer Weile in den Ohren, dass wir uns um ein Ersatzprodukt bemühen müssen. Aber das hat noch Zeit.«

»Ein Ersatzprodukt?«

»Mit dem Zichorienkaffee können wir die Firma nicht über Wasser halten.« Elisabeth schnaubte verächtlich. »Selbst dieses ungenießbare Zeug ist rationiert und bringt nicht genügend Geld in die Kasse.«

Felicitas stockte der Atem. »Heißt das, wir verlieren die Firma?«

»Nein, so schlimm ist es noch nicht. Wir haben große Aktienpakete und Wertanleihen, ganz zu schweigen von den Besitzungen in Togo. Nur können wir im Moment nichts davon veräußern. Der Krieg …« Ihre Stimme wurde leiser, erschöpft schloss Elisabeth die Augen.

»Versuch ein wenig zu schlafen«, flüsterte Felicitas. »Ich sehe nachher wieder nach dir.«

»Ich verlasse mich auf dich, Felicitas«, flüsterte Elisabeth noch, dann war sie eingeschlafen.

Warum nicht auf deine eigene Tochter?, dachte Felicitas und ging in ihr Schlafzimmer. Aber sie kannte die Antwort. Sie, Felicitas, war aus demselben Holz geschnitzt wie Elisabeth – dickköpfig, unduldsam, dabei klug und beängstigend kühl, wenn es galt, eigene Pläne durchzusetzen. Spät zwar, aber nicht zu spät schenkte Elisabeth ihr Vertrauen.

Felicitas fröstelte, und sie begann die Holzscheite so in den Kamin zu stapeln, wie Heinrich es ihr gezeigt hatte. »Wer weiß, wie die Dinge sich entwickeln. Es ist besser, du weißt, wie es geht«, hatte er gesagt. Danach hatten sie sich vor dem offenen Feuer geliebt.

Felicitas schluckte die Tränen hinunter, kuschelte sich auf das Sofa und beobachtete, wie die Flammen um das helle Kiefernholz züngelten.

Die Stille lastete schwer auf ihr. Sie stand auf, setzte das Grammophon in Gang und lauschte den Melodien, die Heinrich und sie so liebten, nach denen sie getanzt und sich liebkost hatten. Seltsam, dass ihr jetzt bewusst wurde, wie wichtig Musik für sie beide war. Wieder stiegen ihr Tränen in die Augen, und sie stellte das Gerät aus. Es führt zu nichts, wenn ich sentimental werde, dachte sie, putzte sich die Nase und richtete ihre Konzentration auf das Problem der Firma.

Was brauchten Menschen im Krieg? Sie brauchten zu essen, ein Dach über dem Kopf und etwas, das sie moralisch stützte, ihnen einen Hauch der Lebensfreude brachte, die Tod und Verderben ihnen genommen hatten. Sie verfügte über einen großen Betrieb mit vielen Geräten, die sich vielleicht für etwas Nützliches und etwas Schönes zweckentfremden ließen, und sie hatte Ideen. Das hatte sie mit dem Kunstpark hinlänglich bewiesen. Ich werde eine Weile darüber schlafen, beschloss Felicitas.

Ein Geräusch aus der Diele ließ sie hochfahren. Ein Blick auf die Uhr zeigte ihr, dass es weit nach Mitternacht war. Sie hatte fast acht Stunden geschlafen. Himmel, sie wollte doch nach Elisabeth schauen.

Da war das Geräusch wieder. Irgendetwas wurde über den Holzfußboden gezogen oder irgendjemand schlurfte darüber.

Felicitas glitt aus dem Bett und dankte Gott, dass Heinrich ihr auch das Versteck seines Gewehrs verraten und ihr gezeigt hatte, wie sie damit umgehen musste. Sie öffnete die verborgene Tür ganz hinten im Kleiderschrank, nahm die Waffe an sich, verließ ihr Zimmer und spähte nach rechts und links. Sie schlich zu Elisabeths Zimmer, horchte auf deren regelmäßige Atemzüge und lauschte. Das Geräusch war kaum noch zu vernehmen, aber es war da, ganz eindeutig.

Felicitas nahm all ihren Mut zusammen und ging die Treppe hinunter, das Gewehr im Anschlag. »Wer ist da?«, fragte sie laut.

»Nicht schießen! Ich bin es nur.«

Felicitas knipste das Licht an. Marie blinzelte.

»Gnädige Frau, entschuldigen Sie, ich wollte keinen Lärm machen.« Marie heulte fast.

»Was ist da drin?« Felicitas deutete argwöhnisch auf die beiden Rucksäcke, die Marie trug und die offensichtlich viel wogen.

Marie öffnete den einen, und sogleich lag der Duft von Speck und Zwiebeln in der Luft. »Drei Messingleuchter hat's diesmal gekostet …«

Felicitas seufzte. »Weiß meine Schwiegermutter davon?«

»Sie war einverstanden«, antwortete Marie und zuckte mit

den Schultern. »Der Schwarzmarkt ist der einzige, wo man noch anständige Lebensmittel bekommt. Einmal in der Woche hole ich dort das Notwendigste für uns. Die gnädige Frau hat mir gegeben, was ich eintauschen darf. Nur für die Speisung wird es nicht immer reichen.«

»Steht es so schlecht um uns?«

»Nein, aber von Linsen allein kann der Mensch nicht leben.«

Felicitas dachte einen Moment nach. »Ich finde, es wird Zeit, einen Gemüsegarten anzulegen und einen Hühnerstall zu bauen. Glaubst du, dass du irgendwo ein paar Hühner und Saatgut auftreiben kannst? Messingleuchter haben wir ja genug.«

»Ja, ich denke schon.« Marie strahlte, durchdrungen von der Gewissheit, der jungen gnädigen Frau endlich die Hilfe angedeihen lassen zu können, die Felicitas so lange verschmäht hatte. Wenn sie ihr schon nicht beim Ankleiden helfen durfte!

Felicitas lächelte. Erstaunlich, was die Umstände aus einer stets leicht beleidigten Zofe machen konnten – eine geschickte Schwarzmarkthändlerin. »Dann ist das beschlossene Sache. Gute Nacht, Marie.«

An Schlaf war indes nicht mehr zu denken. Ihre Gedanken wirbelten umher wie aufgescheuchte Vögel. Erst gegen Morgen fiel Felicitas in einen unruhigen Schlaf voll wilder Bilder und Gefühle, die sie zurücktrugen nach Brasilien, in den Dschungel, in die Hütte der seltsamen Frau, die inmitten eines großen Feuers stand und Felicitas ansah.

Die Intensität des Traums war so groß, dass Felicitas zwei, drei Wimpernschläge lang nicht wusste, wo sie sich befand, als sie erwachte. Schließlich stand sie auf, warf sich den Morgenrock über und bürstete sich das Haar. Sie beugte sich vor und betrachtete sich im Spiegel. Eine schmale, sehr schöne Frau blickte ihr entgegen, die in vier Wochen achtundzwanzig Jahre alt werden würde und seit gestern die Verantwortung für das Unternehmen und die ganze Familie trug. Eine Sekunde lang fühlte sie Panik in sich aufsteigen, doch sie beruhigte sich damit, dass es Elisabeth bestimmt bald wieder besser gehen würde. Sie wandte sich ab und zog sich an. Das graue Kostüm war nicht der neueste Schrei, aber genau richtig, um dem Prokuristen gegenüberzutreten.

Leise öffnete sie die Tür zu Elisabeths Schlafzimmer. Gesa stand im Nachthemd am Ende ihres Betts und starrte ihre Großmutter mit vor Angst geweiteten Augen an.

»Muss Oma sterben?«, flüsterte sie.

»Unsinn«, antwortete Felicitas. »Oma hat eine Erkältung, weiter nichts.« Sie trat ans Bett. Elisabeth schlief tief und fest, ein gutes Zeichen. »Komm jetzt«, sagte sie und wollte Gesa an die Hand nehmen, doch das Kind stürmte schluchzend aus dem Zimmer. Felicitas seufzte. Zum Glück war Elisabeth nicht aufgewacht.

Sie verließ das Schlafzimmer und ging wieder hinüber in ihren Flügel. Das Kindermädchen hatte die Zwillinge bereits gebadet und gefüttert und sang ihnen leise »Fuchs, du hast die Gans gestohlen …« vor.

»Fräulein Finkemann, ich fahre zum Wall«, sagte Felicitas. »Sehen Sie bitte ab und zu nach meiner Schwiegermutter, sie liegt mit einer Erkältung im Bett. Und fangen Sie Gesa ein.«

»Ist sie schon wieder getürmt?« Das Fräulein, eine alte Jungfer, die die Stelle bei den Andreesens erst vor kurzem, nachdem das erste Kindermädchen wegen bevorstehender Heirat gekündigt hatte, angetreten hatte, schüttelte bekümmert den Kopf, dass die weißgrauen Locken wippten.

Felicitas zuckte mit den Schultern. »Ich schätze, sie finden sie bei Marie in der Küche.«

Endlich. Felicitas verließ das Haus und atmete tief durch. Die eiskalte Winterluft fraß sich durch den dünnen Stoff ihres Kostüms, doch sie hatte keine Lust, zurückzugehen, um sich den Pelzmantel anzuziehen. Für diesen Morgen reichte es ihr an Problemen, und wer wusste, ob nicht Ella oder Désirée noch eines auf Lager hatte? Sie wollte nicht riskieren, einer von beiden über den Weg zu laufen.

Aufseufzend ließ sich Felicitas in das weiche Polster ihres Coupés fallen und startete den Motor. Es war kurz vor sieben. Mit etwas Glück würde sie eine Stunde Zeit haben, um sich einen ersten Überblick in den Produktionshallen zu verschaffen.

»Ich denke, wir sollten die Frage mal anders stellen. Was können unsere Maschinen, sofern sie nicht Kaffee rösten?« Felicitas blickte den Prokuristen Emil Hausenberg, einen schmalen, hoch gewachsenen Mann Mitte vierzig, an.

»Ein etwas eigenwilliger Gedanke, gnädige Frau«, antwortete er knapp und betrachtete Felicitas mit kaum verhohlener Geringschätzung.

»Gewiss«, gab sie kühl zurück, »aber alle guten Ideen zeichnen sich dadurch aus, dass der Erfinder gegen den Strich zu denken bereit und fähig ist.«

»Unter gewissen Umständen mag das zutreffen«, begann Hausenberg, doch Felicitas unterbrach ihn.

Mochte Heinrich auch noch so große Stücke auf ihn halten, ihr war dieser Mann von Herzen unsympathisch. Kurz nach Gustav Andreesens Tod hatte Heinrich Emil Hausenberg von einer Hamburger Kaffeefirma abgeworben und mit der Verantwortung für die gesamte Buchführung des Andreesen-Unternehmens betraut. Er galt als kompetent und unbestechlich. Mit messerscharfem Verstand und intuitivem Spürsinn machte er jeden Fehler in Kalkulationen und Bilanzen aus und hatte die Firma auf diese Weise schon vor Ärger und finanziellen Verlusten bewahrt. Doch jetzt waren Fantasie und die Fähigkeit, über den eigenen Tellerrand zu blicken, gefragt, und dies war Hausenbergs Sache eindeutig nicht. Seit einer Stunde bewegten sie sich im Kreis, und wieder und wieder hatte Hausenberg ihre Argumente zerpflückt, statt sie konstruktiv zu ergänzen. Sie hatte es satt.

»Diese Umstände, Herr Hausenberg, sind nun eingetreten. Das weitere Vorgehen werde ich mit Herrn Frantz besprechen und Sie von meinen Entschlüssen dann in Kenntnis setzen.« Felicitas nickte ihm zu und schwieg, bis er begriff, dass das Gespräch beendet war. Steif verabschiedete er sich. Felicitas wartete eine Weile und schlenderte dann hinüber ins Labor.

Elias Frantz kaute hektisch auf einem Brötchen herum und betrachtete unter einem Mikroskop irgendetwas, das ihm gelegentlich ein »Hmhmhm« entlockte. Als Felicitas sich räusperte, fuhr er herum.

»'tschuldigung«, murmelte er und wischte sich rasch die Hände an einem Handtuch ab. »Frau Andreesen! Welch freudige Überraschung! Was führt Sie in unsere heiligen Hallen?«

»Das Gebot der Stunde«, sagte sie seufzend und schaute sich so neugierig wie hoffnungsvoll um, als würde sich in den vielen Reagenzgläschen schon eine Lösung abzeichnen. Frantz folgte ihrem Blick.

»Trockengemüse und Wellbleche«, sagte er ruhig, ging hinüber zu einem Laborschrank, öffnete die Milchglastüren und deutete auf drei Einmachgläser mit Karotten, Porree und Blumenkohl. Das Gemüse sah verschrumpelt aus und hatte ein wenig von seiner Farbe verloren, wies aber keine schimmligen Stellen auf. »Ich entziehe dem Gemüse mithilfe unserer Röstmaschinen das Wasser. Dann wird es luftdicht verpackt. Die Hausfrau muss es nur noch ein wenig einweichen. Und hier«, fuhr er fort und nahm ein Stück gewelltes Blech in die Hand, »befindet sich das zukünftige Material, mit dem wir ungemein günstig Dächer eindecken können.«

»Und das funktioniert?«, fragte Felicitas skeptisch und betrachtete abwechselnd das schrumplige Gemüse und das Wellblech.

»Es ist kein Problem, die Produktion darauf umzustellen. Ich habe alles x-mal überprüft. Doch Herr Hausenberg …«

»Ich verstehe.« Felicitas überlegte nicht lange. Elisabeth hatte ihr die Leitung der Firma anvertraut, also würde sie die Aufgabe auch wahrnehmen, und jetzt galt es, eine Entscheidung zu treffen. Sollte sie darauf warten, bis ein Konkurrent auf die gleiche Idee kam? Gewiss nicht. »Bereiten Sie alles für die neue Produktion vor. Fahren Sie die Herstellung von Zichorienkaffee so weit es geht runter, und setzen Sie alle anderen Maschinen entsprechend ein. Ende der Woche sehen wir uns das Ergebnis an und entscheiden, wie wir weiter verfahren. Bis dahin ist meine Schwiegermutter sicher wieder gesund, und wenn das Ergebnis für sich spricht, ist sie bestimmt die Letzte, die sich dieser Lösung verschließen würde.«

Sie lächelte über ihren diplomatischen Winkelzug, der der Firma einen neuen Weg ebnete, ohne dass Elisabeth sich über ihre Illoyalität beklagen konnte, und der dicke Laborleiter grinste verschwörerisch zurück.

»Alle Achtung, Frau Andreesen. Von Ihrem Schneid kann sich mancher eine Scheibe abschneiden.«

Es war früher Nachmittag, als sie das Kontor verließ. Auf dem Weg zum Auto verwarf Felicitas den Gedanken, sofort in die Villa zurückzukehren. Morgen war auch noch ein Tag, um Elisabeth mit der Sachlage zu konfrontieren. Stattdessen fuhr sie in die Contrescarpe.

Der Duft von frisch gebackenem Brot zog durchs Haus und lockte Felicitas sofort in die Küche, in der Elfriede fröhlich vor sich hin summte.

»Denk dir nur, unser Thomas ist auf Heimaturlaub!«, sagte sie strahlend und umarmte Felicitas.

»Ach, Elfriede, ich freue mich ja so mit euch.« Insgeheim wunderte sie sich, dass weder ihre Mutter noch Anton ein Wort darüber in ihren Briefen verloren hatten, doch das musste sie Elfriede ja nicht sagen. »Wo ist er denn?«

»Oh, er hat bei einem Gasangriff so einen kleinen Tick davongetragen, also, man könnte sagen, er hat Zuckungen, und deshalb sind Arthur und er los, um einen Arzt aufzutreiben, der was davon versteht. Ist aber nicht so schlimm. Hauptsache, der Bub ist ganz. Ach entschuldige, ich habe deinen Schwager ganz vergessen. Schlimme Sache, das mit dem Bein. Einer der Schauspieler hat einen Arm verloren, und zwei Häuser weiter, bei Krauses, kämpft der Junge irgendwo in einem Lazarett in Frankreich mit dem Tod. Dieser Krieg, furchtbar. Du siehst so schmal aus, Kind, aber das ist ja auch kein Wunder in diesen Zeiten. Ich habe von eurer Speisung gehört und …«

Während Elfriede ohne Punkt und Komma vor sich hin plapperte, nahm sie einen Teller aus dem Küchenschrank und schnitt eine Scheibe Brot ab, bestrich sie dick mit Butter und streute grobes Meersalz darauf. Hungrig biss Felicitas hinein und verdrehte genießerisch die Augen.

»Im Brotbacken kann dir keiner das Wasser reichen.«

»Das will ich meinen.«

Der Kessel pfiff, und Elfriede füllte den Ausguss mit kochend heißem Wasser, um das Geschirr vom Mittagessen und die Rührschüsseln abzuwaschen. Schweigend begann sie mit ihrer Arbeit, fuhr aber sofort in die sich ausdehnende Pause mit einem Stakkato aus Klatsch und Tratsch aus der Nachbarschaft fort.

Irgendetwas stimmte nicht. Felicitas kaute auf dem Brot herum und beobachtete Elfriede. Ihr Haar war inzwischen fast weiß, und sie hatte abgenommen, nicht viel, aber doch so, dass man es bemerkte. Doch das war es nicht, was Felicitas beunruhigte, sondern die vielen Worte, die dem kurzen Schweigen vorangegangen waren und ihm nun folgten, ein Schwall aus Lauten und Silben, der etwas anderes verhüllte.

»Was ist hier los, Elfriede?«, unterbrach Felicitas Elfriede sanft, die daraufhin innehielt und sich zu ihr umdrehte. Mitgefühl spiegelte sich in ihren Augen und auch ein wenig Verzweiflung.

»Ach, Kindchen, einmal musst du es ja doch erfahren.« Elfriede seufzte schwer, trocknete sich die Hände ab und setzte sich zu Felicitas. »Es ist so ... deine Mutter will in Sorau bleiben. Für immer.«

»Was soll das heißen?«

»Mein Kind, sie hat deinen Vater verlassen ...«

Viel mehr als diese magere Tatsache wusste Elfriede nicht. Max hatte vor einer Woche einen Brief aus Sorau erhalten, in dem Helen ihm ihren Entschluss mitteilte. Daraufhin hatte er sich vom Schauspielhaus freistellen lassen, um das Angebot anzunehmen und auf Gastspielreise zu gehen.

»Er hat seine Sachen gepackt und war fort.« Elfriede stand schwerfällig auf und schlurfte zum Küchenschrank hinüber. »Hier, er hat mich gebeten, dir diesen Brief zu geben.« Felicitas betrachtete das weiße Kuvert, auf dem in der steilen, kühnen Schrift ihres Vaters ihr Name stand. »In Eile, dein Vater«, sagte sie zynisch.

»Du darfst es ihm nicht nachtragen, mein Kind. Er ist nicht mehr er selbst. Er hat nicht geschlafen, nicht gegessen, nur ins Feuer gestarrt und jede Menge Briefe angefangen und zerrissen. Ich hab's gesehen, wenn ich ihm morgens seinen Kaffee gebracht habe. Nicht einmal den hat er angerührt.«

»Mein armer Vater«, spottete Felicitas zutiefst verletzt. »Ihm geht es so schlecht, dass er darüber seine eigene Tochter vergisst und einfach alles stehen und liegen lässt, um vor seinem Kummer davonzulaufen. Und meine liebe Mutter! Wo ist denn ihr Brief an ihre Tochter!« Tränen stiegen ihr in die Augen, doch sie unterdrückte sie mit aller Kraft. »Ich verstehe sie nicht, Elfriede, weder meine Mutter noch meinen Vater. Sind sie denn völlig verrückt geworden? Wir hatten es doch so gut …« Vor ihrem inneren Auge lief der Film ihrer Kindheit ab. Ein lachender Vater, der die kleine Felicitas in die Luft warf. Eine schöne, ernste Mutter, die sie mit kühlem aquamarinblauem Blick zur Ordnung ermahnte und zur Belohnung, wenn sie folgsam gewesen war, hübsch anzog und mit ihr zum Osterdeich spazierte, um die Enten zu füttern. Ihre Eltern, wie sie angeregt miteinander diskutierten und lachten, gelegentlich auch stritten. Gutenachtgeschichten und Kinderlieder. Das rote Kleid. Instinktiv spürte Felicitas, dass seit dem Abend das Gleichgewicht, das sie für unerschütterlich gehalten hatte, aus der Balance geraten war. Nur wie und warum, das wusste sie nicht, und offenbar hielten ihre Eltern es nicht für nötig, es ihr zu sagen. Es musste etwas mit Sorau zu tun haben. Das würde auch erklären, weshalb es ihrem Vater damals so wichtig gewesen war, dass sie ihre Mutter auf das Gut begleitete. Aber was?

Vielleicht hätte sie, wenn sie aufmerksamer gewesen wäre, die Zeichen erkannt, hätte irgendetwas sagen oder tun können. Aber diese Überlegungen waren nun sinnlos. Die Situation war, wie sie war, und sie, Felicitas, musste damit fertig werden, dass ein Teil ihres Lebens, der ihr Rückhalt und Kraft gegeben hatte, nicht mehr existierte.

»Grüble nicht so lang, mein Kind. Du hast eine eigene Familie, um die du dich kümmern musst.«

»Warum zum Teufel hat Dorothee nichts gesagt?«

»Weil sie es nicht weiß«, antwortete Elfriede seufzend.

»Aber ganz Sorau wird es doch inzwischen wissen. Und Verena wird es ihr doch mitgeteilt haben.«

»Ich glaube nicht. Dorothee bekommt eigentlich nur Briefe von dem schönen Herrn Levi. Und von deinem Vater weiß sie es bestimmt auch nicht.«

»Dann ist ja alles bestens.« Felicitas stand auf und lächelte mühsam.

Jetzt hatte sie Elisabeth wenigstens noch eine Unmöglichkeit mehr zu berichten außer dem Trockengemüse und dem Wellblech.

Elisabeth erholte sich nicht so schnell von ihrer Erkältung, wie sie es gehofft und erwartet hatte. Noch nie hatte ihr Körper sich so schwach gezeigt, und die Empörung über das Alter, das allmählich seinen Tribut zollte, machte sie zu einer ungeduldigen und launischen Patientin, sodass Felicitas beschloss, die Neuigkeiten so lange für sich zu behalten, bis sich Elisabeths Verfassung und Stimmung gebessert hatten. Die ersten Produktionsergebnisse lagen zwar am Ende der Woche vor und sahen höchst vielversprechend aus, doch die endgültige Entscheidung, wie es weitergehen sollte, konnte noch ein, zwei Tage warten. Allerdings hatte sie nicht damit gerechnet, dass Hausenberg die Unverfrorenheit besitzen würde, Elisabeth trotz ihrer Krankheit zu besuchen und sie über Frantz' und Felicitas' eigenmächtiges Vorgehen zu unterrichten.

»Wie geht es meiner Schwiegermutter?«, fragte Felicitas, als sie mit den Kindern von einem Spaziergang durch den Park zurückkehrte.

»Sie hat Besuch von Herrn Hausenberg«, antwortete Marie und fügte leise hinzu: »Und morgen baue ich den Stall. Holz und Nägel habe ich in der Sattelkammer gefunden. Die Hühner kriege ich wahrscheinlich in zwei Tagen. Mit den Samenkörnern sieht's noch nicht so gut aus, aber die gnädige Frau kann sich auf mich verlassen.«

»Wunderbar, Marie. Wenn ich helfen kann, lass es mich wissen.«

»Beim Stallbau?« Marie machte kugelrunde Augen.

Felicitas zuckte mit den Schultern. »Ich schleppe Steine im Kunstpark, also kann ich auch einen Nagel in ein Brett schlagen.«

Sie nickte Marie zu und wandte sich zur Treppe. Am besten, sie brachte es gleich hinter sich.

»Ah, Felicitas. Setz dich zu mir. Herr Hausenberg war so freundlich, mir die Details dessen zu erklären, worüber wir vergangene Woche kurz gesprochen hatten.«

Elisabeth blickte Felicitas freundlich an. Ihre Worte ließen keinen Zweifel daran, dass sie Hausenberg glauben gemacht hatte, Felicitas handle ganz in ihrem Sinn. Mit diesem Zeichen von Loyalität hatte Felicitas nicht gerechnet, und sie schalt sich, ihr nicht eher reinen Wein eingeschenkt zu haben. Sie hatte Elisabeth unterschätzt.

»Herr Hausenberg«, fuhr Elisabeth gelassen fort, »hält nicht nur den Zeitpunkt der Produktion von Trockengemüse und Wellblech für verfrüht, sondern den ganzen Plan für falsch, wenn ich Sie recht verstanden habe.«

»Das ist richtig«, sagte Hausenberg mit einer merkwürdigen Mischung aus Unterwürfigkeit und selbstgefälliger Arroganz.

»Und welche Alternative bieten Sie an?«, fragte Felicitas eisig.

»Gar keine. Wir bleiben bei Zichorien. Es gibt keinen Grund, den Produktionsschwerpunkt leichtfertig zu verlagern.«

»Leichtfertig?« Felicitas spie das Wort aus. »Es ist leichtfertig, in diesen Tagen auf die einzige Chance zu verzichten, die wir haben. Mit Zichorien lässt sich kein Geld mehr verdienen, das wissen Sie genauso gut wie ich.«

Elisabeth nickte langsam. »Herr Hausenberg, ich danke Ihnen. Aber trotz Ihrer Bedenken sollten wir es versuchen. Wir haben nicht allzu viel zu verlieren, nicht wahr?«

»Wie Sie meinen, gnädige Frau.«

Nachdem der Prokurist sich verabschiedet hatte, sahen sich Elisabeth und Felicitas an.

»Es tut mir Leid«, sagte Felicitas. »Ich hätte es dir sofort erzählen müssen, aber ich wollte warten, bis es dir besser geht.«

Elisabeth winkte ab. »Schon gut. Weißt du, mir ist dabei eines klar geworden. Ich bin zu alt und zu müde, um eine Firma dieser Größe zu leiten, für die ich mich überdies nie interessiert habe. Sie war Gustavs ganze Leidenschaft, nicht meine. Ich habe die Entscheidung hinausgezögert und mich von Hausenbergs Verzagtheit anstecken lassen.« Sie machte eine Pause. »Du hast das einzig Richtige getan. Ich bin stolz auf dich.«

Felicitas lächelte. »Danke. Eigentlich habe ich eher damit gerechnet, dass du mir die Hölle heiß machst.«

»Ich weiß. Ich habe immer so eine beunruhigende Wirkung auf die Menschen, die mir nahe stehen. Denk nur an

Ella. Erst muss die halbe Welt einstürzen, bevor sie sich mir anvertraut.«

»Bist du müde?«

»Nein, irgendwie hat mich dieser kleine Schlagabtausch mit Hausenberg sogar belebt.« In der Tat sah Elisabeth besser aus. Ihre Augen leuchteten, und die Haut hatte ein wenig von der wächsernen Blässe verloren.

»Dann wäre da noch etwas …«, begann Felicitas.

Um nicht die Fassung zu verlieren, beschränkte sie sich darauf, die Ereignisse so sachlich wie möglich zu schildern, doch ihre innere Anspannung entging Elisabeth nicht. Als Felicitas mit einem Schulterzucken und der lakonischen Bemerkung, ihr fehle für das Verhalten ihrer Eltern jedes Verständnis, endete, nahm Elisabeth ihre Hand in die ihre. Eine Weile saßen sie schweigend beieinander.

»Sie benehmen sich genauso, wie du es ihnen, den Komödianten, insgeheim immer unterstellt hast, nicht wahr? Chaotisch, kindisch, haltlos.«

Elisabeth seufzte. »Ja, vielleicht. Ich konnte eben nie über meinen Schatten springen. Aber mach du nicht den gleichen Fehler. Verurteile sie nicht, vor allem deine Mutter nicht.« Sie blickte aus dem Fenster, und Felicitas hatte plötzlich das Gefühl, dass sie nicht ihre Mutter, sondern sich selbst meinte.

Immer und immer wieder, vor dem Einschlafen, in ihren Träumen, nach dem Aufwachen und dann, wenn ihr streng gegliederter Alltag die Zügel kurz losließ, dachte sie an Heinrich. Felicitas' Leben unterlag dem Rhythmus der vielen hundert Momente, in denen sie sich vorstellte, wie es sein würde. Sie sah den Brief vor sich auf dem Tischchen in der Halle liegen, in dem er seinen Heimaturlaub ankündigte, und sah, wie die Tage von nun an in das Licht der Erwartung getaucht waren, bis er vor der Tür stand, unversehrt, vielleicht ein wenig müde um die Augen, doch heiter. Sie sah sich in seine Arme stürzen, ihre Nase in seine Halsbeuge drücken, bis sich ihre Lippen zu einem überwältigenden Kuss fanden, der ihre Seelen miteinander verband, und dem ihre Körper so schnell, wie sie sich der Hemden, Hosen, Strümpfe und Leibchen entledigen konnten, folgen wollten. Ohne ihre Arbeit im Kunstpark, im Kontor am Wall und die Organisation der Speisung, die sich als zunehmend schwierig erwies, hätte Felicitas die Flamme der Sehnsucht, die in ihr brannte und sie verzehrte, nicht ausgehalten. Trotz der vielen Beschäftigungen fühlte sie sich häufig rastlos und ungeborgen, Gefühle, die sie mit schweißtreibenden Ausritten zu ersticken versuchte oder indem sie sich über den tennisplatzgroßen Gemüsegarten hermachte, den sie mit Marie im hinteren Teil des Parks angelegt hatte, und jätete, bis kein Giersch sich mehr in die Nähe traute. Karotten, Kopfsalat, Kartoffeln, Kohlrabi und Blumenkohl gediehen prächtig, nur die Tomaten mochten den Boden nicht und kümmerten vor sich hin. Die Hühner, schöne rehbraun und weiß gesprenkelte Tiere, hatten sie direkt daneben in einem Stall mit Gehege untergebracht, wo sie friedlich vor sich hin pickten und sporadisch sogar Eier legten. Die Kinder liebten es, die Hühner zu füttern, und verstanden nicht, warum sie sich nicht streicheln lassen wollten. Nachdem Gesa wohl zum hundertsten Mal in dem Bestreben, die Hühner von der Wonne der menschlichen Berührung zu überzeugen, den Tieren hinterhergejagt war, hatte Marie es nicht mehr mit ansehen können und auf verschlungenen Pfaden zwei junge Zwergkaninchen aufgetrieben. Die Kinder waren begeistert, tauften die kleinen Seidenknäuel Flips und Flops und verbrachten seitdem halbe Tage bei ihren neuen Freunden. Ein Segen, fand Felicitas und wischte sich den Schweiß von der Stirn. Seit einer Stunde bearbeitete sie den Boden. Es war Sonntag, und als sie um halb sieben aufgewacht war, hatte der Tag in seiner ganzen öden Länge vor ihr gelegen. Die Sonntage waren besonders schlimm, sie ließen der Verzweiflung zu viel Raum. In den ersten Kriegsjahren hatten Heinrich und sie das Ritual des Sonntagsspaziergangs im Bürgerpark oder an der Weser genossen, doch seitdem zunehmend Kriegsversehrte das Bild der Stadt prägten, hatte sie darauf verzichtet. In jedem Krüppel, jedem Blinden sah Felicitas ihre namenlosen Ängste um ihren Mann verkörpert.

»Und dann sagte Flips zu Flops …« Clemens' dünnes, hohes Stimmchen wehte zu Felicitas herüber, und sie unterbrach ihre Arbeit, um den Kindern zuzusehen. Christian und Gesa saßen auf dem Rasen, und Clemens stand wie ein kleiner Moritatenerzähler vor dem Kaninchenstall und schilderte eins der Abenteuer, die Flips und Flops des Nachts erlebt hatten. Dabei ahmte er das zuckende Näschen der Tiere nach und bildete mit den Händen die Öhrchen, die je nach Stimmung und Situation fröhlich in die Höhe wiesen oder voll Misstrauen flach angelegt waren. Wieder einmal dachte Felicitas, dass es sich wirklich lohnen würde, Clemens' Geschichten aufzuschreiben, so fantasievoll und niedlich, wie sie waren.

»Jetzt ich!«, rief Gesa, bevor Clemens zu Ende erzählt hatte, und sprang auf.

»Flips und Flops schliefen ganz tief … soooo tief, als …«

»Du bist gemein!«, rief Clemens heulend. »Sie haben gar nicht geschlafen.«

Und schon war der Streit im Gange. Christian ergriff natürlich Partei für seinen Bruder, doch Gesa, vier Jahre älter und entsprechend wortgewandter, redete laut weiter und übertönte ihre Brüder.

»Gesa, erst ist Clemens an der Reihe, dann kannst du deine Geschichte erzählen«, sagte Felicitas, ließ die Harke fallen und nahm Clemens tröstend in den Arm.

»Ach, immer bist du auf seiner Seite«, erwiderte Gesa und schwieg verstockt.

»Nein, das bin ich nicht, und das weißt du auch. Ich möchte nur, dass du fair zu deinem Bruder bist. Er ist doch viel kleiner als du.«

»Blöde Ziege«, murmelte Gesa, und Felicitas rutschte die Hand schneller aus, als sie darüber nachdenken konnte.

Gesas Wange färbte sich rot, Tränen glitzerten in ihren Augen, und sie öffnete den Mund zu einem Schluchzer, der ihr jedoch in der Kehle stecken blieb. »Papa«, flüsterte sie, und dann lauter: »Papa!« Sie stürzte los, Felicitas drehte sich um, und da lag Gesa auch schon in Heinrichs Armen.

Felicitas stockte der Atem, ihr Herz raste.

»Eine Woche haben sie mir bewilligt«, sagte Heinrich, während Gesa sich an ihn klammerte. »Ich wollte es dir nicht schreiben, weil ich Angst hatte, in letzter Sekunde könnte etwas dazwischenkommen.«

Felicitas konnte nur nicken. Eine Woche. Das war gar nichts. Und zugleich alles.

Seine Ankunft veränderte die Stimmung im Haus radikal, alle gaben ihr Bestes, die kurze Zeit für Heinrich so angenehm wie möglich zu gestalten. Elisabeth schwärmte von Felicitas' Tatkraft, Ella lächelte wieder, Désirée erzählte Anekdoten und las Antons seltene Briefe vor, und Marie tischte auf, was Speisekammer und Schwarzmarkt hergaben. Heinrich bemühte sich, den vielfältigen Erwartungen seiner Familie gerecht zu werden, die vor allem darin bestanden, einen Beweis zu liefern, dass es auch im Krieg Beständigkeit geben kann, dass man darauf vertrauen kann, dass nicht jeder zum Krüppel geschossen wurde oder sein

Leben irgendwo weit weg von zu Hause auf irgendeinem Acker im Westen oder Osten Europas aushauchte, um den zu kämpfen der Kaiser befohlen hatte. Heinrich sah unverändert aus, und sein Humor und seine freundliche Zurückhaltung hatte der Krieg ihm nicht nehmen können, und dennoch entging Elisabeth, Ella, Désirée und vor allem Felicitas nicht, dass die monatelange Belagerung von Verdun tiefe Wunden in seiner Seele hinterlassen hatte. Zuweilen erschien es Felicitas, als ob er mit seinem lebhaften Interesse für die Entwicklung der Kinder und des Unternehmens einen Abgrund von Verzweiflung und Resignation zu verbergen suchen würde, und ebenso häufig ermahnte sie sich, nicht hysterisch zu werden. Kein Mann, und gewiss nicht der einfühlsame Heinrich, würde es einfach wegstecken, achtzehn Monate in Schützengräben verbracht und viel zu viele seiner Kameraden sterben gesehen zu haben. Um ihm die Last des Erlebten leichter zu machen, fragte sie ihn, ob er ihr davon erzählen wolle, doch er wollte nichts weniger als das.

»Ich möchte dich unversehrt lassen«, sagte er. »Was wir da draußen erleben, sollte man nur mit jemandem teilen, der Ähnliches mitgemacht hat. Mit Bernhard …«

»Hast du Nachricht von ihm?«

»Nein, er hat mir nie geschrieben, das ist nicht seine Art. Du kennst ihn doch, durch und durch verschlossen.«

»Ach, und ausgerechnet mit ihm willst du deine Erlebnisse lieber teilen als mit mir.«

»Felicitas, ich kann dir gegenüber keine Worte finden«, sagte er leise, doch dann brach es aus ihm heraus. »Willst du wissen, wie viele Menschen ich erschossen habe? Wie viele Tote wir nicht begraben konnten? Dass wir uns von Ratten ernähren und nicht wissen, wohin mit der Notdurft? Dass einige von uns einfach den Verstand verlieren, aus dem Schützengraben klettern und sich den feindlichen Schüssen ergeben, weil es eine Erlösung bedeutet, es hinter sich zu haben?« Tränen der Wut und der Scham liefen ihm über die Wangen, und er wandte sich ab. Nach einer Weile drehte er sich wieder zu ihr und sah sie Hilfe suchend an. »Ich möchte dich einfach nur lieben und bei dir sein, um … ja, um ein wenig Normalität geschenkt zu bekommen. Verdun ist verloren, das muss genügen.«

Der Blick, mit dem er sie ansah, ließ sie schweigen und einen Hauch von dem namenlosen Entsetzen eines sinnlosen Gemetzels begreifen, das zweihunderttausend Soldaten das Leben kostete und das für immer mit dem Namen Verdun verbunden bleiben würde.

Sie redeten nicht mehr über das Thema und taten das, was der Krieg ihnen übrig gelassen hatte. Sich nach dem Morgen zu sehnen, das so sein sollte wie das Gestern vor dem 1. Juni 1914.

Nachts indes fanden sie zu dem zurück, was sie vor mehr als einem Jahrzehnt zueinander geführt und sie seitdem nicht verlassen hatte – und das selbst das Heute erträglich machte. Als Heinrich am Ende der Woche an die Front zurückkehrte, wusste Felicitas, dass sie ein Kind bekommen würde.

Nur schemenhaft zeichneten sich die Umrisse schreiender Menschen vor dem Hintergrund einer apokalyptischen Landschaft ab. Wenn der Krieg vorbei war, würde es einen Sturm solcher Bilder geben, Zeugnisse des Grauens, die keinen Zweifel mehr zulassen würden, dass die Jahre seit 1914 alles in den Schatten stellten, was der Mensch im Lauf der Geschichte mit dem ihm anvertrauten Leben zu tun bereit gewesen war.

Felicitas betrachtete das Gemälde, eines von vielen, das ihr

in den letzten Wochen zugesandt worden war. Die An-
schreiben besaßen stets den gleichen Tenor. Sie, Felicitas,
solle ihren Kunstpark nicht länger als weibliche Enklave
definieren, sondern auch für die Kunst von Männern öffnen, um ihnen Gelegenheit zu geben, das Erlebte einer
breiteren Öffentlichkeit zugänglich zu machen. In der Tat
hatten diese Argumente angesichts der Geschehnisse einiges für sich, doch sie fragte sich, ob die Menschen so etwas
wirklich sehen wollten. Vielleicht sollte sie dieser Kunst
tatsächlich einen eigenen Pavillon widmen, andererseits
verwässerte sie mit dieser Erweiterung möglicherweise ihr
erklärtes Ziel, Frauen, und aufgrund der gesellschaftlichen
Nichtachtung ihrer Werke nur Frauen, ein Forum zu schenken.

Sie stellte das Gemälde mit der Vorderseite zur Wand. Morgen war auch noch ein Tag, um darüber eine Entscheidung
zu treffen. Jetzt verspürte sie weder die Notwendigkeit
noch die Lust, sich mit der Düsternis zu beschäftigen. Die
dritte Schwangerschaft hatte Besitz von ihrem Körper und
ihrer Seele ergriffen, und im Gegensatz zu den beiden vor-
hergegangenen, die sie ihrer Kraft und guten Stimmung
bisweilen beraubt hatten, wirkte die heranwachsende Lei-
besfrucht wie ein Aphrodisiakum auf Felicitas. Sie aß wie
ein Scheunendrescher und hätte halbe Tage tanzen und
singen können, wenn die Nachrichten von Heinrich, spär-
lich und beunruhigend, ihre hormonelle Euphorie nicht
gedämpft hätten. Die Vereinigten Staaten von Amerika
hatten Deutschland den Krieg erklärt und bereiteten die
alliierte Gegenoffensive vor, die im Westen – und damit in
Frankreich – erwartet wurde. Er befand sich mit seiner
Einheit an der Somme irgendwo bei Amiens. Eine Granate
hatte ihn an der linken Hand verletzt, doch nach zwei Tagen hatte das Lazarett ihn zurück an die Front geschickt.

»Mach dir keine Sorgen, ich küsse dich« stand wie stets unter diesen Briefen, doch natürlich war Felicitas halb verrückt vor Angst. So absurd es war, es wäre ihr lieber gewesen, er wäre schlimmer verletzt worden. Ein Lazarett bot doch sicher ein wenig mehr Schutz vor Angriffen.

Fast beneidete sie Désirée, deren Mann Monate in Sorau gepflegt werden musste und, wie Anton und zu Felicitas' Verbitterung auch ihre Mutter in einem gemeinsamen Brief froh ankündigten, in Kürze reisefähig sein und nach Hause fahren würde.

Auch Bernhard war nach Bremen zurückgekehrt – unverletzt. Ella hatte ihn auf ihrem Weg zu einer der seltenen Frauenversammlungen gesehen, doch er hatte nicht auf ihre Rufe reagiert. »Ich hatte sogar den Eindruck, er läuft vor mir davon«, hatte sie zu Felicitas gesagt. »Als es mir schließlich gelang, ihn einzuholen, hat er mich begrüßt, als wüsste er nicht einmal, wer ich bin.«

Als sich Bernhard auch in den nächsten Wochen nicht meldete, begann Felicitas sich Sorgen zu machen, und sie beschloss, ihn zu besuchen. Weil es kurz vor Weihnachten war und Bernhard ebenso wie Dorothee bestimmt niemanden hatte, bei dem er das Fest verbringen konnte, hatte Felicitas Elisabeth gefragt, ob sie ihn nicht auch wie ihre Cousine zu Heiligabend einladen dürfe. Elisabeth hatte unwillig und ablehnend reagiert und nur »um Heinrichs willen« letztlich doch zugestimmt.

Im Atelier an der Hastedter Heerstraße fand sie ihn nicht, also fuhr sie zu seinem kleinen, aber hübschen Stadthaus an der Schwachhauser Heerstraße. Nach mehrmaligem Klingeln öffnete er endlich die Tür, und Felicitas sah ihre schlimmsten Befürchtungen bestätigt. Mit einem Blick erfasste sie die Situation – seine roten Augen, der nicht mehr ganz klare, aber zynische Blick, die rote Kostümjacke mit den Marabufedern, die an der Garderobe hing und bestimmt nicht einer Dame von der Heilsarmee gehörte.

Er machte keine Anstalten, Felicitas hineinzubitten, und sie kam sich albern und töricht vor. »Ich sehe, Sie pflegen alte Gewohnheiten«, sagte sie ironisch, doch mit einem Unterton von Enttäuschung, der ihm nicht entging.

»Nicht traurig sein, schöne Felicitas«, erwiderte er. »Entweder man kommt als Leiche zurück, als Memme oder als Säufer. Insofern habe ich es doch gut getroffen, nicht wahr?«

Die Bestürzung stand ihr ins Gesicht geschrieben, doch als sie die hohe Frauenstimme hörte, die seinen Namen rief, hatte sie sich augenblicklich wieder in der Gewalt.

»Auf Wiedersehen, Bernhard«, sagte sie kühl. »Frohe Weihnachten.«

16

Constanze drosch auf die Wäsche ein, hielt inne und schob eine Haarsträhne zurück, die sich gelöst hatte und ihr ins Gesicht hing.

Revolution hin oder her, dachte kein Mann auch nur im Traum daran, seiner Frau die Wäsche aus der Hand zu nehmen und ihr den weit weniger mühsamen Rest der Arbeit auf diesem abgeschiedenen Hof zu überlassen – Wache schieben, Pfeife rauchen und tiefsinnige Gespräche über das glorreiche Proletariat führen.

Das würde sich vermutlich nie ändern. Sie und Jekaterina hatten versucht mit den Männern darüber zu diskutieren, aber die hatten bloß gelacht und gemeint, die Revolution habe nur im übertragenen Sinn etwas mit schmutziger Wäsche zu tun, nämlich der des Zaren und seiner Familie, und die sei bald rein bis in alle Ewigkeit. Tote würden keine Wäsche mehr brauchen, sagten sie.

Monoton klang das Klatschklatsch der Wäsche auf den Steinen. Constanze mochte diesen Platz am Ufer des namenlosen Sees, der nur einer von vielen war in einem Land, so unvorstellbar weit, dass man sich nicht die Mühe machte, jedes Dorf und jeden Wasserlauf zu benennen.

An guten Tagen liebte sie den grenzenlosen Horizont, weil er ihr das Gefühl völliger Unabhängigkeit von allen Konventionen schenkte, an schlechten Tagen richtete sie den Blick lieber auf den kleinen Wald, der links vom See lag, weil er sie an Sorau erinnerte und ihr die Geborgenheit vermittelte, die sie in Russland schmerzlich vermisste. Sie waren die Fremden, immer und überall.

Nach ihrer Flucht aus Sorau waren sie bei Nacht und Nebel über die Grenze geschlichen, um sich den revolutionären roten Truppen anzuschließen. Da hätte sie bereits erkennen müssen, dass Sergejs kühne Pläne jeder Grundlage entbehrten. Seine angeblichen Kontaktpersonen existierten nicht oder lebten nicht mehr unter der angegebenen Adresse. Ein Zurück kam für Sergej nicht infrage, also zogen sie weiter, nach irgendwo. Doch wohin der Wind sie auch wehte, mussten sie sich rechtfertigen. Niemand glaubte ihnen, dass sie auf Seiten der Arbeiter und Bauern kämpfen wollten. Sie kamen aus Deutschland, und damit waren sie Feinde. Selbst Alexanders Existenz überzeugte niemanden vom Gegenteil. Man hielt das Kind für eine raffinierte Tarnung deutscher Spione.

Schließlich gaben sie auf und zogen sich hundert Kilometer vor St. Petersburg, das seit 1914 Petrograd hieß, und einen halben Tag Fußmarsch von einem Dorf namens Nivitow entfernt in die Einsamkeit zurück, was angesichts der russischen Weite kein Problem gewesen war. Sergej baute aus Lehm und Ästen eine Hütte und versuchte zu jagen, während Constanze lernte, Feuer zu machen und aus Lerchen und Bisamratten eine schmackhafte Mahlzeit zuzubereiten. Alexander hielt ihr Leben für ein grandioses Trapper-und-Indianer-Spiel. Sein kindliches Talent, die Dinge so zu nehmen, wie sie waren, und sich sogar daran zu freuen, linderte Constanzes Schuldgefühle, ihren Sohn dem sicheren Leben in Sorau entrissen zu haben und einer ungewissen und gefährlichen Zukunft auszusetzen. Doch häufiger, als ihr lieb war, brach die Erkenntnis, blind vor Liebe zu einem Mann und völlig verantwortungslos und ohne jeden Mutterinstinkt gehandelt zu haben, auf wie eine schwärende Wunde und trieb sie hinaus, um Holz zu hacken oder Wäsche zu würgen und zu erschlagen und mit dem Schweiß die Schuld fortzuspülen aus Körper und Seele. Sergej hatte mit derlei Empfindsamkeiten keine Probleme. Er war fest davon überzeugt, dass es einen Platz für sie in der neuen Gesellschaftsordnung geben würde, einen besseren, angemessenen Platz für sie beide, die nicht länger als parasitäre Kapitalisten leben wollten. Sie mussten ihn nur noch finden.

Immerhin war durch den Adrenalinstoß des gemeinsam Gewagten ihre Leidenschaft füreinander in den ersten Wochen hell lodernd aufgeflammt, doch je länger das Exil andauerte, ohne dass einer von ihnen eine Vorstellung entwickelte, wie es weitergehen sollte, desto mehr entfremdeten sie sich wieder voneinander. Mit der Leidenschaft schwand auch Constanzes Hoffnung, dass sich hier, in diesem fremden Land, das nicht das ihre war, ihre gemeinsame Bestimmung erfüllen würde.

Auf Felicitas hatte sie arrogant herabgesehen, weil sie ihren Traum von der Bühne zugunsten der Liebe aufgegeben hatte. Doch war ihr, Constanzes, Weg wirklich so viel klüger? Immer häufiger bedrängte sie die Frage, ob sie nicht nur Sergejs Vision erfüllte, während die ihre unter einem Haufen falscher Entscheidungen begraben lag. Hätte sie nicht weiß Gott ein besseres Leben haben können? Wenn sie ehrlich mit sich war, bereute sie ihren Entschluss, Sergejs Illusion von einem erfüllten Leben in Russland nachgegeben und auf ein Leben verzichtet zu haben, das, hübsch, wie Constanze war, noch jede Menge anderer Verehrer, schöne Kleider, Tanz und Unbeschwertheit hätte bedeuten können. Ihre Verbitterung, was Sergej betraf, und ihr Zorn auf sich selbst wuchsen Tag für Tag.

Bis das Schicksal es gut mit ihnen meinte und ihnen den Genossen Fjodor quasi auf dem Silbertablett servierte.

Nach dem Volksaufstand und der Entmachtung des Zaren

waren sich die Revolutionäre uneins gewesen, wer das Zepter in Russland übernehmen sollte, und die provisorische Regierung unter dem Fürsten Lwow hatte sich als schwach und korrupt erwiesen, sodass es nur noch eine Frage der Zeit gewesen war, bis Lenin seine Emigration, die nun schon vierzehn Jahre dauerte, beenden und seine triumphale Rückkehr aus der Schweiz nach Petrograd feiern würde. Sein Weg nach Russland sollte mit deutscher Hilfe geebnet werden, denn durch die Unterstützung revolutionärer Kräfte, so hofften Kaiser, Politiker und Militärs, würde der Feind von innen heraus zersetzt und so geschwächt, dass ein deutscher Sieg im Osten unausweichlich sein würde.

Der Plan wurde zwar so schnell aufgegeben wie entworfen, aber dennoch ließen sich einige Versatzstücke der Operation nicht mehr stoppen. Genosse Fjodor Astrenkowitsch, Mitstreiter Lenins der ersten Tage, fünfundvierzig Jahre alt, blond und hünenhaft gewachsen, hatte widerstrebend, aber letztlich überzeugt von der Richtigkeit der geheimen Vorbereitungen am Abend des 19. August, getarnt als ukrainischer Bauer, den Zug bestiegen, der ihn von Letkosibirsk nach Petrograd bringen sollte, wo er die Lage für die geplante Oktoberrevolution beurteilen und sich mit einem Sonderkommando treffen sollte. Doch da die Lenin-Gegner um den zwischenzeitlich in Amt und Würden gehobenen Ministerpräsidenten Alexander Kerenski auch nicht schliefen, verhinderten seine Helfershelfer mittels einer an der Brücke bei Nivitow befestigten Ladung Nitroglycerin, dass der Zug sein Ziel erreichte.

Warum Kerenskis Schergen die Insassen des Zugs zur Sicherheit nicht einfach erschossen hatten, blieb Constanze und Sergej ein Rätsel. Aber wie dem auch sein mochte, Fjodor hatte aus dem brennenden Zug entkommen und sich in die Wildnis retten können. Auf der Jagd nach einem Auerhahn oder irgendeinem anderen genießbaren Tier hatte Sergej den stark blutenden und halb ohnmächtigen Fjodor gefunden und ihn in ihre Hütte geschleppt.

Eine Woche hatte der Hüne gefiebert und deliriert, während Constanze und Sergej immer wieder seine Wunden auswuschen, mit Kamille umwickelten und ihm löffelweise Brühe einflößten. Schließlich obsiegte Fjodors starke Natur. Eines Morgens öffnete er die Augen und betrachtete, wem er sein Leben verdankte.

Auf der Stelle verliebte er sich in Constanze.

Ob sein Herz aufgrund dieser Tatsache milde gestimmt war oder ob ihm ihre Geschichte zu verrückt erschien, um gelogen zu sein, ließ sein verschlossener Gesichtsausdruck nicht erkennen. Jedenfalls riet er ihnen, ihre Kraft nicht länger in der Wildnis zu verschleißen, sondern mit Gleichgesinnten zu bündeln. Zwei Tage später verschwand Fjodor, und Sergej schlug vor, die Hütte zu verlassen, um den von Fjodor beschriebenen Hof nahe Petrograd zu suchen, wo eine Schar braver Bolschewiken bereits das reine Wort Lenins, den wahren Kommunismus lebte. Constanze hätte keine Kopeke darauf gewettet, dass sie auf dem Hof willkommener waren als anderswo, stimmte aber in Ermangelung anderer Ideen zu.

Fjodors Wort indes hatte Gewicht. Ohne viel Federlesens wurden Constanze, Sergej und der kleine Alexander in die bunt gewürfelte Gemeinschaft aus Hufschmieden, Metzgern, Bauern, ihren Frauen und Kindern aufgenommen.

Constanzes dumpfes Gefühl, zur falschen Zeit am falschen Ort zu sein, wich neuer Zuversicht. Sie mochte die Menschen, besonders Jekaterina, vervollständigte ihre Russischkenntnisse, sodass sie sich inzwischen nicht mehr radebrechend, sondern flüssig unterhalten konnte, und ließ sich allmählich von der Vorstellung bezirzen, ein Zuhause gefunden zu haben. Sie war Fjodor zutiefst dankbar. Natürlich war ihr seine Verliebtheit nicht entgangen, und auch sie hatte seinem muskulösen Körper mehr als einen verstohlenen Blick geschenkt, doch sie rechnete es ihm hoch an, dass er sie respektiert und nicht in Versuchung geführt hatte, unglücklich, wie sie gewesen war.

Constanze wrang das letzte Stück Wäsche aus, legte alle Teile zusammen, um sie im Haus auf die windschiefe Spindel zu hängen, und machte sich mit Jekaterina und den anderen Frauen auf den Weg. Es wurde Zeit, das Abendbrot zuzubereiten. Auch was diese häusliche Pflicht betraf, hielten sich die Männer vornehm zurück.

Nach dem Essen saßen alle wie meistens noch zusammen um das Feuer und redeten über dies und das. Eine Milchkuh wollten die Männer auftreiben, egal, woher. Die letzte war im Frühjahr an Entkräftung krepiert, ohne das Kälbchen geboren zu haben. Seitdem mussten sie auf die Milch der drei Ziegen zurückgreifen, wovon einige Durchfall bekamen. Die Frauen mahnten die Reparatur der Ofenklappe an, die wacklig in den Angeln hing, und ernteten vage Versprechen von Iwan und Sergej, dass dies morgen erledigt werde. Gegen neun Uhr löschten sie das Feuer, um zu Bett zu gehen. Der Winter zehrte an den Kräften und machte müde.

»Morgen breche ich nach Petrograd auf«, eröffnete Sergej Constanze flüsternd, weil alle Hofbewohner in der geräumigen Tenne schliefen, die sie mit Stroh zu einem leidlich bequemen Gemeinschaftslager hergerichtet hatten. »Ich habe es satt zu warten. In Petrograd wird Geschichte geschrieben, und ich beschäftige mich mit Milchkühen und Ofenklappen.«

»Bist du verrückt geworden? Du kannst mich doch hier nicht allein lassen!«

»Ich muss, verstehst du nicht? Ohne dich und Alexander ist es leichter, die Lage zu überblicken. Ich hole euch nach, sobald es möglich ist.«

»Über unsere Sicherheit hättest du nachdenken können, bevor wir Sorau verlassen haben.«

»Es war deine Entscheidung, mit mir zu gehen«, sagte er gleichmütig und drehte sich von ihr fort. Für ihn war das Gespräch beendet.

Constanze drückte den schlafenden Alexander an ihr Herz und lauschte seinen regelmäßigen Atemzügen. Auch Sergej schlief bereits, er schnarchte leise.

Ein Mann soll eine Frau glücklich machen, sonst braucht sie keinen. Das hatte ihre Mutter immer gesagt. Mutter, Vater, Dorothee. Das Heimweh kam plötzlich und unvermittelt und überflutete ihren Körper wie eine heiße Welle, in die sich Scham und Verzweiflung mischten. Eine Hand legte sich sanft auf ihre Schulter. Constanze zuckte zusammen.

»Pscht«, flüsterte Jekaterina und bedeutete ihr, mitzukommen.

Sie schlichen durch die Reihen der Schlafenden und traten vor das Haus. Wie eine kupferfarbene Scheibe hing der Mond am nächtlichen Himmel und ließ den Schnee wie eine diamantgewirkte weiße Decke glitzern. Jekaterina drückte Constanze eine Petroleumlampe in die Hand.

»Geh zum See und von dort hinter das Wäldchen«, sagte sie in glasklarem Deutsch.

Constanze starrte sie an.

»Heb dir deine Fragen für später auf. Die Zeit drängt. Geh!«

Verwirrt machte Constanze sich auf den Weg. Als sie das

413

Wäldchen erreichte, hörte sie leises Gewieher und erkannte die Umrisse eines Schlittens.

»Danke, dass du gekommen bist«, sagte Fjodor.

Seine dunkle Stimme umhüllte sie wie ein warmer Mantel.

»Fjodor«, flüsterte sie heiser. »Was machst du hier? Was soll …«

»Ich bin gekommen, um dich zu warnen«, antwortete er und half ihr in die Kutsche. Fürsorglich deckte er sie mit weichen Fuchspelzen zu. »Die Revolution ist gewonnen, aber der Kampf nicht beendet. Sie durchkämmen das halbe Land auf der Suche nach Konterrevolutionären. Ihr seid hier nicht mehr sicher.«

»Aber wo sollen wir denn hin?«

»Ihr kommt mit mir.«

»Sergej will morgen nach Petrograd aufbrechen.«

»Dieser Träumer«, sagte Fjodor verächtlich. »Was glaubt er eigentlich, wer er ist? Denkt er, wir haben nur auf einen wie ihn gewartet?«

Constanze schwieg.

»Geh, pack eure Sachen, nimm dein Kind und prügle deinen Mann notfalls hierher. Ich habe nicht viel Zeit. Morgen früh muss ich zurück sein, sonst schöpft man Verdacht.«

Constanze suchte seine Augen, doch Fjodor wich ihr aus.

»Warum tust du das für uns?«

»Nenn es Sentimentalität, wenn du willst. Meine Urgroßeltern waren Deutsche.«

»Das ist nicht der Grund.«

Er wandte sich ihr zu, und mit einer plötzlichen Bewegung riss er sie an sich. Seine Lippen suchten die ihren, doch ebenso plötzlich ließ er sie wieder los.

»Jetzt geh«, sagte er mit rauer Stimme. »Jekaterina wird dir helfen. Sie ist meine Schwester.«

»Woher wusste sie, dass du kommst? Wir haben doch noch nie Post erhalten«, fragte Constanze verwirrt.

»Post! Du bist wirklich ein verwöhntes, ostpreußisches Kind«, sagte er und lachte. »Sieh her.« Er legte seine Hände zusammen, sodass sie eine Höhle bildeten, und blies in die Spalte zwischen Daumen und Zeigefingern. Ein zarter Ton stieg in die Wipfel der Tannen auf und verlor sich klagend. »Der Ruf des Käuzchens hat es ihr verraten.«

»Bei uns geht das so«, entgegnete Constanze, faltete die Hände und blies in die kleine Öffnung zwischen den Daumen.

Fjodor grinste. »Das klang aber eher nach sterbendem Schwan.«

Sie lachten sich an. Zwei Fremde in einem weiten Land, die das Schicksal scheinbar zufällig zusammengeführt hatte, amüsierten sich über ein Spiel, das keines war.

»Beeil dich«, sagte er, und Constanze kletterte aus der Kutsche. Ihr war so leicht ums Herz wie seit Monaten nicht mehr.

Moder hing in der Luft, und Spinnen hatten ihre Netze unbehelligt an Wänden, Balken und Fenstern ausbreiten können.

Ella rümpfte die Nase.

»Sie hätten wenigstens ab und zu lüften können«, sagte sie vorwurfsvoll zu dem rundlichen alten Mann, der verlegen an den Ärmeln seines zerschlissenen Gehrocks zupfte.

»Ich wusste ja nicht, dass Herr Gerhard keine Gelegenheit mehr hatte, seine Arbeit hier aufzunehmen«, rechtfertigte er sich, doch Ella unterbrach ihn.

»Aber dass ein gesunder dreißigjähriger Mann vermutlich an der Front war, hätten Sie sich wohl denken können.«

Gekränkt wandte der Vermieter sich ab. »Ich kümmere

mich nicht um die Angelegenheiten meiner Mieter«, sagte er. »Früher habe ich es getan und öfter nach dem Rechten gesehen, aber die Leute hatten das Gefühl, ich wollte sie kontrollieren, und so habe ich es gelassen. Wie man's macht, macht man's verkehrt.« Er schnaubte und begann die Fenster der Reihe nach zu öffnen, sodass Licht und frische Luft in die Werkstatt strömten. »Es tut mir Leid, das mit Herrn Gerhard«, murmelte er beiläufig, als hätte er kein Recht, Ella sein Beileid auszusprechen, weil sie schließlich nicht seine Witwe war, fuhr aber dennoch fort: »Er war ein freundlicher, intelligenter junger Mann. Ich wette, er hätte etwas aus seinem Leben gemacht.«

Ella nickte. Die schlichten Worte des alten Mannes trieben ihr die Tränen in die Augen.

»Was werden Sie jetzt tun?«, fragte er, unschlüssig, ob er gehen oder bleiben sollte. »Die Miete ist noch für drei Monate bezahlt.«

»Ich weiß es noch nicht«, antwortete sie, und der alte Mann verabschiedete sich zögernd, mit einer Miene, die sein aufrichtiges Bedauern und eine tiefe Traurigkeit offenbarte.

»Wissen Sie, mein Sohn sollte eines Tages alles erben, die Werkstatt und unser Haus. Dafür haben meine Frau und ich gearbeitet. Nun liegt er irgendwo in Belgien ...« Er machte eine Pause. »Es eilt also nicht, Fräulein Andreesen. Geben Sie mir nur Bescheid, wenn Sie wissen, wie es weitergehen soll.«

Als sie allein war, wanderte Ella durch die Räume – ein kleines Büro mit einem billigen Schreibtisch und zwei mittelgroße Hallen mit einer Hebebühne und einigen Holzregalen mit Werkzeug. Von den nahe gelegenen Osterdeichwiesen hörte sie helle Kinderstimmen singen. »Ziehet durch, ziehet durch, durch die goldene Brücke ...«

Peter hatte ihr nichts davon gesagt oder geschrieben, was sie irritierte. Aber vermutlich hatte er sich der Dürftigkeit der Einrichtung geschämt und wollte warten, bis er die Räumlichkeiten nach dem Krieg so eingerichtet hatte, dass er sie ihr stolz hätte präsentieren können. Sie erinnerte sich, dass er einmal begonnen hatte von einem Mann zu erzählen, der eine Werkstatt am Peterswerder vermieten wollte, doch dann war er nicht näher darauf eingegangen, und sie hatte nicht nachgehakt. Wieder einmal wurde ihr bewusst, wie wenig sie Peter gekannt hatte. Es war immer nur um sie, Ella, gegangen. Ihre Befindlichkeit, ihre Ängste, ihre nebulösen Pläne.

Sie lehnte sich an eins der Regale. Ihr Blick fiel auf eine Decke, die etwas Rechteckiges verhüllte. Sie trat näher und schlug die Decke zurück. »Gerhards Automobile« stand eingefräst und mit roter Lackschrift auf einem glatt gehobelten, lackierten Holzbrett, und sie begann zu weinen.

Nein, sie durfte nicht verkaufen, nicht flüchten vor Peters Vermächtnis.

Die Anwälte hatten ihr erklärt, was Peters Konstruktionspläne für die Automobilindustrie bedeuten würden und dass sie sich bemühen könnten, so schnell wie möglich einen Käufer zu finden. Borgward, Mercedes, Opel, irgendeine Firma würde den Wert der Pläne gewiss erkennen und bereit sein, einen angemessenen Preis zu zahlen, und Ella hatte eingewilligt.

Was ihr in der Kanzlei so logisch erschienen war, machte jetzt und hier keinen Sinn mehr. Sie fühlte Peters Anwesenheit, als wäre er zum Greifen nah, und hörte seine stumme Bitte. Und plötzlich wusste sie, was sie zu tun hatte, auch wenn das bedeutete, sich von ihrem eigenen Weg zu entfernen. Aber vielleicht waren der Kampf gegen die Armut, das alte Schulsystem und um die Rechte der Frauen gar nicht ihre eigentliche Bestimmung. Oder andersherum – konnte sie nicht alles miteinander verbinden? Vor ihrem inneren Auge entstand ein Betriebskindergarten, sah sie Frauen in führenden Stellungen.

Für den Anfang würde ihr kleines Erbe von ihrem Vater ausreichen, sie musste nur noch ihre Mutter überreden, es auszuzahlen. Diese würde gewiss nicht begeistert sein, sondern auf sie einwirken, Daniel Grothke zu heiraten, aber da hatte sie sich geschnitten. Ella würde Automobile bauen und eine Fabrik errichten, in der es gerecht und sozial zugehen würde. So wie Peter es gewollt hatte.

Mit dem Ärmel ihrer Jacke wischte sie ihre Tränen fort.

Sie beschloss, ein Stück zu Fuß zu gehen. Als sie die Osterdeichwiesen erreichte, flogen ihre Gedanken von Peter zu Bernhard, mit dem sie vor Jahren hier entlangspaziert war, nach dem denkwürdigen Abend, an dem Heinrich die Familie damit überrascht hatte, Felicitas heiraten zu wollen.

Wie aus dem Boden gewachsen stand er plötzlich vor ihr.

»Ella, wie schön, Sie zu sehen«, sagte er, und ihr Herz machte einen Satz, weil seine Stimme weich und seine Worte aufrichtig klangen.

Wegen der Hitze hatte er seinen Gehrock ausgezogen, die Ärmel seines weißen Hemdes aufgerollt und die Weste aufgeknöpft. Beschämt erinnerte sie sich ihrer romantischen Gefühle für ihn, die sie vor langer Zeit gehegt und in die Tiefe ihres Herzens verbannt hatte, und wurde sich bewusst, dass er sie mit diesem Blick und einer flüchtigen Berührung mühelos wiederbeleben könnte. Was sie nicht zulassen durfte. Sie war nicht bereit, sich der Konkurrenz, die um Bernhards Gunst buhlte, zu stellen, sie war es nie gewesen. Einen solchen Kampf konnte sie, ungeschickt und linkisch, wie sie war, niemals gewinnen, und ganz bestimmt nicht jetzt, nach Peters Tod, der ihr die Erfüllung eines Vermächtnisses auferlegt hatte und die Begleichung der Schuld, die darin bestand, ihm nicht die Wahrheit gesagt und sein Herz freigegeben zu haben. Sie hatte Peter an sich gebunden, weil sie Angst gehabt hatte, einsam zu sein, nicht, weil sie ihn geliebt hatte. Und dafür musste sie erst bezahlen, bevor sie auch nur einen Gedanken an eine neue Verbindung verschwenden durfte. All dies schoss Ella durch den Kopf, und auf seine Frage, wie es ihr gehe, sagte sie deshalb kurz angebunden: »Danke, gut.« Mehr nicht, um nicht in Versuchung zu geraten, ihre Gefühle preiszugeben.

Seine Augen spiegelten wie immer ein wenig Amüsement, aber auch noch etwas anderes, Unbestimmtes, das sie nicht zu deuten vermochte.

»Es scheint«, sagte er mit einem kleinen schiefen Lächeln, »dass ich in der Familie Andreesen in Ungnade gefallen bin. Felicitas will nichts mehr von mir wissen, und Sie weichen mir aus.«

Ella fühlte sich unbehaglich. »Davon weiß ich nichts, aber wenn es so ist, bin ich sicher, dass es sich nur um ein Missverständnis handeln kann und ...«, sagte sie, doch Bernhard unterbrach sie.

»Nein, das denke ich nicht. Sie hat mich betrunken gesehen und in ... nun ja, einer etwas verfänglichen Situation.«

Das war also der Grund, warum Felicitas ihn doch nicht zum Weihnachtsessen eingeladen hat, dachte Ella und straffte sich innerlich. Sie wollte dieses Gespräch beenden.

»Nun, das ist Ihre Sache, Bernhard«, sagte sie steif und zog ihre Jacke zu. Ein leichter Wind war aufgekommen, der sie trotz der sommerlichen Wärme frösteln ließ.

Sie setzte ihren Weg fort, doch Bernhard begleitete sie ungefragt, als hätte er ihre Verstimmung nicht bemerkt. Das graublaue Band der Weser schob sich gemächlich am grün gesäumten Ufer entlang, ein paar Möwen folgten kreischend einem kleinen Kutter, der, beladen mit frischem Fisch, Richtung Hafen tuckerte. Am gegenüberliegenden Sandstrand bauten Kinder in dunklen Badeanzügen eine Burg. Nur wenige Spaziergänger genossen den schönen Tag, die meisten Bremer waren damit beschäftigt, das entbehrungsreiche Leben an der Heimatfront zu bewältigen und irgendwo nach einem Laib Brot, einer Hand voll Kartoffeln und – Luxus! – einem Apfel anzustehen. Sie und Bernhard waren Privilegierte, dachte Ella. Das machte sie nicht glücklicher, aber wenigstens satt.

»Wie steht es um den Kunstpark?«, fragte er nach einer Weile im leichten Plauderton. Sie warf ihm einen raschen Blick zu, und plötzlich überfiel sie eine Ahnung. Bernhard war einsam. Sie spürte, wie abgespalten und nutzlos er sich fühlen musste, weil es ihren eigenen immer wiederkehrenden Empfindungen innerer Heimatlosigkeit entsprach. Doch Bernhard hatte Schlimmeres durchgemacht. Er hatte den entsetzlichen U-Boot-Krieg überlebt, aber niemand hatte seiner Rückkehr entgegengefiebert oder nur darauf gebrannt, ihm zu erzählen, was sich in der Zeit seiner Abwesenheit in Bremen getan hatte. Als Heinrichs Freund und Sohn von Gustavs verstorbenem besten Freund war er fast schon ein Teil der Familie gewesen, eine Tatsache, der ihr Vater Rechnung getragen hatte, indem er Bernhard zur Empörung von ihrer Mutter und Anton eine stattliche Summe hinterlassen hatte, doch keiner von ihnen war in den Jahren danach auf den Gedanken verfallen, dass mit eben jener Tatsache ein Stück Verantwortung einherging. Sie hätten sich kümmern, ihm das Gefühl geben müssen, willkommen zu sein, ihn nicht einfach ad acta legen dürfen, nur weil er ein Glas zu viel getrunken hatte. Gewiss hatten auch Bernhards zur Schau getragene Unabhängigkeit, sein Hang zur Leichtlebigkeit und sein zuweilen beißender Zynismus dazu beigetragen, dass sie es nicht taten. Dennoch war ihr aller Verhalten unverzeihlich. Ella war bestürzt.

»Tragen Sie es Felicitas nicht nach, Bernhard. Sie arbeitet sehr viel, mehr als alle anderen. Kommen Sie uns bald besuchen, ja?«

Bernhard nickte, den Blick unbestimmt in die Ferne gerichtet. »Gern«, sagte er, doch es klang anders, und Ella verwünschte sich für ihre ungeschickten Worte, die ihm das Gefühl geben mussten, dass er ihr Leid tat. Sie seufzte leise, und Bernhard sah sie belustigt an. »Immer noch das Leid der Welt auf Ihrem Rücken, Ella? Das ist Unsinn. An meiner Bredouille bin ich selbst schuld. Aber wenn es Sie beruhigt, morgen reise ich für einige Tage nach Berlin, und danach probiere ich, ob ich nicht doch in die Höhle der Löwin gelassen werde.«

Nahe der Parkallee trennten sie sich, und Ella fragte sich, ob er sein Versprechen halten würde. Ein Teil von ihr wünschte es sich, der andere hoffte inständig, er täte es nicht.

Als sie nach Hause kam, hörte sie erregte Stimmen aus dem Wintergarten. Antons Fistelstimme, die durch die Folgen der Verletzungen gebrochen und rau klang, Felicitas' Bühnenstimme, mit der sie kurze, knappe, scharfe Bemerkungen wie Florethiebe austeilte, und gelegentlich Elisabeths ruhigen Alt, mit dem sie den Streit zu schlichten versuchte.

Trotz ihrer vierten Schwangerschaft erledigte Felicitas ein ungeheures Arbeitspensum, sie schien angesichts ihrer vielfältigen Aufgaben sogar aufzublühen. Sie organisierte den quälend langsamen Fortgang der Arbeiten am Kunstpark, die wöchentlichen Speisungen und fuhr jeden Tag in die Firma. Nach Elisabeths Gesundung hatten sie begonnen sich die Arbeit zu teilen. Felicitas erzählte von der laufenden Produktion und von den Schwierigkeiten, mit denen sie beim Absatz konfrontiert waren, und gemeinsam beschlossen sie ihr weiteres Vorgehen. Hausenberg hatte sich inzwischen damit abgefunden, Anweisungen von Felicitas zu befolgen, oder tat zumindest so.

Dann war Anton aus Sorau zurückgekehrt, versehrt und ewig unzufrieden, und hatte den Betrieb für sich reklamiert. Ella hatte ihren jüngeren Bruder nie von Herzen geliebt, seine Eskapaden gleichwohl schwesterlich toleriert. Aber wie er sich nun gebärdete, ging ihr entschieden gegen den Strich, weil es ihr deutlich vor Augen führte, wohin Neid und Habgier einen Menschen treiben konnten. Für Felicitas hatte er nur Verachtung übrig, und er machte kaum einen Hehl daraus, dass er Heinrichs Abwesenheit genoss. Zu allem Überfluss hatte er keine Ahnung von dem Unternehmen, weder von Kaffee noch von Zichorien und Trockengemüse. Er hatte sich ja auch nie dafür interessiert. Jetzt schwadronierte er ständig, dass die Firma »im völkischen Sinne« umstrukturiert werden müsse. Wahrscheinlich wusste er selbst nicht, was das bedeuten sollte.

Elisabeth sagte bei diesen Streitereien wenig, was Ella einerseits fuchste, andererseits aber durchaus nachvollziehen konnte. Gewiss war ihre Mutter nicht besonders erfreut über Antons Gehabe, doch natürlich war sie auch heilfroh, dass wenigstens einer ihrer Söhne wieder daheim war. Und solange Heinrich an der Front bleiben musste, konnte sie es ihm nicht verübeln, dass er seinen Teil auf seine Art leisten wollte, um den Fortbestand der Firma zu sichern.

Ella schaute auf die Uhr. Sie verspürte keine Lust, schon wieder einem Streit beizuwohnen, und beschloss, sich umzuziehen und nach den Pferden zu sehen. Ihr Blick fiel auf die Post. Eine Karte von Felicitas' Vater, der in München gastierte, ein Brief von Heinrich an Felicitas. Ella lächelte. Die Liebe, die die beiden verband, war so greifbar, so konkret, mitunter sogar fast unromantisch. Sie hatten sich füreinander entschieden, und niemand würde je einen noch so kleinen Keil zwischen sie treiben können. Sie legte den Brief in die Schale und wandte sich zur Treppe, als Felicitas aus dem Wintergarten stürmte.

»Ich brauche frische Luft. Kommst du mit?«, rief sie Ella zu, die Hand schon auf der Klinke der Haustür.

»Du hast einen Brief von Heinrich«, sagte Ella, doch da hatte Felicitas die Tür schon geöffnet.

Im selben Moment hielt ein schwarzer Opel auf der Auffahrt, und zwei Offiziere stiegen aus. Sie nahmen die Offiziersmützen ab und kamen langsam näher.

»Sind Sie Frau Andreesen?«, fragte der ältere von beiden. »Felicitas Andreesen?«

Felicitas warf Ella einen raschen Blick zu und bat die Offiziere, Hauptmann Böttcher und Leutnant Sager, in den Salon, nicht in den Wintergarten, wo die ganze Familie saß. Was sie ihr zu sagen hatten, wollte sie alleine hören. Behutsam begann der Ältere zu sprechen. Heinrich Andreesen gelte offiziell als vermisst. Nach einem verheerenden Angriff der Gegner auf die deutschen Stellungen bei Amiens sei er wie vom Erdboden verschluckt. Als Felicitas nichts erwiderte, bat der Hauptmann den Jüngeren, ihn mit ihr allein zu lassen. Dankbar verschwand er.

»Ich darf Ihnen das eigentlich nicht sagen, aber ... es gibt so gut wie keine Hoffnung.«

Der Aussage mehrerer Gefreiten hatten die Offiziere entnehmen müssen, dass Oberstleutnant Andreesen sich in letzter Minute, nachdem ein Gefreiter vor Angst ohnmächtig geworden war, einer Sondermission angeschlossen hatte, die den Auftrag hatte, sich im Schutz der Nacht in die französischen Reihen zu schleichen, um französische Gefangene zu nehmen; eine Taktik, die sehr riskant, aber unerlässlich war, um den Gegner zu demoralisieren und wichtige Informationen über seine Strategie zu erlangen.

»Drei Männer sind tot, zehn kamen zurück, aber keiner konnte sagen, was mit Ihrem Mann geschah.« Der Hauptmann machte eine Pause. »Wir müssen davon ausgehen, dass er nicht mehr am Leben ist.«

»Danke für Ihre Offenheit«, sagte Felicitas tonlos.

»Ich finde schon hinaus«, verabschiedete der Hauptmann sich taktvoll und ließ sie allein.

Die Uhr tickte im Rhythmus des einzigen Gedankens, den sie fassen konnte. Er lebt, er lebt, er lebt. Dennoch meinte sie zu spüren, wie das starke Band, das sie miteinander verknüpfte, durch ein anderes, überirdisches ersetzt worden war, genauso kraftvoll, aber ... anders. Nein, hör auf damit. Vermisst heißt nicht tot. Er lebt. Er muss leben.

Nein. Er ist tot.

Der Schock nahm ihr alle Tränen, die sie später, viel später erst würde weinen können. Erstarrt saß sie da.

Sie musste es Elisabeth sagen. Als Felicitas aufstand, schwindelte ihr, ihr wurde schwarz vor Augen, und sie ließ sich in die Dunkelheit fallen wie in eine schützende Höhle. Weder Maries Aufschrei noch die hysterische Aufregung, die danach in der Villa ausbrach, die Fahrt in die

Klinik und die weiß behandschuhten Hände, die sich ihres Leibes bemächtigten, holten Felicitas zurück. Erst am nächsten Morgen konnte Professor Becker der Familie sagen, dass Mutter und Kind wohlauf seien. Schwach alle beide, die eine wegen des enormen Blutverlusts, die andere, das kleine Mädchen, weil es zwei Monate zu früh zur Welt gekommen war. Mindestens drei Wochen würden sie in seiner Klinik bleiben müssen, was angesichts der schrecklichen Situation seiner Meinung nach ohnehin das Beste für Felicitas sei.

Felicitas gehorchte, fast erleichtert über die Atempause in einer Umgebung der sterilen Gleichförmigkeit, in der sie sich sortieren konnte, bevor sie sich den Erinnerungen stellte. Aber es musste doch noch Hoffnung geben. Sie hatten ihn ja nicht gefunden. Ihre Gedanken kreisten wie eine hängende Schallplatte, hypnotisch und enervierend zugleich zwangen sie Felicitas in einen Zustand der Apathie.

Sie begann die gut gemeinten täglichen Besuche der Familie zu fürchten, weil alle versuchten – mit Pralinen und Modejournalen, mit resoluter Sachlichkeit oder bemühter Heiterkeit – sie aus eben jenem Zustand zu reißen. Ihr Vater hatte seine Tournee unterbrochen und blieb eine Woche in Bremen, bemüht, den Graben, den er durch seine überstürzte Abreise und monatelange Abwesenheit zwischen sich und Felicitas gegraben hatte, zu überwinden. Sie lachte über seine humorvollen Beschreibungen der Pleiten und Pannen, die ihm auf der Tournee widerfahren waren, und sagte, dass sie ihm natürlich verzeihe, doch in Wirklichkeit war es ihr egal. Es hatte keine Bedeutung mehr.

Teresa schlief die meiste Zeit. Sie hatte das Kind Teresa genannt. »Nikolaus?« – »Der kommt nur zu Weihnachten.« – »Andreas?« – »Zu verdreht?« – »Simone?« – »Geht auch ohne.« – »Teresa?« – »Ja, prima.« Heinrich und Felicitas hatten über ihr albernes Reimspiel gelacht und die Entscheidung vertagt. »Wenn das Kind uns zum ersten Mal ansieht, werden wir seinen Namen wissen«, hatte Heinrich gemeint. Nun, Teresa passte zu dem winzigen Wesen, dessen riesengroße aquamarinblaue Augen, mit denen es in den seltenen Momenten des Wachseins seine Mutter und die weißen Wände des Klinikzimmers betrachtete, ihm einen seltsamen Ausdruck von Weisheit verliehen.

Ende Juli hatte Felicitas die Folgen ihres lebensgefährlichen Blutverlusts überwunden und Teresa so weit an Gewicht zugenommen und an Kraft gewonnen, dass Mutter und Kind nach Hause entlassen werden konnten. »Versuchen Sie Ihre Balance zu finden«, gab Professor Becker Felicitas mit auf den Weg. »Bewahren Sie die Hoffnung im Herzen, aber verlieren Sie sich nicht an eine fixe Idee.«

Das Leben verengte sich dennoch auf die eine Frage: Wann kommt er zurück?

Die Zeit verstrich quälend langsam. Das Klingeln des Telefons und das Schellen der Türglocke ließ ihr Herz jedes Mal schmerzhaft schnell schlagen, bis die Banalität des Alltags es wieder beruhigte. Nichts interessierte Felicitas mehr außer Teresa. Nur selten vermochte sie einen Funken Interesse für Gesa und die Zwillinge aufzubringen, denen sie zwar noch nichts von der traurigen Entwicklung erzählt hatte, die jedoch sehr wohl spürten, dass etwas ganz und gar nicht in Ordnung war.

Eines Morgens sagte Gesa tonlos: »Es ist wegen Papa, nicht wahr?« Als Felicitas nichts erwiderte, fuhr sie fort: »Ich bin schuld. Ich habe nicht an die Daumen geglaubt und sie nicht genug gedrückt.«

Felicitas seufzte und wollte Gesa in den Arm nehmen, doch sie lief davon. Bald darauf begann sie wieder das Bett zu nässen. Clemens und Christian zogen sich in ihre Zwillingswelt zurück und fingen an sich in einer eigentümlichen Zeichensprache miteinander zu verständigen, was Felicitas beunruhigte, doch nicht dazu brachte, irgendetwas zu unternehmen. Sie fühlte sich schwach, als würde ihr jemand langsam die Kraft aussaugen, und verachtete sich dafür, war aber nicht imstande, ihr Verhalten zu ändern. Immer öfter verbrachte sie die Tage in ihrem Zimmer, ließ sich das Essen von Marie nach oben bringen und tat nichts außer der Zeit zuzusehen, wie sie den Sommer verabschiedete, als hätte es ihn nie gegeben, und den Herbst in die Pflicht zwang, Blätter davonzufegen und graue Wolken ins Land zu schicken.

»Wie lange wirst du ihr das durchgehen lassen? Essen auf dem Zimmer, Berge unerledigter Briefe an die Kunstpark-Direktorin.«
Anton schaufelte sich reichlich Kartoffeln auf den Teller, goss dunkelbraune Soße darüber und matschte das Ganze zu einem Brei.
Elisabeth runzelte die Stirn. Sie wusste, dass er sie mit diesem ungehobelten Benehmen provozieren wollte, und entgegnete kühl: »Solange ich es für richtig halte.«
»Anton meint ja nur, dass er sich Sorgen macht ...«, eilte Désirée ihrem Mann zu Hilfe, der sie sofort unterbrach.
»Wir machen uns alle Sorgen, aber keiner von uns spielt die Primadonna.«
»Das tut sie nicht, und das weißt du auch. Sie kann nicht anders, sie verschließt sich vor allen«, sagte Ella bekümmert. »Es ist, als ob sie eine Wand zwischen sich und dem

Rest der Welt hochgezogen hätte, die niemand durchdringen kann. Die Kinder nicht, du nicht, Mutter nicht, niemand. Bernhard hat ihr einen Brief geschrieben, aber sie hat ihn zerrissen, hat Marie mir erzählt.«

»Bernhard!«, schnaubte Anton. »Als ob der etwas ausrichten könnte.« Ein harter Glanz trat in seine Augen. »Vielleicht«, sagte er gedehnt, »sollte man Thomas Engelke ausfindig machen.«

Désirée sah ihn mit einer Mischung aus Furcht und Unbehagen an.

»Warum?«, fragte Elisabeth.

»Oh, ich dachte nur… ein guter Freund aus der Vergangenheit …«

Ella hob die Augenbrauen. »Ich wüsste nicht, dass Felicitas und Thomas je viel miteinander zu tun hatten, abgesehen davon, dass er der Sohn ihrer Haushälterin ist. Und wenn sie es nicht einmal zulässt, dass ihre eigene Mutter sie besucht, wird sie auf Thomas wohl kaum gesteigerten Wert legen. Was denkst du, Dorothee?«

Aller Augen richteten sich auf Dorothee, die bislang geschwiegen hatte. »Ich weiß nicht …«, begann sie zögernd und knautschte nervös ihre Serviette. »Dieses Gefühl, wie versteinert zu sein, ist … so entsetzlich …« Ihr Blick ging in die Ferne, als würde sie sich selbst sehen in jenen Tagen, da Constanzes Unglück sie so traumatisiert hatte, dass sie kaum noch in der Lage war, am Leben teilzunehmen. »Die Musik hat mich gerettet. Ja, und Pierre natürlich.« Sie errötete. »Ich fürchte, ihr habt mich umsonst eingeladen. Ich kann ihr, glaube ich, nicht helfen. Aber ich will es weiter versuchen.«

»Wir haben dich nicht deswegen eingeladen«, entgegnete Elisabeth und lächelte Dorothee zu. »Du bist uns immer herzlich willkommen. Und etwas Abwechslung tut dir doch gut, nicht wahr? Die Contrescarpe ist ja ein wenig verwaist.«

»Ich werde heiraten«, platzte Dorothee heraus und errötete wieder.

»O Dorothee, wie wunderbar«, sagte Ella. »Herzlichen Glückwunsch. Ich hoffe, dass Levi und du, nun, dass ihr euch glücklich macht.«

»Wann soll es denn so weit sein? Eine jüdische Hochzeit mit Gläsern zerschmeißen und dergleichen merkwürdigen Sitten braucht gewiss viel Vorbereitung.«

»Anton! Ich erlaube dieses Benehmen nicht. Entschuldige dich sofort bei Dorothee.« Elisabeth funkelte ihren Sohn an, bis der die Augen niederschlug.

»Schon gut«, sagte Dorothee, blass, aber entschlossen. »In der Tat werden wir nach jüdischem Ritus heiraten. Wir wünschen es uns beide. Das Datum steht aber noch nicht fest.«

Während die Unterhaltung sich weiter um die Hochzeit drehte, überließ sich Elisabeth ihren Gedanken. Ausnahmsweise, sagte sie sich, hatte Anton Recht. Es wurde Zeit, etwas zu unternehmen, das Felicitas aus ihrer Erstarrung riss.

Zwei Tage und etliche Überlegungen später klopfte Elisabeth an Felicitas' Tür.

»Wir müssen uns den Gegebenheiten stellen, Felicitas«, sagte sie schlicht. Als Felicitas nicht reagierte, fuhr sie fort: »Vielleicht lebt Heinrich noch, vielleicht aber auch nicht. Meine Trauer ist genauso groß wie deine. Dennoch dürfen wir nicht zulassen, dass sie unser Leben zerstört, das würde Heinrich nicht wollen.«

»Aber ich will es«, stieß Felicitas hervor.

»Warum?«

»Weil ich mich schuldig fühle.« Felicitas stand am Fenster, die Arme vor der Brust verschränkt. Wie ein Scheren-schnitt hob sich ihr Profil vor den bauschigen weißen Vor-hängen ab. »Als Heinrich mich bat, seine Frau zu wer-den, fühlte ich mich hin und her gerissen zwischen seinen Träumen und meinen eigenen. Ich habe mich für seine ent-schieden, aber ich habe es nur halbherzig getan. Ich ha-be viel für mich gelebt, für den Kunstpark, zu wenig für Heinrich. Wie meine Mutter, egoistisch und rücksichts-los.«

»Hast du es ihr deshalb nicht erlaubt, dich zu besuchen? Das ist gewiss hart für sie gewesen, egal, was sie getan hat.« Felicitas zuckte mit den Schultern. »Mag sein.« Sie schwieg eine Weile, dann sagte sie: »Ich weiß, dass du dich sorgst, und ich danke dir dafür.«

»So schnell wirst du mich nicht los, Felicitas. Du glaubst also, Heinrich etwas schuldig zu sein, ja? Und du glaubst, die Rechnung hier, abgeschottet von der Welt, begleichen zu können? Wenn du das glaubst, hast du Heinrichs Lie-be zu dir nicht verstanden.« Ihr Blick fiel auf das Modell des Kunstparks, das neben der Chaiselongue stand. »Er hat alles an dir geliebt, mein Kind. Er hat deine Vergangen-heit verstanden, an deine Fähigkeiten geglaubt und dich so genommen, wie du bist. Ich habe meinen Sohn niemals glücklicher gesehen als in den Jahren mit dir.« Nach einer kleinen Pause fuhr Elisabeth fort: »Eine gewisse Unzu-länglichkeit tragen wir alle in uns. Aber Schuld? Das ist etwas ganz anderes.«

Ihre Gedanken gingen zurück zu dem Tag, da Gustav und sie voneinander verzaubert waren, und den Monaten, in denen die Magie sich verflüchtigte und Ernüchterung Platz machte, und dem Moment, als Ludger Servatius sie zum ersten Mal geküsst hatte. Nie zuvor, in all den Jahren nicht, hatte es eine Gelegenheit gegeben, die es sinnvoll erscheinen ließ, darüber zu sprechen. Ihr Geständnis hätte niemandem genützt, im Gegenteil. Doch jetzt schien es das Einzige zu sein, das Felicitas aus ihrer Isolation reißen könnte, indem es ihr vor Augen führte, was es bedeutete, schuldig zu sein.

Sie holte tief Luft, und in der Sekunde zwischen Ein- und Ausatmen schloss sie die Augen. Dann sagte sie: »Anton ist nicht Gustavs Sohn.«

17

*F*elicitas gewöhnte sich an, morgens die Erste und abends die Letzte im Kontor am Wall zu sein.
Akribisch und hochkonzentriert eignete sie sich das Wissen an, wie aus einer roten Kirsche ein schwarzes Getränk wurde. Sie lernte anhand des Duftes fertig gerösteter Bohnen zu erkennen, ob sie acht oder vierzehn Minuten geröstet worden waren, ob es sich um eine dunklere Robusta-Bohne oder eine hellere Arabica handelte. Elias Frantz brachte ihr bei, eine mittlere Röstung von einer mittelbraunen zu unterscheiden, eine feine Nuance, die aber über Aroma und Säuregehalt des Kaffees entschied. Felicitas schnupperte an Bohnen aus Sumatra, Costa Rica und Kuba, die den unterschiedlichen Andreesen-Mischungen hinzugefügt wurden, und sensibilisierte Zunge und Gaumen so, dass sie den feinen Nachmittagskaffee Andreesen-Milde Bohne vom kraftvollen Andreesen-Morgenduft am Geschmack erkannte. Sie liebte es, die Nase in die Bohnen zu tauchen und sich von dem Duft forttragen zu lassen in ihre Erinnerungen nach Brasilien.
Die sinnliche Welt des Kaffees und die gemeinsame Arbeit mit Elias Frantz bildeten den angenehmen Teil ihres Tages. Es machte einfach Spaß, neue Ideen für Mischungen und Zusatzprodukte zum Kaffee auszuhecken, wie den Andreesen-Kaffeebonbon, der, davon war Felicitas überzeugt, bald in aller Munde sein würde. Den weniger angenehmen Rest bildeten Hausenberg, die Hausanwälte und Bankiers. Ständig mussten Verträge mit Kaffeelieferanten oder Schiffseignern gekündigt oder aufgesetzt, immer

wieder Kreditrahmen neu verhandelt werden. Das Korsett aus Terminen, Besprechungen und dem Studium der Akten gab Felicitas Halt und hielt ihre Gedanken im Zaum. Dann und wann streifte ihr Blick das Hochzeitsfoto, das auf Heinrichs Schreibtisch stand, an dem sie nun jeden Tag saß und arbeitete, doch sie gestattete sich nicht, wieder in die bleierne Resignation zurückzufallen, die weder Heinrich noch ihr half.

Tausende Soldaten galten als vermisst, im ganzen Reich zitterten und bangten Frauen um das Leben ihrer Männer, deren Rückkehr aus Ost und West allein in den Händen des Schicksals ruhte, und die sich damit abfinden mussten, nichts, absolut nichts tun zu können, was der quälenden Ungewissheit ein Ende bereitete. Elisabeth und sie hatten alle Hebel in Bewegung gesetzt, um herauszufinden, ob Heinrich noch lebte und wohin er sich gerettet haben könnte, doch die Nachrichten aus Frankreich flossen zäh und widersprachen sich. An einem Tag hieß es, Heinrich sei in der Nähe von Compiègne gesehen worden, eine Woche später wurde gemeldet, er sei in der letzten Schlacht bei Amiens, der verheerenden Gegenoffensive der Alliierten, erschossen und später in einem Massengrab beigesetzt worden. Von einer Sondermission, die der Hauptmann erwähnt hatte, war niemals die Rede.

Die wirtschaftliche Lage war katastrophal. Alle Firmen litten unter dem Rohstoffmangel, es gab weder Kaffee noch Tabak, weder Zinn noch Eisen. Andreesen-Kaffee stand im Vergleich gut da, die Produktion von Trockengemüse und Wellblech hatte das Schlimmste verhindert, und dennoch offenbarten die Bilanzen, dass sich die Firma einen Schritt vor dem Abgrund befand. Felicitas musste klug handeln, sich kompetente Partner und Berater suchen, und daran, dessen war sie sich bewusst, mangelte es ihr. Sie besaß kein

Händchen für Kooperationen, sie regelte die Dinge lieber allein. Und sie war eine Frau. Ein Vorhaben wie der Kunstpark mochte für eine Frau gerade noch angehen, obwohl auch diese naseweise Einmischung in öffentliche Belange eine Zumutung darstellte, doch da Felicitas nur das Geld ihrer Familie verpulverte, konnte man darüber hinwegsehen, wenn auch zähneknirschend. Doch dies hier war indiskutabel. Man hielt sie für eine wahrlich nicht standesgemäße Nachfolgerin des allseits beliebten Heinrich und drückte das Missfallen über Elisabeth Andreesens nicht nachvollziehbare Entscheidung, Felicitas statt Anton Andreesen die Firmenleitung zu überantworten, durch Ignoranz aus. Zu keiner Besprechung führender Bremer Unternehmer wurde Felicitas geladen. Aber, sagte sie sich wieder und wieder, auf den Einfluss dieser Firma konnten die Bremer Herren auf Dauer nicht verzichten, und wenn sie es geschickt anstellte, würden sie zu ihr kommen müssen.

Hausenberg öffnete die Tür, wie üblich ohne anzuklopfen, und sagte mit sauertöpfischer Miene: »Vergessen Sie den Termin mit Nussbaum nicht.«

Felicitas seufzte innerlich. Laut sagte sie: »Ich komme gleich. Im Übrigen bin ich im Besitz eines Terminkalenders, Herr Hausenberg.«

Sie schraubte den Federhalter, Heinrichs Federhalter, zu und stand auf. Das Treffen lag ihr im Magen, und sie hätte es gern Hausenberg überlassen, aber das hätte ihm wie Nussbaum signalisiert, dass sie sich dem nicht gewachsen fühlte. Eher würde sie rohe Kaffeekirschen essen als Schwäche zu zeigen. Entschlossen marschierte sie in die Produktionshalle.

In den Betrieben sollten auf je hundert Arbeiter ein Schwerbeschädigter angestellt werden, und Hendrik Nussbaum kümmerte sich persönlich um die Einhaltung der Verordnung.

»Sie müssen zehn Schwerbeschädigte übernehmen«, sagte er statt einer Begrüßung und wies mit einer Hand auf die erbarmungswürdige Gruppe, die hinter ihm stand. Junge Männer, keine dreißig, halb blind, an Krücken humpelnd, einarmig. Der Anblick schnitt Felicitas ins Herz. »Ich habe mir erlaubt, die infrage kommenden Arbeiter gleich mitzubringen.«

Hendrik Nussbaum maß Felicitas mit einem verächtlichen und zugleich triumphierenden Blick, wissend, dass er seine Kompetenzen überschritten hatte. Felicitas erwiderte seinen Blick ruhig. Sie würde sich nicht dazu verleiten lassen, vor diesen Männern mit Nussbaum zu diskutieren und zu riskieren, den Kürzeren zu ziehen.

»Herzlich willkommen bei Andreesen-Kaffee«, sagte sie freundlich und erklärte den Männern, in welchem Büro sie die Einstellungsformulare ausfüllen mussten.

»Ich werde sie begleiten, um zu sehen, was die Leute da unterschreiben sollen«, meinte Nussbaum, machte eine Pause und fügte dann leise hinzu: »Ordnung muss sein, auch wenn Ihnen das alles hier bald nicht mehr gehören wird.« Er grinste Felicitas an.

»Sie machen mir keine Angst«, entgegnete Felicitas kühl. »Ich habe die Abstimmung in der Bürgerschaft noch in guter Erinnerung.«

»Das waren andere Zeiten«, sagte er. »Aber jetzt ist Ihr guter Freund, der Kaiser, am Ende mit seinem Latein. Sie sollten sich beizeiten an die Vorstellung gewöhnen, dass auf Ihrem Platz in Kürze einer von uns sitzen wird.« Er tippte sich an die Schiffermütze und verließ mit den Männern die Halle.

Was Nussbaum damit gemeint hatte, zeigte sich nur wenige

Tage später. In Berlin braute sich eine Revolution zusammen, deren erste Wellen auch in Norddeutschland gierig Halt suchten. Meutereien in Wilhelmshaven hatten zahlreiche Betriebe lahmgelegt, und Unruhen bei der Kaiserlichen Marine in Kiel offenbarten, dass selbst des Kaisers liebstes Steckenpferd nicht mehr treu zu ihm stand. Über dem Chaos schrillte eine Kakophonie unzähliger Stimmen von links, rechts und der Mitte, die alle meinten genau zu wissen, wie die politische Zukunft des Deutschen Reiches gestaltet werden müsste. Am 9. November 1918 wurden in Berlin von Philipp Scheidemann und Karl Liebknecht zwei unterschiedliche Republiken ausgerufen, eine parlamentarische und eine sozialistische. Der Kaiser floh nach Holland. Ein Rat der Volksbeauftragten übernahm die Regierungsgewalt, und in zahlreichen Städten bildeten sich Arbeiter- und Soldatenräte. In Bremen hielt eine zähe Opposition aus Beamten, weiten Kreisen des Bürgertums, der landwirtschaftlichen Bevölkerung und Teilen des Militärs dagegen.

Zwei Tage später, am 11. November, wurde im französischen Compiègne der Waffenstillstand beschlossen.

Der Erste Weltkrieg war beendet, doch der innerdeutsche politische Kampf entbrannte mit unverminderter Wut. Am 12. November setzte der Arbeiter- und Soldatenrat in Hamburg Senat und Bürgerschaft ab, am 14. November machte es der Bremer Arbeiter- und Soldatenrat unter Nussbaums Führung nach, besetzte das Rathaus und hisste am 15. November um elf Uhr die rote Fahne auf dem Rathaus.

»Das ist Anarchie«, sagte Anton an diesem denkwürdigen Novemberabend beim Abendessen, und Felicitas stimmte ihm zum ersten Mal, solange sie denken konnte, zu. Die Situation war völlig chaotisch. Generalstreiks lähmten die ohnehin marode Wirtschaft, die Arbeiter wollten sich bewaffnen, und Nussbaum heizte unermüdlich die Massen an und versprach ihnen das Blaue vom Himmel in einer gerechten sozialistischen Welt. Dass der Deutsche Rätekongress das Rätesystem als organisatorische Staatsform abgelehnt und Wahlen zur Nationalversammlung beschlossen hatte, kümmerte Nussbaum und seine Genossen nicht im Geringsten.

»Ich habe Angst«, gestand Ella. »Die Arbeiter sind bis an die Zähne bewaffnet.«

»Blödsinn«, erwiderte Anton. »Was sollen die schon machen?«

»Nun«, sagte Elisabeth, »Kommunisten neigen dazu, sich anderer Leute Eigentum einzuverleiben. Ich erwäge, das Silber und die wertvollsten Gemälde in Sicherheit bringen zu lassen.«

»Meinst du wirklich, dass die Arbeiter so weit gehen würden, uns auszuplündern?«, fragte Ella entgeistert.

»Solange die Bürgerschaft so tut, als ob sich der ganze Spuk ohne ihr Zutun in Luft auflösen würde, müssen wir wohl mit dem Schlimmsten rechnen«, pflichtete Felicitas Elisabeth bei. »Ich möchte nur mal wissen, wo sie denn abgeblieben sind, die mutigen Herren Unternehmer?«

Am zweiten Weihnachtsfeiertag wurde Felicitas' Frage überraschend beantwortet.

Die familiären Spannungen hatten unter dem Eindruck der Ereignisse kurzfristig nachgelassen. Anton spielte mit den Zwillingen, Désirée zeigte Gesa, wie sie sich die Haare mit einer geschickten Drehung aufstecken konnte, was die Neunjährige begeisterte, Dorothee und Pierre Levi hielten, dankbar über seine gesunde Heimkehr, die ganze Zeit Händchen und strahlten sich an, Ella las die Weihnachtsgeschichte laut vor und die Postkarten, die von Helen aus

Sorau und Max aus München eingetroffen waren. Gegen siebzehn Uhr meldete Marie einen Gast. Bernhard.

Felicitas versteifte sich. Was fiel ihm ein, uneingeladen hier aufzutauchen! Sie wechselte einen Blick mit Elisabeth, den Ella auffing.

»Es ist Weihnachten«, zischte sie empört und sprang auf.

»Frohe Weihnachten allerseits«, wünschte Bernhard ohne den gewohnten ironischen Unterton. »Entschuldigen Sie die unchristliche Störung, aber die Sache duldet keinen Aufschub.« Er machte eine Pause und sagte dann: »Ich fürchte, Sie sind in Gefahr.« Mit knappen Worten schilderte er, was sich in Verden, wenige Kilometer von Bremen entfernt, zusammenbraute. Fünf Bremer Senatoren, fünf Industrielle und fünf Kaufleute, darunter Grothke von der Baumwollbörse und van der Laaken, hatten sich in einer unverdächtigen Reetdachkate mit dem Berliner Regierungsrat getroffen, um ihn dazu zu bringen, militärisch gegen Bremen vorzugehen, um der Räterepublik ein Ende zu bereiten und eine provisorische Regierung von Mehrheitssozialisten einzusetzen, bis nach der Wahl einer bremischen Nationalversammlung verfassungsmäßige Zustände hergestellt worden waren. »Er hat zugestimmt. Das bedeutet, dass die ersten Militärtransporte in Kürze Bremen erreichen.«

»Na und?«, fragte Anton. »Was ist schlecht daran? Je eher die Arbeiter dahin zurückgejagt werden, wo sie hingehören, umso besser.«

»Begreifst du denn nicht? Die Stadt steht vor einem Bürgerkrieg. Die Arbeiter werden sich nicht einfach entwaffnen lassen und die rote Fahne vom Rathaus holen. Sie werden sich dort verschanzen, wo es den Mehrheitssozialisten am meisten wehtut – in den Villen rund um den Bürgerpark. Hier.«

Désirée schrie auf.

Elisabeth sah Bernhard an. Er bestätigte ihre schlimmsten Befürchtungen. Ihre Augen spiegelten zwar nach wie vor die Ablehnung, die sie ihm entgegenbrachte, entgegenbringen musste, um sich zu schützen, aber auch eine widerwillige Anerkennung. Sie war souverän genug, niemandem den verdienten Respekt zu verweigern. »Wenn Sie Recht haben, sind wir Ihnen zu Dank verpflichtet, Bernhard.«

»Woher wissen Sie das alles?«, fragte Felicitas. Intuitiv spürte sie, dass er die Wahrheit sagte, aber dennoch sträubte sich alles in ihr, ihm zu glauben. Er hatte sie verletzt, und sie wollte keine Versöhnung. Es war besser, jemanden wie Bernhard nicht zu nah an sich herankommen zu lassen. Man handelte sich Ärger und zwiespältige Gefühle ein, abgesehen davon, dass sie Elisabeth nicht in den Rücken fallen mochte. Bernhard durfte in dieser Familie keine Rolle spielen.

Bernhard grinste sie an. »Sie wissen doch, dass ich meine Finger überall im Spiel habe.«

»Natürlich, aber die Kreise der Mehrheitssozialisten gehören wohl kaum zu dieser Art Spiel«, gab Felicitas halbherzig zurück.

»Zu dem nicht. Aber ich spiele mehrere Spiele, Felicitas.«

»Schluss damit«, entschied Elisabeth. »Möchten Sie zum Essen bleiben, Bernhard?«

»Nein, vielen Dank. Ich …«

Ella unterbrach ihn. »Ach kommen Sie schon, Bernhard. Marie hat einen falschen Hasen zubereitet und ein Gemüsesoufflé. Wir würden uns freuen.«

In kurzer Zeit hatte das Gerücht die Runde gemacht, und die Spannung lag über Bremen wie eine Gewitterwolke.

»Es ist irgendwie so … so unwirklich«, sagte Désirée zu Felicitas, als sie das Silber zusammen mit einigen französischen Kerzenleuchtern in Zeitungspapier wickelten und in einer Holzkiste verstauten, die in den versteckten, doppelt gemauerten Abseiten Platz finden sollte.

Die Abseiten, durch raffinierte Trompe-l'œil-Malerei von gemauerten Wänden nicht zu unterscheiden, waren voll gestellt bis obenhin. Diese Kiste würde die letzte sein, die noch hineinpassen würde. Der Rest – drei Wandteppiche, einige Gemälde, Lampen und Bücher – war so geschickt verteilt, dass nicht der Eindruck erweckt wurde, die Familie hätte alle Wertgegenstände in Sicherheit gebracht. Ob der Trick funktionieren würde, bezweifelte Felicitas, aber sie hatten keine andere Wahl. Die Sachen mit Transportwagen aus dem Haus zu schaffen, hätte zu viel Aufsehen erregt und womöglich den Gegner zu spontanen Übergriffen provoziert. Felicitas traute Nussbaum inzwischen alles zu.

»Ich meine«, fuhr Désirée fort, »in Bremen passiert doch nie etwas. In Berlin, ja, in Hamburg, selbst in Lübeck. Aber Bremen war immer so beschaulich. Und jetzt sollen wir in Windeseile alles zusammenpacken, weil der Mob meint, sich nehmen zu können, was uns gehört. Das ist eine Unverschämtheit!«

»Wir sind gleich fertig. Geh ruhig und kümmere dich um dein Gepäck«, sagte Felicitas, um Désirées beginnende Litanei zu unterbinden.

»Was nimmst du denn mit?«

»Ich weiß noch nicht.«

Sie würde ihrer Schwägerin bestimmt nicht auf die Nase binden, was selbst Elisabeth noch nicht wusste – dass sie nicht mit den anderen nach Wangerooge reisen würde. Bei der Vorstellung, die Arbeiter würden tatsächlich den Mut aufbringen, in dieses Haus einzudringen, beschlich sie zwar ein mulmiges Gefühl, aber keine Furcht. Es schien, als ob die Angst um Heinrich sie unempfindlich gegen andere Gefahren gemacht, ja, sie sogar belebt hätte. Kurz schoss ihr durch den Kopf, dass sie sich vor langer Zeit einmal gewünscht hatte, etwas Wildes, Unwägbares zu erleben, was die engen Grenzen ihres Alltags sprengen würde. Sie schob den Gedanken beiseite. Aus welcher Quelle diese Anwandlung gespeist wurde, war nicht entscheidend. Felicitas war fest entschlossen, nicht das Feld zu räumen, und wappnete sich gegen die Diskussion mit Elisabeth, die sie zweifellos erwartete.

Doch als sie Elisabeth ihren Entschluss mitteilte, nickte diese nur. Ein feines Lächeln umspielte ihre Mundwinkel, als sie trocken erwiderte: »Dann sind wir ja zu zweit.«

Als Ella, Dorothee und Levi, Désirée, Anton, Marie und das Kindermädchen mit Gesa und den Zwillingen – Teresa war noch zu schwach für eine anstrengende Reise – am nächsten Morgen in drei Automobilen fortfuhren, schickte eine Januarsonne warmes Licht, die den Aufbruch wie den Beginn einer fröhlichen Landpartie aussehen ließ.

Die Tage verrannen, doch nichts geschah. Dann, am 29. Januar, brach der Bann. Die Militärtransporte trafen in Verden ein, und der Regierungsrat erklärte der Presse, es gehe darum, Bremen für die Einfuhr von Lebensmitteln offen zu halten. Eine Minderheit könne nicht wider alles Recht im Besitz der Macht sein. In der Nacht zum 30. Januar fuhr Nussbaum nach Verden, um mit den Mehrheitssozialisten zu verhandeln – ohne Erfolg.

Der erste Schuss fiel am 4. Februar um zehn Uhr fünfzig. Atemlos lauschten Elisabeth und Felicitas dem Rundfunkreporter, dessen Stimme sich fast überschlug, als er die Angriffe schilderte. Eine Marinebrigade unter Oberst von Rhoden führte den Angriff von Arbergen und Sebaldsbrück aus gegen Hemelingen und lieferte sich erste Schießereien mit den Arbeitertrupps. Südlich der Weser griff die III. Landesschützenbrigade unter Major Matthias an, gegen elf Uhr erreichte die Freiwilligenabteilung von Major Caspari die Huckelriede, eine Kompanie Bremer Freiwilliger besetzte den Stadtwerder, eine andere den Buntentorsteinweg und die Nebenstraßen. Die Arbeiter errichteten Barrikaden und leisteten erbitterten Widerstand. Mittags hatte die Marinebrigade die Weserbrücke erreicht. Eine andere Abteilung rückte von Huchting aus über das Hohentor durch die Neustadt vor, schoss sich den Weg bis zur Kaiserbrücke frei und besetzte den Neustadtbahnhof. Der Vormarsch durch die östlichen Vorstädte war schwieriger. Hemelingen, eine Hochburg der Arbeiter, wurde von den Soldaten um elf Uhr dreißig eingenommen, dann rückte die Truppe von Hastedt aus über den Osterdeich und das Ostertor vor. Eine Artillerie-Einheit beschoss unterdessen den Marktplatz. Um achtzehn Uhr dreißig begannen die Domglocken zu läuten.

Teresa krähte vergnügt, als wüsste sie, dass der Kampf beendet war. Felicitas lächelte und nahm sie aus dem Körbchen, das sie und Elisabeth in diesen Tagen ständig bei sich getragen hatten.

»Wir haben es überstanden.« Elisabeth erhob sich und entkorkte eine Flasche Portwein. »Das haben wir uns wohl verdient. Wer hätte gedacht, dass die Arbeiter im Handstreich entmachtet werden würden?«

»Glaubst du wirklich, dass Nussbaum sich so schnell geschlagen gibt?«

»Es wird ihm wohl nichts anderes übrig bleiben«, antwortete Elisabeth. »Dennoch sollten wir noch eine Weile warten, bis wir die Kisten wieder auspacken und die Familie zurückholen.«

Felicitas nickte. Schweigend tranken sie ihren Wein.

»Heinrich würde sich sehr freuen, wenn er uns so zusammen sähe«, sagte Felicitas plötzlich. »Er hat es zwar nie ausgesprochen, aber ich wusste auch so, dass es sein sehnlichster Wunsch war, uns versöhnt zu sehen.«

»Ich weiß.«

Und keine sprach aus, was beide fürchteten. Dass Heinrich diese Versöhnung nicht mehr erleben würde.

Die Türglocke riss sie aus ihren Gedanken.

»Sind Sie wohlauf?« Bernhard wirkte angespannt. Sein Gesicht war voller blutiger Schrammen, seine Jacke zerrissen.

»Das sollten wir besser Sie fragen«, entgegnete Elisabeth. »Kommen Sie herein. Felicitas, im Bad müssen noch Verbandszeug und Jod sein.«

»Nicht nötig«, sagte Bernhard leichthin. »Das sind nur ein paar Kratzer.«

»Auf welcher Seite haben Sie denn gekämpft?«, fragte Felicitas süffisant, die doch Jod aus dem Bad geholt hatte und es auf einen Wattebausch träufelte, den sie ihm auf die tiefste der Wunden drückte.

Er zuckte zusammen. »Macht Ihnen Spaß, nicht wahr?«

»Still, sonst blutet es wieder.«

Ein wenig behutsamer tupfte sich Felicitas Kratzer um Kratzer vorwärts und kam nicht umhin, seinen Duft wahrzunehmen, die feinen Härchen an den Ohren, die verwegenen Bartstoppeln und die markante Linie seines Kinns. Selbst die Verletzungen konnten seiner verteufelten Ausstrahlung nichts anhaben.

Das Geräusch von klirrendem Glas durchschnitt die Stille. Ein Stein, groß wie eine Faust, hatte eins der Fenster im Wintergarten in tausend Scherben zerlegt.

»Gehen Sie vom Fenster weg!«, rief Bernhard und zog Felicitas mit dem Körbchen, in dem Teresa schlief, in eine schützende Ecke. »Frau Andreesen?«

»Schon gut, ich bin hier.« Elisabeth hatte sich hinter das

mächtige Sofa im Wintergarten gekauert. Ihre Stimme klang gedämpft, als sie trocken konstatierte: »So viel Artistik hatte ich nicht mehr von mir erwartet.«

Bernhard und Felicitas lachten leise und spähten in die Dunkelheit.

»Vielleicht wollten die uns nur einen Schreck einjagen«, flüsterte Felicitas.

Bernhard schüttelte den Kopf. »Das glaube ich nicht. Sehen Sie das?«

Aus dem Dunkel der Büsche und Bäume des Gartens lösten sich mehrere Gestalten, und erst näherten sich zwei, dann drei, schließlich zehn Fackeln wie riesige Glühwürmchen dem Haus.

Felicitas spürte, wie eine Welle kalter Wut sie erfasste, und ehe Bernhard sie zurückhalten konnte, sprang sie auf, riss die Tür auf und ging den Arbeitern entgegen. Ihre aquamarinblauen Augen funkelten im Schein des Feuers. Kerzengerade stand sie auf der Terrasse und maß die Männer mit kühlem Blick. Etwa dreißig mochten es sein, einige Gesichter kamen ihr bekannt vor. Felicitas machte nicht den Fehler, empört zu fragen, was sie hier wollten, denn eine Frage provozierte eine Antwort, die sich vielstimmig potenzieren und den befürchteten Tumult entfesseln würde. Die Männer waren gewiss zu allem bereit und entschlossen, Widerstände zu brechen, doch einer Frau, die weder weinte noch schrie und flehte, sondern unbegreiflicherweise schwieg und sie musterte, wussten sie nichts entgegenzusetzen.

Die Stille dehnte sich aus, nur das Feuer knackte gelegentlich. Felicitas' Augen brannten, aber sie wandte den Blick nicht ab. Jede Unsicherheit konnte den Funken entzünden. Plötzlich begann Teresa zu wimmern, erst leise, dann immer lauter.

Felicitas hielt den Atem an. Dann sagte sie mit fester Stimme: »Mein Kind weint. Es ist zu früh auf die Welt gekommen und noch sehr schwach. Es kann nichts dafür, dass es in diese Familie geboren wurde – niemand kann etwas für seine Geburt. Weder mein Kind noch ich und mein Mann, von dem ich nicht weiß, ob er noch am Leben ist.« Sie machte eine kurze Pause und schaute in die Gesichter der Männer. »Ich bitte euch zu gehen. Ich muss mich um mein kleines Mädchen kümmern.«

Als der erste Arbeiter ihr den Rücken zukehrte, dann ein zweiter und dritter, wusste Felicitas, dass sie die Machtprobe für sich entschieden hatte. Fünf Minuten später lag der Garten verlassen in der Dunkelheit, nur in der Ferne leuchteten noch die Fackeln.

Felicitas begann zu zittern, Tränen der Erleichterung strömten über ihre Wangen.

Nicht überall konnten die Übergriffe der Arbeiter auf die Villen der feinen Bremer Familien abgewendet werden. Die van der Laakens beklagten die Zerstörung ihres Gartens sowie des Sommerpavillons, bei Grothkes waren fast alle Fensterscheiben im Parterre zu Bruch gegangen, und bei Petersens hatten sich fünf Arbeiter gewaltsam Zugang in das Haus an der Schwachhauser Heerstraße verschafft und drei Gemälde und Wedgwood-Porzellan mitgehen lassen. Zum Glück war niemand verletzt worden. Dennoch saß der Schreck tief, und die betroffenen Familien machten sich bei der neuen Bremer Regierung stark für die Gründung einer Schutztruppe, die nachts im Bürgerparkviertel patrouillieren und zwielichtige Elemente überprüfen sollte.

Als die Familie Andreesen Ende Februar von Wangerooge zurückkehrte, schloss sich Anton sogleich dieser Initiative an. Eine Schutztruppe mit pseudomilitärischem Auftrag war ganz nach seinem Geschmack und entsprach einer politischen Gesinnung, die unmerklich, aber nachhaltig in Bremen wie im ganzen Deutschen Reich Fuß zu fassen begann. Felicitas hielt von dem Plan einer Bürgerwehr nichts, im Gegenteil. Obschon sie die Mittel, mit denen die Arbeiter ihr Ziel zu erreichen versuchten, zutiefst missbilligte, konnte sie deren zugrunde liegenden Motive nachvollziehen. Wer täglich zwölf Stunden arbeitete und trotz aller Schufterei nicht genug Lohn erhielt, um seine Kinder ausreichend zu ernähren und ihnen ein Leben zu bieten, das das Wort verdiente, war irgendwann, wenn die Verzweiflung ein Ventil brauchte, bereit, für seine Zukunft zu kämpfen. Wenn es sein musste, mit Gewalt. Eine Schutztruppe würde diesen Gordischen Knoten nur fester schnüren. Ihn durchzuschlagen, bedurfte es anderer Ideen.

»Wie würde unsere Bilanz aussehen, wenn wir den Lohn um fünfzig Mark im Monat anheben?«

Hausenberg sah Felicitas völlig entgeistert an, unfähig, zu seiner üblichen Haltung der trotzigen Geringschätzung zurückzufinden, die es Felicitas leicht machte, sich über seine Einwände hinwegzusetzen. Jetzt schien er ernsthaft besorgt. Schweiß trat ihm auf die Stirn, den er mit einem nicht ganz blütenweißen Taschentuch wegtupfte. Er hatte das kleine Klappfenster in seinem Büro geöffnet, doch die hereinströmende leise Brise vermochte den muffigen Geruch aus alten Akten, ausgelaufener Tinte, abgestandenem Kaffee und hunderter verzehrter Butterbrote nicht zu vertreiben. Sobald wir wieder schwarze Zahlen schreiben, dachte Felicitas, wird das ganze Gebäude vom Keller bis zum Dach entrümpelt, neu möbliert und renoviert.

»Nun?«, fragte sie nach und setzte sich vorsichtig auf den Stuhl, der vor Hausenbergs Schreibtisch stand und einige Fettflecken aufwies.

»Wenn Sie das tun, müssen Sie es gegenfinanzieren«, begann er. »Das heißt, entweder das Rohprodukt Kaffee günstiger einkaufen oder das fertige Produkt Andreesen-Kaffee teurer oder in einer erheblich höheren Stückzahl verkaufen. Letzteres ist angesichts der Preise wohl kaum möglich. Sie wissen doch selbst, dass ein Pfund dreißig Mark kostet.«

»Aber wenn wir den Kaffee billiger einkaufen, reagieren die Brasilianer mit erhöhter Produktion, um das Defizit auszugleichen. Das bedeutet, dass die Arbeiter dort noch mehr arbeiten müssen.« Die Konsequenzen mochte sie sich gar nicht ausmalen. »Das kommt nicht in Frage.«

»Ich fürchte, Sie müssen sich schon entscheiden.«

Felicitas schüttelte den Kopf. »Es muss einen anderen Weg geben. Einstweilen möchte ich Sie bitten zu prüfen, wie viel Geld wir zusätzlich einnehmen müssten, um die Mehrkosten für den Lohn zu decken. Ich erwarte Ihren Bericht Ende nächster Woche.«

Während sie sprach, fixierte Hausenberg die beiden Stapel Akten, die vor ihm lagen, mit einer Mischung aus Ungeduld und Resignation, und zum ersten Mal kam Felicitas der Gedanke, dass der Prokurist vielleicht überarbeitet war und dass er mit seiner abwehrenden Haltung nur zu vermeiden versuchte, dass Felicitas Veränderungen beschloss, die ihm noch mehr Aufgaben einbringen würden.

»Wie geht es Ihnen, Herr Hausenberg?« Ihre unvermittelte Frage brachte den Prokuristen vollends aus der Fassung. Seine Augen flackerten, als er sie kurz ansah, und seine hochgezogenen Schultern verrieten, unter welcher Anspannung er stand. Doch er nickte und schaffte ein schiefes Lächeln. »Danke, mir geht es gut.«

Felicitas zögerte. Heinrich hatte immer gut mit ihm zusammengearbeitet, und plötzlich schmerzte es sie, dass sie mit ihm überhaupt nicht zurechtkam, als wäre dies allein ihre Schuld und ein Verrat an ihrer Liebe. Deshalb versuchte sie es noch einmal. »Falls Sie Sorgen haben …«

Doch Hausenberg unterbrach sie leise, aber bestimmt. »Diese Akten müssen bis morgen früh bearbeitet sein.«

Felicitas stand auf. »Ich wollte Ihnen nicht zu nahe treten«, sagte sie freundlich und verließ das Büro. Zurück in ihrem eigenen, öffnete sie die Fenster, so weit es ging. Sie würde einiges in dieser Firma verändern müssen. Mit einer Renovierung allein würde es nicht getan sein. Sie schaute auf ihre Taschenuhr. Gleich Mittag und damit Zeit, sich auf den Weg zum Rathaus zu machen.

Die Sonne schien, und Felicitas ließ den Wagen stehen. Ein wenig frische Luft und etwas Bewegung würden ihr helfen, das Gespräch mit Hausenberg hinter sich zu lassen. Mit seinen Problemen, und sie war fest davon überzeugt, dass er einige mit sich herumschleppte, würde sie sich ein andermal beschäftigen. Jetzt galt es, sich auf ihr Ziel zu konzentrieren.

Die Arbeiten am Kunstpark mussten endlich fortgeführt werden, doch dafür benötigte sie öffentliche Gelder. Den großzügigen Einsatz eigener Mittel konnte sich das Unternehmen nicht mehr leisten, und eine Bauruine mitten in der Stadt würde sich die Stadt nicht leisten können. Felicitas war voller Zuversicht, dass dieses Argument seine Wirkung nicht verfehlen würde. Dennoch sah sie der Unterredung mit dem neu gewählten Bürgermeister Manfred Strunz mit gemischten Gefühlen entgegen. Unter der Hand wurde gemunkelt, dass Strunz, obschon selber Mehrheitssozialist, sich gut mit Nussbaum verstand und seine Meinung schätzte. Ausgerechnet Nussbaum! Erst hatte sie sich gewundert, weshalb er dem Angriff auf die Villa ferngeblieben war, aber so dumm schien er eben doch nicht zu sein, seinen politischen Ruf durch blinde Agitation aufs Spiel zu setzen. Und in der Tat hatte er sich bald darauf als respektable Stimme der Arbeiterschaft wieder ins Bremer Parlament und in das Vertrauen des Bürgermeisters schleichen können. Da die meisten Gerüchte zumindest ein Körnchen Wahrheit enthielten, würde sie klug taktieren müssen, um Strunz auf ihre Seite zu ziehen. Swantje Petersen, bei dessen Familie Strunz seit langem gut gelitten war, hatte ihr erzählt, dass er ein weiches Herz habe und insbesondere jungen schönen Frauen wenig Widerstand entgegensetze.

Sie zog ihre Kostümjacke an, deren Kobaltblau am Saum und an den Ärmeln schon leicht fadenscheinig wirkte. Nichts konnte man mehr kaufen, geschweige denn schicke Kleidung. Doch ihr Haar glänzte, und ihr Teint leuchtete milchig weiß. Sie würde Strunz um den kleinen Finger wickeln, koste es, was es wolle.

Felicitas verließ das Kontor und schlenderte über die Balgebrückstraße vorbei am Schnoor zum Rathaus. Die Sonne ließ das Band der Weser wie flüssiges Silber glitzern, einige Möwen saßen träge auf den Brückenpfeilern und glitten gelegentlich ins Wasser, um einen Appetithappen zu jagen, und die Margeriten am Ufer nickten ihnen in der sanften Brise zu. Doch niemand nahm von der Idylle Notiz. Frauen in geflickten Kleidern und aufgelösten Haaren eilten an ihr vorbei, in jeder Hand einen leeren Korb. Einige Arbeiter marschierten finster dreinblickend Richtung Marktplatz. Eine Mutter mit drei Kindern zog mit gesenktem Kopf und sichtlich angestrengt einen Bollerwagen hinter sich her, in dem ihr Mann saß und mit versteinerter Miene auf seine Beinstümpfe starrte.

Felicitas beschleunigte ihre Schritte, um die drückende Atmosphäre hinter sich zu lassen. Hätte sie es nicht getan, wären ihr die Zeichen – die seltsame Spannung, unsichere

449

Blicke, entschlossen geballte Fäuste – vielleicht nicht entgangen. Als sie den Marktplatz erreichte und begann, sich einen Weg an den Ständen und den Menschen vorbei zu bahnen, war es zu spät.

Unvermittelt brach das Chaos aus. Frauen wie Männer schrien und stürzten sich auf die Eiersteigen und Gemüsekisten, rissen sie den Händlern aus den Händen und stopften in ihre Taschen und Körbe, was nur ging. Radieschen und Äpfel flogen durch die Luft wie ein roter Hagelsturm, eine Frau rutschte auf Salatblättern aus und fluchte, eine andere grapschte in deren Korb und schoss triumphierend mit einem gerupften Huhn davon. Immer mehr Menschen strömten auf den Markt, Felicitas wurde von hinten geschoben, von vorne eingekeilt. Der Lärm war ohrenbetäubend, Wut und Verzweiflung stand Händlern wie Plünderern ins Gesicht geschrieben. Felicitas' Strohhut wurde ihr vom Kopf gefegt und wie eine Trophäe hochgehalten und schließlich in die Menge geschleudert. Eine Frau zog an ihren Haaren und kreischte unverständliches Zeug. Es gab kein Entkommen, keine Schneise in dem Meer aus schwitzenden Leibern und erhitzten Gemütern, durch die man hätte schlüpfen können. Der Mann in dem Bollerwagen lachte wie irre, sein Blick hatte jede Resignation verloren. Mit den Händen schob er sich unter die Verkaufsstände und klaubte vom Boden auf, was andere fallen gelassen hatten, sodass er bis zur Hüfte von Porree, Salat, Zwiebeln, Neunaugen, Kabeljau und Kartoffeln bedeckt war. Seine Augen trafen Felicitas', und für den Bruchteil einer Sekunde grinste er ihr zu.

Ohne lange zu überlegen duckte sie sich und krabbelte behände unter einen Stand mit Geflügel, Wurst und Innereien. Der Geruch von Blut stieg ihr in die Nase, und voller Ekel betrachtete sie die dunkelroten Nierchen und Leberstücke, die zu Boden gefallen und von unzähligen Füßen zu Brei zertreten worden waren.

Schlief die Regierung in Berlin eigentlich? Seit fast einem halben Jahr war Friedrich Ebert nun Reichspräsident, und dennoch erschütterten Streiks und Plünderungen nach wie vor die ohnehin instabile Wirtschaftslage. Man konnte es den Leuten auch kaum verdenken. Wer beim Verkauf noch einigermaßen auf seine Kosten kommen wollte, musste zu Wucherpreisen greifen. Ein Ei kostete eine Mark dreißig, ein Bund Radieschen achtzig Pfennig, ein Huhn acht Mark. Kein Mensch konnte sich das leisten. Eine Wucherzentrale sollte die Preise regulieren, bekam die Situation aber auch nicht in den Griff.

Pfiffe und Hufgetrappel kündigten den Einsatz berittener Polizei an.

Felicitas stützte sich mit den Händen ab und begann auf allen vieren von einem Stand zum nächsten zu gelangen. Als sie wenige Meter von Andreesens Kaffeehaus entfernt war, richtete sie sich auf und begann zu laufen. Ein Stein traf sie am Kopf, und sie spürte, wie das Blut aus der Wunde schoss und den Hals entlangrann. Die Tür des Cafés war verschlossen, wurde aber rasch geöffnet, und zwei kräftige Arme umfingen sie.

»Kommen Sie«, sagte Bernhard. Er musterte kurz ihre Wunde, dann nahm er Felicitas einfach auf die Arme und trug sie in den hinteren Teil des Cafés, in den die wenigen Gäste sich zurückgezogen hatten und, manche stoisch, die meisten ängstlich, auf das Ende der Plünderung warteten.

»O Gott, Frau Andreesen«, stöhnte der alte Kellner und schlug die Hände über dem Kopf zusammen. Er zitterte, die Situation ging sichtlich über seine Kräfte.

»Sieht schlimmer aus, als es ist«, sagte Felicitas gefasst, obwohl ihr die Tränen in den Augen standen. Dumpf pochte der Schmerz oberhalb ihrer linken Schläfe.

»Bringen Sie der gnädigen Frau einen Kaffee und einen doppelten Kognak.« Besorgt blickte Bernhard sie an, zog sein Taschentuch aus der Westentasche und begann das Blut vorsichtig abzuwischen. »Es scheint so, dass wir bestimmt sind, uns gegenseitig die Verletzungen zu verarzten.«

»Was machen Sie denn hier?«, fragte Felicitas, ohne darauf einzugehen.

»Kaffee trinken«, antwortete er lapidar. »Und Sie?«

»Gemüse klauen«, gab sie ironisch zurück. Der Kellner eilte mit dem Tablett herbei und blieb so lange stehen, bis Felicitas einen Schluck Kognak getrunken hatte. Das sanfte Feuer des Alkohols bahnte sich seinen Weg.

»Sie haben Glück gehabt, Felicitas. Hätte es Sie zwei Zentimeter tiefer getroffen, wären Sie nicht mehr am Leben.«

»Das hat nichts mit Glück zu tun. Bevor ich mich von dieser Welt verabschiede, muss ich anscheinend noch die eine oder andere unlösbare Aufgabe bewältigen.«

»Ich verstehe.« Bernhard faltete sein Taschentuch zusammen und legte es auf ihre Wunde. »Festhalten, aber nicht drücken, sonst blutet es wieder.«

Schweigend beobachtete Felicitas das Geschehen vor dem Café. Einige Polizisten waren abgesessen und versuchten die Händler zu überreden, die Preise freiwillig zu senken, bevor sie, die Polizei, es nach Gutdünken anordnen würde, eine Praxis, die im ganzen Reich bei Plünderungen dieser Art gang und gäbe war, aber nur eine kurzfristige Lösung bot.

Ich habe es so satt, dachte Felicitas. Seit Monaten hatte sie nichts tun können, außer den Mangel zu verwalten, alle geplanten Lohnerhöhungen und Investitionspläne auf Eis zu legen und auf eine Stabilisierung der Wirtschaft zu hoffen. Doch der letzte Rest Zuversicht schwand, als die Nachricht vom Frieden und den damit verbundenen Bedingungen, die die Sieger in Versailles den Deutschen als Verursacher des Kriegs auferlegten, sich verbreitete.

Das Reich musste Elsass-Lothringen, fast ganz Posen und Westpreußen abtreten, die Unabhängigkeit Österreichs als unabänderlich anerkennen und auf alle überseeischen Besitzungen verzichten. Die Togo-Aktien der Familie waren nicht mehr das Papier wert, auf dem sie gedruckt waren. Die Röstereien in Nancy, Paris und Marseille, die Gustav Ende 1800 aufgekauft hatte, wurden von den französischen Arbeitern seit langem bestreikt, sodass ihre Schließung nur noch eine Frage der Zeit sein würde. Deutschland sollte das gesamte Kriegsmaterial abgeben, die allgemeine Wehrpflicht aufheben und sich auf ein Berufsheer von hunderttausend Mann beschränken. Und die Gesamtschuld des Deutschen Reiches sollte von einer besonderen Reparationskommission festgelegt und innerhalb von dreißig Jahren abgelöst werden.

Das bedeutete, das Land würde auf absehbare Zeit darniederliegen. Und das bedeutete auch, dass es nicht mehr genügen würde, sich auf bewährte Handelsstrategien zu verlassen, die einstmals Sicherheit und Wohlstand garantierten. Mit einem Mal wurde Felicitas klar, dass sie ganz andere Wege gehen musste und Risiken würde in Kauf nehmen müssen, um das Unternehmen in die Zukunft zu führen.

Sie sah Bernhard in die Augen. »Ich brauche Ihre Hilfe.«

»Genügen Ihnen der nette Herr Bürgermeister und sein Intimus Nussbaum nicht mehr?«

Felicitas zögerte. Woher wusste er von dem geplanten Treffen? Oder hatte er bloß ins Blaue geschossen und ins

Schwarze getroffen? Dieser Mann blieb ihr ein Rätsel, ein gefährliches Rätsel, und ihn ins Vertrauen zu ziehen könnte eine Nähe zwischen ihnen herstellen, die sie keinesfalls suchte, und womöglich eine Abhängigkeit provozieren, die sie teuer zu stehen kommen könnte. Sie wusste, dass sie sich auf unwegsamem Gelände befand, doch Heinrichs Freund war der Einzige, der, davon war sie überzeugt, über Verbindungen verfügte, die den Horizont des durchschnittlichen Bremer Kaufmanns überstiegen.

»Hören Sie auf mit den Spielchen. Sie haben mir nie erzählt, wie Sie Ihren Lebensunterhalt bestreiten und warum Sie ausgerechnet zu einer geheimen U-Boot-Mission abgerufen wurden, aber ich würde meine Hand dafür ins Feuer legen, dass Ihr Adressbuch so manche Überraschung bereithält.«

»Und an welcher Art Kontakte sind Sie interessiert?«

»Nun«, sagte sie gedehnt, um Zeit zu gewinnen, eine Formulierung zu wählen, die ihn zufrieden stellte und nicht verriet, dass ihre Bitte keinen fundierten Überlegungen entsprang, sondern einem spontanen Impuls. »Ich denke daran, die eine oder andere Niederlassung zu gründen … möglicherweise auch im Ausland …«

»Schon gut. Sie wollen meine Hilfe, die Katze aber nicht aus dem Sack lassen. Das ist Ihr gutes Recht, doch wenn ich Ihnen einen Rat geben darf, unterschätzen Sie die Gier der Leute nicht, sich Ihre Firma unter den Nagel zu reißen. In der Wirtschaft wird mit Tricks und Mitteln gearbeitet, die Sie sich in Ihren kühnsten Träumen nicht ausmalen können, und Wohltätigkeit gehört nicht dazu.«

Felicitas schwieg. Auf dem Markt kehrte ganz allmählich Ruhe ein. Die Händler richteten ihre Stände notdürftig wieder her und packten die übrig gebliebene Ware, die noch zum Verkauf taugte, in die Kisten. Mehrere Frauen zogen mit gesenkten Köpfen am Café vorbei, zwei Jungen kickten einen Salatkopf wie einen Fußball vor sich her. Der Wind briste auf und trieb Papierfetzen und einen Strohhut über das Kopfsteinpflaster, auf den die Kinder sich johlend stürzten und lachend davonliefen. Im Café nahmen die Gäste wieder Platz oder strebten in Sorge um Freunde und Verwandte nervös zur Tür.

»Na schön«, sagte Bernhard schließlich. »In der Tat kenne ich da jemanden. Ein Freund aus London, den ich Ihnen nicht leichten Herzens, aber einigermaßen guten Gewissens empfehlen kann. Doch eins müssen Sie mir verraten. Wie haben Sie Elisabeth dazu gebracht, Anton ins Aus zu schießen und Ihnen den ganzen Betrieb anzuvertrauen?«

Felicitas wich seinem Blick aus. Die Tatsache, dass Anton sein Halbbruder war, hätte Bernhards unerschütterliche, zynische Gelassenheit gewiss ins Wanken gebracht, eine Vorstellung, die Felicitas sehr wohl reizte, aber ihre Loyalität Elisabeth gegenüber ließ es nicht zu, ihn wissen zu lassen, dass Anton nicht Gustavs Sohn, sondern das Ergebnis von Elisabeths geheimer Liaison mit seinem Vater war. »Verstehst du, weshalb ich Gustav nicht noch einmal verraten und Anton zu Heinrichs Nachfolger erklären kann?«, hatte Elisabeth gesagt. »Ich habe Anton gegen jede Vernunft verwöhnt und gewähren lassen, um meine Schuldgefühle zu überdecken, doch er hat instinktiv gewusst, dass ich mich ihm gegenüber schuldig fühle, und dieses Wissen genutzt, um zu erreichen, was immer er wollte. Das hat seinen Charakter verdorben. Er kann und darf diese Firma nicht leiten.« Sie hatte eine Pause gemacht und schließlich auch den bitteren Rest der Geschichte erzählt. »Nun, und Bernhard gehe ich aus dem Weg, so gut ich kann. Ich kann ihm nicht in die Augen sehen, ohne an

Ludger zu denken.« Sie schilderte, wie sie alles darangesetzt hatte, Gustavs Freund zu bezirzen, eine Laune, inspiriert durch ihre leblose Ehe mit Gustav. Ludger Servatius jedoch hatte in ihr seine große Liebe erkannt. Als er deren Ausweglosigkeit begriff, trieb ihn die Erkenntnis in eine dunkle, alles zerfressende Depression, der er schließlich mit einem Strick ein Ende bereitete.

Plötzlich erfasste Felicitas eine Welle des Mitgefühls für Bernhard. Geheimnisse dieser Art entfalteten eine zerstörerische Macht, die Menschen verrohen ließ und sie verführte, verunsicherte und einen falschen Weg gehen ließ. Vielleicht hatte dieses schreckliche Geschehen dazu beigetragen, Bernhard zu dem zu machen, der er war? Wild und zynisch, mit einem Hang zur Selbstzerstörung?

»Elisabeth ist überzeugt, dass ich die Firma in Heinrichs Sinn weiterführen kann«, sagte sie schlicht und fügte hinzu: »Fragen Sie mich nicht, warum. Aber es ist nun einmal ihr Wunsch, und ich habe dem entsprochen. Was nicht heißen soll, dass ich diese Aufgabe nur gezwungenermaßen übernommen habe. Im Gegenteil.« Sie lächelte gewinnend und hoffte, dass Bernhard ihr diese Version abnahm.

»Und wie hat Anton reagiert?«

Felicitas schüttelte langsam den Kopf. »Ehrlich gesagt, er ist beunruhigend gefasst und lässt sich seine Wut nicht anmerken. Vielleicht ist es ihm ganz recht, wenn ich die Arbeit mache. Ich weiß es nicht.«

»Oder er hat etwas gegen Sie in der Hand, was er erst zu gegebener Zeit aus dem Köcher ziehen will.«

»Da gibt es nichts«, entgegnete Felicitas mit Bestimmtheit.

»Irgendeinen dunklen Fleck hat jeder, und wenn nicht, wird einer erfunden.«

»Ach hören Sie schon auf«, sagte sie ungehalten. Seine Worte heizten ihre Fantasie an, Anton war zu vielen Dingen fähig. Doch sie hatte andere, dringendere Probleme zu lösen. »Wo erreiche ich Ihren Freund?«

18

Vor der Glocke am Domshof herrschte mächtiger Andrang, als ob es etwas umsonst gäbe. Ein Plakat kündigte in steilen roten Lettern den Auftritt von Erwin Steinbrück an. Thomas kannte den Namen aus der Zeitung, doch die Blut-und-Boden-Fantasien dieses Mannes interessierten ihn nicht. Dieses ganze fanatische Geschwätz, das aus München allmählich nach Norddeutschland schwappte und von einem österreichischen Schildermaler namens Adolf Hitler angezettelt wurde, würde ohnehin bald in die Gosse zurückgluckern, wo es entstanden war. Hendrik Nussbaum sollte zur gleichen Zeit auf dem Marktplatz sprechen, und deswegen war Thomas hier.

Er drängte sich an den Menschen vorbei und verfluchte sein aufsteigendes Unbehagen. Mehr als drei Jahre nach Kriegsende wurden Deserteure zwar nicht mehr verfolgt und vors Militärgericht gestellt, aber dennoch wich er allen Situationen aus, in denen er sich möglicherweise mit unangenehmen Fragen konfrontiert sehen würde. Kurz hob er den Blick und musterte die Runde der Wartenden – niemand, den er kannte.

Er hatte alle getäuscht. Nur eine Person hatte geahnt, was in ihm vorgegangen war, wie der Plan in ihm gereift war – Helen Wessels. Aus der sentimentalen Anwandlung heraus, mit einem Geständnis ein Band über Helen zu ihr, Felicitas, zu knüpfen, aber auch, weil Helen verstand, zwischen den Worten zu lesen und Gesten zu deuten, hätte er ihr seinen Entschluss beinahe anvertraut. Doch sie hätte es gewiss nicht gutgeheißen, dass er nach seinem Genesungsurlaub in Bremen nach Worpswede fliehen wollte, um dort die letzten Kriegsmonate zu verbringen und zu versuchen sein verschüttetes Talent zu bergen. Sein Plan war aufgegangen, aber der Preis war hoch. Er hatte seine rechtschaffenen Eltern zu Mitwissern gemacht und trug schwer an seinen Schuldgefühlen und der Erkenntnis, das Leben wieder einmal von der verkehrten Seite angefangen zu haben. Seine Bilder gerieten so gewalttätig wie belanglos. Die wenigen neuen Freunde in Worpswede, die ihm zunächst beigepflichtet hatten, die richtige Entscheidung getroffen zu haben, wollten ihm helfen, aus dem schwarzen Loch der Depression zu klettern, doch als ihre Bemühungen nichts fruchteten, verloren sie das Interesse. Und wieder war es wie in Berlin, als sein Versagen begann Muster zu entwerfen, die ihn verfolgten – große Pläne, klägliches Scheitern. Thomas blieb in Worpswede hängen, trug sich aber seit einiger Zeit mit dem Gedanken, wieder nach Bremen zu ziehen, Reinschiff zu machen, sich bei seinen Eltern zu entschuldigen und ganz klein und von vorn anzufangen. Er war fest entschlossen, einen soliden Beruf zu erlernen und sich alle Hirngespinste einschließlich seiner idiotischen, völlig weltfremden Fantasien um Felicitas aus dem Kopf zu schlagen. Mal sehen, ob die Sozialdemokraten nicht einen jungen Mann ohne Illusionen gebrauchen konnten. Politik! Er schüttelte den Kopf über sich selbst. Aber letzten Endes war eine Tätigkeit so gut wie jede andere, wenn sie ihn nur ernährte und davon abhielt zu verzweifeln.

»Thomas! Warte doch!«

Aus der Menschentraube vor der Glocke löste sich eine humpelnde Gestalt. Thomas erkannte ihn sofort und hätte sich am liebsten in Luft aufgelöst. Gleichzeitig beschlich ihn das vage Gefühl, dass er genau dies mit seinem Besuch in Bremen hatte erreichen wollen – entdeckt zu werden und auf diese Weise gezwungen zu sein, endlich Farbe zu bekennen.

»Mensch, Thomas!« Anton lächelte breit. »Wie oft habe ich an meinen Retter gedacht und mich gefragt, was aus dir geworden ist. Komm, schnell. Die Rede von Steinbrück beginnt gleich, und ich will versuchen möglichst weit vorne einen Platz zu ergattern.« Er klopfte auf sein Holzbein. »Kriegsversehrte haben Vortritt, aber ich bin ja nicht der Einzige.«

»Ich wollte eigentlich zu Hendrik«, wehrte Thomas ab, doch Anton nahm Thomas' Arm und ließ keine Einwände gelten.

»Ach hör bloß auf mit Nussbaum. Dieser Verlierer hat doch den Schuss nicht gehört. Steinbrück ist viel interessanter, ein faszinierender Redner. Du wirst schon sehen. Und später lade ich dich zum Essen ein. Unser Wiedersehen muss doch gefeiert werden.«

Thomas blieb nichts anderes übrig, als mitzugehen.

Der Saal war nicht ganz zur Hälfte mit Menschen unterschiedlichen Alters und unterschiedlicher Herkunft besetzt. Arbeiter saßen neben jungen Frauen, Handwerker neben Kaufleuten. Steinbrück erschien pünktlich, umfasste die Besucher mit einem kühlen Blick und begann zu sprechen, erst leise, aber schneidend deutlich, um das Publikum zur Aufmerksamkeit zu zwingen, dann lauter, mit vielen Kunstpausen, seine Worte mit präzisen Gesten unterstreichend. Von den ungerechten Reparationen derer, die sich Siegermächte nannten, war die Rede, von den Halunken in den Unternehmensetagen, die von jüdischem Blut durchsetzt waren, von der Notwendigkeit, das Deutsche Reich von allem zu befreien, was nicht deutsch war, und es so zu seiner wahren Blüte zu führen. Was Steinbrück sagte, war erschreckend und dumm, aber rhetorisch brillant. Nach einer Stunde war das Publikum restlos gebannt und spendete frenetischen Applaus, mit Ausnahme einiger, vornehmlich Arbeitern, die keinen Finger rührten. Thomas saß stumm neben Anton, der begeistert klatschte und dessen Unmut gar nicht zu bemerken schien.

»Das stimmt doch alles nicht«, sagte Thomas auf dem Weg zu Antons Wagen.

»Kommt auf den Standpunkt an«, erwiderte Anton. »Erstens schulden die Juden den Deutschen eine Menge, und endlich traut sich das mal jemand zu äußern. Und zweitens dient die programmatische Ausgrenzung dazu, dem deutschen Volk wieder ein Gemeinschaftsgefühl zu geben und es die Kraft spüren zu lassen, die daraus erwächst. Gewiss müssen wir noch viel Überzeugungsarbeit leisten – neulich hat dieser verblendete Senat die Gründung einer Bürgerwehr doch einfach abgelehnt! –, aber ich bin zuversichtlich, dass sich schon bald der Wind drehen wird. Wir Deutsche gegen den Rest Europas!«

»Wir Deutsche haben erleben dürfen, wohin uns das bringt. Geradewegs in den schlimmsten Krieg der Weltgeschichte. Hast du das vergessen?«

»Natürlich nicht. Aber damals hat uns ein verblödeter Kaiser in die Katastrophe geführt, und das deutsche Volk muss dafür bluten. Doch bald werden wir uns erheben, und diese Revolution wird das Reich verändern.«

Antons Augen glänzten, und Thomas beschloss, das Thema fallen zu lassen. Es hatte offensichtlich wenig Sinn, darüber zu reden, und noch weniger, Antons Einladung anzunehmen.

»Sei doch kein Spielverderber, Thomas«, bat Anton. »Nur einen Happen und ein, zwei Gläser Bier. Einverstanden?«

Im Stillen sagte Thomas sich, dass eine Kneipe einen angenehmeren Aufenthaltsort bieten würde als der zugige Bahnhof, wo er noch mehr als eine Stunde auf den Zug nach Worpswede hätte warten müssen, und willigte ein. Der Chauffeur wartete in einer Seitenstraße, und sie stiegen in den Fond des Mercedes. Während der Fahrt redeten sie über den Krieg und welche Kameraden ihn überlebt haben könnten. Anton erzählte, dass Heinrich seit mehr als zwei Jahren vermisst wurde und Felicitas sich in die Arbeit in der Firma stürzte, die Anton ihr gestattete zu tun, während er sich vor allem um seine vollständige Genesung kümmerte. Thomas betrachtete ihn verstohlen von der Seite, und ein Gefühl sagte ihm, dass Anton log wie gedruckt. Wahrscheinlich geht es ihm schlechter, als es den Anschein hat, dachte er. Ich bin also nicht der Einzige, der Märchen erfindet. Er lächelte leicht und blickte aus dem Fenster. Entsetzt erkannte er, dass sie sich unmittelbar vor der Auffahrt zu einer weißen Villa befanden.

»Willkommen auf unserem bescheidenen Anwesen«, sagte Anton. »Was sollen wir in einer Spelunke herumsitzen, wenn es daheim so viel schöner ist, nicht wahr? Du wirst dich auch gewiss freuen, deine alte Freundin wiederzusehen.« Seine Augen glitzerten diabolisch, und Thomas wusste, dass er in eine Falle geraten war. Nur welche das sein mochte und zu welchem Zweck, das ahnte er nicht.

Die großzügige Halle, das goldgeränderte Porzellan, das Silber, nicht einmal der Monet an der Wand gegenüber dem Esstisch beeindruckten Thomas sonderlich. Derlei hatte er in seiner Berliner Zeit als Maler d'amour, wie er es ironisch nannte, häufig genug gesehen. Auch die gelassene Selbstverständlichkeit, mit der die Familie, sogar Felicitas' sechsjährige Zwillinge, bei Tisch parlierte und hantierte, war ihm durchaus geläufig. Was ihn verunsicherte, war Felicitas' Anblick.

Sie kam eine halbe Stunde zu spät, murmelte eine Entschuldigung und wurde seiner erst gewahr, nachdem sie schon einige Löffel Hühnersuppe zu sich genommen und Elisabeth ihr einen kurzen Blick zugeworfen hatte. Erst schien ihm, als ob sie ihn gar nicht erkannte, doch dann lächelte sie mechanisch.

»Entschuldige meine Unhöflichkeit. Ich bin mit den Gedanken immer noch im Kontor.« Ihre Stimme klang dunkler, als er sie in Erinnerung hatte, ihre Züge hatten alles Mädchenhafte verloren und spiegelten die Essenz ihrer Persönlichkeit. »Elfriede hat gar nichts erzählt. Seit wann bist du zurück?«

»Waren Sie denn in Kriegsgefangenschaft?« Ella sah ihn mitfühlend an.

»Das hätte Elfriede mir ja wohl erzählt«, warf Felicitas ein.

Thomas blickte angelegentlich auf das Stück Fleisch und die Kartoffeln auf seinem Teller. Ein letztes Mal würde er auf die Lüge zurückgreifen müssen, mit der er selbst den Arzt in Bremen davon überzeugt hatte, krank und nicht mehr wehrtauglich zu sein.

»Nein.« Er räusperte sich. »Wenn Senfgas austritt«, er senkte die Stimme, als wäre es ihm peinlich, darüber zu sprechen, und das war es ja auch, nur in anderer Hinsicht, »kann es zu Verletzungen kommen, die man nicht sieht. Manche, ich auch, reagieren mit einem Tick.«

»Was ist das?«

»Das ist eine Störung des Nervensystems. Man hat seine Bewegungen nicht mehr unter Kontrolle.«

»Das ist gewiss entsetzlich«, meinte Désirée lahm. Sie hasste Gespräche dieser Art. Anton erzählte ihr auch wieder und wieder, wie ihn die Granate auseinander gerissen hatte. Grässlich. Von Thomas indes hatte er nur wenig erzählt, umso mehr verwunderte es sie, dass er ihn kurzerhand zum Essen einlud.

»Ja, das ist es«, entgegnete Thomas. »Man kommt sich vor … nun, wie ein Idiot.«

»Aber dann hätte man Sie doch wehruntauglich erklären müssen«, meinte Elisabeth und runzelte die Stirn.

»Das hat der Arzt in Bremen auch getan. Aber ich wollte mich nicht von meiner Mutter pflegen lassen, sie ist nicht mehr so kräftig wie früher, und ich wollte ihr nicht zur Last fallen, weshalb wir übereinkamen, mich zur Kur zu schicken.«

Die meisten Kurkliniken waren wegen des Krieges geschlossen. Er muss Glück gehabt haben und Geld, dachte Felicitas. Die ganze Geschichte kam ihr höchst merkwürdig vor, doch Thomas' gelegentlich zitternder linker Arm, den er sogleich mit der Rechten festhielt, war ja der Beweis. Außerdem war es kein Wunder, wenn die Entwicklungen in der Contrescarpe an ihr vorbeigingen, so wenig Zeit, wie sie für Elfriede übrig hatte, seitdem sie die Firma leitete. Sie seufzte und blickte auf ihre Uhr. Sie wollte nicht unhöflich erscheinen, andererseits konnte sie nichts dafür, wenn Anton einfach einen Gast anschleppte. Sie legte ihre Serviette zusammen. »Ihr müsst mich entschuldigen, ich habe noch zu tun. Fräulein Finkemann, bringen Sie die Kinder heute bitte zu Bett. Auf Wiedersehen, Thomas. Grüß deine Eltern von mir, ja?«

Anton blickte ihr nach und tat überrascht. »Was war das denn für ein Abgang? Man könnte meinen, Felicitas hätte, nun ja, sich gar nicht gefreut, dich wiederzusehen, Thomas.«

»Wir hatten keine besonders enge Verbindung zueinander«, sagte Thomas leise.

»Tatsächlich.« Anton lächelte blasiert.

»Möchten Sie einen Kaffee?« Ella blickte Thomas freundlich an.

Er sah ihr in die Augen und entspannte sich ein wenig. »Vielen Dank.«

»Was haben Sie jetzt vor?«, fragte sie, entschlossen, Anton nicht mehr das Feld allein zu überlassen.

»Ich weiß es noch nicht genau. Die Politik würde mich interessieren. Ich wollte eigentlich immer Maler werden, aber das ist so lange her.«

»Ja, das ist schon eine merkwürdige Sache mit den Träumen.« Ellas Blick schweifte ab. Sie schien sich Gedanken zu überlassen, die nichts mit Thomas und nichts mit dieser Familie zu tun hatten. Mit Felicitas' kühler Schönheit konnte sie nicht mithalten, aber da war etwas in Ellas weichen, runden Zügen, das eine Saite in Thomas anschlug, die so ganz anders klang als die, die Felicitas zum Klingen brachte.

Antons Angebot, ihn nach Hause fahren zu lassen, lehnte er ab, und er wich seinen Fragen nach seiner Adresse geschickt aus. Antons seltsames Benehmen war ihm rätselhaft, und er würde ihm vorsichtshalber aus dem Weg gehen.

Seine Schritte hallten auf der menschenleeren Straße. Auf dem Weg durch den Bürgerpark zum Hauptbahnhof dachte er an Ella, ihr offenes Lächeln, ihr sanfter Blick. Und plötzlich fiel ihm ein, warum ihm ihr Gesicht so seltsam vertraut vorkam. Weil er sie schon einmal gezeichnet hatte, vor vielen, vielen Jahren, als sie im Schnoor Obst und Decken an die Bedürftigen verteilt hatte. Thomas' Herz begann zu klopfen bei dem Gedanken, ihr diese kleine Fußnote des Lebens, die sie miteinander verband, zu erzählen, und er fühlte, wie ein Stück seiner alten Kraft zu ihm zurückströmte. Thomas fühlte sich so gut wie seit langem nicht mehr. Und das hatte nichts, absolut nichts mit Felicitas zu tun.

Verglichen mit Berliner Etablissements machte sich das Astoria in der Katharinenstraße bescheiden aus. Der große Saal fasste vielleicht hundert Menschen, und die Atmosphäre wirkte trotz des roten Plüschs hier und da kein bisschen verrucht. Die Combo spielte »Ausgerechnet Bananen« und sogar das eine oder andere Jazz-Stück, und es wurde laut gelacht, getanzt, geflirtet, verstohlen geküsst und viel getrunken. Das war es, was zählte.

An den Fingern einer Hand konnte Felicitas abzählen, wie oft sie und Heinrich ausgegangen waren. Abgesehen von den vielen gesellschaftlichen Verpflichtungen, denen sie hatten nachkommen müssen, hatten sie sich selbst genügt. Ihre gelegentlichen Anflüge sehnsüchtiger Fantasien von Glitzer, schlüpfrigen Späßen und elektrisierender Lebensfreude hatte sie nie ausgesprochen, weil sie mit Heinrichs Unverständnis rechnete. Damals hatte es auch keine Bedeutung für sie. Doch jetzt spürte Felicitas, dass sie etwas vermisst hatte – aufregende Kleider anzuziehen, ein Glas Champagner zu viel zu trinken, sich unbekümmert und ein wenig leichtsinnig zu fühlen und einen gut aussehenden Mann an ihrer Seite zu haben, dem die Blicke zugeworfen wurden, der sie zu unterhalten verstand und sie zum Lachen brachte.

Seit einiger Zeit war Bernhard wieder der, dem sie vor dem Krieg vorsichtige Sympathie entgegengebracht hatte. Er trank weniger und arbeitete, hatte einen bezaubernden englischen Garten an der Ochtum angelegt und schuf klobige

Skulpturen, die in ihrer Hässlichkeit ebenso abstießen wie faszinierten.

Er führte sie ins Theater aus und überredete sie und die Kinder zu kleinen Ausflügen an die Wümme oder zum Korbhaus und zeigte Felicitas, was die Welt jenseits von Kükenragout, Trabrennen und gepflegten Gesprächen zu bieten hatte. Zigaretten und Alkohol, elegant-zweideutige Witze, Kaviar und Trüffelpastete. Und sie hatte sich, erst zögerlich, dann immer bereitwilliger, darauf eingelassen, weil es sie entspannte und auf andere Gedanken brachte. In Bremen waren die schöne mutmaßliche Kriegerwitwe und der Hasardeur Tagesgespräch für alle, die die Muße hatten, sich darüber Gedanken zu machen. Elisabeth hatte sie erklärt, dass sie sich nicht zum Vergnügen mit Bernhard treffe, sondern um seine Kontakte auszunutzen, was zu einem Teil ja auch der Wahrheit entsprach. Elisabeth war bereit, die Verbindung zum Wohl des Unternehmens zu tolerieren, verfolgte deren Entwicklung allerdings mit leisem Argwohn. Doch das war Felicitas gleichgültig. Sie schätzte Bernhards Unverbindlichkeit, seinen erstaunlichen Scharfsinn und seinen Rat.

»Auf Sie und das Blau Ihrer Augen!« Bernhard prostete ihr zu, und Felicitas griff nach ihrem Champagnerglas. Sie war in der Laune, sich ordentlich zu betrinken.

»Wie hat Ihnen das Stück gefallen?« Bernhards Ton klang leicht, doch Felicitas ließ sich nicht täuschen. Er spürte, wie sehr sie das Wiedersehen mit ihrem Vater bewegte.

»Gut«, gab sie im gleichen Ton zurück, um eine Spur schärfer hinzuzufügen: »Nur der Hauptdarsteller hätte dort bleiben sollen, wo es ihn in den letzten Jahren hingetrieben hat. In der Provinz.«

»Er hat die Liebe seines Lebens verloren, vergessen Sie das nicht, Felicitas.«

Sie hob die linke Braue und sagte: »Das haben andere Menschen auch und nehmen dennoch Rücksicht auf die Gefühle anderer, statt alles hinzuschmeißen und das Weite zu suchen.«

»Jeder hat seine Art, mit dem Schmerz umzugehen«, bemerkte er und bot ihr eine Zigarette an.

Felicitas blies den Rauch aus und verzichtete auf eine Entgegnung. Er wusste ohnehin, dass sie von seiner Art der Schmerzbewältigung – Glücksspiel, Frauen und Alkohol – nicht das Geringste hielt.

»Wissen Sie eigentlich, dass Ihr Vater Franziska Ferrik bei sich aufgenommen hat?«

Felicitas war wie vom Donner gerührt. »Wie bitte?«

»Ihr Vater hat es mir vorhin in der Garderobe erzählt, nachdem Sie es vorgezogen hatten, wortlos … das Weite zu suchen, wie Sie es nennen würden.« Felicitas erwiderte nichts, und er fuhr fort: »Sie hat wohl nicht mehr lange zu leben, und aus alter Verbundenheit hat er ihr versprochen, sie nicht einsam sterben zu lassen. Ich finde, diese Geste verdient Ihren Respekt.« Er beließ es dabei, musterte Felicitas aber mit einem Ausdruck der Besorgnis. »Kann ich Sie eine Sekunde allein lassen? Die Zigaretten gehen zur Neige, und das Zigarettenfräulein flirtet gerade so hingebungsvoll mit einem anderen Gast, dass ich mich selbst bemühen muss.«

Wieder einmal kam sie nicht umhin, erstaunt zu registrieren, wie feinfühlig Bernhard sein konnte, wenn er seinen Zynismus hintanstellte, und dankbar für den Moment des Alleinseins überließ sich Felicitas ihren Gedanken. Sie war allen Problemen aus dem Weg gegangen, die nicht die ihren waren, und sie tat es noch. Sie hatte Elfriede und Arthur nicht besucht, obwohl sie es sich fest vorgenommen hatte. Sie hatte sich nicht um Franziska Ferrik gekümmert, obwohl sie wusste, wie es um die alte Frau stand und obwohl sie sie lange nicht mehr im Kunstpark gesehen hatte und entsprechend alarmiert hätte gewesen sein müssen. Andererseits war sie wohl kaum dazu verpflichtet, die barmherzige Samariterin zu spielen, wenn sie zur gleichen Zeit darum kämpfte, mehr als tausend Menschen Lohn und Brot zu sichern und darüber hinaus ein nicht enden wollendes Projekt vorantrieb. Stets fehlte es an irgendeiner Stelle. Heute machte die Firma pleite, die die Installationen ausführen sollte, morgen das Unternehmen, das Steine und Dachpfannen liefern sollte, übermorgen die Bank, die Felicitas den Kredit bewilligt hatte. Deutschland fiel in sich zusammen wie ein Ballon, dem die Luft entwich.

Nein, sie hatte weiß Gott genügend Sorgen, sie brauchte sich nicht für das Schicksal anderer verantwortlich zu fühlen, und sie verspürte nicht die geringste Lust, sich Schuldgefühle einreden zu lassen.

In einem Zug trank sie ihren Champagner aus. Dennoch blieb ein bitterer Geschmack zurück.

»Felicitas, darf ich Ihnen einen guten alten Freund vorstellen?« Bernhard wies auf den groß gewachsenen Mann im eleganten Nadelstreifenanzug neben sich. »Steffen Hoffmann.«

»Guten Abend, gnädige Frau«, begrüßte er Felicitas und küsste ihre Hand, ohne sie mit den Lippen zu berühren. Formvollendet. Grüne Augen hielten sie einen Moment gefangen. »Es ist mir ein Vergnügen, Sie kennen zu lernen und mich davon überzeugen zu können, dass Sie wirklich so schön sind, wie man sich erzählt.«

»Vielen Dank. Das Vergnügen ist ganz auf meiner Seite«, erwiderte Felicitas, »einmal einen Freund von Bernhard kennen zu lernen.« Dabei betonte sie das Wort Freund.

Bernhard lachte schallend. »Siehst du, Steffen! Schön wie ein Engel und giftig wie eine Natter.« Lachend ließ er sich in den roten Plüschsessel fallen und forderte Steffen auf, sich zu setzen. Empört blitzte Felicitas Bernhard an, doch Steffen winkte lächelnd ab.

»Wir haben im Kohlenkeller Verstecken gespielt und später Klingelstreiche gemacht, und ich habe für unsere Untaten immer die Ohrfeigen abbekommen. Ich glaube ihm nur das Nötigste.« Steffens selbstironischer Versuch, Bernhards Bemerkung zu entschärfen, entspannte Felicitas, und sie erwiderte sein Lächeln.

»Sie sind also die Kaffeeprinzessin, von der halb Bremen spricht.«

»Ich hoffe nicht«, wehrte sie ab. »Und was sagt man Ihnen so nach?«

»Vermutlich, dass ich ein schlimmer Finger bin, der die Geschicke des *Bremer Kuriers* garantiert nicht zum Guten wenden wird«, entgegnete er schlagfertig und begann von seinem Germanistikstudium in München zu erzählen, das ihm eine nicht sehr einträgliche Stellung bei einer Leipziger Kaffeefirma einbrachte, für die er die Packungstexte verfasste, bis ihn der Ruf der Publizistik erst nach Berlin, dann nach Hamburg und schließlich vor wenigen Tagen zurück in seine Heimatstadt geführt hatte. Mit temperamentvollen Gesten unterstrich er seine lebendigen Schilderungen und fegte mit einer ungeduldigen Handbewegung immer wieder eine Haarsträhne zurück, die sich gleich darauf erneut selbstständig machte.

»Den Marxisten, der du einmal warst, nimmt dir niemand mehr ab«, warf Bernhard ein, der das Gespräch mit verschränkten Händen und einem undefinierbaren Gesichtsausdruck verfolgte.

Steffen ignorierte die Bemerkung und erhob sich. »Ich darf

meine Begleiter nicht so lange warten lassen. Auf Wiedersehen, alter Freund«, sagte er verbindlich und nahm dann Felicitas' Hand. »Frau Andreesen, vielleicht gewähren Sie mir einmal ein ausführlicheres Interview?«

»Wir werden sehen«, antwortete Felicitas sibyllinisch und blickte ihm nach, wie er zu seinem Tisch ging und sich zu einem älteren Mann und einer dunkelblonden Frau setzte.

»Kaffeeprinzessin!« Bernhard schüttelte amüsiert den Kopf. »Das ist wirklich gut.«

Die Morgensonne kämpfte sich durch die watteweiße Dunstschicht, die Bremen wie eine Käseglocke einhüllte und das Gefühl vager Beklemmung hervorrief. Letzte Tautropfen hielten sich zitternd an Gräsern und auf Blättern, bis sie sich dem freien Fall ergaben und zu Boden sanken. Felicitas stakste über die zugewucherten Wege des Stadtparks, sorgsam darauf achtend, dass ihr taubenblauer Seidenrock nicht nass wurde. Wie ein begossener Pudel wollte sie den Vertretern der Parteien, die in Kürze eintreffen würden, gewiss nicht gegenübertreten.

Zwar hatte sich ihre finanzielle Lage ein wenig verbessert, aber dennoch war sie auf die Unterstützung durch die öffentliche Hand angewiesen, um den Kunstpark zu vollenden. Ihr Termin mit Bürgermeister Strunz war wegen der Plünderung geplatzt, und als Felicitas um einen neuen gebeten hatte, war er abgewählt worden. Sie hatte eine Eingabe nach der anderen an den neuen Senat geschrieben, doch vergeblich, denn ständig wurde neu gewählt, ständig änderten sich die Mehrheitsverhältnisse. Gestern hieß der Bürgermeister Strunz, morgen Hansmann und so fort. Und ehe sich die neuen Amtsinhaber dem Thema Kunstpark widmeten, wurden sie von den Wählern schon wieder vor die Tür gesetzt. Es war zum Verrücktwerden. Diese Republik lief komplett aus dem Ruder. Heute jedoch war ein Glückstag. Alfred Bewig, der neue Bürgermeister, hatte ihr einen Lokaltermin eingeräumt. Offiziell hieß es, er und einige Senats- und Bürgerschaftsmitglieder wollten sich vor Ort ein Bild vom Zustand des Parks machen, ein Ansinnen, das Felicitas Unheil wittern ließ. Bernhard jedoch meinte: »Sie wollen sich wichtig machen, das ist alles. Widerstehen Sie einfach der Versuchung, den Auftritt der Frackträger ins Lächerliche zu ziehen, und Sie werden sie in die Tasche stecken.«

Felicitas blieb stehen. Das blaue Dach des Pavillons leuchtete von weitem, die geschwungene Silhouette fügte sich perfekt in die Sinfonie aus filigranen Gräsern und Wildkräutern, die sich stolz aus der ungemähten, vernachlässigten Wiese erhoben hatten. Vielleicht sollte man es so lassen, sagte sie sich, nur die Wege zu den Häusern freilegen und die Natur ansonsten weitestgehend sich selbst überlassen. Entsprach das nicht viel eher ihrer Intention, einen Ort der Besinnung, der Kreativität und der Magie zu schaffen?

Die Bilder allerdings sperrten sich gegen die Idylle. Viele Künstlerinnen, vor allem die Deutschen, taten sich schwer, andere als schwierige Werke zu präsentieren, die Kriegserlebnisse, Schmerz und Elend spiegelten. Einige hatten ihre Teilnahme abgesagt, weil sie sich mit Felicitas' »großbürgerlicher Vorstellung«, wie es in einem Brief geheißen hatte, nicht länger arrangieren mochten, und selbst der Kunstverein, den Felicitas zur Mitarbeit aufgefordert hatte, reagierte zögerlich, weil »die Beschränkung auf weibliche Kunst uns interessant, aber auch ein wenig problematisch erscheint«, wie der erste Vorsitzende es formuliert hatte. Eigentlich war es ohnehin ein Wunder, dass sie es bis hierher geschafft hatte. Doch es musste schon mit dem Teufel zugehen, sollte sie den Rest nicht auch noch meistern.

Felicitas schloss die Augen und ließ eine Hand über den Sauerampfer gleiten. Die Berührung weckte Erinnerungen an Heinrichs zarte Liebkosungen und ließ sie erschauern. Nicht daran denken, nicht sich dem Schmerz überlassen.

Sie wusste nicht, welche Kraft sie trug, aber sehr genau, dass sie sorgsam damit umgehen musste. Tief im Herzen vergraben lagen die Liebe zu Heinrich und die Trauer um ihn, und dennoch verzehrten sie beide und waren der eigentliche Grund für ihre Konzentration auf sich selbst. Ohne dass sie sich dessen bewusst wurde, fürchtete sie sich davor, anderen Menschen, selbst ihren Kindern, zu geben, was ausschließlich Heinrich gehörte, denn wenn sie begann, erneut Liebe zu verströmen, würde auch die Trauer nachlassen, und nichts würde mehr bleiben außer Erinnerungen, und auch die würden mit der Zeit verblassen. Gelegentlich spürte sie, dass das Leben nach ihr griff, besonders an solchen hitzigen, amüsanten Abenden mit Bernhard, doch sie schaffte es jedes Mal, wieder in jenen Kokon zurückzuschlüpfen, aus dem Elisabeth meinte sie befreit zu haben. Gewiss, sie schloss sich nicht mehr in ihr Zimmer ein, doch dafür hatte sie Stein um Stein eine unsichtbare Mauer um sich errichtet. Die Firma war jetzt ihr Leben. Und der Kunstpark.

Eine schwarze Limousine hielt am Eingang. Ein Mann stieg aus, wechselte mit jemand anderem, der im Wagen sitzen blieb, einige Worte und wandte sich dann um. Gemächlich, fast lässig, schlenderte er auf Felicitas zu.

»Die reinste Idylle, nicht wahr?« Hendrik Nussbaum lächelte Felicitas an, doch in seinen Augen lag ein harter Glanz. Unwillkürlich straffte sich Felicitas. Suchend blickte sie über Nussbaums Schulter zum Eingangsportal. Nussbaum vertiefte sein Lächeln. »Wir bleiben unter uns. Es wird auch nicht lange dauern.« Umständlich nestelte er einen Brief aus seiner Jacke, die, wie Felicitas mit einem Blick bemerkte, nicht billig gewesen war und bestimmt nicht dem Einkommen eines Tischlers entsprach. Er hielt ihr den Brief hin. »Dieses Mal waren Ihre Späher wohl nicht schnell genug. Und offensichtlich hat Sie unsere Einladung zu der gestrigen außerordentlichen Sitzung von Bürgerschaft und Senat nicht erreicht.«

Felicitas runzelte die Stirn. »Was soll das heißen?«

»Oh, einige Dinge duldeten keinen Aufschub. Unter anderem mussten wir darüber entscheiden, ob wir dem Antrag entsprechen, den Stadtpark zu verkaufen. Und das haben wir getan.«

»Sie haben was?«

»Dem Antrag entsprochen. Der Stadtpark wird verkauft.«

»Gut, dann kaufe ich ihn.« Felicitas hatte keine Ahnung, woher sie die zweifellos beträchtliche Summe nehmen sollte, aber das erschien ihr jetzt nebensächlich.

Hendrik Nussbaum lachte kurz und hart. »Sie haben mich nicht verstanden, Frau Andreesen. Dem Senat liegt das Angebot eines Investors vor, das Grundstück zu kaufen und eine Wollspinnerei darauf zu errichten. Dieses Angebot werden wir annehmen. Ihr Kunstpark«, verächtlich betrachtete er den Pavillon, »oder wie man das hier nennen soll, wird geschlossen, bevor er eröffnet wird.«

Donald McGregor rührte langsam den Kaffee um, obwohl er weder Sahne noch Zucker zu nehmen pflegte, doch die gleichförmige Bewegung half ihm, Lärm und die vielfältigen Reize der Umgebung auszublenden und sich zu konzentrieren. Gelegentlich diente sein Füllfederhalter, den er minutenlang auf- und zuschraubte, dem gleichen Zweck, und wenn höchste Konzentration erforderlich war, legte McGregor die Finger der rechten Hand über den ausgestreckten Zeigefinger seiner linken und verharrte in dieser seltsamen Haltung. Er behauptete, diese Handhaltung werde in Indien von den Yogis praktiziert, die auf diese Weise Kraft aus dem Herzen schöpften, und er habe sie während eines Aufenthalts in Bangalore erlernen dürfen. Geschichten wie diese, die er ganz nebenbei erzählte, als würde es sich um die Zubereitung von Rühreiern handeln, standen im krassen Widerspruch zu McGregors eleganter Erscheinung, seinem geschmeidigen, glatten Gebaren und seiner kühlen Hingabe an die Welt der Zahlen. Wie diese Kombination auf seine Geschäftspartner wirkte, war ihm gleichgültig. Dennoch oder gerade deswegen standen die Kunden bei Donald McGregor Schlange.

»Wirtschaftlich gesehen ist der Kunstpark ohnehin keine glänzende Idee. Wenn Sie mich fragen, sollten Sie sich für die bereits fertig gestellten Gebäude entschädigen lassen und Ihr Engagement gewinnbringenderen Projekten widmen.«

»Auf keinen Fall. Ich will diesen Park, und zwar unter allen Umständen.«

Seine schräg geschnittenen zimtbraunen Augen musterten sie mit einer Art neutraler Sympathie, die Felicitas vom ersten Gespräch an irritiert hatte. Es schien, als würde dieser Mann, der mit Millionen Mark, Dollar und Pfund jonglierte, jeden Fisch, jeden Besen und jeden Kontoauszug genauso unbeteiligt betrachten wie sie.

»Das Gras wächst nicht schneller, wenn man dran zieht«, bemerkte er und betrachtete seine Hand, die den Löffel führte. »Können Sie mir erläutern, warum Ihnen an diesem Kunstpark so gelegen ist?«

Felicitas zögerte. Ihm von ihrer Vision und ihrem Erlebnis

in Brasilien zu erzählen widerstrebte ihr, doch auf eine andere, weniger dramatische und vor allem nicht so persönliche Erklärung mochte sie nicht ausweichen. Sie legte die Finger ihrer rechten Hand über den Zeigefinger ihrer linken. »Das hier können Sie auch nicht erklären, und trotzdem glauben Sie daran. Ich glaube an den Park. Es gab da … eine Art Prophezeiung.«

»Touché«, parierte er anerkennend. »Ich verstehe.« Er legte den Kaffeelöffel neben die Tasse, beugte sich ein wenig zu Felicitas und senkte die Stimme. »Dann werden wir jetzt folgendermaßen vorgehen …«

Zehn Minuten später war Felicitas' Wut auf Hendrik Nussbaum einem Gefühl erwartungsvoller Spannung gewichen. Wenn McGregors fein gesponnener Plan aufging, würde sie dem Rathaus zukünftig ihre Forderungen diktieren können. Wenn der Plan aufging.

»Zum Beweis, dass meine Prophezeiungen halten, was sie versprechen«, sagte er, als könnte er Felicitas' Gedanken lesen, und öffnete eine schmale Aktentasche, »möchte ich Ihnen gern zeigen, wo Ihre Investitionen abgeblieben sind.«

Felicitas wurde schwindlig, als sie seinen prägnanten Ausführungen lauschte. Mit dem Kredit, den McGregor in ihrem Namen bei einer britischen Bank aufgenommen hatte, hatte er nicht nur Aktien geschickt gekauft und mit Gewinn wieder verkauft, sondern auch begonnen Zulieferfirmen für Kaffeeröstereien zu erwerben, sodass Felicitas die Preise für deren Produkte kontrollieren konnte. Er war im Begriff, ein Firmenimperium zu schaffen, das Felicitas Macht und Geld in einem Maße sicherten, das über ihr Vorstellungsvermögen hinausging.

»Das bedeutet, in Kürze werden Sie sich auch offiziell den Lebensstil leisten können, den Sie sich angewöhnt haben.«

Er hob amüsiert die linke Augenbraue und stand auf. »Grüßen Sie Bernhard von mir.« Mit einem festen Händedruck verabschiedete McGregor sich und verließ die Lobby des Hotel Adlon.

Wie betäubt und gleichzeitig elektrisiert blieb Felicitas sitzen und nippte an ihrem kalten Kaffee. McGregor war ein Glücksgriff. Hatte sie vor kurzem noch leise Zweifel gehegt, ob es wirklich klug gewesen war, ihm Einblicke in alle Konten und so gut wie freie Hand über die finanziellen Transaktionen zu gewähren, fühlte sie sich nun eines Besseren belehrt. Seine letzte Bemerkung indes begriff sie überhaupt nicht, aber vor lauter Aufregung hatte sie die bestimmt nicht richtig verstanden.

Felicitas schaute auf ihre Taschenuhr, das Geschenk von Heinrich, die sie immer bei sich trug. Wenn sie sich beeilte, würde sie den Nachtzug nach Hamburg noch erreichen. Oder den nach Königsberg.

Unvermittelt stieg die Sehnsucht in ihr auf, aber sie kämpfte sie mit aller Selbstbeherrschung nieder. Nein, sie würde nicht drei Tage durch die Gegend reisen, um ihre Mutter und ihren Galan Hand in Hand über die Sorauer Felder laufen zu sehen.

Erschöpft und staubig von der Fahrt, aber in Hochstimmung erreichte Felicitas am späten Abend die Villa. In Gedanken sah sie sich bereits in einem von Heinrichs Pyjamas vor dem Kamin sitzen, ein Glas Rotwein in der einen, eine Zigarette in der anderen Hand, einige Leckereien vor sich und das Gefühl auskostend, wie sich alles zum Guten, zum Besten wenden würde. Vielleicht hatte sie Glück und Elisabeth war noch wach, sodass sie ihr die frohe Botschaft gleich würde mitteilen können.

Im Salon brannte noch Licht. Das Feuer im Kamin flackerte und malte die Schatten von zwei Menschen an die Wand.

Felicitas' Lächeln erstarb, als sich Elisabeth und Anton ihr zuwandten. Elisabeths Züge wirkten versteinert, Antons Lippen umspielte ein triumphierendes Lächeln. Er hielt einen Kognakschwenker in der Hand und lehnte lässig an einer der weißen Marmorsäulen, die den Kamin einrahmten.

»Hast du dein kleines Rendezvous genossen?«, fragte er mit öliger Freundlichkeit, fügte aber nichts hinzu, als Elisabeth eine abwehrende Handbewegung machte und ihn scharf ansah.

»Felicitas, zwei Dinge möchte ich von dir wissen. Ist es wahr, dass du ein«, sie spie das Wort aus, »Verhältnis mit Thomas Engelke hast?«

»Natürlich nicht.« Felicitas schüttelte ungläubig den Kopf. »Du lieber Gott, was für eine Idee!«

»Wie kommt es dann, dass er ein Porträt von dir bei sich trägt – seit dem Krieg?«

»Das weiß ich doch nicht. Ich kann mir nicht vorstellen, warum …«

»Wirklich nicht? Warum nimmt ein Mann die Zeichnung einer Frau mit an die Front und hält sich im Lazarett daran fest, streichelt sie, schmachtet sie an?« Elisabeth wandte sich ab, als könnte sie Felicitas' Anblick nicht mehr ertragen. »Anton hat ihn dabei beobachtet, als sie beide in Sorau waren, aber aus Rücksicht auf dich geschwiegen.«

Felicitas maß ihn mit einem kühlen Blick. »Rücksicht gehörte bislang nicht unbedingt zu deinen herausragenden Charaktereigenschaften.« Sie schnaubte verächtlich. »Ich weiß nicht, welches Spiel du hier treibst, und es interessiert mich auch nicht. Thomas Engelke ist ein Künstler, sein ganzes Leben lang hat er Menschen gezeichnet. Möglich, dass er mich auch gezeichnet hat, vermutlich aus reinem künstlerischen Interesse, vielleicht aus Schwärmerei, was weiß ich! Ich weiß nur, dass ich mir nichts vorzuwerfen habe. Wenn ihr mich jetzt entschuldigt – ich bin zu müde, um diesen Unsinn weiter zu diskutieren.«

»Einen Moment noch.« Elisabeths Stimme klang scharf, aber auch ein wenig brüchig. »Da ist noch etwas …«

Felicitas hörte eine Weile zu, erst ungläubig, dann fassungslos. Sie starrte Elisabeth an und wiederholte deren Worte.

»Hausenberg behauptet, ich hätte ihn gezwungen, Scheinrechnungen auszustellen?«

»Ganz genau«, bemerkte Anton. »Er kam letzte Woche zu mir, weil er den Betrug nicht mehr mitmachen wollte, aber nicht wusste, wie er sich verhalten sollte, ohne den Verdacht auf sich selbst zu lenken und womöglich im Gefängnis zu landen.« Er machte eine Pause und zündete sich gemächlich einen Zigarillo an. »Der arme Teufel tat mir wirklich Leid.«

»Scheinrechnungen – aber wozu denn?«

Anton lachte leise. »Ach, nun tu doch nicht so. Ich meine, etwas geschickter hättest du schon vorgehen müssen, um die Sache zu vertuschen, aber du hast eben keine Ahnung vom Geschäft. Sich Barbeträge auszahlen zu lassen und vorzugeben, damit fingierte Rechnungen zu bezahlen, ist schon dämlich. Aber es passt zu dir.«

»Anton«, mahnte Elisabeth, »nicht in dem Ton.«

»Mutter, du bist, entschuldige bitte, einfach zu nachgiebig. Du kannst mir glauben, dass es auch mir nicht leicht fällt, die Frau meines vermissten Bruders bloßzustellen. Aber die Tatsachen sprechen nun einmal gegen sie …«

»Du verdammter Intrigant!«, entfuhr es Felicitas. »Ich habe gesehen, wie Hausenberg sich in der letzten Zeit verändert hat, nervös und fahrig und bedrückt wirkte, und ich habe ihn gefragt, ob ihm etwas auf der Seele liege. Aber er ist der Frage ausgewichen.« Felicitas schoss ein Gedanke durch den Kopf. »Du hast ihn gezwungen, dieses schmutzige Spiel zu treiben. Damit ich dir endlich nicht mehr im Weg stehe, nicht wahr?«

Anton lächelte. »Ich wusste, dass du so reagieren würdest. Was bleibt dir denn auch anderes übrig?« Seine Augen wurden schmal. »Glaubst du wirklich, dass die Tochter hergelaufener Komödianten, die sich durch die Betten des Deutschen Reiches schlafen wie deine Mutter und sich alte Vetteln von zweifelhaftem Ruf ins Haus holen wie dein Vater, ein Stück von dem leckeren Kuchen abbekommt, den unsere Familie gebacken hat?«

»Du hast gar nichts gebacken«, entgegnete Felicitas, »nur dich dein ganzes Leben lang davon ernährt, ohne selbst einen Finger zu rühren. Und wage es nicht, meine Eltern zu beschimpfen, dazu hast du kein Recht!« Felicitas sah Elisabeth beschwörend an. »Du kannst diesen Unsinn nicht ernsthaft glauben! Du weißt doch, dass Anton alles tun würde, um endlich die Firma in die Finger zu kriegen! Und das war es doch, was du verhindern wolltest!«

Elisabeth senkte den Blick. »Ich weiß nicht, was ich glauben soll, Felicitas. Es tut mir Leid.«

Felicitas schloss kurz die Augen. Das hier, das war ein Albtraum.

»Tja«, meinte Anton und schüttelte bedauernd den Kopf, »Blut ist eben doch dicker als Wasser.«

»Ja«, sagte Felicitas gefährlich leise. Der Zorn und die Kränkung trieben ihr die Worte auf die Lippen, und sie konnte sie nicht mehr zurückhalten. »Selbst dann, wenn dieses Blut nicht astrein ist.«

»Felicitas!« Elisabeth sah sie flehend an.

»Frag deine Mutter, Anton.«

Felicitas drehte sich brüsk um und verließ den Salon. In der Halle hielt sie einen Moment inne. Hier konnte sie nicht bleiben, die Atmosphäre schnitt ihr die Luft ab. Die Kinder schliefen ohnehin und erwarteten sie auch nicht vor morgen. Nur fort, weg von diesem Haus, das sie für ihr Heim gehalten hatte.

Ziellos fuhr sie durch die nächtlichen Straßen. Der Mond ließ das Kopfsteinpflaster silbern schimmern, hier und da war noch ein Haus erleuchtet, gelegentlich huschte eine Katze davon. Am Osterdeich hielt Felicitas an und kurbelte das Fenster herunter. Sie zündete sich eine Zigarette an und versuchte ihre Wut zu dämpfen, die ihr Herz rasen ließ. Sie musste Ordnung in ihre Gedanken bringen.

Natürlich war Anton der Urheber dieser ungeheuerlichen Vorwürfe. Aber war es denkbar, dass Thomas und Hausenberg freiwillig mitgemacht hatten? Angesichts einer fetten Belohnung lag das durchaus im Bereich des Möglichen. Schließlich – was wusste sie von Thomas, außer dass er der schüchterne und hoch begabte Sohn von Elfriede und Arthur war, der in Berlin trotz seines Talents grandios gescheitert sein musste, andernfalls wäre er wohl kaum nach Bremen zurückgekehrt. Beim Abendessen hatte er jedenfalls nicht den Eindruck erweckt, sein Leben im Griff zu haben. Ein leichtes Opfer für Anton. Das galt allerdings nicht für Hausenberg, der sich, auch wenn Felicitas ihn nicht mochte, über Jahre einen tadellosen Ruf erworben hatte. Anton musste irgendetwas gegen ihn in der Hand haben. Aber vielleicht schätzte sie den Prokuristen auch zu hoch ein und unterschätzte, wie reine Geldgier einen Menschen dazu bringen konnte, seine Werte über Bord zu werfen.

Immerhin war jetzt klar, was McGregor mit seiner Bemerkung gemeint hatte. Lieber Gott, er musste sie doch für eine komplette Idiotin halten, solche durchsichtigen Betrügereien zu riskieren!

Sie seufzte und startete den Motor. Mit irgendeinem Menschen musste sie darüber reden, und der Einzige, der dafür in Frage kam, war Bernhard.

»Nanu, meine Liebe, um tanzen zu gehen, ist es vielleicht ein wenig zu spät.«

»Lassen Sie das«, knurrte Felicitas und drängte sich an ihm vorbei, hoffend, dass nicht wieder eine Kostümjacke an der Garderobe hing, die sie zum Rückzug zwingen würde. Aber Bernhard war allein. Die Ouvertüre von La Traviata schwebte durch den Raum, im Kamin flackerte ein Feuer, eine Flasche Bourbon und ein halb gefülltes Glas standen gefährlich schief auf einem von mehreren Fellen, die vor dem Kamin lagen. Das und ein aufgeschlagenes Buch und aufgetürmte Kissen verrieten, dass Bernhard es bis eben sehr gemütlich gehabt hatte. Der ganze Raum mit seinem sparsamen teuren Mobiliar, selbst geschaffenen Kunstwerken und allerlei exotischem Beiwerk – Straußenfedern, Palmwedel, faustgroße Halbedelsteine, die in einer Messingschale lagen – wirkte behaglich, doch Felicitas hatte keinen Sinn dafür.

»Geben Sie mir etwas zu trinken.« Sie setzte sich auf eins der Felle und starrte mit gerunzelter Stirn ins Feuer.

»Bitte schön.« Er reichte ihr ein Glas, rückte die Kissen zurecht und lehnte sich dagegen. Er schien nicht neugierig und so gelassen, als wäre Felicitas' Anwesenheit in seinem Haus eine Selbstverständlichkeit, die keiner Erklärung bedurfte.

Felicitas genoss die Stille. Nach einer Weile, als der Bourbon seine Wirkung zeigte und sie spürte, dass sie Bernhard die Geschehnisse schildern konnte, ohne vor Wut an die Decke zu gehen oder, schlimmer noch, in Tränen des Zorns auszubrechen, begann sie zu reden. Bernhard hörte zu, ohne sie zu unterbrechen, schenkte Bourbon nach und reichte ihr eine angezündete Zigarette. Felicitas ließ kein Detail aus, bis auf die letzte Bemerkung, die sie Anton ins Gesicht geschleudert hatte. Dass Bernhard Antons Halbbruder war, musste Elisabeth ihm eines Tages selbst sagen, wenn sie den Mut dazu aufbringen würde. Sie lächelte grimmig, als ihr klar wurde, dass sie Elisabeth trotz allem noch schützte.

Als Felicitas ihre Schilderung beendet hatte, stand Bernhard auf und kam nach einer Weile wieder, einen Teller mit Wurst, Käse und etwas Brot in der Hand.

»Essen Sie, sonst brummt Ihnen morgen der Schädel.«

Felicitas wehrte erst ab, griff aber schließlich doch zu. Sie hatte nicht gewusst, wie hungrig sie war. In Berlin hatte sie zuletzt etwas gegessen, und das war mehr als zwölf Stunden her. Während sie aß, dachte er nach.

»Sie haben drei Möglichkeiten. Erstens, Sie versuchen die Sache auf eigene Faust zu klären und Elisabeth zu überzeugen, dass Anton alles erfunden hat. Zweitens, Sie erstatten Anzeige gegen Anton und nennen Hausenberg und Thomas als Zeugen und lassen das Gericht entscheiden. Drittens – ich gehe davon aus, dass McGregor dafür gesorgt hat, dass nicht die Familie allein Nutznießerin Ihrer Investitionen ist, sondern dass ein Sonderkonto, vermutlich sogar eine eigene Firma unter Ihrem Namen existiert.«

»Warum sollte er das tun?«

Bernhard hob eine Braue und grinste. »Er hat Erkundigungen eingezogen, wie es um die Verhältnisse bestellt ist.«

»Bei Ihnen?«

»Wo sonst?«

»Und Sie haben ihm von Anton erzählt?«

»Natürlich.«

Felicitas pfiff durch die Zähne. »Dann muss ich mich jetzt wohl bei Ihnen bedanken.«

»Wenn es so ist, wie ich vermute«, fuhr Bernhard fort, »dann können Sie Ihr Geld nehmen und Ihre Kinder, sich ein neues Haus kaufen und ganz in Ruhe abwarten, was Anton zu tun gedenkt. Ich glaube nicht, dass er sich traut, Sie anzuzeigen. Wenn Sie das Feld räumen, hat er ja erreicht, was er wollte.«

Felicitas schwieg eine Weile, dann fragte sie: »Was würden Sie an meiner Stelle tun?«

»Ich würde mein Geld nehmen und verschwinden. Familienstreitigkeiten gehören nicht zu meinen Leidenschaften.«

Felicitas wich seinem Blick aus. Seine Worte klangen lässig, täuschten sie aber nicht. Der Selbstmord seines Vaters musste ihn zutiefst erschüttert haben und war gewiss die Ursache für seinen Zynismus und seine Unfähigkeit, andere als oberflächliche Bindungen einzugehen. Mitgefühl spiegelte sich in ihren Augen und der plötzliche Wunsch, die Mauer niederzureißen, die er – genau wie sie selbst – um sich gebaut hatte. Wir sind uns ähnlich, erkannte Felicitas verwundert.

»Sie sehen müde aus«, unterbrach Bernhard ihre Gedanken mit sanfter Stimme. »Möchten Sie vor dem Kamin übernachten, oder darf ich Ihnen mein Schlafzimmer abtreten?«

»Ich kann nicht hier bleiben.« Sie stand auf und taumelte. Sofort hielten Bernhards Arme sie umfangen. Seine Lippen waren den ihren gefährlich nah, ein süßes, unwiderstehliches Ziehen durchzuckte ihren Schoß, ihr Körper stand in Flammen und ließ jeden anderen Gedanken verglühen, außer dem einen. Sie wollte ihn. Jetzt. Sofort. Sie fühlte seine Hitze, wusste, dass er sie auch begehrte, und hob ihm ihren Mund entgegen.

»Felicitas …«

Seine Augen spiegelten eine Mischung aus Begehren und mühsamer Selbstbeherrschung, die sie nicht sehen wollte. Nicht jetzt. Sie küsste ihn, öffnete ihre Lippen und ließ ihre Zunge seine weichen, vollen Lippen erkunden, die nach einer Sekunde des Zögerns nachgaben und leidenschaftlich, fast ungestüm antworteten. Jede Pore ihres Körpers verlangte nach seiner Berührung, und als sie endlich auf die Felle sanken, gab es nur noch seine Hände, seine Haut, seinen Atem, seinen Duft und seine Lippen, die vom Nacken zu ihrem Bauch, zu den Innenseiten ihrer Schenkel und zu ihrem pochenden Schoß wanderten, bis sie vor Lust stöhnte und ihn zu sich zog. Wie von selbst glitten sie in einen tranceähnlichen Rhythmus, der sie weit weg trug, weiter und weiter aufs offene Meer nie erlebter Fantasien, wo Welle um Welle über Felicitas zusammenschlug. Eng umschlungen schliefen sie später, viel später ein.

Im Morgengrauen erwachte Felicitas. Bernhard schlief tief und fest, seine Züge wirkten jungenhaft verletzlich. Leise stand sie auf und suchte ihre Kleider zusammen. Die Knöpfe ihrer weißen Bluse hatten ihrer Leidenschaft nicht standgehalten, und der taubenblaue Seidenrock war völlig zerknittert. Sie zog die restlichen Haarnadeln aus ihrer zerzausten Hochfrisur, glättete das Haar so gut es ging mit den Fingern und flocht es zu einem lockeren Zopf. Ihr Gesicht brannte, und eine angespannte, nervöse Lebendigkeit durchströmte ihren Körper, als wäre sie auf der Flucht vor einer drohenden Gefahr. Und irgendwie stimmte das ja auch. Was um Himmels willen war nur in sie gefahren, sich derart hemmungslos hinzugeben! Ihr ganzes Leben war im Begriff aus den Fugen zu geraten, und sie hatte nichts Besseres im Sinn, als sich dem Nächstbesten an den Hals zu werfen. Sie hatte sich wie eine von Bernhards rothaarigen Huren benommen, und zweifellos würde er lässig und amüsiert, wenn nicht gar zynisch auf ihre Anwesenheit reagieren. In ihrem aufgewühlten Zustand hatte sie dem nichts entgegenzusetzen. Auf Zehenspitzen schlich sie zur Tür und hoffte inständig, dass er nicht wach werden würde.

Er tat ihr den Gefallen.

Elisabeth machte den Eindruck, als hätte sie die halbe Nacht nicht geschlafen. Zusammengesunken, das Gesicht grau vor Anspannung, saß sie im Wintergarten und starrte auf die prächtigen weißen und porzellanfarbenen Rosen, die dem Garten seit so vielen Jahren sein unverwechselbares britisches Flair verliehen. Felicitas hatte sich nicht die Mühe gemacht, die Spuren der Nacht zu beseitigen, sie wollte Elisabeth und Anton unverzüglich von ihrem Entschluss in Kenntnis setzen, den sie auf der Fahrt zur Villa gefasst hatte. Sie würde nicht fliehen, sondern den Kampf ausfechten.

»Ich werde Anton wegen übler Nachrede verklagen«, sagte sie mit fester Stimme. »Und damit du meinen Anblick nicht weiter ertragen musst, ziehe ich, sobald ich ein Haus für uns gefunden habe, mit den Kindern und Fräulein Finkemann aus. Im Übrigen wird mein Finanzberater die finanziellen Dinge regeln.«

Elisabeth sah sie nicht an. »Anton ist fort. Nachdem du gegangen bist, habe ich ihm die Wahrheit gesagt … über sich und mich.« Sie schwieg einen Moment. »Es war, als ob eine Zentnerlast von meinem Herzen genommen würde, doch gleichzeitig spürte ich, dass ich ihm diese Last nun aufbürdete. Er hat mich angeschaut ... so hasserfüllt, dass ich Angst vor meinem eigenen Sohn bekam. Er wird dich und mich und Bernhard hassen und verfolgen.«

»Das kann er gerne tun. Ich fürchte mich nicht vor ihm. Im Gegenteil, es wird Zeit, dass ihm jemand seine Grenzen aufzeigt. Lange genug hat er mit seinen Launen die Familie tyrannisiert.«

Elisabeth hob ratlos die Hände. »Aber eine Anklage wird die Sache nicht besser machen. Es wird nur einen Riesenwirbel geben, der die Familie in Verruf bringt und der Firma schaden wird. Tu es nicht, Felicitas.«

»Du hast ihm seine gemeinen Unterstellungen abgenommen, ohne mit der Wimper zu zucken. Was soll ich deiner Meinung nach denn tun? Alles vergessen und zur Tagesordnung übergehen? Das kann ich nicht.«

»Wir haben scharf geschossen, Felicitas, beide. Ich möchte mich bei dir entschuldigen.«

»Wie konntest du nur glauben, ich hätte eine Affäre mit Thomas?«, rief Felicitas. »All das Vertrauen, das du mir angeblich entgegenbrachtest, zählte doch plötzlich nicht mehr. Wie soll ich unter diesen Voraussetzungen jemals wieder Vertrauen zu dir haben? Ich ... ich fühle mich wie ein Spielball, den du hier oder da hinwirfst, wie es dir passt.«

»Felicitas, auch ich mache Fehler. Als Anton mir von Thomas und dir erzählte, sah ich mich selbst als junge Frau ... und was ich getan hatte. Ich konnte nur noch daran denken, dass du womöglich das Gleiche getan hast, was ich Gustav angetan habe, verstehst du?«

»Ich habe Heinrich nicht betrogen«, sagte Felicitas leise. Damals jedenfalls nicht, dachte sie, und ein Stich fuhr ihr ins Herz. Sie schloss die Augen und versuchte die Bilder der vergangenen Nacht zu bannen.

»Natürlich nicht. Bitte verzeih mir.« Elisabeth nahm Felicitas' kalte Hand in die ihre, und sie schwiegen eine Weile, jede ihren Gedanken nachhängend. Schließlich sagte Elisabeth: »Ich weiß nicht, was Anton nun vorhat, aber ich halte es für das Beste, selbst mit Hausenberg zu reden. Und zwar heute Abend, bei ihm zu Hause, nicht im Kontor. Da haben die Wände Ohren, und ich möchte nicht, dass Frantz oder sonst wer Wind von der Sache bekommt. Wenn dieses Gespräch so verläuft, wie ich es vermute, werde ich mit unserem Notar reden und einen Vertrag vorbereiten lassen, in dem dir ganz offiziell die alleinige Geschäftsführung übertragen wird. Die Vollmachten, die du bereits hast, reichen nicht aus, dich gegen Anton zu schützen.«

»Glaubst du denn nicht mehr an Heinrichs Rückkehr?« Felicitas stiegen die Tränen in die Augen, Tränen der Trauer und der Scham. Ihr Körper hatte sich geholt, was er vermisst hatte, aber das war keine Rechtfertigung.

»Nein, schon lange nicht mehr. Der Krieg ist seit über fünf Jahren vorbei, so viele Kriegsgefangene sind längst wieder daheim. Vielleicht solltest auch du anfangen nach vorne zu schauen. Du bist jung, und eines Tages wirst du lernen, wieder einen Menschen zu lieben.«

Im tiefsten Innern gab Felicitas ihr Recht. Seit langem hatte sie das starke Band nicht mehr gespürt, das sie und Heinrich verknüpft hatte, und dennoch sträubte sich alles in ihr, die Hoffnung aufzugeben.

»Daran will ich nicht einmal denken«, sagte sie mit erstickter Stimme.

Elisabeth drückte ihre Hand. »Das Leben verlangt seinen Tribut, ob es dir gefällt oder nicht«, sagte sie lächelnd.

Das Haus in der Lothringer Straße wirkte im Vergleich zu seinen herausgeputzten Nachbarn klassisch schlicht. Der zweite Blick offenbarte, dass der bescheidene Eindruck nicht dem Geschmack seiner Besitzer entsprang, sondern finanzieller Nöte. Die Haustür bedurfte dringend eines neuen Anstrichs, hier und da warf der Fassadenputz Blasen, eine Fensterscheibe im Erdgeschoss zeigte einen Sprung.

Hausenberg öffnete die Tür. Er trug eine karierte Schürze, trocknete sich die Hände an einem Geschirrtuch ab und starrte Felicitas und Elisabeth für den Bruchteil einer Sekunde feindselig an. Schließlich erinnerte er sich seiner guten Manieren und bat sie mit einer knappen Geste hinein. Aus der Küche drang der Geruch von gedämpftem Kohl. Im ersten Stock tobten zwei Kinder, unverkennbar Jungs, und ein kleines Mädchen hockte auf der Treppe und schaute die beiden Frauen neugierig an. Sein Lätzchen war bekleckert, und seine Windel sah aus, als müsste sie dringend gewechselt werden.

Hausenberg nahm das Kind auf den Arm. »Ich bringe Greta nur rasch ins Bett. Bitte nehmen Sie in der Stube Platz.« Als er zurückkehrte, hatte er die Schürze abgebunden. Er setzte sich ihnen gegenüber in einen ausladenden teuren Ledersessel, der zu dem übrigen Mobiliar nicht so recht passen wollte, schlug die hageren Beine übereinander und legte die Fingerspitzen aneinander.

»Ich würde Ihnen gern etwas zu trinken anbieten, aber meine Frau musste plötzlich verreisen, und ich muss zugeben, dass ich mich in meinem eigenen Haushalt nicht zurechtfinde.« Er lachte nervös. »Bitte entschuldigen Sie, aber was, wen ich fragen darf, verschafft mir die Ehre Ihres Besuchs?«

Gelassen betrachtete Felicitas ihren Widersacher. Elisabeths Plan, ein Bluff, war so einfach wie überzeugend. »Ich habe hier eine eidesstattliche Versicherung eines Mitarbeiters«, begann sie und zog ein zusammengefaltetes – leeres – Blatt Papier aus ihrer Handtasche. »Darin schildert der Betreffende, dass er Zeuge wurde, wie Anton Andreesen Sie genötigt hat, einen Betrug zum Schaden der Firma durchzuführen. Möchten Sie, dass ich fortfahre?« Hausenberg fuhr sich mit der Hand durchs Haar. Das kleine Mädchen schrie. Die Standuhr zerlegte die verrinnende Zeit in unbarmherzige Schläge. Elisabeth beugte sich etwas nach vorn und sah Hausenberg eindringlich an. »Ihre Frau ist nicht verreist, sondern davongelaufen. Es ist offensichtlich, dass Sie Hilfe brauchen, Herr Hausenberg, und ich bin die Letzte, die Sie Ihnen verweigern würde. Alles in allem handelt es sich ja nicht um eine große Summe, die der Firma verlustig gegangen ist. Wenn Sie uns erzählen, wie es wirklich war, verspreche ich Ihnen, die Polizei nicht zu informieren. Das bin ich meinem Sohn Heinrich schuldig. Er hat große Stücke auf Sie gehalten.«

Hausenberg starrte Elisabeth an. Dann schlug er die Hände vors Gesicht.

19

*D*as Glas zersprang, und Jubelrufe und befreites Gelächter durchbrachen die erwartungsvolle Stille. Die Geigenspieler riss es von ihren Stühlen, die Gäste umringten Braut und Bräutigam und tanzten ausgelassen zu der ebenso schluchzenden wie fröhlichen Melodie. »O wenno shalom malechem« sangen die Gäste, und die wenigen Juden unter ihnen hielten lachend mit dem korrekten »Hevenu shalom malechem« dagegen.

Dorothee strahlte. Der zarte Spitzenschleier umschmeichelte ihre feinen Züge, und das hochgeschlossene Kleid mit den langen Spitzenärmeln unterstrich ihre schlanke, ätherische Erscheinung. Pierre platzte vor Stolz und hielt seine Frau fest umfangen.

»Alles in Ordnung?«, flüsterte er ihr zu, und Dorothee nickte, erleichtert, dass sie die jüdische Zeremonie ohne Fehler gemeistert hatte. Selbst der Rabbi, der ihren Übertritt zum Judentum begleitet und gegen Skeptiker aus den eigenen Reihen mit dem Hinweis, sie sei seine beste Schülerin, verteidigt hatte, vermochte nicht ihr Mut zuzusprechen. Die Furcht, sich und Pierre vor ihrer und seiner Familie zu blamieren, hatte ihr schlaflose Nächte bereitet und ihr den Appetit geraubt, weshalb das Brautkleid vor zwei Tagen in aller Eile noch einmal enger gemacht werden musste. Wenn sie Pierre nicht so lieben würde, dachte Dorothee, wäre sie vermutlich getürmt, ängstliches Gänschen, das sie stets gewesen war und vermutlich immer bleiben würde. Sie seufzte leise. Vielleicht würde das Gefühl, endlich einen sicheren Hafen gefunden zu haben, ihr das Rückgrat stärken und nicht, was sie im Stillen befürchtete, dazu beitragen, dass sie die Hände in den Schoß legte und alle Verantwortung Pierre überließ. Sie wollte seinen Respekt nicht verlieren, und am ehesten würde ihr das gelingen, wenn sie sich ein Beispiel an Felicitas nehmen und ihr Leben ebenso tatkräftig in die Hand nehmen würde. So oft hatte Pierre sie ermutigt, am Konservatorium vorzuspielen, und immer hatte sie eine Ausrede gefunden, es nicht zu tun. Doch mit diesem ewigen Zittern und Zagen sollte nun bald Schluss sein. Nach den Flitterwochen, die sie in Paris verbringen wollten, würde sie über ihren Schatten springen und sich bei Professor Lohmann vorstellen.

»Dorothee Levi, darf ich dich an deines Vaters statt zum Tanz führen?«

»Natürlich«, wisperte Dorothee, Tränen der Rührung krampfhaft verdrängend. Max hatte sich all die Jahre wie ein Vater um sie bemüht und sie heute auch zum Altar geführt.

»Und, bist du glücklich?«, fragte er.

»Ja, sehr«, entgegnete Dorothee. Dennoch konnte sie nicht verhindern, dass ein Schatten über ihr Gesicht glitt.

»Nicht traurig sein, Dorothee. Dein Vater ist viel zu krank, um die weite Reise auf sich zu nehmen, und es ist nur natürlich, dass deine Mutter ihn nicht in der Obhut fremder Menschen lassen wollte«, sagte er aufmunternd.

Doch Dorothee schüttelte den Kopf. »Du meinst es gut, aber das ist es nicht. Ich habe einfach ein schlechtes Gewissen. Zweimal habe ich mich überwunden, nach Sorau zu reisen, und jedes Mal war es ein Albtraum. Ich werde das Bild von Constanze und dem Baby niemals aus meinem Kopf bekommen, das weiß ich, aber in Sorau wurden meine Angstzustände jedes Mal so furchtbar, dass ich nur noch wegwollte.«

»Aber das ist doch verständlich. Meinst du nicht, dass deine Eltern darum wissen?«

»Mag sein. Dennoch hätte ich mich um sie kümmern müssen.«

»Du meinst, du hättest dich aufopfern müssen und dein eigenes Glück darüber vergessen?«

Dorothee lächelte schief. »So ähnlich. Ich meine, wenn ich mir vorstelle, dass ich alt und krank bin, und keine meiner Töchter hält es für nötig, mir beizustehen.«

Max ignorierte ihre zarte Anspielung auf Constanze, um Dorothee nicht zusätzlich das Herz schwer zu machen und schaute sie stattdessen mit gespielter Entrüstung an.

»Höre ich recht? Ist da etwa schon der Klapperstorch unterwegs? Tssstsss, die jungen Leute heutzutage! Können sich nicht beherrschen.«

Dorothees Wangen färbten sich dunkelrot, und sie kicherte verlegen. »Aber Max, nicht so laut.«

Er warf den Kopf in den Nacken und lachte. »Ein Nein klingt anders.«

Dorothee sah ihn bewundernd an. Mochte Felicitas noch so hart über ihren Vater urteilen, sie fand, Max war ein wunderbarer Mann. Er war verständnisvoll und gütig und versuchte sie aufzuheitern, obwohl ihn gewiss genügend eigene Sorgen bedrückten. Schön und gelassen wie eh und je, aber unverkennbar glücklich lehnte Helen an einem der Pfeiler, die die Tanzfläche des Kaffeehauses am See umrahmten, ließ sich gelegentlich zum Tanz auffordern oder unterhielt sich angeregt, wobei ihr silberhelles Lachen durch den Raum tanzte wie ein Irrlicht. Immer wieder suchte ihr Blick den von Martin. Kein Zweifel, die beiden liebten sich innig. Helens schillernde Erscheinung und Martins freundliches, zurückhaltendes Wesen ergänzten sich perfekt. Dorothee war froh, dass sie ihrer und Pierres

Einladung gefolgt waren, die sie erst ausgesprochen hatten, nachdem Max und Felicitas versichert hatten, dass es ihnen nichts ausmache. Insgeheim hoffte Dorothee auf eine Versöhnung aller Beteiligten und nahm es als gutes Zeichen, dass es noch nicht zu einer hässlichen Szene gekommen war.

»Ich danke dir, Max«, sagte sie. »Für alles.«

»Schon gut«, entgegnete Max und fügte hellsichtig hinzu: »Zerbrich dir nicht den Kopf über die Probleme anderer Menschen. Genieß dein Glück.«

Das Brautpaar hatte sich allen Konventionen zum Trotz weder für ein traditionelles Bremer noch für ein jüdisches Tellergericht entschieden, und statt Kükenragout gab es nun Köstlichkeiten von gebeiztem Lachs nach schwedischer Graved Art bis zur französischen Mousse au chocolat. Das meiste nicht so ganz koscher, aber weder Pierre noch seine Familie hielten viel von orthodoxen Traditionen. »Das Leben ist zu kurz, um es zu ernst zu nehmen«, lautete eins von zahlreichen Familiencredos, mit denen die Levis ihre lässige Nonchalance unterstrichen.

Vielleicht würde diese Einstellung ein wenig auf Dorothee abfärben, hoffte Felicitas.

Langsam, damit es nicht auffiel, dass sie so gut wie nichts aß, kaute sie an einem Stück mariniertem Hühnchen und ließ ihre Blicke über die Hochzeitsgesellschaft schweifen, die sich prächtig amüsierte, lärmte und lachte. Ihr selbst lagen zu viele Steine im Magen, um die Feier sorglos zu genießen. Einer davon war Bernhard. Wochenlang hatte sie ihn gemieden, einer verdrehten Hoffnung folgend, je mehr Zeit verstrich, desto eher würde er ihre Liebesnacht vergessen. Und tatsächlich hatte er sie heute höflich begrüßt und nicht einmal mit einer amüsiert gehobenen

Augenbraue zu verstehen gegeben, dass er sich sehr wohl erinnerte. Darüber hätte sie erleichtert sein müssen, war es aber nicht. Ihre Augen folgten ihm. Bernhard tanzte mit Teresa, die auf seiner Hüfte saß und vergnügt in die Händchen klatschte, bis die Zwillinge, entzückend anzusehen in ihren dunkelroten Anzügen mit passender Fliege, ihn erlösten und ihre kleine Schwester in die Mitte nahmen. Sofort glitt Geneviève, Pierres bezaubernde Cousine aus Paris, in Bernhards Arme, als hätte sie auf diesen Moment gewartet, und lächelte ihn verführerisch an. Viel zu verführerisch für eine Sechzehnjährige, dachte Felicitas ungehalten und wandte sich ab. Sie schob den Teller beiseite und beschloss, sich frisch zu machen. Ein Blick in den Spiegel würde helfen, diesen idiotischen Anflug von Eifersucht auf eine Halbwüchsige zu ersticken. Ihr silbernes Seidenkleid rauschte, als sie sich charmant bei ihren Tischnachbarn entschuldigte und huldvoll lächelnd, als wäre sie allerbester Laune, aus dem Tanzsaal schwebte.

»Reiß dich zusammen, dumme Kuh«, befahl sie ihrem Spiegelbild und begann sich die Nase zu pudern.

»Du meinst aber nicht mich«, sagte Helen leichthin.

Felicitas fuhr herum. Das war der zweite Stein. Bislang war sie ihrer Mutter bis auf eine kühle Begrüßung erfolgreich aus dem Weg gegangen. Helen stellte sich neben Felicitas und erneuerte gelassen ihr Lippenrot. Ein kaum sichtbares Zittern ihrer Hand zeigte Felicitas jedoch, dass sie längst nicht so ruhig war, wie es den Anschein hatte.

Als Helen fertig war, wandte sie sich Felicitas zu, die immer noch Puder nachlegte, als würde sie die gleichförmige Bewegung von der Entscheidung, wortlos zu gehen oder zu bleiben, entbinden.

»Du hast auf keinen meiner Briefe reagiert und bist nie wieder nach Sorau gekommen. Könntest du dich jetzt überwinden, mit mir ein paar Schritte am See zu gehen?«

Felicitas starrte ihre Mutter an. Was sie ihr und ihrem Vater angetan hatte, konnte und durfte nicht so einfach befriedet werden, und dennoch sehnte sie sich danach, von ihrer Mutter in den Arm genommen zu werden und ihr alles zu erzählen, was sie bedrückte und ihr das Leben schwer machte. Andererseits war sie niemals die warmherzige Mutter gewesen, die mit klugem Rat und liebevollem Trost Wunden gelindert und Problemen den Stachel gezogen hatte. Also konnte ihr Verhältnis auch so distanziert bleiben, wie es war. Doch Felicitas nickte.

Während sie den Seeweg entlanggingen, schilderte Helen in ihrer unsentimentalen Art, was das Wiedersehen mit Martin in ihr ausgelöst hatte.

»Ich kann nicht erwarten, dass du mir verzeihst, Felicitas. Aber vielleicht kannst du mich irgendwann verstehen. Und mir glauben, wie schwer es mir gefallen ist, dich und Max zu verletzen. Dennoch bin ich davon überzeugt, das Richtige getan zu haben, denn mit einer Lüge zu leben hilft niemandem, im Gegenteil. Und jeder trägt nicht nur eine Verantwortung für andere, sondern ebenso für sich selbst, auch wenn diese Haltung nicht besonders verbreitet ist, geschweige denn respektiert wird.«

Felicitas seufzte. Jetzt, da ihr die Zusammenhänge klar waren, musste sie ihrer Mutter tief im Innern Recht geben, mehr noch, ihr Achtung zollen für einen Schritt, der Courage erfordert hatte. In der Gesellschaft war Helen Wessels unten durch, doch sie ging unbeirrt und hoch erhobenen Hauptes ihren Weg.

»Lass mir etwas Zeit«, sagte Felicitas, und Helen nickte.

Als Max seine Tochter und seine Frau scheinbar einträchtig den Weg zurückkommen sah, wusste er, dass Helen ihre Geschichte erzählt hatte, bis auf ein entscheidendes Detail – bis auf die Vermutung, dass Martin Fromberg Felicitas' Vater sein könnte. Ohne dass er etwas dagegen tun konnte, durchflutete ihn tiefe Dankbarkeit, und wie an unsichtbaren Fäden gezogen, setzte er sich in Bewegung, um seiner Familie entgegenzugehen.

Ein Kellner kam dienstbeflissen auf Felicitas zugeeilt. Ein Anrufer wünschte sie dringend zu sprechen.
»Hoffmann vom *Bremer Kurier.*« Trotz der schlechten Verbindung floss seine Stimme weich wie geschmolzenes Karamell durch die Leitung. »Entschuldigen Sie bitte die Störung, im Kontor sagte man mir, ich könnte Sie in dringenden Fällen im Kaffeehaus erreichen.«
»In dringenden Fällen, ja«, erwiderte Felicitas, und Steffen Hoffmann lachte leise über die unausgesprochene Zurechtweisung.
»Für unsere morgige Ausgabe brauche ich unbedingt Ihren Kommentar. Also, wie haben Sie das geschafft?«
Felicitas runzelte die Stirn. Sie hatte keine Ahnung, wovon Hoffmann sprach, hielt es aber nicht für besonders klug, sich einem Chefredakteur gegenüber eine Blöße zu geben. Ihr Zögern ließ ihn ihre Unsicherheit wittern, doch glücklicherweise interpretierte er sie falsch.
»Wenn Ihnen ein Gespräch unter vier Augen lieber ist, könnte ich ja kurz zum See kommen. Wir haben erst gegen zehn heute Nacht Redaktionsschluss.«
»Ich weiß nicht …«
»Also abgemacht«, sagte Hoffmann schnell. »In einer Stunde bin ich bei Ihnen.«
»Warten Sie!«, rief Felicitas, aber die Verbindung war bereits unterbrochen. Ihr erster Impuls war, beim Kurier anzurufen und das Treffen abzusagen, doch ein zweiter riet

ihr, es nicht zu tun, da es besser sein könnte zu erfahren, was Hoffmann wusste, was immer das sein würde. Pünktlich auf die Minute traf er im Kaffeehaus ein. Felicitas hatte keineswegs die Absicht, Spekulationen gleich welcher Art auszulösen und lenkte ihre Schritte zielstrebig außer Sichtweite der Familie und der Gäste hinter das Café in das verschlungene Netz der von Bäumen und Wiesen gesäumten Wege, die den Reiz des Bürgerparks ausmachten. Nach einigen Minuten höflicher Plauderei hielt Felicitas inne.

»Ist das nicht eigentlich Aufgabe der Reporter, Kommentare von irgendwelchen Bürgern zu irgendwelchen Vorgängen einzuholen?«

»Das ist richtig«, gab Hoffmann zu. »Aber um besonders delikate Fälle in der Wirtschaft kümmere ich mich lieber selbst.«

Hausenberg! Irgendjemand musste die Sache spitzbekommen haben. Fieberhaft überlegte Felicitas, wie sie Steffen Hoffmann erklären sollte, warum Elisabeth und sie die Unterschlagungen ihres Prokuristen gedeckt hatten. Abgesehen davon, dass so ein Vorgehen vermutlich strafbar war, auch wenn es sich dabei um die eigene Firma handelte, fürchtete Felicitas, dass sich Hausenberg, wenn seine Verfehlungen an die Öffentlichkeit gelangten, bestimmt nicht an die Abmachung halten würde, Anton um des guten Rufs der Familie willen zu schützen. Ein Skandal wäre das Letzte, was die Firma in diesen unruhigen Zeiten gebrauchen konnte.

Steffen Hoffmann lächelte sie anerkennend und ein wenig amüsiert an.

»Ich habe bereits mit Nussbaum gesprochen. Der kann sich das Ganze überhaupt nicht erklären, und, unter uns gesagt, er schäumt vor Wut.«

»Ach, tatsächlich«, warf Felicitas vage ein. Wie bei ihrer

ersten Begegnung nahmen seine grünen Augen sie gefangen, doch sie wandte den Blick rasch ab. Was hatte Nussbaum mit Hausenberg zu tun?

Hoffmann blieb stehen und musterte sie. »Jeder, der Sie unterschätzt, muss sich zwangsläufig die Finger verbrennen.« Er machte eine Pause, wartete, und als Felicitas nichts entgegnete, meinte er: »Gut, da Sie offensichtlich nicht gewillt sind, mir entgegenzukommen, drehen wir den Spieß um. Ich sage Ihnen, was ich weiß, und Sie bestätigen es – oder nicht.«

Felicitas nickte.

»Laut Beschluss des Senats sollte der Stadtpark an einen Investor verkauft werden, der darauf eine Fabrik errichten wollte, die viele hundert Arbeitsplätze gesichert hätte. Der Vertrag lag zur Unterschrift vor. Der Mann hat die Unterschrift aber immer wieder hinausgezögert, hier eine Korrektur eingefordert, dort eine Änderung durchgesetzt. Endlich waren alle Probleme beseitigt. Doch in letzter Sekunde hat der Mann einen Rückzieher gemacht. Können Sie sich das erklären?«

»Nein.« Doch. Das ging auf McGregors Konto. Sie hatte sich umsonst Sorgen gemacht.

»Dann haben Sie sicher auch keine Erklärung dafür, dass es aufgrund dieser Tatsache einige Stimmen im Senat gibt, die Ihnen den Kauf des Grundstücks überlassen wollen?«

»Nein«, sagte Felicitas und sah Steffen Hoffmann in die Augen, die jetzt nicht mehr amüsiert glitzerten, sondern einen Ausdruck von Enttäuschung zeigten, als hätte er viel von ihr gehalten und wäre nun eines Besseren belehrt worden. Und spontan fügte sie hinzu: »Aber es wäre die Erfüllung eines Traums.« Sie begann zu reden, schnell, fast atemlos und ohne einen Gedanken daran zu verschwenden, dass sie ihre persönliche Geschichte einem nahezu

Unbekannten und noch dazu einem Vertreter der Presse erzählte. Zum ersten Mal seit so vielen Jahren gestattete sie den längst vergessen geglaubten Bildern wieder aus der Tiefe emporzusteigen. Als ihr bewusst wurde, was sie tat, brach sie ab. »Na ja, als McGregor dann vorschlug, den Investor ausfindig zu machen und ihm eine Beteiligung an einem Firmen-Konsortium in Aussicht zu stellen, die ungleich lukrativer wäre als eine Wollspinnerei, habe ich natürlich nicht abgelehnt.«

»Und um welches Konsortium handelt es sich?«

»Mein eigenes.«

Hoffmann starrte sie an. »Das ist ein brillanter Schachzug.« Er schwieg einen Moment und fuhr sich durchs Haar. »Allerdings bringen Sie mich in arge Gewissensnöte …«

»Schreiben Sie, was Sie für richtig halten. Aber bedenken Sie bitte, dass ich den Kunstpark nicht eigennützig betreiben will. Denken Sie an die vielen Frauen, denen er zugute kommen wird.«

Hoffmann nickte.

Die Dämmerung senkte sich über den See, der glatt und silbergrau wie ein Seidentuch dalag, gelegentlich von einem sanften Wind gekräuselt. Das Grün der Bäume wich schwarzen Schatten, aus der Ferne wirkte das hell erleuchtete Kaffeehaus wie ein pulsierender Bernstein.

»Es sind die Träume, die uns am Leben halten«, sagte Hoffmann unvermittelt. Felicitas wartete, dass er fortfuhr, doch er beließ es bei der Bemerkung.

Schweigend gingen sie zurück. Felicitas spürte keine Angst, nicht einmal ein leises Unbehagen, nur ein unbestimmtes warmes Gefühl, das sie vor langer Zeit einmal als Vertrautheit erkannt hätte und das sie heute gleichermaßen genoss wie irritierte.

»Darf ich Ihnen noch etwas zu trinken holen?«

Elisabeth musterte Bernhard kühl, wie immer bereit, ihn kurz abzufertigen, ohne die Regeln der Höflichkeit allzu deutlich zu verletzen. Doch aus einem Impuls heraus tat sie es nicht.

»Ich bin noch nicht zu alt, selbst für mich zu sorgen«, spöttelte sie und fügte eine Spur milder hinzu: »Außerdem bin ich der Meinung, wir sollten Du zueinander sagen. In Anbetracht der Ereignisse halte ich es für das Richtige.«

»In Anbetracht der Ereignisse?« Bernhard sah sie überrascht an. »Die Hochzeit …«

»Nein, nein, es hat nichts mit Dorothee und Pierre zu tun. Es geht um Anton.«

Sie erwiderte kurz seinen Blick und nahm einen Schluck aus ihrem Glas. Genau genommen war es kein Schluck, sondern ein Tropfen. Eine völlig unsinnige Handlung, die nur den Zweck hatte, den Moment hinauszuzögern, sich zu fragen, ob dies wirklich der geeignete Rahmen war, eine Bombe platzen zu lassen. Andererseits gab diese Situation ihnen beiden die Möglichkeit, sich nach dem Gespräch anderen Unterhaltungen zu widmen, was das Gewicht des Gesagten vielleicht ein wenig leichter erscheinen ließ. Außerdem war es doch absurd, Bernhard in die Villa zu bestellen, um ihm zwischen Kaffee und Keksen feierlich – so würde es doch zweifellos wirken! – die Existenz eines Halbbruders zu erklären. Und wer weiß, dachte Elisabeth, ob es Anton nicht morgen in den Sinn kam, Bernhard mit der Nachricht zu konfrontieren? Ihm womöglich etwas anzutun? Zwar trug Bernhard an all dem keine Schuld, aber Antons Hass machte ihn unberechenbar, völlig unzugänglich für vernünftige Argumente.

Sie holte tief Luft. »Du solltest dich ein wenig vor ihm in Acht nehmen.«

Bernhard grinste. »Höre ich da die besorgte Stimme der Mutter, die ihren Sohn vom Weg unlauteren Glücksspiels mit einem stadtbekannten Spieler wie mich abbringen will und dafür zu einem rhetorischen Trick greift?«

»Nein, Bernhard.« Elisabeth blickte ihm in die Augen. »Du hörst die Stimme einer Frau, die dir sagen muss, dass … Anton und du … nun, ihr seid Halbbrüder.« Als Bernhard nichts erwiderte, nicht einmal mit einer winzigen Regung zu erkennen gab, dass er Elisabeths Worte verstanden hatte, fügte sie hinzu: »Ich erwarte kein Verständnis von dir, Bernhard, ganz gewiss nicht. Ich möchte nur, dass du ein wenig vorsichtig bist. Anton ist furchtbar wütend. Auf mich natürlich, aber auch auf dich.«

Nach einer Weile, die Elisabeth wie eine Ewigkeit vorkam, sagte Bernhard, ohne sie anzusehen: »Ich schätze, Anton ist vor allem deshalb so wütend, weil durch deine delikate Überraschung seine kleine arische Welt zusammengebrochen ist. Mein Vater war Halbjude, wie du weißt, was bedeutet, dass auch in Antons Adern ein Gutteil jüdisches Blut fließt.« Er zuckte mit den Schultern. »Er wird sich schon wieder abregen.«

»Dessen bin ich mir nicht sicher. Wenn du erlebt hättest, wie er mit Sack und Pack das Haus verlassen hat … ohne Rücksicht auf seine Frau, blind vor Hass.«

»Für so dumm hätte ich ihn allerdings nicht gehalten. Er schneidet sich doch gewissermaßen ins eigene Fleisch, wenn er auf deine Unterstützung verzichtet. Doch abgesehen davon«, er schnappte sich zwei volle Champagnergläser vom Tablett eines Kellners und reichte eins Elisabeth mit einer spöttischen Andeutung einer Verbeugung, »waren Familienstreitigkeiten noch nie meine Kragenweite. Man fährt besser, wenn man sich aus all diesen Querelen raushält. Auf dein spezielles Wohl, Elisabeth.«

»Mit Zynismus hast du dir stets alle Menschen vom Leib gehalten. Ich fürchte nur, dieses Mal wird dir das nicht so einfach gelingen. Unsere Geschicke lassen dich nicht kalt, auch wenn du dich noch so bemühst. Du hast Heinrich wie einen Bruder geliebt, und du bringst Felicitas Gefühle entgegen, die es dir unmöglich machen, dich aus allem herauszuhalten.« Ihr Ton wurde eine Spur spöttischer. »Ich bin weder taub noch blind, und du musst nicht denken, es würde mir entgehen, wie du sie mit deinen Blicken verfolgst. Du liebst sie, ist es nicht so?«

Bernhard lachte leise, doch es klang nicht echt. »Es ist leicht, eine schöne Frau wie Felicitas zu lieben, ihre Art, ihren Willen, der in der Tarnung einer weichen Feder daherkommt, hinter der sich das Schwert des Roland verbirgt.«

»Du versteckst dich auch – hinter Worten.«

»Mag sein, aber, liebe Elisabeth, die Tatsache, dass du mir soeben einen Halbbruder geschenkt hast, bürdet mir wohl kaum die Pflicht auf, mich vor dir zu rechtfertigen.« Er machte eine Pause. »Deshalb hat Gustav mir also so viel Geld hinterlassen. Er wollte dich von deiner Schuld freikaufen.«

»Gustav wusste von alldem nichts.«

»Und warum dann das Geld?«

Elisabeth zuckte mit den Schultern. »Er hat dich sehr gemocht, du hast ihn stets an seinen besten Freund erinnert.«

»Das glaubst du doch selbst nicht. Elisabeth, Naivität steht dir nicht.«

»Ich muss es glauben«, entgegnete sie ohne eine Spur Larmoyanz, »sonst halte ich es nicht aus. Verstehst du?«

Ein Tusch unterbrach ihren Schlagabtausch. Dorothee und Pierre schickten sich an, das Fest zu verlassen. Es war bereits weit nach Mitternacht, das Hochzeitsbett lockte und in aller Herrgottsfrühe der Zug, der sie in die Flitterwochen nach Paris bringen sollte.

»Vielen, vielen Dank für deine Hilfe, Elisabeth«, sagte Dorothee strahlend.

»Passt gut auf euch auf«, erwiderte Elisabeth und winkte ihnen nach. »Ich hoffe so sehr, dass die beiden glücklich werden«, sagte sie zu Bernhard, erhielt aber keine Antwort. Sie sah sich suchend um. Als sie ihn schließlich erblickte, musste sie unwillkürlich lächeln. Umringt von drei Damen, spielte Bernhard den charmanten Bonvivant, als wollte er ihr beweisen, wie falsch sie mit ihrer Vermutung lag, er liebe Felicitas.

Elisabeth seufzte. Die Ereignisse der letzten Monate hatten sie ermüdet. Die Kraft, die sie früher dazu getrieben hatte, Menschen zu ihrem eigenen Besten, aber, wie sie zugeben musste, vor allem in ihrem, Elisabeths, zu lenken, war verbraucht. Sie würde weder Felicitas' Verschlossenheit öffnen noch Bernhards Selbsttäuschung aufbrechen können, nicht Ellas seltsame Anwandlungen in den Griff bekommen und schon gar nicht Antons aggressive Verzweiflung. Vielleicht hätten sich die Dinge anders entwickelt, wenn Heinrich noch am Leben und daheim wäre. Vielleicht auch nicht. Manche Ereignisse entfalteten schließlich ihre eigene Macht. Ja, es war wohl an der Zeit, die Menschen zu akzeptieren, wie sie waren. Doch die hehre Absicht traf sogleich auf einen nagenden Zweifel, ob sie dazu wirklich in der Lage sein würde. Genau genommen, dachte sie, gehöre ich doch zu denen, die dem Pastor aus dem Sarg heraus noch diktieren, wie er die Trauerrede zu halten hat. Sie lachte leise. Die Vorstellung erfrischte sie. Elisabeth stellte den schal gewordenen Champagner weg und beschloss, noch ein wenig zu bleiben.

Das Haus in der Pagentorner Straße war winzig und besaß keinen Vorgarten. Elisabeth läutete, und kurz darauf öffnete Désirée die Tür, erst Überraschung, dann Erleichterung in den Augen. Hastig ging sie voran ins Wohnzimmer, ordnete die Kissen auf dem Sofa und räumte einen Stapel Zeitungen beiseite.

»Hübsch habt ihr es«, bemerkte Elisabeth und sah sich anerkennend um. In der Tat hatte Désirée mit den wenigen Möbeln, die sie mitgenommen hatten – ein burgunderrotes Chintzsofa, einen zierlichen Damensekretär und ein Vertiko –, und einem guten Auge für geschmackvolle Dekoration eine behagliche Atmosphäre geschaffen. Nicht zu vergleichen mit der Eleganz in der Villa, aber gemütlich. Das Wohnzimmer war mit einer gläsernen Schiebetür vom Esszimmer getrennt, sodass die kleinen Räume zusammen größer wirkten, als sie waren. Wenn man nicht seit langem den Luxus von Weite und teurem Interieur gewohnt war, konnte man sich hier gewiss wohl fühlen.

Elisabeth sah Désirée prüfend an, doch ihre Schwiegertochter wirkte wider Erwarten nicht deprimiert, sondern erwachsen. Als hätten die Umstände ihr innerstes Wesen gezwungen, sich zu zeigen und den Mantel der Gefallsucht, Albernheit und Oberflächlichkeit abzulegen. Selbst Désirées Stimme hatte sich den neuen Anforderungen angepasst und von zwitschernder Höhe zu einer angenehmen, dunkleren Färbung gefunden.

»Du siehst gut aus«, sagte Elisabeth.

»Danke schön«, erwiderte Désirée freundlich und machte eine einladende Handbewegung. »Setz dich doch. Darf ich dir eine Tasse Tee anbieten? Es ist zwar kein Assam, aber gewöhnlicher schwarzer Tee tut es doch auch, oder? Ich füge immer eine winzige Prise Vanille hinzu, dann schmeckt er wirklich köstlich.«

Elisabeth nickte, und Désirée verschwand in der Küche. Als sie mit einem Tablett zurückkam, nahm sie den Faden wieder auf.

»Ich habe zu tun – das Haus instand halten, kochen. Nichts Anspruchsvolles, aber es vertreibt dumme Gedanken und Anflüge von Selbstmitleid. Es hat ja keinen Sinn, der Vergangenheit hinterherzutrauern. Obwohl ich tief im Innern immer noch hoffe, dass euer Zerwürfnis nicht von Dauer ist.«

»Désirée, ich bin gekommen, um mit Anton zu sprechen. Ich denke, nach mehr als einem halben Jahr ist es an der Zeit, Frieden zu schließen.«

»Oh, das ist … wunderbar«, sagte Désirée strahlend und warf einen Blick auf die geschwungene Messinguhr, die das Vertiko zierte. »Er müsste in einer halben Stunde zurück sein. Weißt du, er verbringt jetzt viel Zeit mit diesen Nationalsozialisten, organisiert Versammlungen, schreibt Reden und solche Sachen. Ich verstehe nicht viel davon, und ehrlich gesagt interessiert es mich auch nicht besonders, aber diese Arbeit macht ihm Freude und scheint ihm Halt zu geben.«

Elisabeth trank einen Schluck Tee. »Der ist wirklich ausgezeichnet. Eine Prise Vanille, sagtest du?«

»Ja«, antwortete Désirée und begann sich über die Kochrezepte auszulassen, die sie probierte, verwarf oder mit unterschiedlichsten Gewürzen verfeinerte. Elisabeth hörte mit halbem Ohr zu und dachte im Stillen über Antons unseliges Engagement nach. Doch dieses Thema würde sie weder mit Désirée noch mit ihm zu diesem Zeitpunkt erörtern. Das musste warten, bis die Wogen zwischen ihnen wieder geglättet waren. Wenn sie ihn gleich mit Vorwürfen oder Ermahnungen bezüglich seiner politischen Gesinnung überfiel, würde er wahrscheinlich den Eindruck gewinnen, sie wollte sich nur versöhnen, um ihn wieder unter ihrer Fuchtel zu haben. Und so wichtig war dieser komische Verein aus München letzten Endes nicht, dass sich darüber ein neuer Streit entzünden sollte.

Nach einer Dreiviertelstunde, in der Désirée so viele Rezepte durchgekaut hatte, dass Elisabeth vom Zuhören bereits satt war, klappte endlich die Haustür, und schwere Stiefeltritte hallten durch den schmalen, mit Terrazzo belegten Flur.

Antons Züge verdunkelten sich, als er sah, wer auf dem Sofa saß. »Guten Tag, Mutter«, sagte er hölzern und machte einen Schritt zurück. »Du kommst ungelegen, ich muss noch arbeiten.«

»Ich werde so oft ungelegen kommen, bis du endlich bereit sein wirst, mir zuzuhören.« Elisabeth ließ sich nicht anmerken, ob die Provokation sie verletzt hatte.

Désirée, die ihren Mann flehentlich angesehen hatte, ohne dass er ihren Blick auch nur einmal erwidert hatte, sprang auf und verließ mit einem gemurmelten »Ich lasse euch besser allein« das Zimmer.

Anton setzte sich und schenkte sich demonstrativ eine Tasse Tee ein, als wäre Elisabeth nicht vorhanden. Er blies über den goldbraunen Tee, um ihn abzukühlen, und mied den Blick seiner Mutter. Er benimmt sich wie ein trotziges Kind, dachte Elisabeth. Solange er diese Haltung beibehält, sind all meine Worte vergeblich.

»Anton«, begann sie dennoch, »ich möchte, dass wir wieder eine Familie sind. Wir haben beide verletzende Dinge getan und gesagt, aber wir sind und bleiben doch eine Familie. Gustav hat dich geliebt, du warst sein Sohn, egal, wie es sich in Wahrheit verhält. Und ich habe dich auch immer geliebt und werde niemals damit aufhören. Das ist es, was zählt, meinst du nicht?« Sie hielt kurz inne, mit sich ringend, ob sie den Satz aussprechen sollte, der ihr stets so schwer über die Lippen gegangen war, doch schließlich gab sie sich einen Ruck. »Ich bin bereit, dir zu vergeben. Und … ich bitte dich gleichzeitig um Verzeihung.« Da waren sie, die Worte, voller Schwäche, das Eingeständnis, einen Fehler gemacht zu haben und nun vom Wohlwollen eines anderen abhängig zu sein. Sie hasste diese Situation, doch zugleich wusste sie, das einzig Richtige getan zu haben.

Endlich sah Anton sie an, kurz, dann verlor sich sein Blick in der Ferne.

»Familie«, schnaubte er verächtlich. »Was ist das schon. Ein Haufen vom Schicksal zusammengewürfelter Gestalten. Ja, ich war wütend, o ja.« Er richtete den Blick wieder auf seine Mutter und fügte mit leisem Triumph hinzu: »Aber weißt du was? Es interessiert mich nicht mehr. Du und Ella und diese … Komödiantin, macht doch, was ihr wollt. Mit mir hat das jedenfalls nichts mehr zu tun.« Er stand auf. »Tu mir nur bitte einen Gefallen, sag niemandem, wer mein Vater war. Ich bin im Begriff, politische Karriere zu machen und … wenn herauskäme, dass mein Blut nicht hundertprozentig arisch ist, wäre das nicht gerade von Vorteil für meine Pläne.« Er nickte seiner Mutter zu und verließ das Wohnzimmer. »Désirée«, rief er durch das Treppenhaus, »Mutter will sich verabschieden.«

20

*D*as Verbot der NSDAP vor drei Jahren hatte der Partei im Geheimen einigen Zulauf beschert. Jetzt, da sie längst wieder legitimiert war, strömten Arbeiter wie Angestellte zu Adolf Hitler und seinen Apologeten, die von der Tatsache profitierten, dass das Deutsche Reich nach dem Ersten Weltkrieg seine Identität nicht gefunden hatte und von einer Regierungskrise in die nächste taumelte. Massenarbeitslosigkeit, eine galoppierende Inflation und die bedrückende Wohnungsnot trieben ihnen die Menschen in Scharen zu, die den teuflischen Traum von deutschem Blut und deutschem Boden für das Ende allen Unglücks und den Beginn einer hoffnungsvollen neuen Zeit hielten.

Felicitas war für die Rattenfängerei völlig unempfänglich, allerdings weniger aus politischem Bewusstsein denn aus mangelnder Notwendigkeit, ihre wirtschaftlich-politische Strategie zu überdenken. Das Unternehmen Andreesen und Felicitas' eigenes Konsortium verzeichneten satte Gewinne. Sorge bereitete ihr allein die Lage auf dem Kaffeemarkt. Brasilien hatte damit begonnen ganze Ernten zu vernichten, um den Preis in die Höhe zu treiben. In Deutschland stagnierte der Absatz von Kaffee, und die Schere zwischen dem überteuerten Einkauf und dem schleppenden Verkauf klaffte immer weiter auseinander. Felicitas hatte keine Vorstellung, was sie dagegen tun sollte. McGregor hatte ihr dringend geraten, den Handel mit Kaffee einzustellen und sich auf den Ankauf und den lukrativen Wiederverkauf von Firmen zu konzentrieren, hatte aber auf Granit gebissen. Niemals, hatte Felicitas ihm zu verstehen gegeben, würde sie das Herz der Firma sterben lassen. Im Gegenteil, sobald die Lage sich stabilisiert habe, werde sie ein neues Handelsabkommen mit ausgesuchten brasilianischen Plantagenbesitzern abschließen, das auf gegenseitiger Fairness beruhen sollte. Dieser Plan, ließ sie ihn wissen, sei in ihr gereift, seitdem sie brasilianischen Boden betreten und die Lebensbedingungen der Arbeiter hatte mit ansehen müssen, und sie denke nicht daran, aus reiner Profitgier davon abzulassen. McGregor war entsetzt, ließ sich aber nichts anmerken und schlug vor, in diesem Fall die neuen Zweige des Andreesen-Unternehmens vom Kaffeehandel abzuspalten und eigene Firmen dafür zu gründen, sodass die Stammfirma Andreesen-Kaffee nur mehr für den Kaffeehandel zuständig war. Der Plan leuchtete Felicitas ein. Wie immer war McGregors Argumentation bezwingend. Sie mochte seine leidenschaftslose Art und traute ihm alles zu. Inwiefern sie ihm dann noch trauen konnte, darüber dachte sie nicht nach. Die Kasse stimmte, mehr wollte sie nicht.

Felicitas lächelte und strich über das cremefarbene Büttenpapier. Sie schraubte Heinrichs Füllfederhalter auf, überflog die Seiten flüchtig, obgleich sie sie wohl schon zehnmal studiert hatte, und unterschrieb schließlich mit einem schwungvollen F. Andreesen. Damit gehörte der Stadtpark ihr – endlich, nach jahrelangen Verhandlungen und etlichen Versuchen Nussbaums, den Plan zu vereiteln. Doch die angespannte Kassenlage der Stadt ließ persönlichen Aversionen keinen Raum und erlaubte es auch nicht, noch mehr Zeit mit anderen Investoren zu verschwenden, die ebenso wie der erste sich stets unvermittelt von dem Geschäft zurückzogen. McGregor hatte wirklich vorzügliche Arbeit geleistet. Felicitas erhielt den Zuschlag, und der

Handel mit der Stadt Bremen war in den nächsten Wochen still und leise über die Bühne gegangen, nur begleitet von einer Reihe von Artikeln im *Bremer Kurier,* die sehr ausgewogen Vor- und Nachteile eines Verkaufs an einen Bremer Betrieb skizzierten. Da war lediglich ein kurzer Absatz, dass einige der Investoren seit geraumer Zeit Anteile an Felicitas' Konsortium besaßen, aber keine Andeutung, dass aufgrund dieser Tatsache das Ganze vielleicht nicht mit rechten Dingen zugegangen sein mochte.

Felicitas schraubte den Füllfederhalter zu und packte ihre Sachen zusammen. Für heute hatte sie genug von Handel, Wandel und wirtschaftlichen Rätseln.

Manchmal beneidete sie Ella um ihre überschaubare kleine Welt. Mit wenig mehr als einer angemieteten Werkstatt und einigen geerbten Konstruktionsplänen hatte sie es gewagt, einen winzigen Betrieb aufzubauen. In Ermangelung weiblicher Mechaniker hatte sie zwei Männer eingestellt, die Fahrräder bauten und reparierten, womit sich der Betrieb mehr schlecht als recht über Wasser hielt, ein Dritter bastelte am Prototyp eines Kleinwagens, der schnittig und dennoch praktisch und vor allem bezahlbar sein sollte. Die großen Bremer Automobilfirmen hatten, nachdem Ella deren Kaufangebote ausgeschlagen hatte, erst alles darangesetzt, den Fortbestand der Firma zu gefährden. Doch als ersichtlich wurde, dass von Ellas Kleinstbetrieb keine Gefahr für sie ausging, hatten sie zu einer Art amüsanter Herablassung gefunden.

Felicitas hielt vor dem Gebäude am Peterswerder, in dem Ellas Werkstatt untergebracht war. Sie ließ ihre Vierklanghupe ertönen, die sie zwar scheußlich fand, aber Teresa zum Vergnügen hatte einbauen lassen, und Ella kam ihr lachend entgegen.

»Ich hätte gern das neueste Perella-Modell«, sagte sie augenzwinkernd. Perella, eine Wortschöpfung aus Peter und Ella, sollten die Automobile heißen, hatte Ella beschlossen und den Namen sofort schützen lassen.

»Tut mir Leid, aber die Warteliste ist lang, Sie werden sich bis zum nächsten Jahr gedulden müssen«, erwiderte Ella gut gelaunt, und sie lachten gemeinsam. Ella sah zufrieden und heiter aus, hatte abgenommen und sich die Haare auf Kinnlänge schneiden lassen, was ihr ausgezeichnet stand.

»Ich wollte dich fragen, ob du Gesa und mich ins Kino begleiten willst. Es gibt irgendeinen Schmachtfetzen mit Rudolph Valentino, doch ich hab's ihr versprochen. Danach könnten wir eine Kleinigkeit essen gehen.«

»Danke, lieb von dir, aber ich habe noch einen Termin«, entgegnete Ella ohne eine Spur des Bedauerns. Leise Röte schoss ihr in die Wangen, und Felicitas grinste.

»Das scheint mir aber ein sehr angenehmer Termin zu sein, hm?«

Ella winkte ab. »Keine Spur. Ein … Interessent.« Sie merkte, wie zweideutig das klang, und bekannte nach kurzem Zögern: »Es ist Thomas Engelke. Wir sind seit einiger Zeit … befreundet.«

»Ella, wie schön«, sagte Felicitas, die sich ehrlich freute, dass ihre Schwägerin nach so langer Zeit der Trauer um Peter Gerhard ihr Herz wieder zu öffnen vermochte. »Und wann erfahren wir es offiziell?«

»So weit sind wir noch nicht«, antwortete Ella verlegen und lenkte rasch vom Thema ab. »Möchtest du einen Kaffee?«

»Um Himmels willen!«, rief Felicitas lachend und startete den Wagen. »Ich bin froh, dass ich das Thema für heute hinter mir habe.«

Sie winkte Ella zu und bog in die Hamburger Straße. Im

Rückspiegel sah sie gerade noch, wie ein Mann die Tür zu Ellas Werkstatt öffnete. Felicitas lächelte in sich hinein. Wie glücklich wäre Elisabeth, wenn Ella endlich, endlich zu einem geregelten Familienleben mit Mann und Kindern finden würde, statt sich in einer Werkstatt die Finger schmutzig zu machen. Elisabeth verstand einfach nicht, dass Ella ihr Leben so liebte, wie es war, dass sie sich ausgefüllt fühlte und mit Leidenschaft ein Ziel verfolgte, mochte es auch als unweiblich gelten. Mehr noch, in ihrer wenigen freien Zeit brachte sie die Kraft auf, sich für den Frauenverein zu engagieren. Sie warb für ihren geplanten Betriebskindergarten, forderte die Frauen auf, sich nicht länger am Kochtopf aufzuhalten, sondern sich die Refugien in der Arbeitswelt zurückzuerobern, die sie im Krieg selbstverständlich hatten behaupten dürfen, und hielt sogar hin und wieder Vorträge, die sich meist mit der Notwendigkeit einer Schule für erwachsene Frauen beschäftigten, die weder eine Schule besucht noch eine Ausbildung genossen hatten, was für die Mehrheit der Frauen in den unteren Schichten zutraf.

Einmal hatte Felicitas ihr angeboten, einen gut bezahlten Posten als Koordinatorin für den Kunstpark zu übernehmen, aber Ella hatte freundlich abgelehnt.

»Ich mache zwar nur kleine Schritte, aber es sind wenigstens meine eigenen«, hatte sie gesagt; ein Argument, das Felicitas akzeptieren konnte, Elisabeth aber auf die Palme getrieben hatte.

Felicitas konzentrierte sich auf den Verkehr. Der Fahrtwind wirbelte ihre aschblonden Haare durcheinander und zauberte eine frische Röte in ihr blasses Gesicht. Eigentlich war der sonnige Oktobertag viel zu kalt, um das Verdeck offen zu lassen, doch den Wagen hatte sie sich zum geglückten Stadtparkkauf geschenkt. Gestern war er endlich geliefert worden, und nun wollte sie den neuen Komfort auch ausnutzen. Gesa würde die Jungfernfahrt gewiss auch gefallen; ihre Tochter liebte es, im Mittelpunkt zu stehen und Aufsehen zu erregen. Hübsch, wie sie war, gelang ihr das auch meist mühelos. War dies einmal nicht der Fall, schaffte sie es aber ebenso, friedliche Stimmungen mit ihrer schlechten Laune und ihrer anstrengenden Eigenwilligkeit zu zerstören. Sie begann zu singen, wenn Christian lesen oder Clemens ein Theaterstückchen zeigen wollte, sie rannte einfach aus dem Haus, wenn Elisabeth ihr verbot, vor dem Essen zu reiten, und so fort. Gesa war von klein auf schwierig gewesen, und Felicitas hatte sich längst abgewöhnt, auf einen nachhaltigen Wandel im Charakter ihrer Tochter zu hoffen. Stattdessen war sie dazu übergegangen, Gesas Stärken, Beharrlichkeit und Wissbegier, und ihre unbestreitbar freundlichen Seiten wie ihre Liebe zu Tieren immer wieder zu loben, um sie dadurch zu fördern. Vielleicht war dies der geeignetere Weg, die Art von Nähe herzustellen, die zwischen Mutter und Tochter selbstverständlich sein sollte.

Felicitas parkte und eilte ins Haus. Sie war spät dran.

»Gesa, kommst du? Wir müssen los!«

Rasche Schritte auf der Treppe, und Gesa stand lächelnd vor ihr. »Ich bin fertig.«

Felicitas erstarrte. Gesa hatte sich eine tief ausgeschnittene weinrote Bluse von Felicitas gemopst, die den Ansatz ihrer Brüste mehr als andeutete, sich die Wimpern schwarz getuscht, die Lider anthrazit gefärbt und sich die Lippen blutrot geschminkt. Sie sah aus wie eine Kind-Hure.

»Geh nach oben und wasch dir das Gesicht«, sagte Felicitas schneidend. »Und zieh die weiße Bluse an, die Oma dir zum Geburtstag geschenkt hat. Andernfalls kannst du das Kino für heute vergessen.«

Gesas Augen füllten sich mit Tränen. Weinend lief sie

davon. An der Treppe drehte sie sich um und schrie: »Du bist so gemein! Ich will überhaupt nicht mit dir ins Kino! Ich hasse dich!«

»Gesa!« Entsetzt sah Felicitas, wie Gesa sich die Bluse vom Leib riss, auf den Boden schmiss und wutentbrannt nach oben stürmte.

Ihr erster Impuls war, Gesa hinterherzulaufen und sie in ihre Schranken zu weisen, doch sie tat es nicht. Das hatte sie einmal gemacht, mit dem Ergebnis, dass ihre Tochter geschrien hatte, bis sie blau angelaufen war und Professor Becker in aller Eile gerufen werden musste. Sie hat eine hysterische Persönlichkeitsstruktur, hatte er Felicitas damals erklärt und ihr geraten, Gesa einer Psychoanalyse zu unterziehen, was ihr absurd vorgekommen war. Alles, was Gesa ihrer Meinung nach brauchte, war eine starke, doch liebevolle Hand, die Hand ihres Vaters, die Felicitas nicht ersetzen konnte.

Felicitas seufzte und beschloss eine Weile zu warten, bis Gesa sich einigermaßen beruhigt hatte. Sie ging in den Wintergarten, wo Clemens sein Kasperletheater aufgebaut hatte. Teresa durfte offensichtlich mitspielen. Sie stand aufgeregt kichernd hinter dem Vorhang. Christian und Elisabeth saßen auf dem Sofa und warteten geduldig auf den Beginn der Vorstellung.

Elisabeth sah Felicitas fragend an, offensichtlich war Gesas Geschrei bis hierher gedrungen, doch Felicitas machte eine abwehrende Handbewegung. »Später.«

»Mama!«, rief Clemens begeistert. »Guckst du auch zu?«

»Gern«, antwortete Felicitas lächelnd.

»Gut«, sagte er mit dem ganzen Ernst eines Dreizehnjährigen. »Dann geht es jetzt los.« Er verschwand hinter dem Vorhang, der sich wenig später leise öffnete. Teresa hatte ein Tuch um den Kopf geschlungen wie Felicitas, wenn sie offen fuhr, und nahm geziert eine Kaffeetasse aus ihrem Puppenporzellan in die Hand. »Ach«, seufzte sie, »wenn es nur nicht so langweilig wäre, immer alleine Kaffee zu trinken! Ich wünschte, ein Prinz fiele vom Himmel!« Ein lautes, kratzendes Geräusch ertönte, es klang, als ob ein Kamm über den Boden eines Kochtopfs schrammen würde. Dazu brummte Clemens.

»Achtung, Achtung!«, rief er. »Bitte Platz machen! Hier kommt der Ozeanflieger und will mit der Prinzessin Kaffee trinken!« Er tat so, als würde er auf die Bühne plumpsen, rappelte sich auf, stellte sich der Prinzessin höflich vor und wandte sich dann ans »Publikum«: »Und ihr trinkt jetzt auch Kaffee, das gehört dazu.«

Den weiteren Verlauf bekam Felicitas nur noch mit halbem Ohr mit. Sie war wie elektrisiert von der Idee, die ihr durch den Kopf schoss. Die Ozeanflieger. Köhl, Fitzmaurice und von Hünefeld. Frühestens nächstes Jahr würden sie den Flug wagen, doch schon jetzt sprach alle Welt von ihnen und ihrem tollkühnen Plan.

Felicitas lächelte. Ihr dreizehnjähriger Sohn war klüger als sie und McGregor zusammen.

Als es an der Haustür klingelte, schenkten sie dem keine Beachtung. Wenig später betrat Max den Wintergarten, strahlend und mit einem Haufen lustig dreinschauender Handpuppen im Arm.

»Opa!«, rief Teresa und lief jubelnd auf ihn zu. Auch die Jungen umringten ihn sofort. So selten sich ihr Großvater blicken ließ, so sehr liebten sie ihn und seine theatralischen Späße und fantasievollen Geschichten. Felicitas passte die Störung überhaupt nicht. Ihr Vater sollte nicht denken, dass nun, da er wieder in Bremen lebte, ihr Missmut und ihr Groll verflogen waren. Aber wegen der Kinder riss sie sich immer wieder zusammen. Hingebungsvoll spielte Max mit ihnen Theater und erzählte Elisabeth und Felicitas nebenbei, dass es aufregende Neuigkeiten gebe. »Stellt euch vor, Dorothee und Pierre haben sich entschlossen, ihren Wohnsitz in Paris aufzuschlagen.«

»Wieso denn das?«, fragte Felicitas.

»Dorothee hat gestern Abend angerufen. Pierre hat ein so hervorragendes Angebot von der Oper bekommen, das er nicht ablehnen kann.« Er lächelte den Kindern zu und französelte: »Oui, ist es nischt wünderbar, dass ihr werdet aben eine Tante in die Auptstadt Fronkreischs? Ihr werdet inreisän und klettern auf die Eiffeltürm, n'est-ce pas, mes cheres?«

Elisabeth schüttelte den Kopf. »Die kleine Dorothee! Ich kann es kaum fassen. Wir können nur hoffen, dass sie diesem Leben gewachsen ist.«

»Man wächst mit den Herausforderungen«, entgegnete Felicitas lapidar und grinste. »Ich weiß, wovon ich rede.« Elisabeth lachte.

»Apropos Herausforderungen«, meinte Max, »Felicitas, ich möchte dich um einen Gefallen bitten.«

»Dies ist das Stichwort, um Vater und Tochter allein zu lassen.« Elisabeth erhob sich. »Kommt, Kinder. Zeit fürs Abendbrot. Danach dürft ihr Opa noch einen Kuss geben und euch eine Geschichte vom Theater erzählen lassen.« Sie scheuchte die murrenden Kinder in die Halle und schloss die Tür.

»Ich wusste doch, dass du nicht aus lauter Liebe zu meinen Kindern hier auftauchst«, sagte Felicitas ironisch.

»Hör mir doch erst einmal zu, bevor du um dich beißt«, entgegnete Max lachend und setzte sich zu ihr aufs Sofa. »Du kannst mir nämlich gratulieren: Ich werde Intendant des Schauspielhauses.«

Überrascht sah Felicitas ihren Vater an. »Donnerwetter, das ist wirklich wunderbar. Da du so lange auf Tournee warst und in anderen Städten gastiert hast, hätte ich nicht mit so etwas gerechnet.«

»Ja, ich habe es ein wenig übertrieben. München ließ mich eben nicht los. Köln war auch schön. Nun ja, umso glücklicher bin ich darüber, dass man mich in Bremen nicht vergessen hat. Allerdings gibt es da ein Problem.« Als Felicitas nichts sagte, fuhr er fort: »Der Senat hat bis auf weiteres alle Gelder bis auf ein Minimum zusammengestrichen. Das bedeutet, dass wir weder den großen Saal renovieren können, was dringend notwendig ist, noch Inszenierungen bieten können, die über das Kammerspiel hinausgehen. Keine Operette, kein Singspiel, nichts, was eine aufwändige Ausstattung erfordert.«

»Du brauchst Geld«, unterbrach Felicitas ihn, »und du glaubst es von mir zu bekommen.«

Max sah sie ruhig an. »So ist es.« Er machte eine Pause. »Ich habe natürlich schon Gespräche mit einigen Banken geführt, aber das Ergebnis war immer dasselbe. Sie wollen Sicherheiten, doch die kann ich ihnen nicht geben. Das Gebäude gehört der Stadt, und die wird einen Teufel tun, es als Pfand einer Bank in die Hände zu spielen. Und mit meiner Überzeugung, dass ein fantastischer Spielplan die Kassen füllen wird, können diese Bedenkenträger nichts anfangen. Ich habe alles versucht.«

»Ist deine Wahl zum Intendanten mit der Auflage verknüpft, eine Finanzierung auf die Beine zu stellen?«

»Offiziell natürlich nicht, aber du kennst ja die Seilschaften hinter den Kulissen. Und natürlich bin ich von Königsmördern umzingelt.« Er erhob seine Stimme. »Zu Dionys, dem Tyrannen, schlich Damon, den Dolch im Gewande …«

»… ihn schlugen die Häscher in Bande«, fuhr Felicitas wie von selbst den Schiller'schen Eingangsvers aus »Die Bürgschaft« fort. »Was wolltest du mit dem Dolche, sprich?«
»Die Stadt vom Tyrannen befreien!«
»Das sollst du am Kreuze bereuen.« Felicitas brach ab. »Nein, es tut mir Leid, aber nein. Es geht nicht.«
Max sah sie betreten an. »Ich versteh dich ja, es ist wirklich eine große Summe …«
Er stand auf und bückte sich nach seinem Hut, den er bei der Begrüßung wie ein Lasso von sich geworfen hatte, um die Kinder zum Lachen zu bringen. Als Felicitas ihren Vater dabei beobachtete, gab ihr das einen Stich ins Herz. Plötzlich schien seine ansteckende Lebensfreude wie weggewischt, und übrig blieb ein tieftrauriger Mensch.
»Wie geht es Franziska Ferrik?«, fragte Felicitas, um das Schweigen zu beenden.
»Nicht gut. Wahrscheinlich hat sie nicht mehr lange zu leben.«
Felicitas biss sich auf die Lippe. Die Frage brannte ihr schon lange unter den Nägeln, aber sie hatte das Gefühl, die Antwort gehe sie nichts an. Doch heute brach es aus ihr heraus: »Warum hast du diese Frau eigentlich damals aufgenommen?«
»Diese Frau«, erwiderte Max zögernd und rückte seinen Hut zurecht, »hat mir das Leben gerettet.« Er wandte sich zur Tür, entschied sich aber anders und drehte sich noch einmal zu Felicitas um. »Als du klein warst, hast du mich immer wieder mit der Frage gelöchert, warum du keine Großeltern von meiner Seite hast, und ich habe immer geantwortet, weil der liebe Gott sie ganz früh zu sich geholt hat, damit sie von oben auf dich Acht geben. Nun, die Wahrheit ist, ich bin unehelich geboren, und meine Mutter war eine so schwere Alkoholikerin, dass sie nicht für mich

sorgen konnte. Franziska Ferrik wohnte damals mit ihrer … Freundin nebenan, und eines Nachts, als ich es nicht mehr ertragen konnte, bin ich zu ihr gelaufen. Von dieser Nacht an habe ich für die Momente gelebt, da ich bei ihr sein durfte. Sie hat mich gelehrt, das Leben, wie schrecklich es auch sein mochte, als immerwährendes Spiel zu sehen, sie hat mich den Dramatikern und dem Theater nahe gebracht.« Er machte eine vage Handbewegung. »Als meine Mutter sich um ihren letzten Rest Verstand gesoffen hatte, bin ich zu ihr gezogen. Sie hat mich zu dem Schauspieler geformt, der ich bin.« Nach einer Pause fuhr er fort. »Weißt du, ich habe mich immer für meine Vergangenheit geschämt, ich fürchtete, die Leute könnten an Franziskas Lebensweise Anstoß nehmen. Das Leben mit einer Frau … nun ja. Nicht einmal deine Mutter kennt die ganze Wahrheit. Heute schäme ich mich dafür, Franziska Ferrik verleugnet zu haben. Dass sie jetzt ihre letzten Jahre bei mir verbringt und ich sie pflege, ist das Mindeste, was ich für sie tun kann.«

»Das wusste ich nicht«, murmelte Felicitas unsinnigerweise.

Max tippte sich ironisch an den Hut, als würde er gleich auf die Bühne springen, um den Salonlöwen in einer Boulevard-Komödie zu spielen. »Rührend, nicht wahr? Aber lass dir bloß nicht das Herz erweichen, mein Kind. Das eine hat mit dem anderen nichts zu tun.«

»Ich bin froh, dass du es so siehst«, entgegnete Felicitas steif, die sehr wohl das Gefühl hatte, ihr Vater wollte sie mit dieser Geschichte manipulieren, ihr schlechtes Gewissen auf den Plan rufen ungeachtet dessen, dass sie für so viele Menschen Verantwortung trug.

Mit einem leisen Klappen schloss sich die Tür hinter ihm.

21

*B*laues Kleid, gestärkte weiße Schürze, lächelndes Gesicht und in der Hand eine weiße Porzellantasse mit dampfendem Kaffee, darunter ein tanzender Schriftzug: »Andreesen-Kaffee – mild und aromatisch!«

Mit gerunzelter Stirn betrachtete Felicitas das Plakat, das auf einer Litfaßsäule am Hauptbahnhof prangte. Mit Kohlestiften hatten vermutlich Kinder der resolut dreinblickenden Frau mittleren Alters einen Kaiser-Wilhelm-Schnurrbart aufgemalt, aber auch ohne dieses Accessoire hätte das Motiv hoffnungslos von gestern gewirkt. Unsere Reklame ist altmodisch und langweilig, dachte Felicitas. Die Farben sind matschig, die Frau schaut wie ein Zerberus aus der Wäsche. Wer um Himmels willen würde bei diesem Anblick Appetit auf unseren Kaffee bekommen?

Es tröstete sie nicht, dass die Konkurrenz mit ähnlicher Reklame aufwartete. Im Gegenteil, sie vermutete, dass ihre Kollegen genau wie sie über kurz oder lang die Zeichen der Zeit erkennen und die Absatzschwäche des Kaffees mit werbewirksameren Motiven in den Griff zu bekommen suchen würden. Das bedeutete, sie musste sich eine völlig neue Form der Reklame einfallen lassen, die sich dramatisch von den anderen unterschied und so einzigartig daherkam, dass die Käufer sie nur mit Andreesen-Kaffee in Verbindung brachte.

Clemens' kleines Theaterstück hatte sie auf die Spur einer Idee gebracht, doch um sie in allen Facetten zu entwickeln und keinen Fehlern zu unterliegen, musste sie dringend mit jemandem reden. Dieses Problem schob Felicitas bereits seit einigen Wochen vor sich her, denn die Einzige, die ihr dazu einfiel, war Swantje Petersen, und die pendelte zwischen dem wilden Berlin und München.

McGregor besaß zu wenig Fantasie, ihr Vater war nach ihrem letzten Gespräch auf Distanz gegangen, und einem ihr unbekannten Fachmann brachte sie kein Vertrauen entgegen. Möglicherweise trabte der mit ihren Ideen zur Konkurrenz und verkaufte sie als seine eigenen. Nein, das kam nicht in Frage.

Blieb nur Bernhard übrig. Es war Felicitas kindisch und unvernünftig erschienen, ihn von dem Kunstparkprojekt auszuschließen, nur weil sie sich damals nicht hatte beherrschen können, doch sie beschränkte den Kontakt auf das absolut notwendige Minimum, und Bernhard respektierte das. Er hatte nach ihren Vorstellungen das geplante Areal um einige Gebäude erweitert und überwachte den Fortgang der Arbeiten, um den sie sich selbst nicht kümmern konnte, und hielt sie über alles auf dem Laufenden. Doch jetzt brauchte sie seinen Rat. Sie warf einen Blick auf die Bahnhofsuhr, siebzehn Uhr. Mit etwas Glück würde sie ihn noch im Kunstpark antreffen. Heute, war ihr eingefallen, sollten die Ahornbäume angeliefert und in Form des Yin-Yang-Motivs eingepflanzt werden, eine knifflige Aufgabe, die Bernhard nicht den Arbeitern überlassen wollte, die von asiatischen Symbolen bestimmt noch nie etwas gehört hatten. Felicitas band sich einen weißen Schal um den Kopf und knöpfte ihren neuen Pfeffer-und-Salz-Mantel zu, bevor sie den Motor startete. Die Septembersonne hatte sich hinter dicken Wolken verkrochen und die spätsommerliche Wärme gleich mitgenommen.

Bernhard und die Arbeiter schien das nicht im Geringsten zu stören. Hemdsärmelig und schwitzend wuchteten sie die letzten Bäume von der Ladefläche des Lastwagens und schleppten sie zu den vorbereiteten Pflanzlöchern. Bernhard schuftete genauso verbissen wie die Truppe, und Felicitas kam nicht umhin, seine braun gebrannten kräftigen Unterarme zu bemerken. Das Bild, wie diese Arme sie gehalten hatten, drängte sich unwiderstehlich auf – eine köstliche Sekunde lang. Rasch verscheuchte sie die Erinnerung. Einer der Arbeiter sagte etwas zu Bernhard, woraufhin er sich umdrehte und ihr zunickte. Er wischte sich die erdverkrusteten Hände an seiner Hose ab und kam auf sie zu.

»Wollen Sie die Fortschritte in Augenschein nehmen?«

»Ja«, antwortete Felicitas. »Das heißt, nein, ich … ich brauche Ihren Rat.«

»Gut, ich kann eine Pause gebrauchen.«

Ein wenig abseits von den lärmenden Arbeitern blieben sie stehen. Felicitas setzte sich auf einen der Findlinge, die den Eingang zu Franziska Ferriks Theaterschule markierten, während Bernhard sich aufatmend ins Gras legte.

»Sie gestatten doch.« Er nahm einen Halm in den Mund und kaute auf ihm herum. »Also, ich höre.«

»Ich trage mich mit dem Gedanken, eine neue Form der Reklame zu etablieren«, begann sie, schilderte die desolate Lage auf dem Kaffeemarkt und welchen Zusammenhang sie zwischen dem Verkauf und den Werbeaussagen sah. »Wir müssen den Menschen unseren Kaffee buchstäblich schmackhaft machen. Mein Sohn hat mich da auf eine Idee gebracht. Warum engagieren wir nicht Berühmtheiten, die für unseren Kaffee werben? Die Ozeanflieger zum Beispiel für den internationalen Markt. Und Lilian Harvey für den deutschen Markt. Wir werden kurze Filme mit ihnen drehen, die vor dem Hauptfilm im Kino laufen könnten, und glamouröse Szenen für die Litfaßsäulen fotografieren. Wenn ich mir vorstelle, das süßeste Mädel des deutschen

Films trinkt Andreesen-Kaffee, höre ich bereits die Kassen klingeln. Was denken Sie?«

Bernhard lächelte. »Sie sehen mich beeindruckt. Allerdings muss ich zugeben, dass ich kein Fachmann auf dem Gebiet bin. Warum reden Sie nicht mit Steffen Hoffmann?«

»Steffen Hoffmann?«

»Nun, er hat natürlich nicht nur Reklametexte verfasst, obwohl er damals, als ich ihn Ihnen vorstellte, so schnoddrig dahergeredet hat. Steffen versteht eine Menge davon. Fragen Sie ihn.«

»Und übermorgen steht es in der Zeitung«, sagte Felicitas düster.

Bernhard grinste. »Was macht Sie eigentlich so sicher, dass ich nicht mit Ihren Ideen hausieren gehe?«

»Ganz einfach, Sie sind zu faul. Es ist Ihnen viel zu anstrengend, einen Wettlauf mit mir zu inszenieren. Sie täten es nur, wenn ich Sie so geärgert hätte, dass Sie zurückschlagen müssten. Aber das ist ja nicht der Fall.« Felicitas wusste, dass Sie sich mit dieser Bemerkung auf unsicheres Terrain begab, doch da sie nur eine Nummer in seiner langen Eroberungsliste darstellte, hatte Bernhard keinen Grund, sie zu kränken oder sogar ihre Geschäfte zu torpedieren.

»Menschenkenntnis ist nicht gerade Ihre Stärke«, erwiderte Bernhard jedoch ironisch, was Felicitas einen leisen Schrecken einjagte, der sich kurz in ihren Augen spiegelte, bevor sie sich wieder im Griff hatte und Bernhards amüsierten Blick gelassen erwiderte.

»Ich hätte es wissen müssen. Mit Ihnen kann man nicht vernünftig reden«, gab sie kühl zurück.

»Ach, Felicitas, sei doch nicht immer so eine Spielverderberin«, sagte er leichthin. »Dieses ganze Theater ist doch albern. Wir sagen Sie zueinander und schleichen wie die Katzen um den heißen Brei herum. Ich fühle mich genötigt, dich wie eine Prinzessin auf der Erbse zu behandeln, damit du bloß nicht denken könntest, ich würde dich in meine Lasterhöhle verschleppen wollen, und du benimmst dich, als wäre ich gar nicht vorhanden. Wir sollten nach all den Jahren damit aufhören und uns wie Erwachsene benehmen.«

»Und wie sieht das Ihrer … deiner Meinung nach aus?«

»Indem du zum Beispiel meinen Rat annimmst und dich mit Steffen unterhältst.«

Felicitas sah ihn forschend an. Sie hätte schwören können, dass er etwas ganz anderes hatte sagen wollen, und wartete. Doch er schwieg. Sie stand auf und klopfte sich etwas Sand von den hochhackigen schwarzen Pumps.

»Gut, ich werd's mir überlegen.«

Die Arbeiter hatten den letzten Baum gesetzt und zogen sich ihre Jacken über. Sie winkten Bernhard und Felicitas zu und machten sich auf den Heimweg. Die Silhouette des Ahorn-Kreises wirkte im matten Apricot der untergehenden Sonne harmonisch und zugleich ein wenig mystisch. Felicitas spürte eine Kraft, die von der Formation auszugehen schien, und die Lust, sich mitten hinein in das Rund zu legen, sich von der Nacht zudecken zu lassen und den Sternen beim Funkeln zuzuschauen. Die Intensität dieses Gefühls nahm sie gefangen, und so sicher wie nie zuvor wusste sie in diesem Moment, dass der Kunstpark ein einzigartiger Erfolg werden würde.

»Wunderschön, nicht wahr?« Bernhard war ebenfalls aufgestanden und hatte sich neben sie gestellt, ohne dass sie es bemerkt hatte. Felicitas nickte. Die Spannung zwischen ihnen war fast greifbar, und sie trat einen Schritt zur Seite, um ihr zu entkommen.

»Was wirst du tun, wenn der Park fertig ist?«, fragte sie.

Er zuckte mit den Schultern. »Ich weiß nicht. Gärten anlegen. Nach Guernsey reisen, da gibt es wunderschöne Anlagen. Oder nach Cornwall. Heiraten, eine Familie gründen, Poker spielen. So etwas in der Art.«

»So etwas in der Art?«, wiederholte sie fragend und suchte seine Augen. Doch sein Blick verfing sich nicht in ihrem.

Marie räumte die Reste des ausgezeichneten Coq au vin ab und servierte Kaffee, Kognak und einen verführerisch duftenden Apfelkuchen. Steffen Hoffmann verdrehte genießerisch die Augen.

»Wenn Sie allen Ihren Geschäftspartnern solch ein Essen vorsetzen, verstehe ich, warum Ihnen jeder aus der Hand frisst«, sagte er charmant und blitzte Felicitas mit seinen grünen Augen an. »Sie sehen mich willenlos und zu allem bereit. Also, welchem Umstand habe ich Ihre Einladung zu verdanken?«

Felicitas lächelte. »Der Tatsache, dass Sie mir möglicherweise helfen können, allerdings nicht in Ihrer Funktion als Chefredakteur, sondern als Fachmann für Reklame. Bernhard hat mir erzählt, dass Sie Ihr Licht diesbezüglich gern unter den Scheffel stellen, tatsächlich jedoch eine Menge davon verstehen.«

Steffen Hoffmann schüttelte den Kopf. »Das ist in gewisser Weise richtig, aber dennoch will ich mit diesem Zweig nichts mehr zu tun haben.« Er zögerte und sah Felicitas prüfend an. Schließlich fuhr er fort: »Als Redakteur bin ich der Wahrheit verpflichtet, und das ist es, was für mich Sinn macht. Jeden Tag aufs Neue die Wahrheit zu suchen und gegen die Lüge zu verteidigen, indem ich sie als solche entlarve. In der Reklame ist man der Illusion verpflichtet, der Lüge und der Manipulation.« Er beugte sich nach vorn, um seinen Worten Nachdruck zu verleihen. »Ich kann doch nicht allen Ernstes behaupten, dieses oder jenes Produkt müsse man unbedingt kaufen, wenn

ich zugleich weiß, unter welchen Bedingungen es hergestellt wurde – mangelnde Hygiene, laxe Kontrollen und
übernächtigte Arbeiter. Verstehen Sie?«

Felicitas überlegte. »Meinen Sie nicht, dass man beides
miteinander verbinden kann, ein wenig Glamour und die
richtige Portion Authentizität?«

»Das wäre natürlich reizvoll …«

»Ich stelle mir das folgendermaßen vor«, begann Felicitas
und skizzierte ihren Plan, den sie soeben einer spontanen
Eingebung folgend um ein entscheidendes Element er-
gänzt hatte. Wenn ihr Plan funktionierte, würde sie etwas
zu Ende bringen, was vor so vielen Jahren begonnen hatte.
Steffen Hoffmann beobachtete sie fasziniert und hörte zu,
ohne sie zu unterbrechen.

»Sie wollen also einen Film über den Kaffeeanbau in Brasilien drehen, der zugleich Dokumentation und Werbung
für Ihre Firma ist«, stellte Steffen Hoffmann so überrascht
wie anerkennend fest. »Es ist Ihnen aber schon klar, dass
Sie damit absolutes Neuland betreten?«

»Das schreckt mich nicht. Im Übrigen bin ich fest vom
Erfolg dieses Plans überzeugt.«

Er nickte. »Ja, er hat eine Menge für sich. Aber eins fehlt in
dem Ganzen, und das sind Sie.«

»Was habe ich damit zu tun?«

»Sie sind das Gesicht des Kaffees. Mit Ihrem Namen und
Ihrer Schönheit verbürgen Sie sich dafür, dass die Aussage
der Reklame wahr ist.«

»Um Himmels willen, nein, nein, dafür engagieren wir Lilian Harvey oder was weiß ich wen.«

»Das ist nicht das Gleiche. Lilian Harvey mag hübsch sein,
aber man traut ihr doch nicht einmal zu, die Uhr korrekt abzulesen, geschweige denn eine Kaffeekirsche von
einer Weinbrandbohne zu unterscheiden. Nein, das ist

eindeutig Ihre Aufgabe.« Er grinste sie an. »Kneifen gilt nicht.«

»Gleichfalls«, sagte Felicitas übermütig. »Ich mach's – wenn Sie mit ins Boot steigen.«

»Felicitas, ich bin Chefredakteur des *Bremer Kuriers,* und ich gedenke es zu bleiben«, erwiderte er ernst.

»Machen Sie mir nichts vor. Sie haben Feuer gefangen.« Aquamarinblau traf auf Smaragdgrün. »Möchten Sie noch ein Stück Apfelkuchen?«

»Sie sind skrupellos«, sagte er und lachte.

Felicitas stimmte ein.

Es war seltsam. So vieles sprach dagegen, viel zu wenig dafür, und dennoch spürten beide, dass irgendetwas – und die Vernunft war es sicher nicht – damit begonnen hatte, festgefügte Dinge auf den Kopf zu stellen.

Dieses Gefühl verließ Felicitas nicht, veränderte sich jedoch in den kommenden Wochen durch das Staunen darüber, wie die Dinge, einmal in Bewegung gesetzt, ihren eigenen, vollkommenen Lauf nahmen, wie Dominosteine, die im Abstand zueinander Rücken an Rücken gestellt, darauf gewartet hatten, vom Flügel eines Schmetterlings berührt zu werden, auf das sie fallen, fallen, fallen und atemberaubende Muster ins Leben zauberten, die vielleicht schon vom Schicksal vorgezeichnet waren, doch erst jetzt sichtbar werden sollten.

Steffen Hoffmann hatte sich nach einigem Hin und Her mit den Herausgebern des Kuriers auf einen zweimonatigen unbezahlten Urlaub geeinigt. In der Zeit seiner Abwesenheit sollte die Redaktion von seinem Stellvertreter geführt werden. Falls gravierende Schwierigkeiten auftreten würden, behielten sich die Herausgeber vor, Hoffmanns Posten neu zu besetzen. Ein Vabanquespiel, das er mit einem Gleichmut akzeptierte, der ihn, wie er Felicitas gegenüber bekannte, selbst am meisten überraschte. Felicitas hatte, nachdem sie einen Fotografen und einen Kameramann in Personalunion ausfindig gemacht und engagiert hatte, McGregor eine auf zwei Monate befristete und notariell beglaubigte Generalvollmacht über ihr Konsortium erteilt. Außerdem hatte er zugesagt, Elias Frantz und Emil Hausenberg, die sie mit der Fortführung der Geschäfte in Bremen betraut hatte, auf die Finger zu schauen. Hausenberg hatte Felicitas offenen Mundes angestarrt und war erst nach einer Weile imstande gewesen, diesen Beweis seiner vollständigen Rehabilitation zu begreifen und mit einem vor Aufregung gestotterten Versprechen, Felicitas' Vertrauen nicht zu enttäuschen, zu quittieren.

Die Zwillinge zeigten sich schwer beeindruckt von den Plänen ihrer Mutter, nur dass sie darüber Stillschweigen bewahren mussten und die unerhörte Neuigkeit nicht in der Schule ausposaunen und damit angeben durften, verdarb ihnen ein wenig das Vergnügen. Gesa hatte mit den Schultern gezuckt und schnippisch »gute Reise« gewünscht, und Teresa malte mit Buntstiften ein Bild nach dem anderen, um eine Vorstellung davon zu bekommen, wo ihre Mutter die nächste Zeit verbringen würde. Eins zeigte einen Himmel voller Orangen, darunter eine Frau mit langem Haar – Felicitas –, die die Früchte auffing.

Gelegentlich versuchte Felicitas sich einzureden, dass dieses Abenteuer keines war, sondern nur ihren geschäftlichen Interessen entsprang, doch zugleich amüsiert wie ungehalten über sich selbst musste sie sich eingestehen, dass ihr ganzer Körper vor Unternehmungslust vibrierte. Das Leben griff nach ihr, und mit Geschäften hatte dies nur in zweiter Linie zu tun. Feinfühlig hatte Elisabeth diesen Umstand registriert und ihre anfängliche Verärgerung so gut sie es vermochte hintangestellt. »Unsere Firma wird in zwei Jahren hundertfünfzig Jahre alt, sie hat zwei verheerende Kriege und jede Menge Fehlentscheidungen und wirtschaftliche Krisen überstanden, dann wird sie es wohl auch überleben, wenn die Chefin zwei Monate fort ist.«

Die atlantischen Wellen klatschten schmatzend an den Bug der Eugenia. Wie jeden Nachmittag saß Felicitas in einem Liegestuhl, versuchte zu lesen, ließ sich aber immer wieder hineingleiten in den Sog der Erinnerungen. Die Küsse, die vielen kleinen Zärtlichkeiten, die Nächte, die Umarmungen, die Lust, die Geborgenheit. Rio. São Paulo. Das ganze Leben vor ihnen wie ein zarter Teppich, gewebt aus Träumen, Hoffnungen und tiefer Liebe. So viele Jahre her. Sie hatte erwartet, dass der Schmerz sie beherrschen würde, doch zu ihrer Verwunderung tat er das nicht immer, und wenn es doch der Fall war, stand sie auf und spazierte Runde um Runde strammen Schritts über das Deck.
In der Regel landete sie dann über kurz oder lang auf dem Achterdeck, wo Steffen und Niklas Fischer gewöhnlich eine Partie Schach spielten oder sich mit anderen Passagieren unterhielten. Steffen fragte nie, warum sie die Nachmittage allein verbringen wollte, doch wenn sie auf dem Achterdeck erschien, stand wie aus dem Nichts gezaubert bald darauf ein Eiskaffee für sie bereit. Er bezog sie in das Spiel oder die Unterhaltung mit ein und vermittelte ihr das Gefühl, sich nicht erklären zu müssen. Felicitas fühlte sich nicht herausgefordert, wie es bei Bernhard so oft der Fall war, nicht getrieben, wie es der Alltag ihr diktierte, der Rolle der funktionierenden, kalkulierenden Firmenchefin zu genügen. Was sie in die Lage versetzte, einfach zu sein, nichts zu wollen, nichts zu sollen, nichts zu fürchten, nur zu sein, wie sie war. Felicitas gab sich dem hin, ohne sich

bewusst zu sein, dass Welle um Welle an ihrer schützenden Mauer leckte und sie behutsam unterspülte.

Zwischen den Mahlzeiten und Felicitas' Alleingängen arbeiteten sie in einer ihrer Kabinen, fügten Szenen aneinander, rissen sie wieder auseinander, entwickelten Dialoge und sannen über die Drehorte nach, die sie vor Ort spontan wählen mussten. Niklas raufte sich dabei immerfort die Haare und rauchte einen Zigarillo nach dem anderen, Steffen blieb gelassen, strich mit energischen Bewegungen jedes Zuviel aus den Plänen und holte Niklas von seinen gelegentlichen künstlerischen Höhenflügen auf Normalmaß herunter. Es waren inspirierende, unterhaltsame Stunden. Sie tranken Eiskaffee und Sekt mit Orangensaft und einer Kugel Vanilleeis und genossen das gute Gefühl, einer völlig neuen Konzeption von Reklame auf die Welt zu helfen. Ein Dokumentarfilm und jede Menge Fotos würden entstehen – über Brasilien, den Kaffeemarkt, die Arbeit auf der Fazenda und Felicitas' Verhandlungen über neue, fairere Preise, die den Arbeitern ein besseres Leben garantierten. Wie schwierig sich diese Gespräche gestalten würden, war ihnen klar, doch Felicitas bestand darauf, dass diese Probleme ein Teil des Films wurden. Was sprach dagegen, den Menschen in Deutschland zu zeigen, dass gute Absichten allein nicht immer genügten? Das Ganze war ohnehin ein Wagnis. Möglicherweise interessierte sich kein Mensch für diese ambitionierte Art, ein Produkt zu verkaufen. Da konnte Felicitas, die durch den Film führte und die Szenarien und Abläufe erklären sollte, noch so schön und charmant von der Leinwand lächeln.

Deshalb wollten sie sich nicht allein auf den Film und die Fotos verlassen, sondern sie einbetten in weitere Reklamefilme, die allerdings ein wenig leichtfüßiger daherkommen sollten – die Ozeanflieger beim Kaffeetrinken über den

Wolken, Lilian Harvey beim Kaffeetrinken während einer Drehpause. Der Slogan sollte lauten: Andreesen-Kaffee – genießen mit gutem Gewissen!, was die Verbindung zu den authentischen Aufnahmen aus Brasilien herstellen sollte.

Darüber hinaus hatte Steffen vorgeschlagen, Gewinnspiele zu veranstalten und Gratisproben des Kaffees auszugeben. Alles in allem würde das Vorhaben einige Millionen Reichsmark verschlingen, was Felicitas gelegentlich Anfälle von Panik durch die Adern brausen ließ. Doch wenn sie an ihr überaus florierendes Konsortium dachte, das weit verzweigte Netz aus Aktien und Fonds, das sie längst nicht mehr durchschaute, dessen Bilanzen ihr aber die Dollarzeichen in die Augen trieben, beruhigte sie sich rasch wieder und entließ die beängstigenden Gedanken in den weiten Himmel und das unendliche Meer.

Paolo. Ein feines Netz aus tausend Fältchen hatte sich über seine Züge gelegt, doch darunter erkannte sie den Mann wieder, der von einer eigenen Fazenda, einer Familie und sozialer Gerechtigkeit geträumt hatte. Fast wäre es Felicitas lieber gewesen, es wäre ihm nicht möglich gewesen, sie abzuholen, weil er weit weg von São Paulo lebte und sich um seine Kaffeepflanzen, eine fröhliche Frau mit ausladendem Hinterteil und seine mindestens sieben Kinder kümmern musste, statt reiche Damen aus Übersee nach Terra Roxa zu fahren. Es wäre ein gutes Zeichen gewesen, ein Beweis, dass Träume wahr werden können. Doch Paolo stand am Pier.

Er drückte Felicitas' Hand, viel sagend, wie ihr schien, als wüsste er nicht, ob er Heinrichs Abwesenheit kommentieren sollte, gar kondolieren, oder ob es besser wäre, gar nichts zu sagen, und sich gerade dafür entschieden hatte.

Ihrem prüfenden Blick hielt er mit einem breiten Lächeln stand.

»Alles ist gut, Señora Felicitas. Oder wird gut. Manana.« Er begrüßte Steffen und Niklas, lud ihre Koffer und Niklas' Ausrüstung in einen blauen Transporter mit offener Ladefläche und schützte das Gepäck mit einer Plane. Ziemlich eng aneinander gedrückt saßen sie wie brütende Hühner auf der Stange neben Paolo, der dem schnaufenden Wagen die Sporen gab, dass der Staub nur so flog und ihnen den Atem nahm. Felicitas lief der Schweiß in Strömen über Rücken und Brüste und bildete nasse Flecken auf dem luftigen weißen Baumwollkleid. Steffen saß neben ihr und schwitzte genauso erbärmlich. Sie saßen so nah, dass die dunklen Haare auf Steffens rechtem Unterarm Felicitas' linken Arm kitzelten. Sie nahm den Arm nicht weg.

Da das Schiff morgens in Santos angekommen war, beschlossen sie, nicht zu übernachten, sondern durchzufahren. In Rio lud Paolo Wasser nach und kaufte Brot, Käse und Rindswurst für ein bescheidenes Mittagsmahl und eine kurze Siesta. Wie damals mit Heinrich berauschte die Schönheit und Vielfalt der Landschaft Felicitas' Sinne. Selbstvergessen ließ sie das Grün der vorbeiziehenden Bäume und Büsche in ihre Augen strömen wie ein beruhigendes Elixier. Im Schatten mächtiger Jacaranda-Bäume machten sie Halt und aßen. Während Paolo sich zusammenrollte wie ein Baby und augenblicklich einschlief und Niklas besorgt den Zustand der Plane und der darunterliegenden Gepäckstücke prüfte, wandte Felicitas sich einem schattigen Pfad zu. Nach einigen Minuten erreichte sie eine bezaubernde Lichtung. Sie setzte sich an den Rand des kleinen Sees und schloss die Augen. Die herabfallende Gischt eines bescheidenen Wasserfalls benetzten Gesicht und Haare. Ein feines Lächeln umspielte ihre Mund-winkel.

»Zum Indianer sind Sie nicht geboren, Steffen«, rief sie. »Im Umkreis von hundert Metern weiß inzwischen jede Eidechse, dass ein Fremdling in ihr Revier eingedrungen ist.«

»Tut mir Leid.« Steffen löste sich aus dem Schutz eines Baums und kam näher. »Aber so idyllisch das hier auch sein mag, ist es vielleicht auch nicht ganz ungefährlich.«

Er setzte sich unaufgefordert neben sie und schloss eben-falls die Augen. Sie sagten kein Wort, überließen sich ein-fach der Vollkommenheit des Augenblicks, die erst un-terbrochen wurde, als Paolos Stimme sie erreichte. Laut schimpfend und mit besorgter Miene tauchte er aus dem Dickicht auf. Als er sie entdeckte, breitete er die Arme aus und blickte zum Himmel. »Madre mia, Sie sich nicht verändert, Señora Felicitas! Machen, was Sie wollen. Nix gut.« Er machte eine Bewegung mit der Hand, als würde ein Messer seine Gurgel durchtrennen. Erschrocken sprang Felicitas auf.

»Dann hätten wir hier wohl besser auch nicht Rast ma-chen sollen«, sagte Steffen, doch Paolo schüttelte den Kopf.

»Wir halten in Gebiet der Familie Conjutas. Ihr gehen in Gebiet von Gonzales Mijores. Krieg zwischen beiden. Wer sich einmischt … Nix gut.« Er war sichtlich verstimmt.

Sie gingen zurück, räumten die Essensreste zusammen und bestiegen den Wagen. Am späten Abend erreichten sie Ter-ra Roxa.

Was hatte sie erwartet? Felicitas stieg vom Pferd. Zögernd streifte sie am Rand des Dschungels entlang.

»An welcher Stelle begann der Pfad, Paolo?«

Paolo zuckte mit den Schultern. Felicitas funkelte ihn wütend an. Schließlich tauchte sie aufs Geratewohl in das Dickicht.

»Darf ich fragen, was Sie vorhaben?« Steffen ging dicht hinter ihr.

»Sie werden schon sehen«, antwortete sie, die Augen auf den Boden geheftet, in der Hoffnung, wenigstens die Andeutung eines Pfads zu finden.

»Aquí«, brummte Paolo mürrisch und deutete nach rechts.

Misstrauisch ob Paolos plötzlicher Hilfsbereitschaft, wandte sie sich in die angegebene Richtung, und tatsächlich standen sie wenig später auf der kleinen Lichtung.

Die Hütte war so gut wie nicht mehr vorhanden, das Dach war eingestürzt, das Holz der Wände morsch. Verbranntes Gras bedeckte den Boden im Inneren, die Masken und kleinen Öfen waren verschwunden. Nichts war geblieben von der Frau, um deretwillen sie hierher zurückgekehrt war. Nichts außer einem kaum wahrnehmbaren Duft von Sandelholz und Felicitas' Erinnerungen.

»Ich bin zu spät gekommen«, sagte Felicitas leise zu Steffen, dem sie den Grund für den Ausritt zwar nicht verraten, ihm aber erlaubt hatte, sie zu begleiten. Auch Paolo hatte sich nicht abwimmeln lassen. Zu gefährlich, hatte er geknurrt, war ihnen aber stur wie ein Maulesel gefolgt.

»Hast du gewusst, dass die Frau fort ist?«

Paolo wiegte den Kopf und zuckte schließlich mit den Schultern. »Ja und nein. Ich haben gehört dies und das. Die einen sagen, sie leben irgendwo im Dschungel, die anderen meinen, sie umgebracht von Banditen. Niemand hat sie mehr gesehen. Ist auch nicht wichtig. Auch für Señora Felicitas nicht wichtig. Anaiza machen viele Worte, große Gesten. Nix dahinter.«

»Anaiza heißt sie also.«

»Sim.«

Merkwürdig, jetzt, da sie die Frau nicht wiedersehen würde, bekam das Gesicht endlich einen Namen. Anaiza. Felicitas fühlte das glatte, kühle Holz der Figur in der Tasche ihres Rocks. Lange Jahre hatte das Kunstwerk verborgen vor neugierigen Blicken und beschützt vor kritischen Fragen in einer Kommodenschublade gelegen. Von Zeit zu Zeit hatte sie die Figur hervorgekramt und betrachtet. Ein Glücksbringer war sie sicher nicht, doch ein Impuls hielt sie davon ab, die Figur demonstrativ hier zurückzulassen. Felicitas verließ die Hütte. Die Sonne, die durch die Bäume schimmerte, stand noch hoch am Himmel. Es war also noch genügend Zeit bis zum Anbruch der Dunkelheit. Ohne sich um Steffen und Paolo zu kümmern, überquerte sie die kleine Lichtung und tauchte in das grüne Dickicht ein.

»Señora Felicitas? Kommen Sie zurück!«

»Felicitas, das ist keine gute Idee!«

Sie hörte die Stimmen, beachtete sie aber nicht. Eine Kraft zog sie, unwiderstehlich und stark, die jede Ängstlichkeit betäubte. Felicitas war vielleicht zehn Minuten gelaufen, als das Grün weniger dicht zu werden begann und sie bald darauf zu einer beschatteten Lichtung gelangte. Die Frau, Anaiza, stand mit etwa zehn anderen Frauen am Ende der Lichtung. Sie pflückten Früchte von Büschen und schnippten sie in Körbe, die sie auf dem Rücken trugen. Kaffeekirschen … Schattenkaffee, schoss es Felicitas durch den Kopf.

Als wäre ihre Anwesenheit völlig selbstverständlich, kam Anaiza auf Felicitas zu, lächelte und nickte. Felicitas holte die Figur aus der Tasche ihres Rocks und hielt sie Anaiza hin, wie eine Eintrittskarte zu einer fremden Welt. Das Lächeln der Frau vertiefte sich. Sie machte eine einladende Geste, und Felicitas folgte ihr.

Die Hütte, vor der sich Anaiza schnaufend niederließ, war viel größer als die, die Felicitas kannte. Sie warf einen verstohlenen Blick ins Innere – Öfen und Masken und Lager aus Palmblättern. Offensichtlich lebten die Frauen hier gemeinsam unter einem Dach. Anaiza hielt Felicitas eine derbe Tasse aus Ton hin. Kaffee, schwarz wie die Nacht. Felicitas sog den würzigen Duft ein und nahm einen Schluck. Und noch einen. Sie kaute den Kaffee wie ein Stück Brot, um jede Nuance auszukosten. Dieser Kaffee schmeckte anders als alle, die sie in Bremen je getrunken hatte.

Anaiza grinste und wies auf einen Korb voller Kaffeekirschen. Felicitas drehte eine Kirsche, kleiner und fester als die Arabica, zwischen den Fingern, brach sie auseinander und sog den leicht süßlichen Duft der Frucht ein. Nein, diese Sorte war ihr völlig fremd. Und plötzlich wusste sie, was sie zu tun hatte.

»Wie viel könnten Sie davon liefern?«

Anaiza sah sie fragend an, und Felicitas nahm einen Stock und malte so gut es ging Kaffeesäcke, den Ozean, ein Schiff, ein Haus als Symbol für ihre Firma und Münzen, die von der Firma zurück zu Anaiza wanderten, in den Sand. Schließlich begriff Anaiza und wiegte bedächtig den Kopf. »Preto Velho«, sagte sie und hob die Hände gen Himmel, und Felicitas erinnerte sich, dass der Gott, Anaizas Gott, erst um Rat gefragt werden musste.

»Paolo«, erwiderte Felicitas und gab Anaiza zu verstehen, dass sie ihn zu ihr schicken würde, um alles zu besprechen. Ein spontaner Gedanke, der aber überaus Sinn machte. Sie würde Paolo fragen, ob er zukünftig für Andreesen-Kaffee arbeiten und die Organisation des Transports von Anaizas Kaffee vom Dschungel bis zum Hafen in Santos und nach Bremen übernehmen wolle. Für ihn wäre die Aufgabe der Schritt in ein anderes, freieres Leben.

»Sim«, sagte Anaiza und erhob sich ächzend. Wenn ihr Gesicht auch erstaunlich wenig Falten aufwies, hatten die Jahre bei der Heilerin doch Spuren hinterlassen. Sie legte ihre Hand auf ihr Herz und drehte sie dann mit der geöffneten Fläche zu Felicitas. Wärme breitete sich unterhalb ihres Brustbeins aus, und überrascht blickte Felicitas die Frau an. Ohne ein weiteres Wort ging Anaiza voran und Felicitas folgte ihr. Der Pfad war ein anderer als der, der sie in den Dschungel geführt hatte, und nach wiederum zehn Minuten stand Felicitas hinter der zerstörten Hütte. Anaiza lächelte und verschwand lautlos im Dickicht, das sich wie ein Vorhang hinter ihr schloss.

Steffen und Paolo fuhren zusammen, als Felicitas hinter ihnen auftauchte.

»Dio mio!«, rief Paolo, und Steffen nickte seufzend. Er war sichtlich erleichtert, sie wohlbehalten wiederzusehen.

»Dem ist nichts hinzuzufügen. Außer dass man Ihnen eigentlich die Ohren langziehen müsste.«

Felicitas lachte. »Ihr seid mir schöne Helden. Eine Frau allein in den Dschungel gehen zu lassen. Unverantwortlich!«

Auf dem Weg zurück erzählte sie, was sie erlebt hatte und was sie zu tun gedachte.

»Ich werde Anaizas Kaffee zu menschenwürdigen Preisen einkaufen. Auch wenn sie nicht annähernd so viel liefern kann wie eine Fazenda, helfe ich ihr und den anderen Frauen, ein besseres Leben zu führen, ihre Kinder zur Schule zu schicken und sich ein Stück Land zu kaufen. Sie werden ihre eigenen Herrinnen sein. Ist das nicht viel mehr wert, als sie mit Almosen abzuspeisen oder ihnen eine Arbeit auf einer Plantage zuzumuten, die ihnen in kürzester Zeit die Kräfte raubt? Ich habe mit eigenen Augen gesehen, wie die Arbeiter hier schuften müssen. Stimmt es nicht, Paolo?« Und so wird sich Anaizas Prophezeiung, dass sie helfen könne, »wenn die Zeit der Tränen vorüber ist«, erfüllen, fügte Felicitas in Gedanken hinzu.

Paolo brummte, und als Felicitas ihm schilderte, welchen Part er dabei übernehmen sollte, verdunkelte sich seine Miene.

»Dio mio«, sagte er wieder und schüttelte den Kopf. »Ich ganz bestimmt nicht gehen in Dschungel zu seltsamer Frau. Wird mich verwandeln in Warzenschwein. No, gracias.« Er fluchte und ritt mürrisch neben Felicitas her. Auch Steffen sah nicht gerade begeistert aus.

»Don Alfredo wird Schwierigkeiten machen. Ich kann mir nicht vorstellen, dass er Konkurrenz, und sei sie noch so geringfügig, in seiner unmittelbaren Nähe dulden wird. Außerdem müssen Sie herausfinden, wem der Teil des Dschungels gehört.«

»Der ist sozusagen Gemeinschaftseigentum. Die Kaffeebarone sind naturgemäß nur an den Flächen interessiert. Aber Sie haben Recht, Don Alfredo kann eine Menge tun, um den Plan zu Fall zu bringen. Es gibt nur einen Weg, Anaizas Kaffee nach Santos zu bringen, und der führt über seine Plantage. Wenn er ihr das Wegerecht verweigert, haben wir ein Problem.« Felicitas sah Steffen an. »Und ob ein Gericht zu Anaizas Gunsten entscheiden würde, ist fraglich. Der Aberglaube sitzt tief«, sie wies mit dem Kopf zu Paolo, »und die Macht der Kaffeebarone reicht weit. Nein, es gibt nur eine Möglichkeit. Ich muss Don Alfredo mit ins Boot holen.«

Steffen pfiff durch die Zähne. Ihre Blicke trafen sich. Eine Weile ritten sie schweigend nebeneinander. Schließlich fragte er: »Warum tun Sie das? Irgendetwas sagt mir, dass es nicht persönlicher Ehrgeiz ist, der Sie antreibt. Warum liegt Ihnen das Schicksal dieser Frau am Herzen? Es gibt hunderte, tausende von gebrochenen Existenzen in diesem Land und ebenso bei uns in Deutschland. Warum sie?«

Felicitas zögerte, es ihm zu erzählen, weil sie wusste, was sie möglicherweise ernten würde – Unverständnis, Skepsis, Mitleid und den Verdacht, nicht mehr ganz bei Verstand zu sein. Und so antwortete sie nur vage: »Irgendwo muss man ja anfangen.«

»Sie weichen mir aus. Haben Sie vergessen, dass ich Journalist bin und wie ein Bluthund verborgenen Fährten hinterherjage?« Er blinzelte ihr zu.

Felicitas lachte. »Na gut, aber es ist eine lange Geschichte.«

»Ich habe viel Zeit«, erwiderte er, und Felicitas begann zu erzählen. Von ihrer Hochzeitsreise, von dem Elend der Arbeiter, von der Begegnung mit Anaiza und dem jungen Mädchen, das Don Alfredo und der Engländer fast zu Tode geschlagen hatten.

»Sehen Sie, Gustav Andreesen und auch Heinrich hätten ihre Hände für Don Alfredo ins Feuer gelegt. Ihn zu beschuldigen hätte indirekt bedeutet, auch meinen Schwiegervater und meinen Mann anzuklagen. Außerdem hatte ich ja keinerlei Beweise außer Anaizas Worten. Paolo hätte ich ja wohl schlecht als Zeugen gegen seinen Herrn angeben können. Er hätte alles schlichtweg geleugnet, dessen bin ich mir sicher, auch wenn ich hundert Kaffeesäcke darauf wetten würde, dass er insgeheim auf meiner Seite steht.«

Steffen nickte. »Den Eindruck habe ich auch. Sie hätten erleben sollen, wie er sich aufgeregt hat, als Sie im Dschungel verschwunden waren. Doch gleichzeitig reagierte er klug. Es macht keinen Sinn, wenn wir uns auch noch verlaufen, meinte er. Deshalb warteten wir eine Weile. Wenn Sie nur fünf Minuten später wieder aufgetaucht wären,

wären wir unterwegs gewesen, um alle Arbeiter von der Fazenda zu alarmieren.«

Felicitas lächelte. »Du liebe Zeit, tut mir Leid, dass ich so eine Aufregung verursacht habe. Ich bin einfach meiner inneren Stimme gefolgt, ohne nach links und rechts zu gucken.«

»Ja, manchmal ist das das einzig Richtige.« Steffen sah sie voller Wärme an. »Ich wette meinerseits, dass Paolo sich letzten Endes doch für die Aufgabe begeistern wird.«

»Das glaube ich auch«, erwiderte Felicitas und fügte nach einer Weile hinzu: »Kein Kaffeeröster kann auf die Lieferungen aus Brasilien verzichten. Aber Anaiza und ihren Frauen kann ich dennoch helfen.« Dann schwieg sie und überließ sich ihren Gedanken. Zum ersten Mal seit langer, langer Zeit fühlte sie sich zur richtigen Zeit am richtigen Ort. Und ohne Steffen, gestand sie sich ein, wäre das nicht der Fall.

»Felicitas, wenn die Ereignisse sich wirklich so zugetragen haben, wie Sie sagen, und daran zweifle ich nicht, wie können Sie dann Don Alfredo guten Gewissens in Ihrem Film auftreten lassen?«

Ihre Miene verdüsterte sich. »Ich muss ihn dazu bringen, meinen Plänen zuzustimmen. Wenn das nicht gelingt, wird die Fazenda nicht vorkommen.«

Niklas war unterdessen nicht untätig gewesen und hatte sich zu Pferd und in Don Alfredos Begleitung die Ländereien angesehen, die Hütten der Arbeiter und den Platz, wo die Kaffeekirschen in der Sonne trockneten. Er war begeistert. »Wir sollten die Aufnahmen in der Früh machen, wenn das Licht noch sanft ist. In der Mittagssonne machen die Kameras und vor allem das Filmmaterial garantiert schlapp.«

Beim Abendessen auf der Veranda der Fazenda planten sie, wann und wie die Aufnahmen gemacht werden sollten. Doña Isabella strahlte. Im Gegensatz zu ihrem Mann gefiel ihr die Idee ausnehmend gut. »Ich bin eitel genug, mich auf meine alten Tage in der Vorstellung zu sonnen, dass viele Menschen in Europa mich sehen werden. Ich werde meine schönsten Kleider tragen …«

»O nein, bitte nicht, es muss alles möglichst authentisch wirken«, wehrte Niklas ab, doch Doña Isabella ließ das nicht gelten.

»Kommt nicht infrage. Was sollen die Leute denken? Dass wir arm sind oder keinen Geschmack haben? Nein, nein.«

»Den authentischen Part übernehme ich«, sagte Don Alfredo trocken. »Keine Uniform, kein Tropenhelm, hochgekrempelte Ärmel und Schweißflecken.«

»Das ist die richtige Einstellung«, entgegnete Niklas.

Felicitas nahm einen Schluck von dem kühlen Weißwein und sah Don Alfredo an. »Zuvor möchte ich noch zwei Dinge mit Ihnen besprechen, Don Alfredo. Beides wird Ihnen nicht gefallen.«

»Dann sollten wir in mein Arbeitszimmer gehen«, sagte er, und Felicitas nickte.

Es war dem alten Don schwer genug gefallen zu akzeptieren, dass er nun mit Heinrichs Frau über geschäftliche Dinge sprechen musste, »die Frauen prinzipiell nichts angehen«, wie er unumwunden sagte, und nur die alte Verbundenheit mit Gustav hielt ihn davon ab, Felicitas geringschätzig zu behandeln. Doch wenn sie ihn vor seiner Frau und Steffen und Niklas und dem Personal mit ihren Forderungen konfrontierte, würde es mit der Höflichkeit bestimmt vorbei sein. Sie verließen die Veranda. Steffen schickte ihr einen aufmunternden Blick nach.

Doña Isabella klatschte in die Hände und rief, bemüht,

den Anflug von Verstimmung zu überspielen: »Macht schnell, ihr beiden. Es gibt Honigbananen zum Dessert.«

Felicitas lächelte ihr zu und folgte Don Alfredo in den hinteren Teil des Gebäudes. Sein Arbeitszimmer war mit schweren Ledersesseln und einem gewaltigen Schreibtisch aus Mahagoni möbliert. Ein Tigerfell lag auf dem Pinienholzfußboden, und an den Wänden hingen Jagdtrophäen – Pumaköpfe, ein Jaguarfell, eine ausgestopfte Gelbe Anakonda.

Er schenkte ihnen beiden einen Whiskey ein und prostete ihr zu.

»Ich höre.«

Felicitas hatte sich zurechtgelegt, wie sie ihm ihre Pläne möglichst diplomatisch nahe bringen wollte, doch jetzt, da es so weit war, verwarf sie ihre Gedanken und kam unmittelbar zur Sache.

»Wenn Sie Ihren Arbeitern mehr Lohn zahlen und Anaiza helfen, ihre Kaffeekirschen auf den Markt zu bringen, werden Sie davon profitieren. Denn das ist die Zukunft«, schloss sie.

Don Alfredo starrte sie wie vom Donner gerührt an. Dann begann er zu lachen. »Das ist das Verrückteste, was ich je gehört habe! Sagen Sie, Felicitas, haben Sie auch nur eine blasse Ahnung, wie der Kaffeehandel funktioniert? Haben Sie in all den Jahren nichts gelernt?«

»Ich sage ja nicht, dass Sie Ihren Arbeitern und Anaiza den Hintern vergolden sollen«, gab sie scharf zurück. »Alles, was ich will, ist ein wenig mehr Gerechtigkeit. Es geht ums Prinzip, begreifen Sie das nicht? Ich bin mir bewusst, dass die Regierung in Brasilien und in allen anderen Erzeugerländern die Preise diktiert und den Kaffee je nach Lage auf dem Weltmarkt zurückhält. Ich weiß, dass es nicht nur Ihre Kirschen sind, die ich bekomme, wenn ich

brasilianischen Kaffee kaufe, auch wenn unsere Mittels-
männer ihre Tricks haben, genau dies zu gewährleisten.
Aber dennoch kann ich mich für fairere Bedingungen einsetzen – und damit in Deutschland Reklame machen. Auf
lange Sicht wird das seine Wirkung nicht verfehlen. Andere werden nachziehen.«

Don Alfredo kratzte sich am Ohr. »Was für eine romantische Idee.«

Seine herablassenden Worte ließ Wut in ihr aufsteigen.
»Nicht wahr?«, gab sie schneidend zurück. »Romantischer
jedenfalls als das, was die kleine Florinda damals erleben
musste.« Sie beugte sich vor wie eine Katze auf dem Sprung
und fixierte ihn. »Ich habe keine Angst vor Ihnen, Don Alfredo. Und wenn es sein muss, verlasse ich noch heute die
Fazenda und werde meinen Kaffee morgen in Togo, Ko-
lumbien oder in der Karibik kaufen. Und übermorgen
strenge ich einen Prozess an, der die Ereignisse von damals
aufrollt. Sie werden keine ruhige Minute mehr haben, das
schwöre ich Ihnen.«

»Als ob das irgendjemanden in diesem Lande interessieren
würde! Sie können mir nicht drohen, Felicitas. Ich bin zu
alt und zu müde, um mich zu fürchten.«

Sie stand auf. »Das werden wir ja sehen.«

»Meine Arbeiter bekommen den Lohn, den ich für richtig
halte, den alle in diesem Land für richtig halten. Wer sind
Sie, dass Sie sich anmaßen, mir Vorschriften zu machen?
Wir Pflanzer haben für dieses Land unsere Kraft gegeben.«
Er schnaufte verächtlich. »Aber in Gottes Namen, ich
werde Anaiza keine Steine in den Weg legen.«

Felicitas nickte. Don Alfredos Zugeständnis half Anaiza
und den Frauen mehr, als es das öffentliche Ringen um die
Wahrheit tun würde. Sie hatte nicht erreicht, was sie sich
vorgenommen hatte, doch es war ein Anfang.

Später am Abend wich die angespannte Atmosphäre schläfriger Gelassenheit. Doña Isabella hatte den Männern einen Kaktusschnaps und sich und Felicitas Zitronenlikör servieren lassen, der seine Wirkung nicht verfehlte. Nachdem Don Alfredo zu Bett gegangen war, beugte sie sich vertraulich zu Felicitas hinüber. »Die meisten Pflanzer sind wie er, und er ist von ihnen nicht der schlechteste.«

»Doña Isabella …«, begann Felicitas, hin und her gerissen zwischen Wahrheitsliebe und Rücksichtnahme, doch die alte Brasilianerin ließ sie nicht ausreden.

»Ich lasse die Vergangenheit ruhen, und Sie sollten das auch tun.« Sie drückte Felicitas' Hand. »Und ich werde dafür sorgen, dass er sein Versprechen hält.«

Schweigend saßen sie noch eine Weile beisammen. Ein leiser Nachtwind wiegte die Lampions sanft hin und her, ein paar Geckos schrien. Niklas hatte sich Don Alfredos Gitarre ausgeliehen und versuchte die sentimental-kraftvollen Gesänge aus den Hütten, die der Wind zu ihnen herübertrug, zu begleiten. Doña Isabella sang leise mit.

Felicitas verspürte das dringende Bedürfnis, allein zu sein, und verabschiedete sich. Seufzend streckte sie sich auf ihrem Bett aus. Der Alkohol hatte sie matt gemacht, doch sie fand keine Ruhe. Das Gespräch mit Don Alfredo hatte sie mehr aufgewühlt, als sie sich eingestehen wollte, und die widersprüchlichen Bilder aus Vergangenheit und Gegenwart bedrängten sie. Ihr Herz raste, und kalter Schweiß trat ihr auf die Stirn. Sie stand auf und ging leise zum hinteren Teil der Veranda. Etwas Bewegung und die frische Luft der Nacht würden ihr gut tun.

Sie hatte gehofft, dass er da sein würde, und als er sie in den Arm nahm, fühlte sie eine grenzenlose Erleichterung. Sie hielt den Atem an und wartete, dass das vertraute

Schuldgefühl sich ihrer bemächtigte und ihre innere Versteinerung rasch eine Mauer zwischen ihnen hochziehen würde, aber nichts dergleichen geschah. Sie standen einfach nur so da, vertraut und ohne Eile, etwas voranzutreiben, was gerade begann sich zu entfalten.

»Das ist mein Lieblingsfoto.« Steffen hielt eine Aufnahme von Felicitas hoch – die Haare vom Wind zerzaust, die Hand vor dem Mund, um ihr schallendes Gelächter zu verbergen, blitzende Augen. »So sieht die reine Schadenfreude aus.«

»Das war, als das Maultier ausschlug und du vor Schreck über einen Kaffeesack gestolpert bist, nicht wahr?« Felicitas konnte sich auch im Nachhinein das Lachen nicht verbeißen. Niklas schaute sie stirnrunzelnd an.

»Wenn ihr in diesem Tempo weiterarbeitet, sind wir Weihnachten noch nicht fertig«, spottete er gutmütig, und Felicitas und Steffen nahmen sich pflichtschuldigst einen weiteren Stapel Fotos vor, einer von vielen, der gesichtet und sortiert werden musste, während Niklas die nächste Filmrolle präparierte, um die Szenen auszusuchen, die später im Film Verwendung finden sollten. Felicitas war überrascht gewesen, wie viel Freude sie an dieser Arbeit gefunden hatte. Sie agierte völlig natürlich vor der Kamera, ganz anders als früher im Schauspielunterricht vergaß sie, dass sie spielte, und wirkte deshalb entspannt und überaus präsent. Niklas war hingerissen. Schon während der Aufnahmen in Brasilien hatte er gespürt, dass Felicitas wie geschaffen für dieses Medium war, und jetzt, da die Ergebnisse vorlagen, bestätigten sich seine hoffnungsvollen Erwartungen.

»Die Leute werden Sie lieben, Felicitas. Ich würde mich nicht wundern, wenn Sie nach der Premiere mit Filmangeboten überhäuft werden.«

Unsinn, hatte Felicitas erwidert. Dennoch fühlte sie sich geschmeichelt, dass ein junger Filmkünstler, Niklas war gerade dreißig, die Fältchen und leisen Spuren eines nicht einfachen Lebens in den Zügen seiner um sieben Jahre älteren Auftraggeberin einfach ignorierte.

Niklas löschte das Licht, und leise ratternd lief der Film ab. Landschaft, schwitzende Kaffeepflücker, Felicitas im Dschungel, Felicitas beim Pflücken von Kaffeekirschen.

Ich schaue nicht jung aus, aber man sieht, wie glücklich ich bin, dachte Felicitas und drückte Steffens Hand. Ihre Körper und Seelen waren ineinander geglitten wie zwei Puzzlestücke, wie Schlüssel und Schloss, wie Zwillinge, die getrennt gewesen waren und suchend, ohne zu wissen, wonach sie suchten, durch das Leben gestreift waren. Sie sagten im selben Moment dieselben Dinge. Sie mochten dieselben Dinge, hatten den gleichen Humor und empfanden Situationen und Stimmungen beängstigend ähnlich. Die Übereinstimmung schürte die Gewissheit, dass ihre Begegnung kein Zufall war, sondern eine Fügung, und ebnete so den Weg zur völligen Hingabe, ein Weg, den ihre Körper äußerst bereitwillig einschlugen. An Bord der Eugenia gab der Rhythmus der Wellen den perfekten Takt vor. Trunken vor befriedigter Lust beendeten sie die Nächte in seliger Umarmung und verdösten die Tage in schläfriger Harmonie an Deck. Ihre Liebe machte sie ungesellig, sie hatten aneinander genug.

Ich benehme mich wie ein Backfisch, dachte Felicitas gelegentlich, wenn sie staunend über ihre völlige Verwandlung nachsann und halbherzig meinte, sich vielleicht doch ein wenig die Zügel anlegen zu müssen, aber der Vorsatz war so dumm wie undurchführbar. Sie liebte.

Wieder in Bremen, störte der Alltag ihre selbstverständliche Balance. Nicht nur, weil Felicitas sich durch Berge von Vorgängen arbeiten musste, um im Betrieb wieder auf dem Laufenden zu sein, sondern vor allem, weil Steffen der Meinung war, sie sollten Felicitas' Familie nicht überrumpeln, sondern ihr die Neuigkeit in kleinen leicht verträglichen Dosen verabreichen. Felicitas hatte das impulsiv als Feigheit abgetan, aber Steffen hatte sich durchgesetzt. »Deine Kinder werden mich eher mögen, wenn sie mir unvoreingenommen gegenübertreten können«, hatte er gemeint, und schließlich hatte Felicitas nachgegeben, auch wenn diese Politik der kleinen Schritte ihrem Naturell zutiefst widersprach. So lernte die Familie Andreesen Steffen Hoffmann als den Mann kennen, mit dem Felicitas die Wochenenden verbrachte, um an der Andreesen-Reklame zu arbeiten. Manchmal nahmen sie die Kinder mit zu Niklas, der sich mit Felicitas' Geld ein Filmstudio in der Schwachhauser Heerstraße eingerichtet hatte. Während Christian sich offenkundig langweilte, war Clemens stumm vor Begeisterung, als er die technische Ausrüstung erblickte, und völlig aus dem Häuschen, als Niklas ihm erlaubte, die Filmrolle in Gang zu setzen. Gesa gab sich liebenswürdig wie selten, und Felicitas musste zugeben, dass die Widerspenstige zwar nicht gezähmt, aber zu einem sehr charmanten jungen Mädchen herangewachsen war. Sie spürte einen Funken schlechten Gewissens, als ihr bewusst wurde, dass sie die Entwicklung ihrer Kinder nicht in liebevoller Gleichmäßigkeit erlebte, wie andere Mütter es vermutlich taten, sondern ihrer in abrupten Sprüngen gewahr wurde.

Mit Ausnahme von Teresa allerdings. Mit einer für ein Kind seltsamen Gelassenheit hatte sie die Aufmerksamkeit ihrer Mutter immer wieder eingefordert und sich mit Verständigkeit revanchiert, sodass es Felicitas immer leicht gefallen war, sich trotz aller anderen Anforderungen um ihre Jüngste zu kümmern. Mit sechs konnte Teresa bereits lesen, mit acht interessierte sie sich für Felicitas' Arbeit, und heute, mit zehn, half sie mit intuitiver Sicherheit, die guten Fotos von den misslungenen zu unterscheiden.

Felicitas sah auf die Uhr. »Lasst uns für heute Schluss machen. Ich habe versprochen, zum Abendessen zu Hause zu sein.«

Niklas sah kurz hoch und versenkte sich dann wieder in die Betrachtung der Fotos. »Guten Appetit. Ich mache noch ein wenig weiter.«

Steffen grinste. »Wenn du eine Frau wärst, würde Felicitas dir sicher einen Platz im Kunstpark anbieten. Ein kleines Studio mit dem Titel »Der Unersättliche« – so was fehlt dir doch noch, nicht wahr?«

Felicitas lachte und hakte sich bei ihm ein.

Sie gingen zu Fuß Richtung Parkallee. Die November-Nebel malten silberne Schleier in die dämmrige schwere Luft, die das Geräusch ihrer Schritte dämpfte.

»Kommst du mit zum Essen?«

Steffen schüttelte den Kopf, und Felicitas spürte, wie die Ungeduld an ihr nagte und ihr wütende Worte auf die Lippen drängte.

»Die Herausgeber haben mir gestern die Kündigung zugestellt.«

»Nachdem sie sechs Wochen lang so getan haben, als wäre alles in Butter, und sich freuten, dass du wieder an Bord bist? Die haben ja Nerven. Mit welcher Begründung denn?«

»Ganz lapidar. Die Zeit nach meiner Rückkehr habe gezeigt, dass mein Stellvertreter interessante neue Akzente gesetzt habe, auf die sie nicht verzichten wollen. Blabla.«

»Das tut mir Leid, Steffen. Ich habe dich zu dem Abenteuer überredet …«

»Liebste, es war ganz allein meine Entscheidung, und bei Gott, ich bereue es nicht.« Er nahm sie fester in den Arm und drückte ihr einen Kuss auf die Schläfe. »Der Rest findet sich schon.«

»Bitte versteh mich jetzt nicht falsch, ich denke schon lange darüber nach, dir ein Angebot zu machen. Ich habe mich nur nie getraut, es auszusprechen, weil ich fürchtete, du könntest es als gönnerhaft auffassen. Aber du bist der beste Reklamechef, den ich mir denken kann. Wie wäre es?«

Steffen blieb stehen. Seine Lippen fanden die ihren, und sie verschmolzen zu einem dieser nicht enden wollenden, zugleich gierigen und liebevollen Küsse, von denen Felicitas nicht genug bekam. Als er sich von ihr löste, sagte er: »Danke. Ich weiß, du meinst es gut, aber ich könnte nicht damit leben, von dir abhängig zu sein. Ich glaube, es ist nicht gut, wenn Mann und Frau zusammenarbeiten.«

Felicitas schoss die Röte ins Gesicht. Mann und Frau – das war kein Heiratsantrag, aber ziemlich nah dran.

Beschwingt eilte Felicitas durch die Halle. Im Esszimmer war bereits gedeckt. Sie wollte sich rasch umziehen und lief die Treppe hoch, als Gesa sich ihr in den Weg stellte.

»Liebst du diesen Mann?«

Felicitas lag eine scharfe Zurechtweisung auf der Zunge, doch sie entschied sich für die Wahrheit. Sie hatte keine Veranlassung, ihre Gefühle länger zu verstecken. »Ja, mein Kind.«

»Ich bin kein Kind«, erwiderte Gesa, Feindseligkeit im Blick. »Ich bin achtzehn Jahre alt. Und ich hasse dich dafür, dass du Papa verrätst, und dafür, dass du so bist, wie du bist. Für uns hast du nie Zeit gehabt, aber für Steffen hast du sie. Ist dir eigentlich klar, wie sehr wir dich in all den Jahren gebraucht hätten? Glaub nur nicht, dass du mit diesem Steffen Hoffmann jetzt auf traute Familie machen kannst. Da machen wir nicht mit. Und Papa auch nicht. Eines Tages kommt er zurück, und du wirst ernten, was du gesät hast.« Damit drehte Gesa sich um und stürmte nach draußen, wie sie es von klein auf getan hatte.

Felicitas stand wie vom Donner gerührt da. Der Hass in den Augen ihrer Tochter war kaum zu ertragen gewesen, auch wenn der Ausbruch sie nicht gänzlich unvorbereitet traf. Sie hatte immer gespürt, dass Gesa so dachte, und war sich auch ziemlich sicher, dass Teresa und die Zwillinge ihre Meinung nicht teilten. Doch was Felicitas, so aufgewühlt, wie sie war, mit fassungslosem Erstaunen registrierte, war die unerschütterliche Gewissheit, nichts Unrechtes zu tun. Die Liebe zu Steffen hatte die Liebe zu Heinrich und die Schuldgefühle sanft zugedeckt, und kein noch so bissiges Wort konnte sie fort- und alte Wunden aufreißen. Ein Teil von ihr würde in alle Ewigkeit mit Heinrich verbunden bleiben, doch ein anderer durfte das Wunder der Liebe neu erleben. Vielleicht war es an der Zeit, Abschied zu nehmen von jenen Jahren. Und vielleicht sollte sie dies in Frankreich tun, dort, wo der Krieg ihr altes Leben zu Grabe getragen hatte.

22

Nur wenige Menschen hatten sich an diesem sonnigen Dezembermorgen eingefunden, um Franziska Ferrik die letzte Ehre zu erweisen. Eine Hand voll Schauspieler, die sie vor vielen, vielen Jahren unterrichtet hatte, Elfriede und Arthur und natürlich Max. Zur Missbilligung des Pastors wurde es keine Trauerfeier im üblichen Sinn. Die Verstorbene hatte verfügt, dass sie einzig Mozarts »Requiem« und eine brillante Lesung von Kleists Erzählung »Über das Marionettentheater« zu hören wünschte, während sie »bereits in anderen Sphären weilte«, wie sie es am letzten Tag ihres irdischen Daseins mit schwindender Kraft notiert hatte. Kein Auftritt war Max je so schwer gefallen wie dieser.

Danach stand die kleine Gruppe am Grab – der schlichte Eichensarg sollte nach einem stillen Gebet hinuntergelassen werden –, als Max das Wort ergriff. »Verzeih mir, dass ich deinem Wunsch zuwiderhandle, aber ich kann dich nicht gehen lassen, ohne dir zu sagen, wie unsagbar traurig ich bin, dass du nicht mehr da bist.« Obschon Max nicht sehr laut sprach, trug seine ausgebildete Stimme Franziska Ferriks Lebensgeschichte über den Waller Friedhof, ihren Mut, sich gegen alle Widrigkeiten zu stellen, ihre Liebe zu ihren Schülern, ihre Unerbittlichkeit, mit der sie Faulheit, Illusionen und Schwächen, vor allem den eigenen, gegenübertrat, und die unsentimentale Selbstverständlichkeit, mit der sie einem kleinen, verwirrten Jungen Schutz und Geborgenheit gegeben hatte. Max schämte sich seiner Tränen nicht, und alles in Felicitas sehnte sich danach, ihren

Vater in den Arm zu nehmen, so wie er es einst getan hatte, wenn sie Kummer hatte.

Den Leichenschmaus – Hackepeterbrote mit Zwiebeln und Mettwurstbrötchen, Franziskas deftiges Lieblingsfrühstück – nahmen sie im Schauspielhaus ein. Einen passenderen Ort gab es nach Max' Meinung nicht, Franziskas Heimgang zu begießen und mit Anekdoten zu würzen, die nach einer Weile der für eine Beerdigung üblichen gedrückten Stimmung schnell aufs Tapet gebracht wurden. Schließlich wurde es Zeit, sich auf die Abendvorstellung einzustimmen, und die Gruppe zerstreute sich. Elfriede verabschiedete sich von Arthur, nickte Felicitas zu und wandte sich Richtung Garderoben.

»Elfriede hat darum gebeten, ein wenig in der Schneiderei auszuhelfen«, erklärte Max. »Sie sagt, ihr falle die Decke auf den Kopf, jetzt, wo sie sich um niemanden mehr kümmern muss als um ihren Mann und mich. Und ich mache ja nicht so viel Arbeit«, fügte er lächelnd hinzu. »Die meiste Zeit verbringe ich ohnehin hier.«

»Wie gefällt dir die Rolle des Intendanten?«, fragte Felicitas vorsichtig.

»Es ist verdammt noch eins viel Arbeit. Sich auf eine Rolle vorzubereiten und sich im Lampenfieber zu gefallen ist eine Sache, eine andere, mit zig Schauspielern konfrontiert zu sein, von denen sich jeder für den Nabel der Welt hält. Und dann die Verwaltung!« Max verdrehte die Augen. »Grauenhaft. Aber ich will mich nicht beklagen. Es hat schon seinen eigenen Reiz, für alles verantwortlich zu sein, was an diesem Theater geschieht. Für jede Rechnung geradezustehen, die Stücke auszusuchen und zu einer stimmigen Spielzeit zusammenzustellen, mit den Regisseuren über Werktreue zu diskutieren, Schauspielerinnen am Rande des Nervenzusammenbruchs zu beruhigen. Ich fühle mich gewissermaßen wie der Vater von fünf höchst kapriziösen Töchtern.« Er machte eine Pause und blitzte Felicitas belustigt an. »Du sagst nichts? Das war doch eine perfekte Steilvorlage. Ist dir deine Schlagfertigkeit zwischen Kaffeesäcken und Geldscheinen verloren gegangen?«

»Ach Vater …« Felicitas hob hilflos die Hände und ließ sie wieder sinken. »Es tut mir so Leid.«

»Lass das, mein Kind. Du bist wie ein Dieb, der nicht weint, weil er ein Dieb ist, sondern weil ihn das schlechte Gewissen am Schlafittchen packt. Aber das gibt sich wieder. Und wie du siehst, habe ich die Schwierigkeiten auch ohne deine Hilfe überwunden.«

»Hast du doch noch eine Bank überzeugen können?«

Max zögerte. »So könnte man es nennen.«

Mehr wollte er offensichtlich nicht sagen, und Felicitas fand nicht den Mut, weiterzufragen. Nach allem, was geschehen war, ging es sie ja auch nichts an.

»Kommst du demnächst mal wieder zum Essen zu uns?«

»Aber ja«, sagte Max leichthin.

Eine Frau steckte den Kopf zur Tür herein, die Felicitas als Dora Henning erkannte, eine Schauspielerin Mitte dreißig, die sich mit erstaunlicher Würde und natürlicher Eleganz die Rollen erspielt hatte, die einst Helen verkörpert hatte.

»Verzeih die Störung, Max, aber wir brauchen deinen Rat. Oswalt will die Alkmene unbedingt als naives Mäuschen sehen. Damit würde sie eine Symbolfigur für die hypnotisierte Masse derer, die an Hitler glauben, sagt er. Das kann doch nicht sein Ernst sein.«

Sie lehnte lässig an der Tür, und Felicitas kam nicht umhin, ihre langen Beine und wohlgeformten Brüste, die sich unter dem hellgrauen Wollkleid abzeichneten, zu registrieren – und auch wie ihr Vater darauf reagierte und gleichzeitig versuchte es vor Felicitas zu verbergen, indem er die

Spitzen seiner Finger aneinander legte und Dora einen warnenden Blick zuwarf.

»Meine Tochter Felicitas«, sagte Max. »Dora Henning.«

Dora kam auf sie zu und reichte ihr eine warme, schmale Hand mit zartrosa lackierten Fingernägeln.

»Freut mich sehr«, sagte Dora, und ein strahlendes Lächeln breitete sich auf ihrem feinen Gesicht aus, das Felicitas spontan für diese Frau einnahm. »Ich sage Oswalt, du kommst etwas später, in Ordnung?«

Max nickte, Dora lächelte noch einmal und zog sich mit einer geschmeidigen Bewegung zurück.

»*Amphitryon*«, sagte Felicitas versonnen. »Damit hat alles begonnen. Mit Heinrich und mir, meine ich.« Und mit euren Problemen, fügte sie in Gedanken hinzu. Aber wie es schien, entfaltete sich hier gerade der Zauber eines neuen Anfangs für ihren Vater. Offensichtlich hatte das Chaos der letzten Jahre beschlossen, zaghaft eine neue Ordnung zu entwerfen. Noch war nicht alles an seinem Platz, aber das würde nur noch eine Frage der Zeit und der Geduld sein. Zuversicht durchströmte Felicitas.

Am zweiten Weihnachtstag 1928 verlor Gesa ihre Unschuld. Das war zwar nicht unbedingt Teil ihres Plans, brachte ihn aber auch nicht so durcheinander, dass sie ihre Ziele aus den Augen verloren hätte. Vor allem war da dieses heiße, wilde Bedürfnis, ihre Mutter zu kränken. Felicitas hatte alles darangesetzt, ein harmonisches Fest zu inszenieren, um sich zur Abwechslung einmal in der Rolle der liebevollen, gütigen Mutter zu gefallen. Geräucherter Puter, Waldorfsalat, Weinschaumcreme, Geschenke und Küsse. Und zu allem Überfluss das ewig lächelnde Gesicht dieses Steffen Hoffmann, der meinte sich still und leise in die Rolle eines Stiefvaters drängen zu können. Doch letztlich war es Gesa egal, mit wem ihre Mutter glaubte ihr Leben teilen zu müssen. Ihr ging es nur um das Gefühl des Triumphs, das sie auch jetzt noch erfüllte, wenn sie an heute Morgen dachte.

»Ich verbringe den Tag mit Freunden«, hatte sie kühl und lakonisch beim Frühstück verkündet, und als die vor Überraschung kugelrunden Augen der Zwillinge auf ihr ruhten, hinzugefügt: »Weihnachten ist so was von passé. Dieser ganze Zuckerguss! Das kann man gerade einen Tag ertragen. In Berlin feiert kein Mensch Weihnachten. Wozu auch? Fast zweitausend Jahre sind vergangen, ohne dass jemand die frohe Botschaft ernst genommen, geschweige denn begriffen hätte. Also, was soll's.« Gerade noch rechtzeitig merkte sie, dass sie begann sich vor lauter Genugtuung warm zu reden. Geschwätzigkeit passte nicht zu ihrem neuen Leben.

Felicitas hatte den Hieb, den ihre Tochter ihr, und nur ihr, das war ihr klar, versetzt hatte, mit einem bedauernden, aber kühlen Lächeln quittiert. »Schade. Ich vermute, wir brauchen auch mit dem Abendessen nicht auf dich zu warten.« Und noch bevor eine Antwort kam, vertiefte sie sich in ein Modemagazin.

»Richtig.« Gesa warf die blonden Locken nach hinten, faltete aufreizend langsam ihre Serviette zusammen und mied Elisabeths durchdringenden Blick. Ihre Großmutter war der Schwachpunkt ihres Plans. Sie war der einzige Mensch, der ihr, abgesehen von ihrem Vater, Geborgenheit geschenkt hatte, und sie zu verletzen tat Gesa fast körperlich weh. Später würde sie ihr erklären, warum sie so hatte handeln müssen, und ganz gewiss würde sie es verstehen.

»Wo willst du denn hin?«, fragte Teresa neugierig.

»Das allerdings würde mich auch interessieren«, sagte Elisabeth sanft, doch mit einem Unterton stählerner Härte.

»Sie knutscht bestimmt rum«, alberte Clemens und ahmte mit gespitztem Mund die übertriebene Art nach, wie Filmstars einander küssten, »und glaubt, sie ist ein Filmstar.« Christian kicherte und leckte sich den Honig von der Hand, der von seinem Brötchen getropft war.

»Also?« Elisabeth trank in kleinen Schlucken den brühheißen Tee, ließ Gesa dabei aber keine Sekunde aus den Augen.

Schließlich erwiderte Gesa ihren Blick und sagte würdevoll: »Wir treffen uns an der Sielwall-Fähre, gehen spazieren und rezitieren dabei Gedichte. Wir halten das für eine sinnvollere Art, sich mit dem Leben auseinander zu setzen.«

»Das klingt wirklich beeindruckend. Zumal das Wetter genau das richtige für so eine weltverbessernde Unternehmung zu werden verspricht.« Elisabeth lächelte maliziös. Obschon es bereits neun Uhr war, schien der Tag zu müde, um die Dämmerung abzuschütteln. Wie ein nasses graues Laken lag der Himmel über Bremen, kein noch so stabiler Regenschirm würde dem heftigen Wind, der den Sprühregen fast horizontal vor sich hertrieb, trotzen. »Und wer sind wir?«

»Hannelore Maddaus, Elvira Bachmann und Katharina Johannson«, antwortete Gesa widerwillig.

»Schulkameradinnen?«

»Ja, Schulkameradinnen. Und wenn sich einer in diesem Haus auch nur ein wenig für meine Angelegenheiten interessieren würde, wären ihm die Namen geläufig. Aber man liest ja lieber Modemagazine ...« Verflixt, das hatte sie nicht sagen wollen. Das klang viel zu sehr nach verletzter Eitelkeit, nach theatralischem Backfischgehabe. Gesa stand auf. »Wenn ihr mich jetzt bitte entschuldigen wollt. Ich bin spät dran.«

Mit der Straßenbahn fuhr Gesa schnurstracks zu Niklas, der, wie sie einer Unterhaltung von Elisabeth und Felicitas entnommen hatte, die Einladung zum Essen mit der Entschuldigung abgelehnt hatte, er nutze die Stille der Feiertage gern, ungestört zu arbeiten. Das hatte Gesa auf die Idee gebracht, die schon seit sie das Studio und die Kameras gesehen hatte in ihr gekeimt war.

»Frohe Weihnachten, Niklas«, sagte sie lässig, als er die Tür öffnete und sie verblüfft anstarrte. »Wenn du willst, können wir die Fotos jetzt machen, von denen du neulich gesprochen hast.«

Er hatte damals zwar lediglich geäußert, Gesa besitze ein ausdrucksvolles Gesicht, aber sie wettete eins zu hundert, dass er ihren Vorschlag nicht ablehnen würde. Sie besaß ein untrügliches Gespür dafür, was dieser ganz bestimmte Blick eines Mannes bedeutete, schon zu viele Blicke dieser Art hatte sie auf ihrem Körper und ihrem Gesicht ruhen sehen. Und Niklas sah sie genauso an. Neulich und jetzt auch wieder.

Niklas räusperte sich. »Solltest du nicht Pute essen und O Tannenbaum singen?«

»Offiziell bin ich zusammen mit drei Freundinnen mit der Rezitation von Gedichten beschäftigt. Du weißt schon …«

»Hör zu, Gesa, ich will keinen Ärger bekommen. Deshalb halte ich es für besser, wenn du wieder gehst.«

»Aber Niklas«, entgegnete Gesa arglos und mit silberhellem Lachen, »ich bin weit davon entfernt, dir Schwierigkeiten zu bereiten. Alles, was ich will, sind ein paar gute Fotos, mit denen ich mich beim Film bewerben kann.« Mit diesen Worten zog sie ihren Mantel aus, knöpfte ihr dunkelblaues Wollkleid auf und stand in einem ziemlich engen, ziemlich glänzenden Seidenkleid vor ihm. Sie sah umwerfend aus, und Niklas pfiff anerkennend durch die Zähne.

»In Ordnung, aber das muss unter uns bleiben. Komm mit.«

Er ging voran ins Studio und knipste Scheinwerfer und einige Lampen mit weicherer Beleuchtung an.

»Da rechts findest du Puder und Wimperntusche. Mach dich ein wenig zurecht, aber übertreib nicht.«

Während Niklas schweigend und routiniert die Kamera vorbereitete, schminkte Gesa sich sorgfältig einen noch sinnlicheren Mund, als die Natur ihr geschenkt hatte, und gab ihren wasserblauen Augen mit schwarzer Kohle einen katzenhaften Schnitt. Bedauerlich, dass sie nicht Mamas aquamarinblaue Augen geerbt hatte.

»Fertig?«, fragte Niklas, und Gesa kam zu ihm. Er betrachtete ihr Gesicht, dachte kurz nach, griff dann in ihre schicke Innenrolle und brachte sie durcheinander. Gesa schrie auf.

»Sieht mondäner aus«, sagte Niklas und wies mit dem Kopf auf ein dunkelgrünes Plüschsofa. Gesa setzte sich. Jetzt, da die Scheinwerfer auf sie gerichtet waren, fühlte sie sich nicht mehr so sicher. Ihr Körper schien nur mehr aus Einzelteilen zu bestehen, die nicht miteinander harmonierten. Die Arme waren irgendwie zu lang, ihre Waden hätte sie besser verstecken sollen, so muskulös, wie sie waren, ihre Schultern wirkten zu breit. Und wie sollte sie den Kopf halten?

»Entspann dich, denk einfach, ich bin gar nicht vorhanden«, meinte Niklas, der diese Probleme von jungen Mannequins kannte, die wie Gesa unbedingt zum Film wollten, aber keine Ahnung hatten, wie man sich vor der Kamera bewegte. Gesa sah ihn mit einem Hauch von Verzagtheit in den Augen an, und dieser Ausdruck veränderte alles. Niklas erfasste mit geschultem Blick, dass Gesa mehr sein könnte als eine von hunderten. Dieser Blick – so kindlich wie verderbt.

Er legte eine Platte mit französischen Chansons aufs Grammophon. »Schließ die Augen. Fühl die Musik. Lass deinen Körper die Musik ausdrücken. Denk nicht nach, sei einfach nur Gefühl.«

Gesa schloss gehorsam die Augen, und ihr Körper übernahm die Regie. Ihre Bewegungen verloren alles Linkische, gewannen an Anmut und träger Sinnlichkeit, die sich wie ein schweres Parfum über die Szene legte. Niklas schoss Foto um Foto, flüsterte nur leise Kommandos, um weder sich noch Gesa aus ihrer beider Selbstvergessenheit zu holen. Nach einer Stunde war die Atmosphäre dermaßen erotisiert, dass Niklas sich nicht länger beherrschen konnte und Gesa küsste. Überrascht registrierte er, wie ungestüm ihre Zunge der seinen antwortete und wie heftig ihr biegsamer Körper sich ihm entgegenstreckte. Sie schliefen zusammen, schnell und atemlos. Als Niklas mit einem Stöhnen über ihr zusammenbrach, wusste Gesa, dass es andere geben würde, die es vielleicht länger und besser konnten, die sie zu den Glücksgefühlen bringen würden, die sie nachts allein unter der Bettdecke in heimlichem Entzücken so genoss, dass sie schon fürchtete, süchtig danach zu sein. Doch Niklas würde immer der bleiben, der sie zur Frau gemacht hatte.

Ihr erster Fotograf, ihr erster Mann, ihre erste Station auf dem Weg nach oben. Sie verwuschelte sein dunkelblondes Haar und küsste ihn auf die zarten Ansätze seiner Geheimratsecken. Eine lässige Zärtlichkeit, keine verliebte Geste. Ganz bestimmt werde ich nicht so dumm wie meine Mutter sein und für einen Mann meinen Traum aufgeben, dachte Gesa.

Träge lag Niklas auf dem Rücken. Mit einer Hand hielt er Gesa im Arm, mit der anderen nestelte er aus seiner Hose ein zerdrücktes Päckchen Zigaretten und zündete sich und ihr eine an.

»Hast du Lust, morgen mit zu den Dreharbeiten zu kommen?«

»Oh, ja ... warum nicht?« Gesa hätte am liebsten gejubelt, riss sich aber zusammen, um sich nicht lächerlich zu machen.

»Wo denn?«

»Wir beginnen um sechs Uhr morgens im Hafen beim Löschen des Kaffees. Vielleicht kannst du zusehen, wie Maria Simon geschminkt wird.« Er zauste Gesas Haar. »Ohne Puder und gepinselte Augenbrauen sieht sie nur halb so gut aus. Du bist viel hübscher.«

Als Gesa das Esszimmer verlassen hatte, blickte Felicitas von der Zeitschrift auf.

»Ich schlage vor, wir gehen in den Wintergarten und spielen einige von den Spielen, die der Weihnachtsmann gebracht hat, einverstanden?«

»O Mama, wir glauben doch schon lange nicht mehr an den Weih...«, begann Christian und rollte mit den Augen, doch Felicitas unterbrach ihn.

»Du kannst natürlich auch in den Büchern, die du dir gewünscht hast, blättern, wenn du sie überhaupt verstehst.« Felicitas fing Elisabeths warnenden Blick auf. »Bücher über Anatomie für einen Vierzehnjährigen!«

»Und ich? Darf ich mein Florett ausprobieren?« Clemens nahm seit einiger Zeit Fechtunterricht und stellte sich äußerst geschickt an, weshalb Felicitas seinem Drängen nachgegeben und ihm ein Florett für Erwachsene gekauft hatte. Das Kinderflorett mit der stumpfen Spitze war längst unter seiner Würde.

»Einverstanden. Aber pass auf und rasier die Rosen nicht ab.«

Die Zwillinge rannten hinaus, die Matrosenkragen ihrer

Anzüge flatterten wie Segel auf und nieder. Noch ein halbes Jahr vielleicht und sie werden lange Hosen und Oberhemden tragen wollen, dachte Felicitas mit leiser Resignation.

Teresa rutschte vom Stuhl und küsste Felicitas. »Sei nicht traurig, Mama. Ich baue schon mal den Bauernhof auf, und dann können wir zusammen spielen. Du auch, Oma, ja?«

Elisabeth nickte. Beide sahen der zierlichen Gestalt in dem roten Wollkleid nach.

»Manchmal denke ich, was Gesa an Verständigkeit fehlt, hat Teresa doppelt mitbekommen. Ich fürchte fast, sie ist zu einfühlsam für ihr Alter.« Felicitas brach ab und sah Elisabeth an. »Was mache ich nur mit Gesa? Ich habe immer wieder versucht mit ihr zu reden, aber genauso gut könnte ich mit einer Litfaßsäule sprechen. Sie will nichts hören und nichts verstehen.«

»Sie versteht sich ja selbst nicht«, entgegnete Elisabeth. »Und darin ist sie dir sehr ähnlich. Genau wie du es getan hast, trägt sie den Schmerz um Heinrich mit sich herum, und der will nicht verheilen.« Nach einer Weile fügte sie hinzu: »Wir müssen auf sie Acht geben, sonst wirft sie sich in der Hoffnung auf die große Liebe dem Erstbesten an den Hals. In dem Alter interessieren sich die Männer nicht für eine verwundete Seele. Nicht so wie Steffen Hoffmann …«

»Du magst ihn also?«, fragte Felicitas erfreut und fast ein wenig erstaunt darüber, wie wichtig ihr Elisabeths Einschätzung war. Andererseits war das durchaus kein Wunder. Ganz allmählich und mit spröder Herzlichkeit hatte sie in den vergangenen vierzehn Jahren den Platz eingenommen, der einst ihrer Mutter gehört hatte. Wie hatten sie sich in der ersten Zeit bekämpft, Felicitas hatte gemeint in einem Eispalast zu leben. Doch mit dem Krieg war vieles anders geworden, Elisabeths Herz war weicher geworden. Felicitas lächelte, und Elisabeth erwiderte das Lächeln.

»Ich mag die Art, wie er dich und uns behandelt. Er ist feinfühlig, ohne distanzlos zu sein. Ein Gewinn für dieses Haus. Ich hoffe sehr, dass er seine Zurückhaltung aufgibt.«

Felicitas seufzte. »Das hoffe ich auch.«

Wie jeder Brief von ihrer Mutter landete auch dieser ungelesen und in kleinste Fetzen zerrissen zwischen Kartoffelschalen, abgenagten Knochen und Talgresten. Constanze wollte nichts wissen, nichts erfahren, weder vom Gut noch von ihren Eltern, geschweige denn von Dorothees Glück und Felicitas' hochtrabenden Plänen. Ein einziges Mal hatte sie ihre Neugier nicht zügeln können und einen Blick auf die eng beschriebenen weißen Seiten geworfen, doch als sich die Zeilen als Hymne auf ihre Schwester und ihre Cousine entpuppten und als Klagelied über das eigene Unglück mit einem bettlägerigen Mann, hatte sie nicht weitergelesen. In einem Moment, als sie sich gestärkt und großmütig gefühlt hatte, hatte sie einen Brief mit ihrer Adresse nach Sorau geschickt und bald darauf Antwort erhalten. In den Jahren hatte sie wohl an die fünfzig Briefe bekommen und nur einmal geantwortet – dass es ihr lieber sei, in Ruhe gelassen zu werden. Dennoch schrieb ihre Mutter mit der Regelmäßigkeit eines Uhrwerks, und genauso regelmäßig fanden die Briefe ihren Weg in den Müll.

Je weniger Constanze von Sorau und aus Bremen hörte, desto besser ging es ihr. Es enthob sie der Qual, sich vergleichen zu müssen. Sie meinte sich dadurch schützen zu können – vor dem nagenden Heimweh und dem bitteren Gefühl, eine Weiche in ihrem Leben falsch gestellt und ihren Weg nie wieder gefunden zu haben. Doch Constanze wusste, dass es nur eines Auslösers bedurfte, und das Gefühl würde geweckt sein und sie zu Reaktionen zwingen, die sie nicht einschätzen konnte.

Dabei ging es Constanze nicht schlecht. Nach ihrer abenteuerlichen Flucht mit Fjodor und Sergej und dem kleinen Alexander waren sie in Petrograd gelandet. Unter Lenins Fittichen hatte Fjodor atemberaubend schnell einen Weg in die Spitzen des Verwaltungsapparats gefunden und mit politischem Geschick verteidigt, obwohl Stalin, der nach Lenins Tod 1924 die Macht an sich gerissen hatte, ihn mit Argusaugen beobachtete. Sergej segelte in Fjodors Windschatten. Seine Arbeit bestand im Wesentlichen daraus, die Bauernhöfe in der Umgebung zu inspizieren und sie auf ihre Umwandlung in Kolchosen vorzubereiten, eine Aufgabe, die ihn begeisterte, obschon er seine Familie sehr vermisste, wie er jedes Mal beklagte, wenn er nach wochenlanger Abwesenheit wieder nach Hause zurückkehrte, um seine Berichte zu verfassen.

Constanze glaubte ihm, doch es berührte sie nicht mehr. Sie war Fjodors Geliebte, und sie war es gern. Fjodor hatte ihrer Familie ein hübsches Haus am Maneznaja-Platz gekauft, weit entfernt von allem Elend und Hunger, den Geißeln, die den russischen Alltag grau färbten und die russische Seele verletzten. Wenn Sergej auf Reisen war, lebte Fjodor bei Constanze und Alexander, und er brachte stets eine fröhliche Stimmung mit, war aufmerksam, wusste zu unterhalten und Constanze die Zärtlichkeit zu schenken, die sie im Zusammensein mit Sergej so vermisst hatte. Sergej war nicht dumm, und so blieb ihm das Arrangement nicht lange verborgen, doch da er auf Fjodors Segen angewiesen war und seine Gefühle für Russland inniger waren als die für Constanze, lernte er, ihre Ehe zu dritt stillschweigend zu tolerieren. Constanze ihrerseits gewöhnte sich daran, wie eine Fremde durch ihr eigenes Leben zu gehen. Um vor Langeweile nicht umzukommen, kochte sie im Sommer Marmelade nach ostpreußischer Art ein und verkaufte sie auf dem kleinen Markt am Ligovskij-Prospekt. Hin und wieder half sie in der nahe gelegenen Schule, damit es niemandem auffiel, dass ihr der Aufbau des Sozialismus von Herzen gleichgültig war.

Constanzes Lebensinhalt war Alexander. Sie liebte es, im Sommer mit ihm am Ufer der Newa spazieren zu gehen und die Flut seiner kindlichen Fragen über die Kathedralen, Zarenpaläste und die gewaltige Festungsanlage so gut sie es vermochte zu beantworten. Fielen die Temperaturen ab September, machte sie es sich und ihrem Sohn daheim gemütlich, goss starken, süßen Tee aus dem Samowar in kleine, dickbauchige Steinguttassen, wickelte ihn in eine Decke aus Fuchsfellen ein und erzählte ihm Geschichten aus Ostpreußen, von seinen Großeltern und ihrem Gut in Sorau und von seinen Verwandten im fernen Bremen. Sie tat es mit Wehmut im Herzen, überwand sich aber jedes Mal. Alexander sollte wissen, wo seine Wurzeln waren, um hier neue schlagen zu können. Als er größer wurde, hörte sie damit auf. Zu akzeptieren, dass er ihr entwuchs, fiel Constanze schwer, umso mehr, da sie keine Beschäftigung fand, die sie annähernd so auszufüllen vermochte wie die Erziehung ihres Sohnes.

Die Jahre glitten dahin wie die Kufen der Kutschen auf dem Schnee der allzu langen Winter. Nur die Brutalität, mit der Stalin das gewaltige Sowjetreich beherrschte, berührte Constanze nachhaltig. Nachbarn verschwanden spurlos und kehrten nicht zurück, hinter vorgehaltener Hand wurde über schreckliche Vorgänge in den sibirischen Arbeitslagern berichtet. Die systematische Terrorisierung der Bevölkerung ging nicht spurlos an ihr vorbei. Sie fühlte sich beobachtet und zutiefst verunsichert und verließ das Haus nur noch, wenn es unbedingt notwendig war.

An einem der Abende des ausklingenden Januars 1929 bereitete Constanze einen Rindfleischeintopf mit Kartoffeln vor, eine von Fjodors Lieblingsspeisen. Sergej war wieder einmal in der Weite des Landes unterwegs, und Fjodor würde bei ihnen zu Abend essen und die Nacht in Constanzes Armen verbringen. Für das Fleisch hatte sie einen Kutscher und einen Markthändler mit hundert Rubeln und ihrem schönsten Lächeln bestechen müssen. Alexander, der, inzwischen zwanzig Jahre alt, zu einem gut aussehenden, stattlichen jungen Mann herangewachsen war, schnitt das tellergroße saftige Stück in mundgerechte Bissen, eine Arbeit, die Constanze nur höchst widerwillig erledigte, weil der Geruch rohen Fleisches stets Ekel und Abscheu in ihr weckte. Dankbar sah sie ihren Sohn an.

»Man sollte seinem eigenen Sohn so etwas nicht sagen, damit er nicht überschnappt, aber du sollst wissen, dass du etwas Besonderes bist«, sagte sie in einer Aufwallung von Zärtlichkeit.

Alexander grinste gutmütig. »Ich weiß. Eines Tages werden mir die Frauen zu Füßen liegen …«

Constanze klatschte ihm leicht mit dem Geschirrtuch auf die Schulter. »Das dauert noch. Erst einmal musst du trocken hinter den Ohren werden.« Der Ofen in der geräumigen Küche rumpelte vernehmlich. Constanze öffnete die Tür und nahm aus einem Weidenkorb das letzte Stück Holz. »Oje, ich fürchte, wir brauchen noch ein paar Scheite, sonst erfrieren wir heute Nacht.«

Alexander legte das Messer beiseite. »Ich mach das schon.« Er zögerte und warf seiner Mutter einen zaghaften Blick zu. »Würdest du mir erlauben, nach Deutschland zu reisen?«

Klirrend fiel Constanze das Kartoffelmesser aus der Hand.

Sie hob es auf und begann die Kartoffel zu bearbeiten, als wollte sie sie umbringen.

»Warum?«, fragte sie leise und streng. »Die Militärakademie beginnt im Sommer. Fjodor hat viel Mühe gehabt, dich dort unterzubringen, wie du weißt.«

»Aber das ist es ja«, erwiderte Alexander mit einem verzweifelten Unterton. »Ich bin kein Russe. Sicher, ich bin hier aufgewachsen, und ich rede Russisch wie eine Babuschka …«

»Na siehst du!«

»Mama, du weißt, was ich meine. Geht es dir nicht genauso? Deine Wurzeln sind in Sorau. Ich wurde dort geboren, und ich möchte nur einmal die goldenen Felder sehen, den Wald hinter dem Gutshaus, die Pferde, alles, wovon du mir immer erzählt hast.« Und leise fügte er hinzu: »Und meine Großeltern … Es ist, als ob es einen Teil von mir gäbe, der mir verschlossen ist, verstehst du?«

Und wie sie ihn verstand! Mehr noch, die Tatsache, dass er sich nicht wie andere ungestüme Jungen in seinem Alter kopfüber auf einen Weg stürzte, der für Männlichkeit und Ansehen stand, sondern innehielt und in der Tiefe seines Herzens ein Sehnen wahrnahm, dem er nachgehen wollte, ließ ihm ihr Herz zufliegen. Diese Empfindsamkeit hatte er von klein auf bewiesen, jeden Regenwurm hatte er gerettet, schwächere Spielkameraden vor Raufbolden verteidigt und sie, Constanze, mit lustigen Geschichten aufgemuntert, wenn er spürte, wie deprimiert sie war, auch wenn sie versucht hatte es vor ihm zu verbergen. Doch diese Empfindsamkeit konnte auch ein Stolperstein für sein ganzes Leben sein, wenn sie ihn hinderte, die richtigen Entscheidungen zu treffen.

»Ich halte das für keine gute Idee«, sagte sie so sachlich wie möglich.

»Warum nicht?«

»Ich fürchte, es würde dich durcheinander bringen. Am Ende weißt du nicht mehr, wohin du gehörst.« Wie ich, fügte Constanze im Stillen hinzu.

»Aber Mama, wir machen doch nur einen Besuch!«

»Wir?«

»Nun ja, ich dachte, du kommst vielleicht mit.« Sein Mund verzog sich zu einem gewinnenden Lächeln. »Sag ja, komm schon. Wir reisen im Frühjahr und sind vor dem Sommer zurück.«

»Nein, Alexander, schlag dir das aus dem Kopf. Unser Platz ist hier und nirgendwo sonst.« Sie drehte sich um und verließ die Küche. Im Hinausgehen sagte sie: »Denk bitte an das Holz.«

Später am Abend, sie hatten zu dritt und recht schweigsam gegessen und Alexander hatte sich gleich darauf in sein Zimmer zurückgezogen, nahm Fjodor Constanze in den Arm. »Was ist los? Habt ihr euch gestritten?«

Mit unbewegtem Gesicht schilderte Constanze, was sich am Nachmittag ereignet hatte, und murmelte zum Schluss: »Dumme-Jungen-Flausen. Morgen hat er das wieder vergessen.«

»Das glaube ich nicht, Conjuschka.« Behutsam dirigierte er sie zu den beiden gemütlichen Ohrensesseln, deren Stoff einst blau gewesen war und nun etwas verschossen aussah. Doch Stoff für einen neuen Bezug war seit längerem nirgendwo zu bekommen. »Du solltest wissen, dass Alexander vor einiger Zeit mit mir darüber gesprochen hat, nachdem er seinen Vater vergeblich um seine Zustimmung gebeten hat.«

»Ich erfahre es also als Letzte. Vielen Dank«, sagte Constanze eisig.

»Alexander will niemanden verletzen, am wenigsten dich.

Sergejs Reaktion war zu erwarten, er brennt mit einer Leidenschaft für dieses Land, die selbst mir manchmal übertrieben vorkommt. In seiner Welt haben andere Überlegungen keinen Platz, schlimmer noch, sie stellen für ihn eine Gefahr dar, weil sie sein Weltbild bedrohen. Aber du, Conjuschka, hast du denn gar kein Verständnis für den Wunsch deines Sohnes?«

Constanze seufzte leise. »Doch, sicher.« Sie nahm seine Hand. »Ich fürchte mich nur.«

»Wovor? Dass Alexander nicht zu Besuch bleibt, sondern womöglich für immer?« Sie schüttelte energisch den Kopf, aber Fjodor ließ sich nicht täuschen. »Doch, das ist es, was du fürchtest. Aber du fürchtest nicht für ihn, sondern für dich. Alexanders Sehnsucht spiegelt deine eigene, und die Furcht um ihn zeigt deine eigene Angst, dort bleiben zu wollen, wo dein wahres Zuhause ist.«

»Hier ist mein Zuhause«, entgegnete Constanze trotzig, mied aber seinen Blick.

Jetzt war es an Fjodor zu seufzen. »Ich liebe dich, Constanze. Aber in all den Jahren habe ich nicht vermocht, dein Herz zu erwärmen. Da ist eine Traurigkeit in dir …«
Er brach ab und stand auf.

Schneeflocken tanzten vor dem Fenster zu dem Garten, in dem Constanze im Sommer Gemüse und Früchte zog. Einer geheimen Choreographie folgend taumelten sie anmutig vom Himmel, küssten einander und fanden zwischen Milliarden anderer Flocken den Platz, der ihnen bestimmt war, um ihren Teil dazu beizutragen, eine eisige Decke auf Büsche, Bäume und Wege zu legen, bis die Frühjahrssonne jede einzelne von ihnen locken würde, als Wassertropfen wiedergeboren zu werden.

»Fahr nach Sorau, Conjuschka. Ich besorge euch die Papiere. Als Deutsche wird man euch ohnehin keine Schwierigkeiten machen. Tu es für dich. Du musst deinen Frieden finden. Und wenn du zurückkommst, machen wir reinen Tisch und heiraten.«

Das war der Moment, den Constanze gefürchtet hatte. Fjodors Worte trafen ihr Herz, passten wie ein Schlüssel ins Schloss und befreiten die Sehnsucht und das Heimweh. Sie schluckte, um die Tränen zu unterdrücken, doch es gelang ihr nicht.

»Wie findest du das?«

Thomas blickte auf und nahm das Blatt Papier, das Ella ihm hinhielt. »Grundriss der Schule für Frauen« stand in feiner Sütterlinschrift über einem akkurat mit Scriptol gezeichneten Plan.

»Siehst du, hier ist der Eingang«, sagte Ella und rückte ihren Stuhl näher. Ihr Zeigefinger folgte ihren Worten. »Links liegt der Empfang. Ich habe auf eine Tür verzichtet, damit die Frauen nicht schon wieder das Gefühl bekommen, eine unüberwindliche Barriere vor sich zu haben. In den Räumen auf der linken Seite des Flurs wird unterrichtet, auf der rechten Seite sind ein Erholungsraum mit Terrasse, ein Gemeinschaftsraum und eine Küche untergebracht. Im ersten Stock befinden sich zwei Badezimmer und sechs Schlafräume für die, die kein Zuhause mehr haben. Und im Garten«, Ella hielt ihm ein weiteres Blatt hin, »werden Gemüsebeete, ein Gymnastikplatz und für die Kinder ein Spielplatz angelegt.«

Thomas pfiff geräuschvoll durch die Zähne, was ihm einen missbilligenden Blick von einer Dame am Nachbartisch eintrug, die sich beim Kaffeetrinken gestört fühlte. Mit einer gezierten Bewegung teilte sie einen mundgerechten Bissen von einem der beiden mächtigen Butterkuchenstücke ab, die auf ihrem Teller lagen, und wandte ihre Aufmerksamkeit dann, bedächtig kauend, wieder dem Markt-platz zu, wo es an diesem frühen Samstagnachmittag eben-so wenig zu sehen gab wie in Andreesens Kaffeehaus – zwei alte Damen am Fenster schräg gegenüber, ein schwitzen-der, gut gekleideter Herr mit olivfarbener Haut und schwar-zem Schnauzer zwei Tische weiter. Eine öde Tageszeit, um sich die Zeit zu vertreiben, eine perfekte, um einigermaßen ungestört zu sein.

Thomas wandte sich wieder dem Plan zu. »Der gefällt mir von allen am besten. Wenn du willst, werde ich ihn vergrö-ßern und ins Reine zeichnen.«

Ella strahlte ihn an. »Ich habe gehofft, dass du das sagen würdest.« Sie nahm einen Schluck Kaffee und lächelte lis-tig. »Und dann habe ich noch eine Neuigkeit.« Sie senkte die Stimme. »Ich habe einen Teilhaber gefunden, der bereit ist, in Perella zu investieren und fünfzig Prozent der Kon-struktionspläne zu kaufen. Die anderen fünfzig Prozent behalte ich. Das bedeutet, er kann mit den Plänen nicht zu Borgward oder Mercedes gehen und sie verkaufen. Ohne die andere Hälfte sind sie wertlos.«

»Aber die Techniker bei Borgward sind doch nicht dumm. Sie werden anhand eines Teils der Pläne den Rest rekon-struieren können.«

»Mag sein, aber das Patent darauf halte nun mal ich. Da können die sich zusammenreimen, was sie lustig sind.« Ella lachte leise. »Thomas, ich bin einen weiten Weg ge-gangen und habe viele Umwege gemacht, aber jetzt bin ich fast am Ziel. Bremen wird eine Schule für Frauen bekom-men, in der nicht Stricken und Kochen auf dem Stunden-plan stehen, sondern Rechtschreibung, Politik und Ge-schichte. Ist das nicht großartig?«

Thomas nickte und drückte ihre Hand. »Und wie heißt dein Gönner?«

»Donald McGregor. Ein Amerikaner. Weiß der Himmel, wie der Mann auf Perella aufmerksam geworden ist. Vor einer Woche erhielt ich einen Brief, in dem mir ein Berliner Anwalt in seinem Namen dieses Angebot unterbreitete. Ich habe es von unserem Hausnotar prüfen lassen. Er hat keine Bedenken. Also wäre ich doch verrückt, wenn ich das ausschlagen würde. Es ermöglicht mir, zwei Dinge unter einen Hut zu kriegen – Peters Andenken zu bewahren und dafür zu sorgen, dass seine Ideen nicht verhökert werden, und dennoch meinen eigenen Traum zu verwirklichen.«

»Warum hast du eigentlich nicht Felicitas gebeten, bei Perella einzusteigen?«

Ellas Blick verdunkelte sich. »Das habe ich getan, aber sie hat abgelehnt.«

»Hätte deine Mutter nicht ein wenig nachhelfen können?«

»Ganz gewiss nicht. Sie lässt Felicitas schalten und walten, wie sie will. Na ja, außerdem stand Mutter meinem sozialen Engagement von jeher mehr als skeptisch gegenüber. Genau genommen hat sie es gehasst. Und sie hasst es noch heute. Dass wir damals im Krieg eine Armenspeisung durchführen durften, verdanken wir nur ihrer Angst, dass der hungernde Pöbel andernfalls ihre Küche gestürmt hätte.« Sie lachte auf. »Nach Peters Tod gab es eine kurze Zeit, in der wir uns einander genähert hatten, aber das hielt nicht lange an. Wir sind zu verschieden. Der strahlende Stern von Felicitas passt besser zu ihr.«

Sie sagte das ohne Wehmut, und Thomas sah sie bewundernd an. Das weiche Nachmittagslicht ließ ihren Teint leuchten. Wie durch ein Wunder waren die Jahre fast spurlos an ihrem runden Gesicht vorübergegangen.

»Bleib so«, sagte Thomas und zog das kleine in schwarzes Leder gebundene Skizzenbuch mit dem Drehbleistift aus seiner Jackentasche, das Ella ihm zu Weihnachten geschenkt hatte. Mit wenigen Strichen zauberte er aus dem Weiß ihr Porträt, und wie immer, seit er das tat, wurde Ella verlegen. »Ich weiß«, sagte Thomas und lächelte, den Blick aufs Papier geheftet. »Ich bin doch nicht schön, Thomas, lass das doch. Es gibt so viel schönere Motive …‹« Meistens sagte er dann: »Für mich nicht, denn du hast mich dazu gebracht, wieder zu malen statt zu verzweifeln.«

Wohin ihn das führen würde, wusste er nicht, es war auch nicht wichtig. Wichtig war allein die wiedergefundene Freude an seinem Talent. Die nackten Wände der kleinen Wohnung in der Verdener Straße, die er bald nach dem misslungenen Abend in der Villa bezogen hatte, in der Hoffnung, dem ersten Treffen mit Ella würden viele folgen, waren über und über tapeziert mit Porträts von Ella, den Nachbarn, spielenden Kindern im Park, Skizzen aus dem Bürgerpark, vom Markt. Hier und da hatten sich sogar wieder einige Karikaturen von Senatoren und stadtbekannten Kaufleuten und deren Frauen eingeschmuggelt, die Ella zum Lachen brachten.

Wenn Thomas nicht malte, übte er sich darin, ein guter Sozialdemokrat zu sein. Er entwarf Plakate für die Mehrheitssozialisten und diente bei deren Veranstaltungen als Ordner, eine Tätigkeit, die ihm ein bescheidenes Einkommen sicherte und viele Möglichkeiten bot, aufzusteigen, wenn er die Chancen zu nutzen wusste. Er stand am Anfang, wieder einmal, doch anders als in den Jahren zuvor fühlte er sich von einem leisen Optimismus durchdrungen, der ihn befähigte, die Dinge entspannt auf sich zukommen zu lassen.

Und das lag zweifellos an Ella. In Ella umarmte er sich selbst, seine Unzulänglichkeiten, seine Zweifel, aber auch seine eigene verborgene Kraft. Wenn er in ihre Augen blickte, las er seine Gedanken.

»Hast du mir überhaupt zugehört?«

»Entschuldige, ich war …«

»Ganz weit weg.« Sie schüttelte den Kopf und sah ihn nachsichtig an. In ihren Augen meinte er die Liebe zu erkennen, die er auch für sie empfand. »Ich sagte, im November wird ein Gebäude in der Dresdener Straße frei. Die Besitzer wollen nach Amerika auswandern. Das Haus könnte ich für meine Zwecke umbauen lassen, das ist billiger als ein Neubau. Und die Lage zwischen Hauptbahnhof und Felicitas' Kunstpark wäre ideal.«

Thomas nickte. Morgen. Morgen würde er sie fragen, ob sie seine Frau werden wolle. Und dann würde er auch endlich das Thema anschneiden, das sie beide stillschweigend ausgeklammert hatten – warum er das Porträt von Felicitas damals bei sich getragen hatte. Er wusste noch nicht, welche Worte er wählen sollte, um seine kindsköpfige Schwärmerei zu erklären, aber Ella würde ihn verstehen, so oder so.

Felicitas' Kunstpark? Das klang, als wollte sie sich anbiedern. Felicitas Andreesens Kunstpark? Noch schlimmer. Wie ihr eigenes Denkmal. Bremer Kunstpark? Zu unpersönlich. Welt der Kunst? Zu museal.

Drei Monate bis zur Eröffnung, und ihr wollte partout kein Name einfallen, der griffig und aussagekräftig war und die Neugierde weckte. Gewiss, sie hatte noch Zeit, doch die Einladungen für dreihundert Gäste mussten gedruckt und allmählich auf den Weg gebracht werden, damit möglichst viele ihr Folge leisten würden. Zudem saß ihr die Presse im Nacken, um in Erfahrung zu bringen, wie das Kind denn nun heißen sollte.

Kurz entschlossen riss Felicitas das Steuer herum. Sie hatte ohnehin vorgehabt, in dieser Woche mit Bernhard den

Stand der Dinge zu besprechen und offene Fragen zu klären, und da sie im Kontor nichts erwartete, was nicht auch noch bis morgen Zeit hatte, konnte sie ebenso gut jetzt zu ihm fahren. Ein Gefühl sagte ihr, dass sie ihn in seinem Atelier antreffen würde, und so lenkte sie den Wagen von den Wallanlagen Richtung Osterdeich und von dort zur Hastedter Heerstraße.

Bernhards dunkelroter Opel stand vor dem niedrigen Gebäude. Felicitas parkte dahinter und betrat das Atelier. Bernhard blickte kurz auf, als er ihre Schritte hörte, fuhr aber wortlos fort, eine Skulptur vorsichtig in Watte zu wickeln. Überall stapelten sich große Holzkisten, Holzwolle tanzte über den staubigen Boden, und bis auf wenige Gemälde, zwei Plastiken und das Modell vom Kunstpark waren Bernhards Werke und sämtliche Pinsel und Leinwände verschwunden.

»Was bedeutet das?«, fragte Felicitas und ärgerte sich, dass ihre Stimme viel zu alarmiert klang. Lässig nahm sie auf einer der Kisten Platz und fügte hinzu: »Lass mich raten. London? Oder Cornwall?«

Bernhard lachte. »Spricht da ein Herzenswunsch aus dir oder die Furcht, einen treuen Vasallen zu verlieren?« Behutsam legte er die eingewickelte Skulptur in eine offene Kiste und stopfte die Hohlräume mit Holzwolle aus.

»Lass die Spielchen, Bernhard. Aus mir spricht reine Neugierde. Also?«

Er wischte sich die Hände an der Drillichhose ab und kam näher. »Touché, meine Liebe. Dein Instinkt hat mich schon immer beeindruckt. London.«

Felicitas nickte. »Das heißt, du wirst zur Eröffnung nicht mehr da sein?«

»O doch. Glaubst du, das würde ich mir entgehen lassen? Nein, nein, meine Werke reisen nur voraus.«

»Und … was wirst du dort tun?«

»Malen und Gärten gestalten. Ich habe einen interessanten Auftrag für ein Anwesen in der Nähe von Chelsea. Donald McGregor hat es gekauft und mich gefragt, ob ich Interesse hätte, und ich habe zugegriffen. Ist mal was anderes als Bremer Tristesse.«

»Ich verstehe.« Felicitas machte eine Pause. Sie öffnete ihre Handtasche und griff nach ihrer Zigarettendose, doch als sie merkte, dass ihre Hände zitterten, ließ sie es bleiben. »Pierre hat zugesagt. Er hat in Paris alle Archive und Antiquariate auf den Kopf gestellt und ist fündig geworden, sodass wir als Eröffnung einen Reigen internationaler Kaffeemusiken präsentieren können, gespielt vom Violinsolisten der Pariser Staatsoper und begleitet vom Bremer Kaffeehausorchester. Klingt nicht schlecht, oder?«

»Ja.«

Stille dehnte sich aus. Schließlich sagte Felicitas: »Mir fällt kein Name ein.«

»Nenn es einfach Wunderland. Schließlich ist es doch ein Wunder, dass der Park nach all den Jahren endlich fertig wird.«

»O nein, das ist ja noch schlimmer als Felicitas' Kunstpark.«

Sie lachten beide. Für einen kurzen Moment wurde die Unbefangenheit jener Zeit wieder lebendig, als der Krieg noch in weiter Ferne lag. Felicitas sah sich mit dem Kaiser sprechen, Nussbaum in der Bürgerschaft bezwingen und unbeschwert und voller Optimismus ein kühnes Unternehmen beginnen, das ihr ohne Bernhards Hilfe aus der Hand geglitten wäre.

»Ich werde dich vermissen«, sagte sie leise, ohne ihn anzusehen.

»Es ist besser so.« Er stand auf und machte sich wieder an

einer der Kisten zu schaffen. Felicitas öffnete den Mund, um zu protestieren, schloss ihn aber wieder, als sie jäh begriff, dass er Recht hatte. Die eine gemeinsame Nacht würde für immer zwischen ihnen stehen, doch mit der geographischen Distanz wuchs ihre Chance, eines Tages doch noch Freunde zu werden.

Sie stand auf und ging zur Tür. »Ich wollte dich nicht stören. Wir sehen uns dann morgen.«

Kaum hatte sie ihr Büro betreten, klingelte das Telefon, und seufzend nahm Felicitas ab. Donald McGregors Stimme klang nicht so gelassen wie sonst.

»Es gibt Schwierigkeiten«, sagte er. »Die Märkte reagieren im Moment äußerst nervös.«

Felicitas war irritiert. In der Regel belästigte McGregor sie nicht mit den Details wirtschaftlicher Zusammenhänge.

»Das ist doch nichts Neues.«

»In diesem Fall ist die Lage ungleich riskanter, weshalb ich die Entscheidung, wie wir vorgehen, nicht allein treffen will. Es geht schließlich um Ihr Geld.«

»Was schlagen Sie vor?«

»Wir haben zwei Möglichkeiten. Entweder die Nerven behalten und die Anlagen bis auf einige wenige halten oder aber mit den Wölfen heulen und so viel wie möglich absetzen.«

»Letzteres bringt uns auf die sichere Seite«, entgegnete Felicitas. »Doch wir machen einen fetten Gewinn, wenn wir genau das nicht tun. Richtig?«

»Richtig.«

Angesichts der Millionen, die der neue Werbefeldzug insgesamt verschlungen hatte und noch verschlingen würde, zögerte Felicitas nicht lange. Ich kann es mir gar nicht leisten, nicht noch mehr Geld zu verdienen, schoss es ihr durch den Kopf. Zum ersten Mal sah sie in aller Klarheit, welches Risiko sie eingegangen war und welche Konsequenzen das für sie und ihre Familie haben könnte. Eine Welle der Panik nahm ihr den Atem, kalter Schweiß stand ihr auf der Stirn.

»Halten«, sagte sie leise.

McGregor lachte anerkennend. »Das nenne ich Sportsgeist.«

Felicitas legte auf. Ihre Hände waren schweißnass. Ihr Blick fiel auf das Porträt von Heinrich, das sie hatte anfertigen lassen und das jetzt neben den Gemälden von Gustav und dessen Vater in ihrem Büro hing. Ich hoffe, ich tue das Richtige, dachte sie und starrte die Gesichter an, die ihren Blick tot und stumm erwiderten. Sie stieß den Stuhl beiseite, nahm ihre Tasche und verließ das Kontor, als wäre sie auf der Flucht. Steffen war es, den sie brauchte, der ihr helfen konnte, sich zu beruhigen, seine Umarmung und die zärtlichen Worte, die ihr stets das Gefühl gaben, die einzige Frau auf der Welt zu sein.

Steffen öffnete, und sie ging aufseufzend an ihm vorbei.

»Was für ein Tag«, murmelte sie und ließ sich auf das dunkelblaue Chintzsofa fallen, auf dem sie sich ungezählte Male geliebt hatten, weil der Weg ins Schlafzimmer häufig zu weit für ihre Leidenschaft war. Überall lagen Plakate und Fotos herum – Felicitas, Doña Isabella, Maria Simon. Lilian Harvey hatte kein Interesse an einer Reklamerolle gezeigt, aber Maria Simon, ein aufstrebender, bereits recht bekannter Filmstar, hatte die Chance erkannt, ihren Namen mithilfe der Kaffeewerbung buchstäblich in alle Munde zu bringen.

Steffen fuhr sich mit der Hand durchs Haar. »Ein Glas Wein?«

Felicitas nickte, obschon sie wusste, dass der Alkohol ihr

sofort zu Kopf steigen würde, weil sie zu wenig gegessen hatte.

Sie prosteten sich zu, und Felicitas begann von dem Gespräch mit McGregor zu erzählen, von ihrer Besorgnis und ihren Zweifeln.

»Ich frage mich immer wieder, was Heinrich getan hätte, und denke gleichzeitig ...«, sie stockte und suchte nach Worten, »dass es an der Zeit ist, die Entscheidungen allein zu treffen.« Sie hob den Kopf und sah Steffen mit Tränen in den Augen an. »Ich muss Abschied von Heinrich nehmen. Kannst du das verstehen?«

Steffen nickte und wischte ihr zärtlich die Tränen fort.

Der Zug ratterte durch die Nacht. Felicitas lag auf dem schmalen Bett ihres Abteils und versuchte Umrisse der dahinfliegenden Landschaft auszumachen, doch alles, was sie erblickte, war ihr eigenes Gesicht, das sich in den Fenstern spiegelte. Schließlich fiel sie in einen unruhigen Schlaf. In Frankfurt musste sie umsteigen. Es war zwar erst sieben Uhr morgens, doch es schien ihr, als wäre bereits die ganze Stadt auf den Beinen. Der Bahnhof wimmelte von Reisenden, die Gepäckträger waren allesamt wie die Maulesel beladen, und Felicitas hatte Mühe, sich mit ihrem Koffer zu dem Gleis durchzukämpfen, das ihr genannt worden war. Die zehn Stunden, die noch vor ihr lagen, erschienen ihr wie eine zähe Masse verrinnender Minuten. Weder Lektüre noch gelegentliche Unterhaltungen mit den Abteilnachbarn vermochten sie zu zerstreuen. Immer wieder blickte sie auf die Landkarte in ihrer Hand und rief sich in Erinnerung, was der freundliche Mann von der Kriegsgräberfürsorge ihr mit auf den Weg gegeben hatte.

»Wenn Ihr Mann bei der alliierten Gegenoffensive bei Amiens gefallen ist, liegen seine sterblichen Überreste möglicherweise in Moulin-sous-Touvent oder Vermando-villers.« Er hatte Felicitas bekümmert angesehen und hinzugefügt: »Aber gesagt ist das nicht. Bis heute werden bei Erdarbeiten ... nun ja, es werden immer wieder Tote geborgen.«

In Compiègne stieg Felicitas aus. Ein Taxifahrer, der vor dem kleinen Bahnhofsgebäude auf Kundschaft wartete und sich vor Freundlichkeit zunächst überschlug, aber, als er den deutschen Akzent hörte, in mürrisches Schweigen verfiel, fuhr sie zum Hotel Concorde, wo sie von Bremen aus ein Zimmer bestellt hatte.

Das weiß gestrichene Häuschen entpuppte sich als Pension, die Inhaberin als quirliges Temperamentsbündel mittleren Alters und gewaltiger Konfektionsgröße. Madame Sauvert ließ sich von Felicitas' mageren Französischbrocken nicht abschrecken und machte ihr lachend und mit Händen und Füßen klar, dass ein angenehmes Bad und danach Salat, gegrilltes Hühnchen und frisches Baguette auf sie warteten. Offensichtlich machte Madame Sauvert im Gegensatz zu dem Taxifahrer nicht Felicitas für den Ersten Weltkrieg verantwortlich, und sie begann sich ein wenig wohler zu fühlen.

Am nächsten Morgen fragte sie nach einem Taxi, das sie zunächst nach Moulin-sous-Touvent bringen sollte. Madame Sauvert begriff, zögerte einen Moment, band sich schließlich die Schürze ab und schickte einen unverständlichen Schwall französischer Worte in den ersten Stock. Eine Tür knarrte, Monsieur Sauvert brummte ein »d'accord« hinunter, und Madame nickte befriedigt.

»Bon«, sagte sie zu Felicitas und gab ihr zu verstehen, ihr zu folgen. Madame wuchtete sich in einen grauen Citroën, Felicitas setzte sich zögernd auf den Beifahrersitz. Schweigend fuhren sie durch kleine Dörfer und eine Landschaft, die sich nur ganz allmählich von den Wunden erholte, die tausende von Granaten und Bomben gerissen hatten. Zartes Grün begann sich über das Braun toter Erde zu legen und Meter für Meter wiederzubeleben. Nach zwanzig Minuten hatten sie Moulin erreicht. Madame Sauvert hielt vor dem Eingang des Soldatenfriedhofs und nickte Felicitas zu.

Das Gelände war mit Bäumen und Büschen bepflanzt, einige Männer waren damit beschäftigt, das Gräberfeld mit einer Hecke einzufrieden. Weiße Kreuze leuchteten sanft, als wäre eine Wolke vom Himmel gestürzt und in genau die tausendneunhundertdrei Teile zerbrochen, die es brauchte, um jedem Kriegstoten ein Stück Himmel mit auf seinen Weg zu geben. 1920, das hatte der Mann von der Kriegsgräberfürsorge ihr erzählt, hatten die französischen Militärbehörden Moulin-sous-Touvent als Sammelfriedhof angelegt, um die deutschen Toten aus Feldgräbern und provisorischen Gräberstätten aus fünfundzwanzig Kilometern Umfeld aufzunehmen. Viele Soldaten vom Infanterie-Regiment Bremen Nr. 75 waren 1914 in diesem Gelände gefallen, aber auch die deutschen Angriffe auf Amiens, Reims und Soissons und schließlich die alliierte Gegenoffensive hatten Leben um Leben auf beiden Seiten gekostet.

Felicitas ging durch die Reihen der Kreuze, unbehelligt von den Männern, die ihr nur ab und an einen Blick zuwarfen und sich dann wieder ihrer Arbeit widmeten. Vor dem Grab eines unbekannten Soldaten blieb sie stehen. Mitgefühl stieg in ihr auf mit diesem Unbekannten und den Menschen, die vielleicht um ihn weinten. Das Gefühl verebbte und ließ einer Unbestimmtheit Platz, als hätte Heinrich mit alldem hier nichts zu tun. Nichts mit diesem Grab, nichts mit Moulin, ja, irgendwie noch nicht einmal etwas mit diesem Land.

Sie verließ den Friedhof, ohne sich noch einmal umzudrehen.

»Ich wollte die Luft atmen, die er geatmet hat, und die Landschaft sehen, die er gesehen hat, aber ich habe mich ihm nicht näher gefühlt als in Bremen. Ich weiß nicht einmal mehr, warum ich diese Reise unternommen habe.« Felicitas blickte aus dem Fenster. In der Ferne schimmerte die strahlend weiße Kuppel von Sacré-Cœur. »Ich habe mich schon vor langer Zeit von Heinrich verabschiedet, ich habe es mir nur nicht eingestehen wollen. Was geblieben ist, ist ein sanftes Gefühl voller Frieden, eine andere Art der Liebe, aber die wird immer sein, ob sein Leichnam jemals gefunden wird oder nicht.«

»Hör auf, dich zu quälen.« Dorothee blickte Felicitas fest in die Augen. »Heinrich ist Vergangenheit. Du hast Glück, in Steffen einen Mann gefunden zu haben, der dich so sehr liebt, dass er dich sogar allein nach Frankreich reisen lässt, um von einem anderen Abschied zu nehmen.« Felicitas sah ihre Cousine verblüfft an. So viel Entschiedenheit war sie von ihr nicht gewohnt. Dorothee lächelte mit leisem Amüsement in den Augen, stand auf und öffnete die großen Fenster. Sofort fluteten Lärm und vibrierende Lebensfreude vom nahe gelegenen Boulevard St. Michel hinauf in den dritten Stock. Die Haustür klappte, und Dorothee fuhr herum. »Entschuldige mich bitte einen Augenblick. Du bist nicht der einzige Überraschungsgast.«

Dankbar für den Moment des Alleinseins, lehnte Felicitas sich zurück und betrachtete die genialisch anmutende Unordnung in dem großzügig möblierten Salon. Pierres Flügel dominierte den sonnendurchfluteten Raum. Die Möbelpacker werden schön geflucht haben, als sie ihn heraufwuchten mussten, dachte Felicitas und lächelte. Überall lagen Noten und zerfledderte Folianten herum, Stapel von Büchern, wertvolle Erstausgaben neben schmalen Lyrikbändchen. Große Kissen mit persisch gemustertem Stoff lagen auf der Erde, drei benutzte Weingläser und heruntergebrannte Kerzen erzählten vom vergangenen Abend und davon, wie sehr Dorothee sich verändert hatte. Das schüchterne Mädchen, das sich vor jeder Maus fürchtete, gab es nicht mehr. Die Atmosphäre der französischen Metropole, jenes berühmte Savoir-vivre, das man in Bremen nicht einmal buchstabieren konnte, hatte sie mit einer Portion Gelassenheit und Selbstbewusstsein infiziert.

Stimmen drangen vom Flur in den Salon und rissen Felicitas aus ihren Gedanken. Schließlich öffnete sich die Tür.

»Nun komm schon«, sagte Dorothee und trat einen Schritt zur Seite.

»Guten Tag, Felicitas«, sagte Constanze.

Felicitas fuhr hoch. Schweigend musterten sie sich, als wüssten sie nicht, ob sie sich an die Gurgel gehen oder um den Hals fallen sollten.

»Wo ist Alexander?«, stieß Felicitas hervor, und ein eisiger Schreck befiel sie, als ihr klar wurde, dass die Frage womöglich völlig deplatziert war. »Entschuldige, ich weiß ja nicht einmal …«

»Ob er noch lebt, nicht wahr?« Constanze zuckte mit den Schultern. »Woher auch? Aber keine Sorge, er treibt sich in der Stadt herum. Er ist völlig aus dem Häuschen, hingerissen von Paris …«

»Und … Sergej?« Felicitas ging einen Schritt auf ihre Cousine zu. Constanze trug ein schlichtes graues Leinenkleid und wirkte schmaler als früher, die braunen Haare, in denen sich schon Grau zeigte, waren zu einem Knoten geschlungen. Wenig erinnerte an das selbstgefällige, mutwillige Geschöpf von einst, aber in ihrem abwartenden, fast abschätzigen Blick spiegelte sich die Constanze, die sie gekannt hatte. Die vielen Jahre, die zwischen ihnen lagen, zerrannen zu einem Nichts. Felicitas sah sich in Sorau an Constanzes Krankenbett stehen und den kleinen Alexander halten. Wut stieg in ihr auf, weil Constanze sich einfach aus dem Staub gemacht und sie alle in Sorge zurückgelassen hatte, doch die Wut wurde zurückgedrängt von einer Ahnung, dass sie beide, jede auf ihre Art, versucht hatten ihren Weg zu finden und dafür getan hatten, was sie als richtig erachteten. Wem stand es zu, darüber ein Urteil zu fällen?

»Das ist eine lange Geschichte«, antwortete Constanze.

»Und wir haben viel Zeit«, sagte Dorothee und öffnete geschickt eine Flasche Rotwein. »À votre santé, mesdames!«, rief sie und ließ sich auf eins der Kissen fallen, ihre Schwester und ihre Cousine erwartungsvoll ansehend. Constanze und Felicitas taten es ihr nach. Während sie zunächst zögerlich, dann immer schneller und bunter erzählten, fiel die Sonne wie eine reife Apfelsine vom Himmel ins Pariser Häusermeer und tauchte den Salon in eine Woge aus Gold und Orange. Die drei merkten nicht, wie die Stunden dahinflogen. Der Rotwein und die Abenteuer ihrer Leben hatten sie beschwipst.

»Es ist wie damals, als wir auf den Betten lagen und uns kichernd unsere Jungmädchen-Geheimnisse anvertrauten«, sagte Felicitas.

»Ja, aber ich habe immer das Gefühl gehabt, gegen dich kämpfen zu müssen, Felicitas«, bekannte Constanze. »Deshalb sind wir von Sorau auch erst nach Paris gefahren. Ich … wollte die Dinge zwischen Dorothee und mir in Ordnung bringen. Ich bin nicht sicher, ob wir nach Bremen gefahren wären.«

»Du musst nicht gegen mich kämpfen«, erwiderte Felicitas, »das besorge ich schon ganz allein.«

»Darin sind wir uns ähnlich.« Constanze sah Felicitas herausfordernd an, lächelte aber dabei und wandte ihren Blick dann Dorothee zu. »Ich bin sehr froh, dass es dir besser geht«, sagte sie leise.

Dorothee nickte. »Es gibt Momente, in denen ich mir selbst plötzlich nicht mehr vertraue und mich fürchte, dass mich die alte Geschichte wieder einholt. Dann fühle ich mich wie gelähmt und außerstande, irgendetwas zu tun. Einmal …« Sie stockte. »… war ich auf dem Weg ins Konservatorium zum Vorspielen … Es war furchtbar. Aber diese Momente werden immer seltener. Irgendwann wird es vorbei sein.«

Sie schwiegen eine Weile. Schließlich fragte Felicitas: »Was wirst du jetzt tun, Constanze?«

»Ich weiß es nicht. Alexander soll in vier Wochen mit der Militärakademie beginnen. Und Fjodor möchte, dass wir heiraten. Aber Mutter hat mich inständig gebeten, in Sorau zu bleiben. Und Papa … Es tut so weh, ihn so … hilflos zu sehen.« Sie schluchzte leise auf, riss sich aber sofort wieder zusammen und putzte sich die Nase. »Nein, ich muss herausfinden, was ich selbst will. Ich habe lange genug die Träume eines anderen gelebt.«

Nach einer Woche verließ Felicitas Paris, nicht ohne Constanze das Versprechen abgenommen zu haben, gemeinsam nach Sorau zu reisen, bevor sie – falls sie – wieder in die Sowjetunion zurückkehren würde, was Felicitas bezweifelte. Die Spaziergänge im Bois de Boulogne, das Umherstreifen zwischen Bouquinisten an der Seine und Cafés auf den Champs-Élysées, die Rotwein-Abende mit Pierre und seinen Freunden im Quartier Latin – all dies hatte Constanze einen Schimmer leiser Mutwilligkeit in die Augen gezaubert. Und nicht nur ihr. Auch Felicitas ließ sich von der flirrenden Leichtigkeit der Stadt anstecken, die bunten Lichter und inspirierenden Eindrücke jagten wie ein Elixier durch ihre Adern.

Gestärkt und guter Dinge traf Felicitas in Bremen ein. Ein Berg unerledigter Arbeit wartete auf sie, aber anders als noch vor kurzem beharrte sie nicht darauf, alle Aufgaben selbst zu tun in der Annahme, nur sie allein würde ihren hohen Erwartungen gerecht. Sie bestellte Hausenberg und dessen Assistenten zu sich ins Büro und teilte die Aufgaben unter ihnen auf, bis auf das, was mit McGregor besprochen werden musste. Unmittelbar nach der Eröffnung des Kunstparks hatte sie vor, nach Berlin zu reisen, um einen Gedanken, der sie seit Paris nicht mehr losgelassen hatte, in die Tat umzusetzen – alles zu verkaufen bis auf das Kaffeeunternehmen. Mit dem Erlös würde sie einen neuen Vorstoß unternehmen, die Löhne der Arbeiter in Bremen wie in Brasilien anzuheben. Das Dickicht des Konsortiums war ihr schon lange über den Kopf gewachsen. Es wurde Zeit, sich davon zu befreien und sich auf das zu konzentrieren, wofür sie sich wirklich interessierte und was dazu beitrug, ihrer Verantwortung als Arbeitgeberin mehr als zuvor gerecht zu werden. Die Aussicht beglückte sie und verlieh ihr das Gefühl, ihrem Leben die richtige Wendung zu geben. Die Schatten der Vergangenheit lagen endlich hinter ihr.

Es klopfte. Elias Frantz steckte den Kopf herein, ohne auf Felicitas' Aufforderung zu warten.

»Der Kaffee von dieser Anaiza ist da!«, rief er atemlos. »Und ich muss schon sagen, Sie hatten den richtigen Riecher. Er ist einfach exzellent!« Er trat ein, eine Kanne und zwei Tassen schwenkend. »Sie müssen ihn unbedingt probieren. Er ist weich und würzig. Wir müssen ihn nicht einmal mit anderen mischen, weil er nicht den Hauch von Rio-Geschmack aufweist.«

»Gott sei Dank«, sagte Felicitas. Der berüchtigte Rio-Geschmack entstand in manchen Saisons, wenn Mikroorganismen sich über die Kaffeekirschen hermachten und dem Kaffee ein seltsames jodhaltiges Aroma verpassten, das nur mithilfe der Beimischung anderer Sorten überdeckt werden konnte. Sie nahm einen Schluck Kaffee. »Er ist perfekt.«

Frantz strahlte sie an. »Wenn Sie mir die Bemerkung gestatten, Frau Andreesen, Sie können verdammt stolz auf sich sein!«

Am Morgen des 28. September 1929 um acht Uhr in der Früh stand Felicitas vor dem Eingangsportal des Kunstparks. Sie hatte sich für ein schlichtes schmiedeeisernes Tor entschieden und auf einen Namen, der eigentlich in einem großzügigen Bogen darüber montiert werden sollte, verzichtet. »Es ist, was es ist«, hatte sie der Presse gestern beschieden. »Im Übrigen wird der Volksmund schon etwas Passendes finden. Schließlich heißt das Wasserwerk auf dem Stadtwerder auch nicht Wasserwerk, sondern umgekehrte Kommode.« Einige hatten beifällig gelacht, weil das 1873 vollendete Bauwerk tatsächlich so aussah und auch so genannt wurde, andere skeptisch die Augenbrauen gehoben, doch das war Felicitas gleich. Der Park war vollendet, endlich, und wurde seiner Bestimmung übergeben. Das war es, was zählte.

Morgennebel hüllte das Gelände in einen feinen weißen Schleier, die Pavillons und Häuser wirkten wie aus einer anderen, verwunschenen Welt. Felicitas folgte den gewundenen Pfaden und genoss das Gefühl, zum letzten Mal den Park für sich allein zu haben. Ab morgen würden Besucher aller Generationen, vom Kind bis zum Greis, hier umherstreifen, sich treiben und verzaubern lassen, Ge-

mälde betrachten, Jongleurinnen zusehen, bei Theater-
spielen mitwirken, im brasilianischen Plantagenhaus Anaizas Kaffee trinken oder bei den aztekischen Öfen, die im
Winter brennen sollten, eine kleine Rast einlegen. Bei den
Ahornbäumen, die das Yin-Yang-Symbol bildeten, blieb
sie stehen und atmete tief durch. Der Park würde ein Erfolg werden, daran bestand kein Zweifel.
Aufgeregte Stimmen rissen sie aus der Stille ihrer Gedanken. Eine Flut von Menschen, alle in Weiß gekleidet,
strömte vom Portal Richtung Plantagenhaus. Jeder trug
mindestens eine silberne mit weißem Leinen abgedeckte
Platte, andere schleppten Holzkisten mit Gläsern, Service
und Besteck. Sie winkte den Leuten zu und zog sich in den
Theaterpavillon zurück, um ihre Eröffnungsrede noch einmal durchzugehen. Keine zehn Pferde hätten sie wieder in
die Villa gebracht. Vorgestern waren ihre Mutter und Martin, gestern Pierre und Dorothee, erstaunlicherweise mit
Constanze und Alexander, eingetroffen, und die Familie,
selbst Gesa, fieberte dem Ereignis entgegen und machte
Felicitas ganz nervös. Nein, da war es wirklich besser für
ihre Nerven, sich die Zeit bis zur offiziellen Eröffnung in
Gesellschaft des Ferrik'schen Nachlasses zwischen alten
Theaterkostümen, Fotos und Schminktöpfchen zu vertreiben.
Vor einem Spiegel blieb sie stehen. Bald würde so mancher, der von der Bühne träumte, hier Platz nehmen und
sich mit den Requisiten für ein perfektes Bühnengesicht
vertraut machen. Felicitas lächelte. Dora Henning und einige andere Schauspielerinnen hatten sich bereit erklärt,
den Unterricht wechselweise zu übernehmen, als Referenz
an ihre verstorbene Lehrerin. Felicitas öffnete eine Puderdose und schnupperte. Der Duft zog sie zurück in die Jahre, da sie ihrer Mutter in der Garderobe des Schauspiel-

hauses atemlos beim Schminken zugeschaut und fest daran geglaubt hatte, auch ihr, Felicitas, würde eines Tages das Publikum zu Füßen liegen. Sie schloss die Dose wieder, und ihr Blick fiel in den Spiegel. Ihr aschblondes Haar wellte sich bis zu den Schultern, die feinen Linien um Mund und Augen zeugten von verlorenen Träumen, unerfüllten Erwartungen, Anstrengungen und Kämpfen. Doch ihre aquamarinblauen Augen hatten nichts von ihrem kühlen Glanz verloren. Sie zwinkerte sich zu und zog die rote Kostümjacke glatt. »Vorhang auf«, sagte sie leise und verließ den Pavillon und die Erinnerungen.

Die Sonne hatte den Nebel bezwungen und ließ die Gäste blinzeln, die den Park mit einem Schlag zu ihrem machten. Das Kaffeehausorchester spielte einen Tango, ein Sänger mit dünnem Bärtchen schluchzte »Blue Mountain Coffee«, und Pierre winkte ihr fröhlich mit seinem Violinbogen zu.

Felicitas hatte ohne Rücksicht auf vergangene Fehden Freunde, Wegbegleiter, Geschäftspartner und Senatoren eingeladen, um sie an diesem Ereignis teilhaben zu lassen, selbst Hendrik Nussbaum und Anton und Désirée hatte sie nicht ausgeschlossen. Es war ein großer Tag, und Felicitas hatte nicht vor, ihn durch Kleinlichkeit zu verderben. Sie konnte es sich leisten, Größe zu zeigen. Wer damit ein Problem hatte, sollte eben wegbleiben. Gerade traf Bernhard mit zwei Blondinen links und rechts ein, von denen eine der anderen glich wie ein Ei dem anderem. In den letzten Wochen war er ihr nicht gerade eine Hilfe gewesen, aber sei's drum. Der Park war zu einem Gutteil sein Verdienst, und das würde sie in ihrer Rede gebührend unterstreichen. Als sie Steffen erblickte, wurden ihre Knie weich. Sie warf ihm eine Kusshand zu und rief einem Reporter, der den Weg ihrer zärtlichen Geste neugierig verfolgte, übermütig zu: »Sparen Sie sich Ihre Frage. Die Antwort ist Ja.«

Die Kapelle spielte den verabredeten Tusch. Felicitas straffte sich und bestieg das Podium. Lächelnd ließ sie ihre Blicke über die Köpfe der dreihundert Gäste schweifen und wartete, bis man kaum noch eine Stecknadel hätte zu Boden fallen hören.

»Sehr verehrte Damen und Herren, liebe Freunde, meine liebe Familie«, begann sie und führte die Anwesenden mitreißend und prägnant von der ersten Idee zum Park bis zu seiner heutigen Einweihung. »Und damit niemand vergisst, dass der Name Andreesen immer noch und vor allem mit Kaffee verknüpft ist, präsentieren wir Ihnen jetzt zwei Neuheiten aus unserem Hause: einen Kinofilm«, dabei ging ein Raunen durchs Publikum, »und eine ganz besondere Kaffeesorte, The Taste of Anaiza.«

Applaus brandete auf, und sofort drängten die Ersten zum Eingang des Plantagenhauses, um zu sehen, was es mit dem Zelluloid-Werk auf sich haben mochte. Da das Haus nur Platz für jeweils fünfzig Gäste bot, wurde gleichzeitig damit begonnen, die Häppchen zu servieren und Anaizas Kaffee auszuschenken.

»Köstlich!«, hörte Felicitas. »Ein bisschen stark, nicht wahr?« – »Was ist daran besonders? Schmeckt wie jeder Kaffee.« – »Spiel dich nicht auf, du hältst doch auch Kutteln für Kaviar.« Und immer wieder: »Köstlich, wirklich köstlich!« Später mischten sich die Ersten darunter, die den Film bereits gesehen hatten und nun eifrig, ablehnend, enthusiastisch oder verblüfft berichteten, was sich »Frau Andreesen da hat einfallen lassen«. – »Bahnbrechend!« Oder: »Interessant, aber was soll's?« Oder: »Man wird die Uhr danach stellen können, wann die geschätzten Hamburger Kollegen nachziehen werden.« Und, leise: »Ein

echtes Klasseweib, diese Andreesen. Mut wie ein Kerl!« –
»Aber hübscher.«

Gelächter, Gemurmel und die Musik lagen über dem Park
wie eine schützende Glocke aus hellen und dunklen Tö-
nen. Felicitas schlängelte sich durch die Reihen, blieb hier
stehen und umarmte dort, plauderte eine Weile und nahm
Glückwünsche entgegen. Sie schwebte wie auf Wolken.
Nur Steffen fehlte, um dieses Glücksgefühl, das sie durchflutete, vollkommen zu machen, aber im Meer der fein gekleideten Menschen konnte sie ihn nicht entdecken.

Suchend blickte sie sich um.

Zwei Kaffeetassen in der Hand, stand er plötzlich neben
ihr. Seine grünen Augen blickten sie mit so viel Liebe an,
dass es ihr fast den Atem nahm. »Auf die Zukunft«, sagte
er, hob die Tasse und prostete ihr zu.

»Ja«, erwiderte sie, »auf die Zukunft.«

»Gehen wir nach Hause?«

Felicitas nickte.

Ja, das war es, was wirklich zählte. Sie lächelte und nahm
Steffens Hand.